KALBŲ ŽODYNAS

(25 000 žodžių)

LITHUANIAN – ENGLISH
ENGLISH – LITHUANIAN
DICTIONARY

Vilnius

LEIDYKLA
sirokas

2011

UDK 801.3=882=20
Pi27

ISBN 978-609-8057-00-3

APIE ŽODYNO SANDARĄ

Žodynas sudarytas lizdine sistema. Žodyne ir jo lizde laikomasi abėcėlinės tvarkos. Lizdo pagrindinis žodis arba jo dalis, pasikartojanti išvestiniuose žodžiuose, žymimi tilde (~). Pagrindinio lizdo žodžio dalis, pasikartojanti išvestiniuose ar giminінguose žodžiuose, atskiriama nuo galūnės ar likusios dalies vienu statiniu brūkšniu (|). Lizdo pirmasis žodis bei išvestiniai giminingi žodžiai pateikiami mėlynu šriftu.

Iš išvestinių žodžių mažai įdėta prieveiksmių, nes jie daugiausia sudaromi iš būdvardžių, pridedant priesagą *-ly*, pvz., **active** aktyvus, o „aktyviai" galima pasidaryti iš *active*, pridedant minėtą priesagą *-ly* – **actively.** Veiksmažodinių daiktavardžių su priesaga – *ing* irgi mažai įdėta, nes jie lengvai sudaromi iš bendraties, pridedant priesagą – *ing*, pvz., **push** stumti, o „stūmimas" – **pushing.** Žodyne nepateikiami priešdėlėti veiksmažodžiai, jei jie į anglų kalbą verčiami taip pat, kaip ir atitinkami pagrindiniai veiksmažodžiai. Netaisyklingai kaitomi žodžiai pažymėti žvaigždute (*), išskyrus **be, do, have.**

Žodyne dažnai nurodomi prielinksniai, su kuriais tas ar kitas žodis vartojamas, pvz.: **insist** (on, upon)...: **bijoti** be afraid (of)... ir pan.

Homonimai išskirti į atskirus lizdus ir sužymėti romėniškais skaitmenimis (I, II ir t.t.). Sinonimai skiriami kableliu, skirtingi prasmės atspalviai – kabliataškiu, o skirtingos prasmės bei prasmių grupės – arabišku skaitmeniu su lenktiniu skliaustu [1), 2) ir t.t.]. Žodžių prasmių aiškinimai duodami skliaustuose kursyvu. Įvardis *one's* angliškuose žodžių junginiuose pagal asmenį ir skaičių keičiamas į *my, his, her, its, our, your, their,* o įvardis *oneself* – į *myself, yourself, himself, herself, itself, ourselves, yourselves, themselves.*

Žodis, žodžio ar posakio dalis, esantys lenktiniuose skliaustuose, nėra privalomi. Įžambus brūkšnys (/) reiškia „arba" ir dedamas tarp žodžių, galinčių vienas kitą pakeisti žodžių junginyje.

Iliustraciniai pavyzdžiai ir frazeologizmai pateikiami retintu šriftu.

Idiomos pateikiamos po rombo (◊) ženklo.

Žodyno gale pateiktas geografinių vardų sąrašas.

Angliški žodžiai anglų - lietuvių kalbų žodyno dalyje transkribuojami, o lietuvių - anglų dalyje nurodoma pagrindinio kirčio vieta.

SUTRUMPINIMAI

Angliški:

a **adjective** būdvardis
adv **adwerb** prieveiksmis
attr **attribute** pažyminys
cj **conjunction** jungtukas
etc **et setera** ir taip toliau
inf **infinitive** bendratis
int **interjection** jaustukas, ištiktukas
n **noun** daiktavardis
num **numeral** skaitvardis
pl **plural** daugiskaita
prep **preposition** prielinksnis
sing **singular** vienaskaita
smb **somebody** kažkas, kas nors (*apie gyvus subjektus*)
smth **something** kažkas, kas nors (*apie negyvus daiktus*)
v **verb** veiksmažodis

Lietuviški:

amer. amerikanizmas
anat. anatomija
aut. automobilis
av. aviacija
bažn. bažnyčia
biol. biologija
bot. botanika
bdv. būdvardis
chem. chemija
dgs. daugiskaita
dkt. daiktavardis
dll. dalelytė
džn. dažnai, dažniausiai
ekon. ekonomika
el. elektrotechnika, elektra
filos. filosofija
fiz. fizika
fon. fonetika
geogr. geografija
geol. geologija
glžk. geležinkelio terminas
gram. gramatika
jng. jungtukas
jūr. jūrinis terminas, laivyba
kalb. kalbotyra
kar. karybos terminas
komp. kompiuteris
lit. literatūra
mat. matematika
med. medicina
men. menas
mok. mokykla; mokyklinis žodis
muz. muzika
pan. panašiai
papr. paprastai
perk. perkeltinė prasme
plg. palygink
polit. politinis terminas
prl. prielinksnis
prv. prieveiksmis
sport. sporto terminas
sutr. sutrumpinimas, santrumpa
šachm. šachmatai
šnek. šnekamosios kalbos žodis ar posakis
teatr. teatro terminas
tech. technika, mechanika
teis. teisės
t. p. taip pat
vart. vartojama(s)
vns. vienaskaita
vulg. vulgariai
zool. zoologija
žr. žiūrėk
ž. ū. žemės ūkis

LIETUVIŲ KALBOS ABĖCĖLĖ

Aa (Ąą)
Bb
Cc
Čč
Dd
Ee (Ęę, Ėė)
Ff
Gg
Hh
Ii (Įį, Yy)
Jj
Kk
Ll
Mm
Nn
Oo
Pp
Rr
Ss
Šš
Tt
Uu (Ųų,Ūū)
Vv
Zz
Žž

A, Ą

abėcėl|ė álphabet, ABC; **~inis** alphabétical; **~iškai** in alphabétical órder, alphabétically
abejing|as indífferent (to); **~umas** indífference
abejo|jimas, ~nė doubt; be ~nės undóubtedly; **~ti** doubt; **~tina** it is dóubtful; **~tinas** dóubtful, quéstionable
abipus on both sides; **~is, ~iškas** mútual; recíprocal
abiturient|as, ~ė schóolleaver; sécondary-school gráduate
abonementas subscríption (to, for); séason tícket (*į teatrą ir pan.*)
abonent|as subscríber; telefono ~ų knyga télephone diréctory book
abrikosas ápricot
absoliut|inis, ~us ábsolute
abstrak|cija abstráction; **~tus** ábstract
abu(du), abi(dvi) both; (*bet kuris*) éither
actas vínegar
ačiū thanks, thank you
ad|ata néedle; **~yti** darn
administr|acija administrátion; mánagement; **~acinis** admínistrative; **~atorius** mánager; admínistrator
admirolas ádmiral
adres|as addréss; ~ų biuras addréss búreau; ~ų knyga diréctory; **~atas** addressée; **~uoti** addréss, diréct
adventas Ádvent
advokatas bárrister; (*gynėjas*) láwyer
aero|bika aeróbics; **~dromas** áirfield, áerodrome; **~klubas** flýing club; **~statas** ballóon
afiš|a bill, póster; **~uoti** ádvertise
Afrika África
afrikiet|is, ~ė, ~iškas África**n**
agent|as ágent; **~ūra** 1) ágency; 2) (*šnipai*) sécret sérvice
agit|acija propagánda, agitátion; **~atorius** propagándist, ágitator; **~uoti** (*už, prieš*) ágitate (for, agáinst), cárry on propagánda (for, agáinst)
agonija ágony
agrastas góoseberry
agres|ija aggréssion; **~yvus** aggréssive; **~orius** aggréssor
agronom|as agrónomist; **~ija** agrónomy; **~inis** agronómical
aguona póppy; (*grūdas*) póppyseed
agurkas cúcumber
agurotis (végetable) márrow;

squash *amer.*
ai (*reiškiant skausmą, baimę*) oh!, ah!
aid|as écho; **~ėti** resóund, ring*; (*apie aidą*) écho
AIDS (*liga*) AIDS
aikšt|ė (*miesto ir pan.*) square; (*miško*) glade; (*futbolo*) fóotball field; ◊ iškilti ~ėn come* to light, be revéaled; iškelti ~ėn bring* to light
aikštelė 1) ground; (*žaidimams*) pláyground; sporto ~ (spórts)ground; teniso ~ ténnis court; 2) (*laiptų*) lánding
aimanuoti moan; grieve
air|is Írishman*; **~iškas, ~ių** Írish
aistr|a pássion (for); **~ingas** pássionate
aiškėti grow* clear; clear
aiškin|amasis explánatory; **~imas** explanátion; **~ti** expláin
aišk|u it is clear; **~us** clear; (*ryškus*) distínct
aitrus tart; (*kartus*) bítter
aitvaras (*žaislas*) kite
ak! ah!, oh!
akacija *bot.* acácia
akadem|ija acádemy; Mokslų ~ Acádemy of Scíences; **~ikas** academícian; **~inis** académic
akcent|as áccent; **~uoti** émphasize, stress
akc|ija *ekon.* share; **~ininkas** sháreholder; **~inis**: ~inė bendrovė jóintstock cómpany
akė|čios hárrow *sing*; **~ti** hárrow
aketė ícehole
akibrokštas ráting; affrónt
akimirk|a, ~snis ínstant, móment; ◊ viena ~a in the twínkling of an eye, in a flash
akiniai glásses, spéctacles
akiplėš|a ímpudent féllow/wóman; **~iškas** ímpudent; chéeky *šnek.*; **~iškumas** ímpudence; cheek *šnek.*
akiratis horízon
ak|is 1) eye; ~ies obuolys éyeball; ~ių gydytojas óculist; 2) (*tinklo*) mesh; (*mezginio*) stitch; ◊ iš ~ies appróximately; sakyti tiesiai į ~is say* straight to one's face; už ~ių behínd smb's back; eiti, kur ~ys veda fóllow one's nose; tamsu, nors į ~į durk it is pitch dárk; ~is sudėti (*užmigti*) get* asléep; ~is į ~į face to face
akistata *teis.* confrontátion
akytas pórous, spóngy
akivaizd|a présence; **~us** óbvious, évident

akl | as blind; **~avietė** blind álley; **~ys** blind man*; **~umas** blíndness
aklinai tíght(ly), hermetically
akmen | ingas stóny; **~inis** stone(-); stóny
akm | uo stone; ◊ ~ e n s a n t ~ e n s n e p a l i k t i raze to the ground
akompan | iatorius accómpanist; **~imentas** accómpaniment; **~uoti** accómpany
akord | as *muz.* chord; **~eonas** accórdion
aksioma áxiom
aksomas vélvet
akstinas *perk.* stímulus, incéntive
akt | as 1) act; 2) *teis.* deed; 3) (*dokumentas*) státement; ◊ ~ ų s a l ė assémbly hall; (*mokykloje*) school hall
akti grow*/becóme blind
aktyv | iai áctively; ~ d a l y v a u t i take* an áctive part (in); **~inti** make* more áctive; **~istas, ~ė** áctive mémber; **~umas** actívity; **~us** áctive
aktor | ė áctress; **~ius** áctor
aktualus of présent ínterest; tópical; (*neatidėliotinas*) úrgent
akumuliatorius *fiz.* accúmulator
akustika acóustics
akušerė mídwife*
akvarelė wátercolour
alav | as tin; **~uoti** tin
alban | as, ~ė, ~iškas Albánian
albumas álbum; (*piešiniams*) skétchbook
alegor | ija állegory; **~inis, ~iškas** allegóric(al)
aleliùja allelúia
alergija *med.* állergy
alėja ávenue, path, álley (*parke*)
alga (*darbininkų*) wáges *pl*; (*tarnautojų*) pay, sálary
algebra álgebra
algoritmas *mat.*, *komp.* álgorithm
aliarmas alárm, alért
aliej | inis oil; t a p y t i ~ i n i a i s d a ž a i s paint in oils; **~us** oil
alinė béerhouse; pub *šnek.*
alinti exháust
alio hulló!; helló!
aliuminis alumínium
alyv | a 1) oil; 2) *bot.* ólive; **~os** *bot.* lílac *sing*
alk | anas húngry; **~is** húnger
alkohol | ikas, ~inis alcohólic; ~ g ė r i m a s strong drink; spírits *pl*; **~is** *chem.* álcohol
alksnis *bot.* álder
alkti húnger

alkūnė élbow
alpinistas mountainéer
alpti faint (awáy); swoon
alsuoti breathe (héavily)
altas *muz.* 1) álto; 2) (*instrumentas*) vióla
alternatyv|a, ~us altérnative
altorius áltar
aludė *žr.* **alinė**
alus beer
amalas *bot.* místletoe
amat|as trade, hándicraft; ~ų mokykla vocátional school; **~ininkas** artisán, cráftsman*
ambasad|a émbassy; **~orius** ambássador
ambicingas ambítious
ambulatorija óutpatient clínic; dispénsary *amer.*
Amerika América
amerikiet|is, ~ė, ~iškas Américan
amfiteatras *teatr.* círcle, amphithéatre
amnest|ija ámnesty; *teis.* free párdon; **~uoti** ámnesty
amoralus immoral
amortizacija 1) *ekon.* amortizátion: wear and tear; 2) *tech.* spŕinging
ampulė ámpule
amput|acija *med.* amputátion; **~uoti** ámputate
amžin|ai forévar; **~as** etérnal, everlásting; (*nepertraukiamas*) perptual; ◊ ~ą atilsį rest etérnal; **~ybė** etérnity; **~inkas** contémporary
amž|ius 1) (*šimtmetis*) céntury; 2) (*epocha*) age; viduriniai ~iai the Middle Áges; 3) *šnek.* (*gyvenimas*) life; time; savo ~iuje in one's time
anądien not long agó; the óther day
anaiptol by no means
anąkart that time; then
analiz|ė análysis; **~uoti** ánalyse
analog|ija análogy; **~inis, ~iškas** análogous (to), analógic(al)
anapus on that side, beyónd
an|as, ~a that, that one; *pl* those
anąsyk *žr.* anąkart
anatomija anátomy
ančiukas dúckling
anekdotas ánecdote, fúnny stóry
aneksija annexátion
anga ópening; órifice
angelas ángel
angina *med.* quínsy, tonsillítis
angl|ai the Énglish; ~ų kalba Énglish; the Énglish lánguage; **~as** Énglishman*; **~ė** Énglishwoman*

angliakasys (cóal) miner
angliarūgštė *chem.* carbónic ácid
Anglija Éngland
anglis 1) (*kuras*) coal; 2) *chem.* cárbon
anglišk|ai (in) Énglish; **~as** Énglish
anyta móther-in-law
anketa form, quéstionnaire
anksčiau 1) (*lyginant*) éarlier; 2) (*kažkada*) befóre, fórmerly
ankstesnis éarlier; fórmer
anksti éarly
ankst|yvas, ~us éarly; i š ~ o befórehand
ankštas nárrow; (*apie drabužį, avalynę*) tight
ankštis pod
anonim|as ánonym; **~inis** anánymous
anot accórding to
ansamblis ensémble [á:n'sá:mbl]
ant on, upón
antai there; óver there; k a i p ~ as for ínstance
antakis éyebrow
antausis slap in the face, box on the ear
antena áerial, anténna
antgamtinis supernátural
antgalis tip; point
antibiotikas antibiótic
anticiklonas anticýclone
antikinis antíque; ~ p a s a u l i s antíquity
antikvariatas ántiquárian; (*senų knygų parduotuvė*) sécondhand bóokshop
antinas drake
antipat|ija antípathy; **~iškas** antipathétic
antireliginis antirelígious
antis duck
antisanitarinis insánitary
antkapis tomb, tómbstone
antklodė blánket
antonimas *lingv.* ántonym
antpetis *kar.* shóulderstrap
antpirštis thímble
antplūdis ínflux, rush
antpuolis attáck, assáult
antra in the scond place; sécondly; ◊ ~ v e r t u s on the óther hand
antradienis Túesday
antraeilis sécondary
antrąkart a sécond time, for the sécond time
antraklas|ė sécondform girl; **~is** sécondform boy
antrankis hándcuff
antrarūšis sécondrate
antr|as, ~a sécond
antraštė títle, héading
antrinis sécond; (*ne toks svarbus*) sécondary
antskrydis (*lėktuvų*) air raid
antsnukis (*šuns*) múzzle
antspaud|as seal; stamp;

~**uoti** stamp
anūk|as grándson; ~**ė** grándaughter
anuliuoti annúl; (*skolą, nutarimą*) cáncel
anuomet at that time; ~**inis** of that time; of those times
apač|ia bóttom; iš ~ios from belów; į ~ą, ~ion down, dównwards; ~ioje belów; (*apatiniame aukšte*) downstáirs
apak|imas loss of sight; ~**inti** blind; (*stipria šviesa*) dázzle; ~**ti** get* blind; lose* one's sight
apalp|imas swoon, faint; ~**ti** faint (awáy), swoon
aparatas apparátus; fotografijos ~ cámera
apaštalas *bažn.* apóstle
apatija ápathy
apatin|is lówer; ~ aukštas ground floor; ~iai baltiniai únderclothes; ~ės kelnės dráwers, pants; ~**ukas** pétticoat
apaugti be overgrówn; overgrów*
apauti put on shoes
apčiulpti lick round; lick (*sómewhat, a líttle*)
apčiuop|iamas tángible; pálpable; sénsible; ~**omis** gróping(ly); ~**ti** feel*, grope
apčiupinėti feel*
apdail|a, ~**inimas** fínishing, trímming; ~**inti** fínish, trim (up)
apdairus círcumspect
apdaužyti beat*
apdeg|imas, ~**ti** *žr.* nudegimas, ~ti
apdengti cóver
apdėti 1) put* (round); 2) (*mokesčiais*) tax
apdirbti 1) work (up); treat; 2) (*žemę*) till, cúltivate
apdoroti treat; prócess
apdovano|jimas awárd; (*ordinu*) décorating; ~**ti** awárd; (*ordinu*) décorate
apdrausti insúre
apdriskęs rágged
apdulkėti becóme* dústy
apeigos rite *sing*, céremony *sing*
apeiti 1) go* round; 2) (*įstatymus ir pan.*) eváde; 3) (*sargybą, ligonius, rinkėjus ir pan.*) make* up *ar* go* one's round(s)
apel|iacija *teis.* appéal; ~**iuoti** appéal (to)
apelsinas órange
apendicitas *med.* appendicítis
apetit|as áppetite; gero ~o bon appétit [bošape'ti] (*pr.*)
apgailest|auti regrét; be sórry; ~**avimas** regrét; píty (for)
apgailėtinas regréttable
apgalvoti consíder, think*

óver

apgalvotas wellconsídered; delíberate

apgaubti cóver; wrap up

apgaudinėti cheat; swíndle

apgaul|ė fraud, decéit; **~ingas** decéptive

apgauti decéive; (*sukčiauti*) swíndle

apgavik|as decéiver, cheat, fraud; **~iškas** decéitful, fráudulent; (*niekšiškas*) knávish

apginkluoti arm

apginti defend

apgyvendinti séttle, lodge; (*kraštą*) pópulate

apglėbti *žr.* apkabinti

apgraibomis 1) (*paviršutiniškai*) superfícially; 2) gróping(ly); ieškoti ~ grope (for); eiti ~ grope one's way

apgraužti gnaw (round)

apgręžti turn

apgul|a siege; **~ti** *kar.* besíege

apyaukštis ráther high

apibarstyti *žr.* apiberti

apibarti give* a scólding (to); scold a líttle

apibėgti (*aplink*) run* round

apibendrin|imas generalizátion; **~ti** géneralize

apiberti strew, bestréw

apybraiža *lit.* sketch, éssay

apibrėž|imas definítion; **~tas** définite; **~ti** 1) defíne; detérmine; 2) (*apskritimą*) descríbe

apibūdinti cháracterize; descríbe

apiblukti becóme sómewhat fáded

apie *prl.* 1) abóut; of; 2) (*apytikriai*) abóut; 3) (*aplink*) (a) róund; abóut

apiforminti (*apipavidalinti*) get* up, put* ínto shape

apygarda dístrict; rinkimų ~ eléctoral dístrict

apygeris ráther good; good enóugh

apyilgis ráther long; long enóugh

apykaita: medžiagų ~ *biol.* metábolism

apykaklė cóllar

apylink|ė 1) a small cóuntryside dístrict (*in Lithuania*); 2) **~ės** *pl* surroundings, énvirons

apim|ti embráce; (*turėti savyje*) inclúde, compríse; **~tis** vólume; (*dydis*) size

apynaujis álmost new

apynys *bot.* hop

apipavidalinti get* up, put* ínto shape

apipilnis álmost full

apipilti (*vandeniu*) pour (óver); (*netyčia*) spill* óver

apipjau|styti, ~ti cut* off

apiplėš|imas (*grobimas*) róbbery; **~ti** rob
apiplyšęs rágged
apipulti attáck (*smb*) from all sides
apipurkšti sprínkle; spray
apyrankė brácelet
apysaka stóry, nárrative
apysenis óldish
apyšiltis wármish, lúkewarm
apytaka círcuit; kraujo ~ circulátion of the blood
apytikris appróximate
apyvart|a túrnover; leisti į ~ą put* ínto circulátion
apjuosti gírdle
apkabinti embráce; put* one's arms (round) *šnek.*
apkalbėti slánder
apkaltin|imas accusátion, charge; **~ti** accúse (of), charge (with)
apkarpyti 1) (*medžius*) prune, trim; 2) (*plaukus*) cut*, clip: 3) *perk.* cut* down; curtáil
apkas|as trench; **~ti** dig* round
apkaupti *ž.ū.* hill, earth up
apkeliauti trável all óver
apkerėti bewítch
apkirpti (*plaukus*) cut*
apklaus|a, ~inėjimas interrógatory; (*mokykloje*) quéstioning; **~(inė)ti** intérrogate; (*mokykloje*) quéstion
apklijuoti paste óver; (*apmušalais*) páper
apkloti cóver
apkrauti búrden; (*daiktais*) load all óver
apkrė|sti (*liga*) inféct; **~timas** inféction
apkūnus stout; córpulent
apkūren|imas héating; **~ti** heat
apkur|sti becóme* deaf; **~inti** déafen; (*smūgiu*) stun
apkvaišti becóme*/grow* stúpid
aplaidus cáreless, négligent
aplamai génerally, on the whole
aplank|alas, ~as (*raštams*) file
aplanky|mas vísit; **~ti** call on; vísit
apleisti 1) (*nesirūpinti*) negléct; 2) (*palikti*) leave*; abándon
aplenkti 1) (*būti greitesniam*) outstríp, outrún* ; 2): ~ knygą put* a páper-cover on a book
aplieti pour (óver); (*sutepti*) spill (on)
aplink round; (*aplinkui*) aróund
aplinka surróundings *pl*; envíronment
aplinkybė 1) círcumstance; 2) *gram.* advérbial módifier
aplinkinis surróunding; ~ kelias róundabout way

aplinkui (a)róund
aplodismentai appláuse *sing*
apmąstymas considerátion, thínking óver
apmaud|as annóyance; **~ingas, ~us** annóying
apmauti (*drabužį ir pan.*) put* on
apmirti (*apalpti*) faint; ~ i š b a i m ė s be struck with fear
apmok|amas paid; **~ėjimas** páyment; **~ėti** pay* (for)
apmokestinti tax; rate
apmoky|mas instrúction, tráining; **~ti** teach*; train (in)
apmuš|alas uphólstery; **~ti** 1) (*baldus ir pan.*) uphólster; (*sienas lentomis*) plank; 2) (*apkulti*) beat* (sómewhat, a líttle)
apmuitinti impóse customs
apnuogint|as náked; **~i** bare
apolitiškas indífferent to pólitics
apraminti quíeten/calm a líttle
apranga clothes *pl*, clóthing; (*mundiruotė*) óutfit
apraš|ymas descríption, **~yti** descríbe; **~omasis** descríptive
aprengti dress, clothe
aprėpti 1) (*akimis*) take* in (at a glance); 2) *perk.* inclúde, compríse
aprėžti 1) (*pjauti*) cut* round; 2) (*apriboti*) límit, restríct
apribo|jimas limitátion, restríction; **~ti** límit, restríct
aprimti calm/quíet/séttle down
aprišti tie (round, up); bind* (up)
aprodyti show* (aróund)
aprūkęs smóky, sóoty
aprūpin|imas (*tiekimas*) supplý, provísion; s o c i a l i n i s ~ sócial máintenance; **~ti** supplý (with), províde (with)
apsakymas *lit.* stóry, tale
apsaug|a defénce; (*apsaugojimas*) protéction; (*sargyba*) guard; **~oti** protéct (from), presérve (from)
apsčiai plénty of, lots of; mány (*su dkt. dgs.*); much (*su dkt. vns.*)
apsemti overflów; (*potvynio metu*) flood
apsiašaroti begin* to weep/cry
apsiaust|as cloak; (*neperšlampamas*) máckintosh, wáterproof; (*paltas*) (óver) coat; **~i** 1) (*apsupti*) surróund; *kar.* encírcle; 2) (*skara*) wrap up; **~is** *kar.* siege
apsiauti put* on one's shoes
apsidairyti look round
apsidengti cóver onesélf; be

cóvered
apsidrausti insúre one's life *ar* onesélf
apsidžiaugti be glad/háppy
apsieiti (*be ko*) do withóut
apsigalvoti (*pakeisti savo nusistatymą*) change one's mind
apsigauti be decéived
apsigynimas defénce
apsiginklavimas ármament
apsiginti defénd onesélf; (*apsisaugoti*) protéct onesélf
apsigyventi séttle
apsigręžti turn (round)
apsiimti undertáke* to do (*smth*)
apsijuokti make* a fool of onesélf
apsikabinti embráce
apsikeisti exchánge
apsikirpti have one's hair cut
apsikloti cóver onesélf
apsikrėsti (*liga*) catch*
apsilaižyti lick one's lips
apsilei|dėlis slóven; (*apie moterį t.p.*) sláttern; **~dęs** slóvenly, slátternly; **~sti** become* cáreless/slóvently
apsime|sti preténd; feign; **~timas** preténce
apsinakvoti stay for the night
apsiniaukęs 1) clóudy; 2) *perk.* glóomy
apsinuodyti póison onesélf
apsipilti spill* óver onesélf
apsirengti dress (onesélf); (*apsiaustu ir pan.*) put* on
apsirgti fall* ill (with)
apsirik|imas mistáke; slip; **~ti** make* a mistáke, be mistáken
apsirūpinti províde onesélf (with)
apsiskaičiuoti miscálculate
apsiskait|ęs wellréad; **~ymas** erudítion
apsisprendimas self-determinátion
apsispręsti (*nutarti*) make* up one's mind, decíde
apsistoti 1) (*ties*) dwell* (on); 2) (*viešbutyje*) put* up (at), stay (at)
apsisuk|imas *tech.* revolútion; **~ti** turn (round)
apsišvietęs éducated, enlíghtened
apsitraukti cóver onesélf; get* cóvered
apsitvarkyti 1) (*kambarį*) do a room; tídy up; 2) (*drabužius*) put* (one's clothes) in órder
apsivalgyti overéat* (onesélf)
apsižiūrėti look abóut; (*susigriebti*) remémber súddenly
apskaič|iavimas calculátion; **~iuoti** count up
apskaita 1) *žr.* apskaičiavimas; 2) (*registracija*) registrátion

apskristi fly round
apskrit|ai in géneral, on the whole; **~as** round; **~imas** *mat.* círcle
apskritis dístrict
apsnigti cóver with snow
apspisti surróund
apstatyti (*baldais*) fúrnish
apstoti *žr.* apspisti
apstulb|inti stun, stúpefy; **~ti** be stunned
apstus (*gausus*) abúndant
apsukrus resóurceful; quick
apsukti 1) turn; 2) (*apgauti*) take* in, cheat
apsunkinti 1) búrden; 2) *perk.* make* dífficult; (*trukdyti*) trouble
apsup|imas encírclement; **~ti** surróund; *kar.* encírcle
apsvaig|imas gíddiness; dízziness; (*nuo alkoholio*) intoxicátion; **~ti** get* drunk; *perk.* get* dízzy
apsvarsty|mas discússion; **~ti** discúss, talk óver **apšaudy|mas** fire; **~ti** fire (at); (*artilerijos ugnimi*) shell
apšil|dyti heat, warm; **~ti** warm onesélf; *sport.* warm up
apšmeižti slánder
apšvie|sti 1) light* up, illúminate; 2) (*žmogų*) enlíghten; **~imas** 1) (*veiksmas*) illuminátion; 2) (*šviesa*) light
aptarimas discússion
aptarna|uti (*pvz., pirkėjus*) serve; (*pvz., mašiną*) atténd; **~vimas** sérvice
aptarti discuss
aptaškyti/aptėkšti splash, sprínkle
aptemdy|mas, ~ti *žr.* užtemdy|mas, ~ti
aptiesti cóver; spread* (on)
aptikti discóver; find* (out)
aptingti grow* lazy
aptraukti cóver
aptvėrimas (*tvora*) fence
aptverti (*tvora ir pan.*) fence in; enclóse
apuokas éagleowl
apvalkalas (*priegalvio*) píllowcase; (*baldų ir pan.*) cóver
apvalus round
apvažiuoti go* round
apverkt|i mourn (óver), deplóre; **~inas** deplórable
apversti overtúrn, upsét*
apves|dinti márry; **~ti** (*ką aplink*) lead* (*smb* round)
apvilkti dress, clothe
apvilti disappóint
apvynioti wind* round; wrap up
apvirsti overtúrn; tip óver
apvyti (*siūlus ir pan.*) wind* round
apvogti rob
apžel|dinti plant trees and shrubs; **~ti** be overgrówn;

overgrów*
apžiūr|a review; **~ėjimas** inspéction; examinátion; **~ėti** exámine; view; (*parodą ir pan.*) see*
apžvalga 1) súrvey; 2) (*knygų*) review
apžvelgti 1) look óver; survéy; 2) (*spaudoje*) review
ar 1) (*klausimuose neverčiama*): ~ tu žinai? do you know?; 2) *jng.* (*netiesiog. klausimuose*) if, whéther; (*arba*) or
arab|as Árab; **~iškas** Arábian
arba *jng.* or; ~...~ éither... or
arbat|a tea; **~ėlė** (*vaišės*) tea; téaparty; **~inė** téaroom(s); **~inukas** téapot
arbatpinigiai tip *sing*
arbūzas wátermelon
archeolog|as archaeólogist; **~ija** archaeólogy
architekt|as árchitect; **~ūra** árchitecture; **~ūrinis** architéctural
archyvas árchives *pl*
ardyti 1) (*siuvinį, mezginį*) unrip, rip ópen; (*namą ir pan.*) pull down; (*mechanizmą*) disjóint, disassémble, take* to pieces, dismántle; 2) (*griauti*) destróy; ~ sveikatą ruin one's health; 3) (*tvarką, tylą*) break*, distúrb
arena 1) aréna; (*cirko*) ring; 2) *perk.* scene
arešt|as arrést; **~uoti** arrést
arfa harp
argi *dll.*: ~ tai galėtų būti is it póssiblé; ~ tu nežinai don't you know it?
argumentas árgument
ariamas árable
arija ária, air
arimas (*išartas laukas*) ploughed field; tillage
aristokrat|as áristocrat; **~ija** aristócracy
aritmetik|a aríthmetic: ~os uždavinys sum
arkivyskupas *bažn.* archbíshop
arkl|idė stáble; **~ys** horse
arktinis árctic
armėn|as,~iškas Arménian
armija ármy
armonika *muz.* accórdion, concertína
aromatas aróma, frágrance
arsenalas ársenal
aršus víolent; fierce
arterija ártery
artėti appróach, come* nérer (to)
árti I plough; till
arti II 1) *prv.* néar(by), close; 2) *prl.* near, close to; abóut; ~ šimto abóut one húndred
artikelis *gram.* árticle

artiler|ija artíllery; **~istas** artílleryman*
artim|as near; (*apie draugą*) íntimate, close; **~umas** 1) (*apie nuotolį*) néarness, proxímity; 2) (*apie santykius*) íntimacy
artyn néarer
artin|imasis appróach; **~tis** appróach; come* néarer (to)
artist|as (*aktorius*) áctor; (*atlikėjas*) perfórmer; baleto ~ bálletdancer; operos ~ ópera sínger; **~ė** (*aktorė*) áctress
artojas plóughman*
artumas néarness, proxímity
aruodas córnbin
ąsa (*indo, skrynios*) ear; hándle; (*adatos*) eye
asamblėja assémbly
asfalt|as, ~uoti ásphalt
asilas dónkey, ass
asistentas assístant
asmenavimas *gram*. conjugátion
asmen|ybė personálity; pérson; **~inis** pérsonal; **~iškai** pérsonally
asmenuoti cónjugate
asmuo pérson
asortimentas assórtment
ąsotis jug, pítcher
aspirinas áspirin
astma *med*. ásthma
astronautas ástronaut
astronom|as astrónomer; **~ija** astrónomy
aš *įv*. I
ašar|a tear; lieti ~as shed* tears; **~otas** téarful, wet with tears
ašigalis pole; Šiaurės ~ North Pole
ašis áxis; *tech*. áxle
ašmenys blade *sing*; edge *sing*
aštrėti (*apie santykius*) becóme* strained
aštr|inti shárpen; ~ santykius strain the relátions; **~umas** shárpness; **~us** sharp, acúte; (*perk. t. p.*) keen
aštunt|as the eighth; **~oji** (*dalis*) eighth; **~okas** éighthclass boy
aštuoni eight
aštuon(ia)metis (*apie amžių*) eight-year-óld; of eight (years)
aštuoniasdešimt éighty; **~tas** éightieth
aštuoniolik|a éightéen; **~tas** éightéenth
atak|a, ~uoti attáck
ataskait|a accóunt; **~inis**: ~inis laikotarpis the cúrrent périod
atatupstas móving báckward(s)
ataušti get* cool/cold
atbaidyti fríghten/scare

awáy
atbėgti come* rúnning
atbraila córnice; (*skrybėlės*) brim
atbuk|inti blunt, dull; **~ti** becóme* dull
atbusti wake* up
atdaras ópen
ateist|as átheist; **~inis** atheístic
ateiti come*
ateitis the fúture
ateivis néwcomer
atėjimas cóming, arríval
atestatas (*pažymėjimas*) certíficate
atgaben|imas delívery; **~ti** delíver
atgaivinti 1) revíve; 2) (*apalpusį*) bring* (*smb*) to his/her sénses
atgal báck(wards)
atgaminti reprodúce; (*atmintyje*) recáll
atgauti get* back; recéive back
atgijimas recóvery; *perk.* revíval
atgimti revíve; retúrn to life
atgyti 1) come* to life; 2) *perk.* revíve
atgyvena survíval
atgyventi 1) (*pasenti*) have had one's days; becóme* óbsolete; 2) (*apie madą ir pan.*) go* out of fáshion, *etc*
atgręžti turn
atidar|ymas ópening; (*iškilmingas*) inaugurátion; **~yti** ópen
atidėjimas pútting off, postpónement; deláy
atidengti take* off, uncóver
atidėti 1) (*į šalį*) put* asíde; 2) (*terminą*) put* off; postpóne
atidrėkti grow*/becóme* damp
atidumas atténtiveness
atiduoti give*; (*grąžinti*) give* back, retúrn
atidus atténtive; (*rūpestingas*) cáreful
atimti 1) take* awáy; (*teises*) depríve (of); 2) *mat.* subtráct
atimtis *mat.* subtráction
atitaisy|mas corréction; **~ti** corréct
atitik|imas confórmity, correspóndence; **~ti** correspónd (to)
atitinkam|ai accórdingly; **~as** correspónding
atitol|inti remóve; **~ti** move off/awáy
atitraukti draw* awáy; (*dėmesį ir pan.*) distráct, divért
atjoti come* on hórseback
atkakl|umas persístence; **~us** persístent; (*užsispyręs*) stúbborn
atkalbėti talk out of (*doing*);

dissuáde
atkąsti bite* off
atkasti dig* up
atkeršyti revénge onesélf (upón)
atkimšt|i uncórk; **~ukas** córkscrew
atkirpti cut* off
atkirsti cut* off
atkirt|is rebúff; duoti ~į rebúff
atklijuoti unstíck*
atkreipti turn, diréct; ~ kieno dėmesį (į) draw* smb's atténtion (to)
atkr|isti 1) fall* off; klausimas ~inta the quéstion no lónger aríses; 2) (*vėl susirgti*) relápse
atkurti restóre, reconstrúct; recreáte
atlaidus indúlgent, lénient
atlasas *geogr.* átlas
atlaužti break* off
atleidimas 1) (*kaltės*) forgíveness, párdon; 2) (*iš darbo*) dismíssal, dischárge
atleisti 1) (*iš darbo*) dismíss, dischárge; 2) (*dovanoti*) forgíve*; excúse
atlet|as áthlete; **~ika** athlétics; lengvoji ~ika track-and-fíeld athlétics
atlydys thaw
atliekamas (*nereikalingas*) unnécessary; (*laisvas*) spare
atlygin|imas 1) páy(ment); (*alga*) sálary; (*darbininko*) wáges *pl*; 2) (*nuostolių*) compensátion; **~ti** 1) pay*; 2) (*nuostolius*) cómpensate
atlik|ėjas (*artistas*) perfórmer; **~ti** 1) (*įvykdyti*) cárry out, fulfíl; 2) (*vaidmenį ir pan.*) perfórm, play; 3) (*pasilikti*) remáin; 4) (*būti nepaimtam*) be* left
atmaina 1) (*pasikeitimas*) change; 2) (*veislė*) variety, spécies
atmatos gárbage *sing*, réfuse *sing*
atmatuoti méasure off
atmerkti ópen (one's eyes)
atmesti (*į šalį*) throw* asíde; (*teoriją ir pan.*) rejéct
atminimas recolléction, remémbrance
atmint|i remémber; **~inai** by heart; **~is** mémory
atmosfer|a átmosphere; **~inis** atmosphéric
atmušti 1) (*priešą, ataką*) beat* off, repúlse; 2) (*kamuolį*) retúrn; beat* back; 3) (*šviesą ir pan.*) refléct
atnaujin|imas renéwal; **~ti** renéw; (*po pertraukos*) resúme
atnešti bring*, fetch
atodrėkis thaw
atodūsis deep breath; (*išreiški-*

ant jausmus) sigh
atogrąž|a trópic; **~inis** trópical
atok|iai (ráther) far (*from*), at some dístance; **~us** (rather) far, dístant
atom|as átom; **~inis** atómic; **~inė energija** atómic énergy; **~inė bomba** átom bomb
atoslūgis ebb, low tide
atostogauti have one's hóliday; be on leave (of ábsence)
atostogos hóliday *sing*, leave *sing*, vacátion *sing*
atpalaiduoti set* free, reléase; (*virvę ir pan.*) untíe, unfásten
atpasako|jimas retélling, narrátion; (*raštu*) reprodúction; **~ti** retéll*
atpig|inti redúce the price; **~ti** becóme* chéaper, chéapen
atpjauti cut* off; (*pjūklu*) saw off
atplaukti swim* up, come* swímming; (*laivu*) sail up
atplėšti tear* (off, awáy); (*laišką*) ópen
atplyšti come* off, tear* off
atprasti get* out of the hábit (of), grow*/fall* out of a hábit
atrad|ėjas discóverer; **~imas** discóvery
atrakinti unlóck; (*atidaryti*) ópen
atrama suppórt, prop
atranka seléction
atrasti 1) find*; 2) (*daryti atradimą*) discóver
atremti 1) prop up; 2) (*puolimą*) repúlse
atrėžti cut* off
atrinkti choose*, seléct, pick out
atrišti untíe, unbínd*, unfásten
atrodyti 1) look; 2) (*rodytis*) seem
atsakymas ánswer, replý; **neigiamas ~** refúsal
atsakingas respónsible
atsakyti 1) ánswer, replý; 2) (*už ką nors*) be respónsible (for), ánswer (for)
atsakomybė responsibílity
atsarg|a 1) (*santaupos*) stock, supplý; resérve (*t.p. kar.*) 2) = atsargumas
atsargiai! look out!, be cáreful!
atsarginis I *bdv*. spare; **~ išėjimas** emérgency éxit;
atsarginis II *dkt*. *kar*. resérvist
atsarg|umas cárefulness, cáution; **~us** cáreful, cáutious
atsegti unfásten, undó
atsibosti be tired/sick (of); bore
atsidaryti ópen

atsidav|ęs devóted; **~imas** devótion
atsidėti 1) (*pasiaukoti*) devóte onesélf (to); give* onesélf up (to); 2) (*sau ką į šalį*) put*/ set* aside
atsiduoti *žr.* atsidėti 1)
atsidurti find* onesélf; get*
atsidusti breathe; sigh
atsieiti cost, come* to
atsigauti 1) (*atsikvošėti*) come* to one's sénses; 2) (*po ligos*) recóver
atsigerti have a drink, drink*
atsigręžti turn
atsigulti lie* (down); (*eiti gulti*) go* to bed
atsiimti take* back
atsikelti get* up, rise*
atsikišęs protrúded, protrúding
atsiklausti ask (abóut), make* inquíries (abóut)
atsikratyti get* rid (of)
atsikvėp|imas réspite; **~ti** take* a breath
atsikvošėti *žr.* atsipeikėti
atsilaikyti hold* out; withstánd*
atsiliep|imas réference; (*nuomonė*) opínion; **~ti** 1) (*apie ką nors*) speak* (of); 2) (*atsakyti*) ánswer
atsilyginti pay* (off); (*už paslaugas ir pan.*) repáy*
atsilik|ęs báckward; **~imas** báckwardness
atsilikti lag behínd; be báckward
atsimin|imas recolléction, reminíscence; **~ti** recolléct, remémber, recáll
atsinešti bring*/take* (with one)
atsipalaiduoti 1) relax; 2) (*apie virvę ir pan.*) get* loose
atsipeikėti come* to onesélf, regáin cónsciousness
atsipraš|ymas apólogy, excúse; **~yti** apólogize; **~au!** excúse me!, (I'm) sórry!
atsiradimas (*pradžia*) órigin; (*pasirodymas*) appéarance
atsirasti 1) be found; find* onesélf; 2) (*pasirodyti*) appéar, show* up; 3) (*kilti*) aríse*, spring* up
atsiremti lean* (agáinst)
atsirišti get* untíed/loose, come* undóne
atsisak|ymas refúsal; **~yti** refúse, declíne
atsisėsti sit* down
atsiskaityti séttle accóunts (with); réckon (with); pay* (off)
atsiskirti séparate
atsispindėti be refléсted; refléct
atsispirti 1) resíst; 2) = atsiremti

atsistatydin|imas resignátion; **~ti** resígn
atsistoti stand* up
atsisveikin|imas farewéll; párting; **~ti** say* goodbýe (to), take* one's leave (of)
atsišauk|imas appéal; proclamátion; **~ti** ánswer
atsišlieti lean* (agáinst)
atsitik|imas evént, íncident; n e l a i m i n g a s ~ áccident; **~ti** háppen
atsitiktin|ai by chance, accidéntally; ~ s u s i t i k t i háppen to meet; **~is** accidéntal, chance, cásual; **~umas** chance
atsitrauk|imas retréat; **~ti** 1) retréat, withdráw*; 2) (*nuo knygos ir pan.*) tear* oneselḟ awáy (from)
atsižadė|jimas renunciátion; **~ti** renóunce
atsižvelgti take* ínto accóunt
atskaičiuoti, atskaityti count off/out
atskelti split* off; chop off
atskilti break* off; split* off
atsk|iras séparate; indivídual; **~yrimas** separátion
atskyris *sport.* ráting
atskirti séparate
atskleisti ópen; (*puslapį ir pan.*) revéal
atskristi come* flýing; (*lėktuvu*) arríve by air
atskubėti come* húrriedly/ húrrying
atspalvis shade; (*spalvos t.p.*) tint
atsparus resístant; u g n i a i ~ fíreproof
atspaudas print; impréssion
atspėti guess
atspind|ėti refléct; **~ys** refléction
atstat|ymas restorátion, reconstrúction; **~yti** restóre, reconstrúct
atstoti (*nuo ko*) leave*/let (*smb*) alóne
atstov|as represéntative; **~auti** represént
atstovybė émbassy
atstumas dístance
atstumti push awáy
atsukt|i turn (back); (*pvz., čiaupą*) turn on; (*sraigtą*) unscréw; **~uvas** scréwdriver
atšal|imas fall of témperature; get* cólder; *perk.* grow*/ becóme cold/cool
atšauk|imas, ~ti recáll
atšiaurus rígorous
atšip|inti, ~ti make* (*smth*) blunt/dull
atšlaitė slope
atšokti 1) jump back/asíde/ awáy; 2) (*atsitrenkus*) rebóund, recóil
atvaizd|as pícture, ímage;

~uoti depíct; represént
atvažiuoti arríve, come*
atvejis case
atversti (*pvz. knygą*) ópen
atverti ópen
atvės|inti cool; **~ti** get* cool
atvesti, atvežti bring*
atvyk|imas arríval, cóming; **~ti** arríve, come*; ◊ s v e i k i ~ ę! wélcome!
atviras 1) ópen; 2) (*nuoširdus*) frank
atvirkš|čiai 1) (*atbulai*) the wrong way (round); 2) (*priešingai*) on the cóntrary; **~čias** revérse
atvirukas póstcard
atvirumas fránkness
atžala sprout, shoot
atžvilg|is respéct; š i u o ~ i u in this respéct
aud|ėjas wéaver; **~eklas, ~inys** cloth
auditorija lécturehall, léctureroom
audr|a storm; **~ingas** stórmy
augal|as plant; **~ija** vegetátion
augalotas tall, of good státure
augimas growth
auginti (*augalus*) grow*, raise; (*vaikus*) bring* up; (*gyvulius*) rear, breed*
augintinis adópted child*, fósterchild*
augmenija vegetátion, vérdure
augti 1) grow*; 2) (*didėti*) incréase
auka 1) sácrifice; 2) (*nukentėjęs*) víctim
auklė nurse; **~jimas** educátion; **~ti** éducate; bring* up; **~tinis** púpil; **~tojas** (*pedagogas*) téacher, máster
auko|ti give*, sácrifice; **~tis** sácrifice onesélf
auksakalys góldsmith
auks|as gold; **~inis** gold, gólden
aukščiau I *prv.* hígher
aukščiau II *prl.* abóve; óver
aukščiaus|ias híghest; ~ i e j i v a l d ž i o s o r g a n a i supréme órgans of góvernment
aukštai high (abóve)
aukštas I 1) (*namo*) floor, stórey; p i r m a s ~ ground floor; a n t r a s ~ first floor; 2) (*antlubis*) gárret
áukšt|as II high; (*apie žmogų*) tall; ~ a s i s m o k s l a s hígher educátion; ~ o j i m o k y k l a univérsity, cóllege
aukštyn up, úpwards
aukšt|is height; **~okas** ráther high
aukštielninkas on one's back

aukštum|a éminence, height; **~os** highlands
aus|is ear; ◊ **klausytis ~is pastačius** be all ears
auskaras éarring
austi weave*
australietis Austrálian
austras Áustrian
aušinti cool
aušra dawn; dáybreak
áušti I grow* cóol(er)
aušt|i II dawn; **~ant** at dawn
auti(s) (*ap(si)auti*) put* on smb's/one's shoes; (*nu(si) auti*) take* off smb's/one's shoes
autoavarija car áccident
autobiografija autobiógraphy
autobusas (mótor)bus
automat|as automátic machíne; **~inis, ~iškas** automátic, selfácting
automobilis (mótor)car
autonom|ija autónomy; **~inis, ~iškas** autónomous
autoportretas selfpórtrait
autoralis mótor rálly
autor|ė áuthoress; **~ius** áuthor
autoritet|as authórity; **~ingas** authóritative
autotransportas mótor tránsport
avalyn|ė fóotwear; **~ės pramonė** shoe índustry
avangardas *kar.* advánceguard; *perk.* vánguard
avansas advánce
avantiūr|a advénture; **~istas** advénturer
avarija (*nelaimingas atsitikimas*) áccident; *jūr.* wreck; *av.* crash
avėti wear*
aviacija aviátion; (*oro laivynas*) áircraft
avialinija áirline
aviena mútton
aviet|ė ráspberry; **~inis** (*apie spalvą*) crímson
avilys (bée)hive
avinas ram
avininkystė shéepbreeding
avis sheep*
aviža oat
azartas árdour, pássion; házard
azerbaidžanietis Azerbaijánian
azij|ietis, ~inis Ásian, Asiátic
azotas *chem.* nítrogen
ąžuol|as oak tree; **~ynas** óakwood; **~inis** oaken

B

bad|as húnger; starvátion; (*žmonių nelaimė*) fámine; **~auti** starve, fámish
badyti(s) (*ragais*) butt
bagaž|as lúggage; bággage *amer.*; atiduoti (*daiktus*) į ~ą régister one's lúggage
baidarė canóe
baidyklė scárecrow
baidyti fríghten
baig|iamasis fínal; clósing; ~iamieji egzaminai fínals;
~imas (*universiteto ir pan.*) graduátion; **~ti** 1) fínish; end; 2) (*mokyklą*) gráduate (from); **~tis** (come* to an) end; (*apie terminą*) expíre
bail|ys cóward; **~umas** cówardice; **~us** cówardly; shy
baim|ė fear; fright; (*būkštavimas*) apprehénsion; **~intis** fear, be afráid
bais|enybė mónster; **~ybė** hórror; **~us** térrible, hórrible; áwful *šnek.*
bakalauras báchelor
bakalėja gróceries *pl*
bakas tank, cístern
baksnoti poke, stick*(ínto)
bakteri|ja bactérium; **~ologija** bacteriólogy; **~ologinis** bacteriológical
bala bog, swamp, marsh; (*klanas*) púddle
baladoti knock
balana splínter, spill
balandis I pígeon; dove; taikos ~ the dove of peace
balandis II (*mėnuo*) Ápril
balans|as, ~uoti bálance
baldai fúrniture *sing*
balas (*įvertinimas*) point
balerina bálletdancer
baletas bállet
balionas ballóon
balius ball; kaukių ~ fáncydress ball
balkonas bálcony
baln|as, ~oti sáddle
bals|as 1) voice; **~u** alóud; 2) *muz.* part; 3) *polit.* vote; ~ų dauguma by a majórity of votes; atiduoti ~ą (už) vote (for)
balsavimas vóting; (*per rinkimus*) poll; slaptas ~ bállot; ~ paštu póstal bállot/vote
bals|iai lóud(ly); **~is** vówel
balsuot|i vote; **~ojas** vóter
baltarusis Byelorússian
baltas 1) white; 2) (*švarus*) clean
bálti 1) becóme* white; 2) (*apie veidą*) grow* pale
baltymas 1) (*akies, kiaušinio*) the white; 2) *biol.*, *chem.* albúmen

baltiniai línen *sing*; (*skalbiniai*) wáshing *sing*; apatiniai ~ únderclothes, únderwear *sing*
baltinti 1) whíten; 2) (*patalpą ir pan.*) whítewash
baltumas whíteness
bambėti grúmble
banalus cómmonplace, trite
bananas *bot.* banána
bánda I (*plėšikų*) band, gang
bandá II (*galvijų*) herd; (*avių, ožkų*) flock
bandelė roll
banderolė (póstal) wrápper; (*pašto siuntinys*) prínted mátter
bandymas 1) (*tyrimas, eksperimentas*) test, expériment; 2) (*mėginimas*) attémpt
band|yti 1) expériment; 2) (*tikrinti*) try, test; 3) (*mėginti*) try; attémpt; **~omasis** 1) (*pvz., laikas*) tríal; 2) (*pvz., sklypas*) experiméntal
banga wave
banginis whale
banguot|as wávy; **~i** (*apie vandenį*) be chóppy; (*nesmarkiai*) rípple; (*apie jūrą*) be rough
bankas bank; valstybinis ~ State Bank
bankrotas 1) (*asmuo*) bánkrupt; 2) (*bankrutavimas*) bánkruptcy
bankrutuoti go* bánkrupt
baras I (*restoranas*) bar; salóon *amer.*
baras II (*ruožas; ir perk.*) séction
barbar|as barbárian; **~iškas** barbárian, bárbarous; **~iškumas** bárbarism
barbenti knock (at)
barikada barricáde
barimas scólding; abúse
baritonas báritone
barjeras bárrier
barnis quárrel
barometras barómeter
barstyti pour, strew*
barščiai béetroot soup *sing*
baršk|alas, ~ėti ráttle
bart|i scold; abúse; **~is** quárrel
barzd|a beard; **~otas** béarded
basas (*basakojis*) bárefóoted; (*apie kojas*) bare
baseinas básin; (*vandens saugykla*) réservoir; plaukymo ~ swímmingpool
baslys pícket, stake
bastytis wánder, roam, rove
batas shoe; (*su aulais, auliukais*) boot
baterija báttery
batonas long loaf
batraištis shóelace
batsiuvys shóemaker
baubti roar; béllow

bauda fine; pénalty
baudžiamasis 1) (*pvz., būrys*) púnitive; 2) *teis.* pénal, críminal
baudžiauninkas *ist.* serf
baudžiava *ist.* sérfdom
bauginti fríghten, scare
bausmė púnishment; pénalty
bausti púnish; (*piniginė bauda*) fine
bazė base, básis
bažnyčia church
be 1) withóut; ~ penkių septynios five mínutes to séven; 2) (*išskyrus*) besídes; but, excépt; ~ to besídes
beasmenis *gram.* impérsonal
bebaimis féarless, intrépid
bebras *zool.* béaver
bėda misfórtune; (*vargas*) tróuble
bedarbis unemplóyed
bedugnė précipice
bedžioti poke, stick* (ínto); prod (with)
begalybė (*daugybė*) a great númber
begalinis éndless, intérminable
begėdis shámeless
bėgikas rúnner
bėgimas 1) rún(ning); *sport.* race; 2) (*pabėgimas*) flight
beginklis unármed
bėgioti run* abóut; bústle
bėgis 1) *glžk.* rail; 2) (*eiga*) course
bėglys fúgitive, rúnaway
bėgte at a run, rúnning
bėgti 1) run*; ~ risčia trot; 2) (*sprukti*) run* awáy; flee* (from); 3) (*skubėti*) húrry, fly*; 4) (*slinkti*) slip, pass; 5) (*tekėti*) flow, run*
bei and
bejausmis unféeling, cállous
beje by the way
bejėgis hélpless; pówerless
bekonas (*mėsa*) bácon
belaisvis prísoner, cáptive; karo ~ prísoner of war
beldimas knock; (*tylus*) tap
beletristika fíction
belgas Bélgian
belsti knock (at)
bematant immédiately, présently
bemaž álmost, néarly
bemokslis unéducated
benamis hómeless; (*apie gyvulius*) stray
bendrabutis hóstel
bendradarb|iauti collábborate (with), coóperate (with); **~iavimas** collaborátion, cooperátion; **~is** cólleague; (*įstaigoje ir pan.*) employée; laikraščio ~is contríbutor
bendrai (*išvien*) togéther
bendrakeleivis féllow tráveller; compánion

bendras 1) géneral, cómmon; (*apie darbą*) joint; 2): ~ pažįstamas mútual acquáintance
bendratis *gram.* infínitive
bendr|auti assóciate (with); keep* cómpany (with); **~avimas** íntercourse
bendrininkas partícipator; (*nusikaltimo*) accómplice
bendr|ovė cómpany; **~umas, ~uomenė** commúnity
bent at least; if ónly
benzinas (*automobiliui*) pétrol; gásoline *amer.*
beor|is: ~ė erdvė vácuum
bepigu: ~ jums kalbėti! it's all véry well for you to say!
beprasmiškas méaningless; absúrd
beprotybė mádness; (*kvailybė*) fólly
beprot|is mádman*; **~iškas** réckless; mad
beraštis *dkt.* illíterate pérson
beregint immédiately, at once
bergždž|iai in vain, váinly; **~ias** 1) (*tuščias*) vain, fútile; 2) (*nevaisingas*) stérile
beribis bóundless
bern|as, ~iokas 1) (*vaikinas*) féllow, lad, chap; 2) (*samdinys*) lábourer, fármhand; **~iukas** (*vaikas*) boy
berods (*manau*) I belíeve
berti 1) strew*; 2) (*spuogais versti*) break* out
beržas birch
besąlyginis uncondítional
besmegenis bráinless; ◊ senis ~ snowman*
besotis insátiable; (*gobšus*) gréedy
bespalvis cólourless
bešališkas impártial
beširdis héartless
bet I *jng.* but
bet II *dll.*: ~ kada át ány time; ~ kaip ányhow; ~ kas ányone; ánything; ~ koks ány; ~ kur ánywhere
betarpiškas immédiate, diréct
beteisis depríved of rights
betgi still, neverthelés
betikslis áimless
betonas cóncrete
bevaisis 1) bárren; 2) *perk.* frúítless, fútile
bevalis wéakwílled
beveik álmost, néarly
bevertis wórthless
bevielis wíreless
beviltiškas hópeless
beždžionė mónkey; (*beuodegė*) ape
biatlonas *sport.* bíathlon
Biblija the Bíble
bibliotek|a líbrary; **~ininkas**

librárian
bičiul|is friend; **~ystė** fríendship, ámity; **~iškas** fríendly, ámicable
bidonas can
bifšteksas (béef)steak
bijo|jimas fear; **~ti** be afráid (of); (*labai*) dread; (*būkštauti*) fear
bijūnas *bot*. péony
byl|a 1) (*teismo*) case; áction; iškelti kam ~ą bring* an áction agáinst smb; 2) (*raštinės*) file
bild|esys knock; (*ratų*) rúmble; **~ėti** rúmble
biliardas bíliards
biliet|as 1) tícket; 2) (*dokumentas*) card; partinis ~ párty card; ~ų kasa bóokingoffice; 3) (*egzaminų*) páper
bylinėtis lítigate
byloti tell*; índicate
binoklis óperaglass(es); (*lauko*) fíeldglass(es)
bint|as, ~uoti bándage
biografija biógraphy
biologija biólogy
birbti hum; buzz
byrėti fall*; pour
birža (stock) exchánge
birželis June
bit|ė bee; **~ynas** béegarden; **~ininkystė** béekeeping
biudžetas búdget
biuletenis 1) búlletin; rinkimų ~ bállotpaper; 2) (*ligonio lapelis*) médical certíficate
biuras búreau, óffice; informacijos ~ inquíry óffice
biurokrat|as búreaucrat; **~ija, ~izmas** bureáucracy; red tape
biustas bust
biznis búsiness
bjaurėtis be disgústed
bjaurybė (*netikėlis*) scóundrel, víllain
bjaurus vile, lóathsome; násty; (*negražus*) úgly
bjurti (*apie orą*) grow* bad/násty
blaiv|ytis clear (up); **~umas** sobríety, sóberness
blaivus sóber
blakė bug, bédbug
blakstiena éyelash
blankas form
blankt|i grow* pale; **~us** pale
blaškyti throw*; **~s** rush abóut; (*lovoje*) toss
blauzda shank; calf*
blėsti go*/die out
bliauti bleat; (*verkti*) blúbber
blikčioti gleam
blykstelėti flash
blynas páncake
blyškus pale; *perk*. cólour-

less
blizgė spóon(bait)
blizg|ėjimas, ~esys lústre, brílliance; **~ėti** shine*; glítter; **~inti** pólish
blogai bád(ly) *; ill* (*ir sudurt. žodžiuose*); ~ jaustis feel* bad*; ~ elgtis beháve ill*; (*su kuo*) illtréat
blog|as bad*; (*piktas*) évil; ~a nuotaika low spírits; ~a sveikata poor health; ~oras bad*/násty wéather
blog|ėti grow* worse; **~ybė, ~is** évil; **~ti** (*liesėti*) grow* thin
blokada blockáde
blokas I *polit.* bloc
blokas II *tech.* block
bloknotas nótebook
blokšti fling*, hurl
blondin|as fair man*; **~ė** blonde
blukti fade
blusa flea
boikot|as, ~uoti bóycott
bokalas glass, góblet
boks|as bóxing; **~ininkas** bóxer; **~uoti(s)** box
bokštas tówer
bomb|a bomb; **~ardavimas** bombárdment; **~arduoti** (*iš lėktuvo*) bomb; (*sviediniais*) bombárd; **~onešis** bómber
bosas *muz.* bass
bosnis Bósnian
botagas whip, lash
botai high óvershoes
botan|ika bótany; ~ikos sodas botánical gárdens *pl*; **~ikas** bótanist
braidyti wade
braižy|ba dráwing; **~ti** draw*; **~tojas** dráughtsman*
brakonier|iauti poach; **~ius** póacher
brand|a: ~os atestatas schóolleaving certíficate; **~inti** rípen, matúre
branduol|inis núclear; **~ys** 1) kérnel (*ir perk.*); 2) *fiz.* núcleus
brandus ripe; matúre
brang|akmenis gem, jéwel; **~enybė** jéwel; *perk.* tréasure; **~enybės** jéwelry
brangiai déar(ly), expénsively
brang|inti válue; **~ti** rise* in price; grow* déarer
brang|umas high príces *pl*; expénsiveness; high cost of líving; **~us** dear; (*apie kainą t.p.*) expénsive; **~usis** dárling
brasta ford
braškė stráwberry
braškėti crack
braukti 1) (*ranka per*) run* (óver), pass (óver); 2) *žr.* išbraukti
brautis squeeze one‘s way through

brazdėti rústle; tap
brėkšti (*švisti*) dawn; break*
bręsti ripen, matúre
brezentas tarpáulin
brėž|inys draught; **~ti** draw*
briauna edge
briedis *zool.* elk
brigad|a brigáde, team; **~ininkas** brigádeleader; téamleader
briliantas díamond; brílliant
brinkti swell*, bloat
bristi wade; (*tik per upelį*) ford
brokas spóilage; (*apie dirbinį*) wáster
brol|iautis fráternize; **~iavaikis** néphew; **~ybė** brótherhood, fratérnity; **~ienė** bróther's wife*; síster-in-law; **~is** bróther; **~iškas** brótherly, fratérnal
bronchitas bronchítis
bronza bronze
brošiūra bóoklet, pámphlet
bruknė red bílberry, cówberry
brūkšn|elis hýphen; **~ys** 1) (*linija*) line; 2) *gram.* dash
brukti 1) (*kišti*) poke, thrust (ínto, in) ; 2) (*atkakliai siūlyti*) press
brunet|as dark man*; **~ė** brunétte
bruož|as 1) (*brūkšnys*) stroke; (*linija*) line; 2) (*savybė*) féature; trait; ◊ b e n d r a i s ~a i s róughly
bruzdėti 1) bústle (abóut), húrry abóut; 2) (*brazdėti*) make* a noise
brūžinti rub; grind* (off), file (off)
buč|inys, ~iuoti(s) kiss
būd|a (*šuns*) kénnel; **~elė** box, booth; cábin
būd|as 1) témper; (*charakteris*) cháracter; 2) (*kelias*) way; mánner; (*metodas*) méthod; g y v e n i m o ~ mode of life; ◊ t u o ~u thus; in this way
budelis hángman*; *perk.* bútcher
budėt|i be on dúty; (*prie ligonio*) watch; **~ojas** (man*) on dúty
būdingas characterístic; (*tipiškas*) týpical
budinti (*žadinti*) wake*
budintis on dúty
budr|umas vígilance; **~us** vígilant, wátchful
būdvardis *gram.* ádjective
buferis búffer
bufet|as búffet; (*tik baldas*) cúpboard; (*restoranas*) reféshment room; (*įstaigoje*) cantéen; **~ininkas** bárman*; **~ininkė** bármaid
būgn|as drum; **~ininkas** drúmmer

buhalter|ija bóokkeeping; (*patalpa*) cóuntinghouse*; **~is** bóokkeeper, accóuntant
buit|inis éveryday; ~ inės sąlygos condítions of life; **~is** éveryday life; mode of life
buivolas *zool.* búffalo
bukagalvis, bukaprotis númskull, blóckhead, dúllard
bukas 1) (*apie peilį, pieštuką*) blunt; (*apie formą*) obtúse; 2) (*apie žmogų*) dull, obtúse
bukietas *žr.* puokštė
būklė condítion; state
būkštauti apprehénd, fear
bulgar|as, ~iškas Bulgárian
bulius bull
buljonas broth, clear soup
bulkutė roll
bulvaras boulevard ['bu:lvɑ:]
bulv|ė potáto; keptos ~ės fried potátoes; **~iakasė** *ž. ū.* potátodigger; **~ienė** potáto-soup
burbėti (*neaiškiai kalbėti*) mútter, múmble; (*niurnėti*) grúmble
burbul|as, ~iuoti búbble
burė sail
būrelis círcle; sociéty; (*mokykloje*) (hóbby) group
buriavimas *sport.* sáiling (sport)
būr|ys 1) detáchement; 2) (*pulkas*) crowd; (*paukščių*) flock; (*vilkų, šunų*) pack; **~iuotis** crowd; clúster
burkuoti (*apie balandį*) coo
burlaivis sáilboat, sáiler
burlentė *sport.* súrfboard
burn|a mouth*; **~oti** abúse
burok|as, ~ėlis beet, béetroot
burt|as 1) lot; traukti ~us draw* lots; 2) (**~ai**) *pl* (*prietaruose*) sórcery *sing*
burti I 1) cast* lots; draw* lots; 2) (*kerėti*) cónjure; práctise sórcery; 3) (*pranašauti*) tell* fórtunes
burti II (*telkti*) uníte, rálly
burtinink|as sórcerer, magícian; **~ė** witch, sórceress
buržuaz|ija bourgeoisíe; **~inis** bóurgeois
būsena state, condítion
būsimas fúture; ~ is laikas *gram.* the fúture (tense)
būstas lódging, dwélling
busti wake* up, awáke*
būstinė abóde, résidence
but|as flat, apártments *pl*; ~ o nuoma rent
būtasis *gram.* past
bútelis bóttle
būtent námely
buterbrodas *žr.* sumuštinis
būti be; yra ... there is, there are; yra žmonių, kurie... there are people who...; ◊ kas

y r a ? what is the mátter?
būtybė créature
būtin|ai withóut fail, cértainly; **~as** nécessary, indispénsable; **~a** it is nécessary; **~umas** necéssity
būtis béing, exístence
buvęs fórmer, late, ex
būvis (*būtis*) exístence
buza (*prasta sriuba*) slops *pl*; (*košė*) thin gruel

C

cechas shop
celė cell
cementas cemént
centas cent
centimetras céntimetre
centneris céntner
centraliz|acija centralizátion; **~uoti** céntralize
centr|as céntre; **~inis** céntral; **~ i n i s š i l d y m a s** céntral héating
cenzas qualificátion
ceremonija céremony
chalatas 1) (*dėvimas namie*) dréssinggown; 2) (*maudymosi*) báthrobe; 3) (*darbui*) óverall
chaosas cháos
charakteringas characterístic
character|is cháracter; (*žmogaus*) témper; **~istika** characterístic; (*atsiliepimas*) cháracter; **~izuoti** cháracterize
chem|ija chémistry; **~ikas** chémist; **~inis** chémical
chirurg|as súrgeon; **~ija** súrgery; **~inis** súrgical
chlor|as *chem*. chlórine; **~oformas** chlóroform
cholera *med*. chólera
cholesterolis cholesteról
chor|as chórus; chóir; **~istas** mémber of a chórus; chórister
chrestomatija réader, réadingbook
chroniškas chrónic
chronolog|ija chronólogy; **~inis** chronológical
chuliganas hóoligan, rúffian
cigar|as cigár; **~etė** cigarétte
ciklas cýcle
ciklonas cýclone
cilindras 1) *mat., tech*. cýlinder; 2) (*skrybėlė*) tóphat
cini|kas cýnic; **~škas** cýnical
cink|as zinc; **~uoti** zíncify
cyp|imas squeak; peep; **~ti** peep; (*apie peles t.p.*) squeak; (*apie viščiukus t.p.*) cheep
cirkas círcus
cirku|liacija circulátion;

~iuoti círculate
cit! hush!, be sílent!
citadelė cítadel
citata quotátion
citrina lémon
cituoti quote, cite
civil|inis cívil; **~is** cívílian
civiliz|acija civilizátion; **~uotas** cívilized
colis inch
cukrainė conféctioner's (shop)
cukraligė diabétes
cukrin|ė súgarbasin; **~is** súgar(-)
cukrus súgar

Č

čaiž|yti lash, whip; **~us** bíting
čekas Czech
čekis cheque
čempion|as chámpion; **~atas** chámpionship
čepsėti champ; smack one's lips
čerp|ė tile; ~ių stogas tiled roof
česnakas gárlic
čežėti rústle
čia here; ~ pat right here, quite here
čiabuvis nátive
čiaud|ėti sneeze; **~ulys** sneeze, snéezing
čiaupas (*vandentiekio*) tap; fáucet *amer*.
čiauškėti chátter
čigon|as, ~iškas Gípsy
čion, ~ai here
čirkšti *žr.* čirškėti, trykšti
čiršk|ėti 1) (*apie paukščius*) chirp; twítter; 2) (*keptuvėje*) frízzle; **~inti** frízzle
čiulbėti chirp, twítter, wárble
čiulpti suck
čiuož|ėjas skáter; **~ykla** skátingrink; **~ti** (*pačiūžomis*) skate, go* skáting
čiupinėti feel*, touch
čiupti seize; grasp, catch* hold (of)
čiurkš|lė stream, jet; **~ti** spout, spurt
čiurlenti múrmur; rípple, bábble
čiužėti rústle
čiužinys máttress

D

dabar now, at présent; **~tinis** présent; **~tis** the présent
dabita (*vyras*) dándy

dag|ilis, ~ ys *bot.* thístle
dagtis wick
daig|as sprout, shoot; **~ai** séedlings
daiktas thing; óbject; ◊ galimas ~ it is póssible; póssibly, perháps; suprantamas ~ it is quite nátural; náturally
daiktavardis noun; bendrinis [tikrinis] ~ cómmon [próper] noun
dailė art
dailidė cárpenter
dailininkas páinter, ártist
dailinti (*gražinti*) beaútify, décorate; (*daryti dailų*) fínish, trim
dailyraštis callígraphy
dailus refíned, élegant
dain|a song; **~avimas** síngíng; **~ininkas** sínger; **~ius** bard; **~uoti** sing*
dairytis look round
daktaras dóctor (*ir laipsnis*); physícian
dalba crówbar
dalel|ė, ~ytė 1) fráction; 2) *gram., fiz.* párticle
dalgis scythe
dalia fate, lot
dalyba *mat.* divísion
dalyk|as thing; óbject; dėstomasis ~ súbject; (*reikalas*) mátter; búsiness; ◊ aiškus ~ it is clear as day
daliklis *mat.* divísor
dalin|ai pártly; **~is** pártial; **~ys** *kar.* (small) únit
dal|is part; (*procentinė*) share; trečioji ~ a third (part); ~imis in parts; iš ~ies pártly; pasaulio ~ys *geogr.* parts of the world; sakinio ~ part of the séntence
dalyt|i divíde; ~ iš (*tam tikro skaičiaus*) divíde by (a númber); ~ pusiau halve; **~is** (*su kuo nors*) share (with)
dalyv|auti take* part (in), partícipate (in); (*būti kur nors*) be présent; **~avimas** participátion
dalyvis 1) partícipant; (*žaidimo*) pártner; (*suvažiavimo*) mémber; 2) *gram.* párticiple
dalus divísible
dama 1) lády; 2) (*kortų*) queen
dan|as Dane; **~ų** Dánish
danga cóver
dangiškas héavenly
dangoraižis skýscraper
dang|styti cóver; **~tis** lid, cóver
dangus sky; héaven
dant|is 1) tooth*; ~ų pasta tóothpaste; ~ų skaudėjimas tóothache; ~ų gydytojas déntist; 2) *tech.* (*rato*) tooth*, cog; (*šakių*) prong; **~ytas** toothed; **~ratis** cógwheel

dar 1) (*vis dar*) still; ~ n e not yet; 2) (*daugiau*) some more; (*su aukštesniuoju laipsniu*) still; ~ š i l č i a u still wármer; ~ k a r t ą once agáin
darb|as 1) work; lábour; i m t i s ~o set* to work; l a u k o ~ai fíeldwork; r a š o m a s i s ~ wrítten work test; (*per egzaminą*) examinátion paper; n a m ų ~ homework; hómetask; ~o ž m o n ė s wórking péople; b ū t i b e ~o be out of work; 2) (*tarnyba*) job; ◊ k a s t a u ~o! what do you care!
darbdavys emplóyer
darbymetis búsy séason/days *pl*
darbingas 1) ablebódied, áble to work; 2) *žr.* darbštus
darbininkas wórker
darbinis wórking; (*apie gyvulius*) draught(-)
darbotvarkė agénda, órder of the day
darbovietė wórking place
darbšt|umas índustry, díligence; **~us** indústrious, díligent
darbuot|is work; **~ojas** wórker
dardėti ráttle
dargan|a bad/ráiny wéather; **~otas** bad*, ráiny, foul
dargi éven
daryt|i do*; make*; ~ p r a n e š i m ą make* a repórt; ~ į s p ū d į make* an impréssion (on); k ą m a n ~? what am I to dó; **~is** 1) (*tapti*) becóme*; 2) (*atsitikti*) háppen
darkyti (*bjauroti*) spoil, mar; (*iškraipyti*) distórt; pervért
darn|umas hármony; **~us** harmónious
darž|as kítchengarden; **~elis** flówergarden; v a i k ų ~ e l i s kíndergarten; **~inė** barn
daržov|ės végetables; ~ i ų p a r d u o t u v ė gréengrocery
dat|a, ~uoti date
dauba ravíne
daug much* (*su dkt. vns.*), mány* (*su dkt. dgs.*); plénty of, a lot of; t i e k ~ so much/mány; ~ g e r i a u much bétter; k u o ~ i a u as much [mány] as póssible; **~elis** mány
daugėti incréase
daugiaaukštis mánystoried
daugiadienis mányday *attr*
daugia|nacionalinis, ~tautis multinátional
daugiašalis multiláteral
daugiausia at the most, for the most part
daugyb|a *mat.* multiplicátion; ~ o s l e n t e l ė multiplicátion táble; **~ė** a (great) númber (of); mány
daugiklis *mat.* múltiplier,

fáctor
dauginti múltiply
daugiskaita *gram.* plúral
daugkartinis repéated; múltiple
daugoka a bit too much
daugtaškis *gram.* dots *pl*
dauguma majórity; ~ ž m o n i ų most péople
daužyti 1) (*į gabalus*) break*; 2) (*trankyti*) shake*
daužti strike*
davimas gíving
davinys rátion
daž|ai paint *sing*; (*audiniams*) dye *sing*; a l i e j i n i a i ~ óil-colour *sing*; **~ykla** dýeworks
dažyti (*spalvoti*) paint, cólour; (*audinius*) dye; (*medį, stiklą*) stain
dažn|ai óften, fréquently; **~as** fréquent; **~ėti** becóme* more fréquent; **~iausiai** móstly; **~umas** fréquency
debes|is cloud; **~uotas** clóudy
debiutas 1) début; 2) *šachm.* ópening
dėdė úncle
dedik|acija dedicátion; **~uoti** dédicate (to)
defektas deféct
deficit|as, ~inis déficit
degalai fúel *sing*
deginti burn*; (*svilinti*) scorch
deg|ti 1) burn*; n a m a s ~ a the house is on fíre; 2) (*žiebti*) light*
degtinė whísky; brándy
degtukas match
deguonis óxygen
degutas tar
deimantas díamond
deivė góddess
deja unfórtunately; alás!
dej|avimas, ~onė móaning; **~uoti** moan
dėka thanks to; ówing to
dekada (*10 dienų*) ténday périod
dekanas dean
dėking|as gráteful, thánkful; **~umas** grátitude
deklam|acija, ~avimas recitátion, declamátion; **~uoti** recíte; **~uotojas** recíter
deklaracija declarátion
deklaruoti decláre
dekor|acija set; scénery; **~atyvinis** décorative; **~atorius** scénepainter
dėko|ti thank; ~ j u j u m s thank you
dekretas decrée
dėkui thanks; ~ j u m s thank you; l a b a i ~ mány thanks; thank you véry much
dėl 1) (*priežasčiai žymėti*) becáuse of, through; ~ t o, k a d becáuse; ~ t o that is why; ~ k ó why?; 2) (*tikslui,*

paskirčiai žymėti) for
delčia wane
dėlė *zool.* leech
deleg|acija delegátion; **~atas** délegate
delfinas *zool.* dólphin
dėlioti put*, place, set*
deln|as palm; **ploti ~ais** clap one's hands
delsti línger; tárry; deláy
demask|avimas unmásking; expósure; **~uoti** disclóse, expóse
dėmė spot; stain
dėmesingas atténtive
dėmes|ys atténtion; nótice; **kreipti ~į** pay* atténtion
dėmėt|as spótty; (*suteptas*) stained, blótted; **~oji šiltinė** týphus, spótted féver
demobiliz|acija demobilizátion; **~uoti** demóbilize
demokrat|as démocrat; **~ija** demócraty; **~inis, ~iškas** democrátic
demonstr|acija demonstrátion; **~uoti** démonstrate
dengti 1) cóver; 2) (*čerpėmis*) tile; 3) (*stalą*) lay* the táble
denis deck
depresija depréssion
deputatas députy
derėti I 1) (*lygti*) bárgain; 2) (*lažintis*) bet*; 3) (*tikti*) be fit; (*apie drabužį*) suit, becóme*
derėti II (*augti, duoti vaisių*) give* a rich hárvest
derėtis 1) (*lygauti*) bárgain; 2) (*vesti derybas*) negótiate
dergti 1) (*teršti*) dírty; 2) (*šmeižti*) run* down
derybos negotiátions
derin|ys combinátion; **~ti** 1) coórdinate; 2) *muz.* tune; 3) (*apie spalvas*) match; go* (with)
derling|as fértile; **~umas** productívity
derlius hárvest, yield, crop
derva résin; (*skysta*) tar, pitch
desantas (*išlaipinimas*) lánding
desertas dessért
dėsn|ingas nátural, régular; **~is** law
dėsty|mas téaching; instrúcting, lécturing; (*medžiagos*) exposítion; **~ti** 1) (*mokyti*) teach*; (*aiškinti*) expóund; 2) (*dėlioti*) put*, lay* out; **~tojas** téacher, instrúctor, lécturer
dešimt ten; **~ainis** décimal; **~ainė trupmena** décimal fráction; **~as** tenth; **~is** ten
dešimtkovė *sport.* décathlon
dešimtmetis I *dkt.* ten years *pl*; decáde: (*metinės*) tenth annivérsary
dešimtmėtis II *bdv.* ten-year-óld; of ten (years)
dešin|ė (*pusė*) right side; (*ran-*

ka) right hand; į ~ę to the right; ~ėje on the right; **~ys(is)** right
dešr|a, ~elė sáusage
detal|ė détail; **~iai** in détail; **~izuoti** détail; **~us** détailed
dėti lay*; put*; place; ~ kiaušinius lay* eggs.
detekty|vas, ~inis, detéctive
dėtis 1) (*apsimesti*) preténd; 2) (*vykti*) háppen; kas čia dedasí what is góing on heré
dėvėti wear*
devyni nine
devyniasdešimt nínety; **~as** nínetieth
devyniolik|a nínetéen; **~tas** nínetéenth
devintas ninth
dezertyvas desérter
dezinfekcija disinféction
dezodorantas deódorant
dėžė box
diagnozė diagnósis
diagrama chart, díagram
dialekt|ika dialéctics; **~inis** dialéctical
dialogas díalogue
diapazonas range, cómpass
didėjimas íncrease; growth
didelis big; (*apie negyvus daiktus t. p.*) large; (*įžymus*) great
didėti incréase; (*augti*) grow*
didinamasis mágnifying
diding|as grand, sublíme; **~umas** sublímity
didin|imas íncrease; **~ti** incréase; enlárge; (*optiniu stiklu*) mágnify
did|is great; ~ysis kunigaikštis the Great Duke
dydis 1) size; 2) *mat*. quántity
didmiestis cíty
didumas size
didvyr|ė héroine; **~is** héro; **~iškas** heróic
didžiadvas|is magnánimous, génerous; **~iškumas** generósity, magnanímity
didžiai véry, gréatly
didžiavimasis háughtiness, árrogance
didžiulis enórmous; vast; huge
didžiuotis be proud (of)
diegti 1) (*sodinti*) plant; 2) *perk*. (*skleisti*) spread*
dien|a day; ~ą in the dáytime; (*popiet*) in the áfternoon; darbo ~ wórking day; šiokia ~ wéekday; kelinta šiandien ~? what date is it todáy? ◊ šiomis ~omis (*apie praeitį*) the óther day; (*apie ateitį*) one of these days; perduokit jam labų ~ų give him my regárds
dien|ynas díary; **~inis** day;

dáily
dienoraštis díary
dienotvarkė *žr.* darbotvarkė
diet|a díet; laikytis **~os** keep* to a díet; **~inis** dietétic
Diev|as God; ◊ ačiū **~ui!** thank God!
diev|inti wórship; adóre; **~iškas** divíne
dygl|ys príckle; thorn; **~iuotas** príckly; thórny
dygti spring*, sprout, shoot*
dykaduonis drone, spónger
dyk|ai free of charge; **~as** (*be darbo*) free, ídle
dikcija díction; (*tarsena*) articulátion
dykinė|jimas ídleness; **~ti** ídle, loaf
diktantas dictátion
diktatūra dictátorship
diktorius annóuncer
diktuoti dictáte
dykuma désert
dildė file
dilg|ėlė, ~inti néttle
dingimas disappéarance
dingtelėti occúr; come* ínto *smb's* mind
dingti disappéar, vánish
diplomas diplóma
diplomat|as díplomat; **~ija** diplómacy; **~inis, ~iškas** diplomátic
dirbimas (*žemės*) tíllage, cultivátion
dirbinys árticle
dirbti 1) work; do*, perfórm; (*sunkiai*) toil, lábour; 2) (*žemę*) till, cúltivate
dirbtin|ai artifícially; **~is** artifícial
dirbtuvė wórkshop
direktyva diréctives *pl*, instrúctions *pl*
direktorius diréctor, mánager; (*mokyklos*) head (máster), príncipal
dirginti írritate
dirig|entas condúctor; **~uoti** condúct
dirv|a field; **~onas** vírgin soil; **~ožemis** soil
diržas belt, gírdle
disciplin|a 1) (*mokomasis dalykas*) súbject; 2) (*drausmė*) díscipline; **~uotas** dísciplined
disertacija thésis
diskelis *komp*. diskétte
diskoteka dísco
disku|sija discússion; **~tuoti** discúss
dispanseris prophyláctic céntre
diversija divérsion; sábotage
divizija *kar*. divísion
dobilas clóver
docentas assóciate proféssor
dogm|a dógma; **~atiškas** dogmátic
dokumentas dócument

doleris dóllar
domė|jimasis ínterest (in); **~tis** be ínterested (in)
dominti ínterest
dominuoti prevail (óver)
dor|as hónest, móral; **~ybė** mórals *pl*; vírtue
dorov|ė mórals *pl*; **~inis** móral
dosn|umas generósity; **~us** génerous, líberal
dovan|a présent; **~oti** 1) make* a présent (to); 2) (*atleisti*) forgive*; ~ o k i t e ! forgíve me!; I'm sórry!
dozė dose
drabstyti sprínkle, splítter
drabuž|iai clothes; gárments; **~inė** clóakroom
draikyt|i mat; scátter; **~is** spread*
drama dráma; **~tiškas** dramátic; **~turgas** pláywright
drambl|ys élephant; ~ i o k a u l a s ívory
drąs|a cóurage; **~iai** bóldly, brávely; **~inti** encóurage, embólden
draskyti 1) (*plėšyti*) tear*; 2) (*braižyti*) scratch
drąs|umas cóurage, dáring; bóldness; **~uolis** dáredevil; **~us** bold, dáring, courágeous
draudimas 1) (*neleidimas*) prohibítion; 2) (*pvz., nuo ugnies*) insúrance
draudžiam|as forbídden; ~ a it is prohíbited; į e i t i ~ a no admíttance; r ū k y t i ~ a no smóking
draugas friend; mate, féllow; cómrade; k l a s ė s ~ clássmate; m o k y k l o s ~ schóolfriend; k e l i o n ė s ~ fellowtráveller; compánion
draugauti be friends (with)
drauge togéther
draug|ija cómpany; socíety; **~ystė** fríendship; **~iškas** fríendly
drausm|ė díscipline; **~ingas** dísciplined
drausti 1) (*neleisti*) forbíd*, prohíbit; 2) (*turtą*) insúre
draustinis resérve; reservátion
drebė|jimas (*žemės*) éarthquake; **~ti** trémble; shake*; ~ t i n u o š a l č i o shiver with cold; ~ t i i š b a i m ė s shúdder, shake* with fear
drebučiai jélly *sing*
drebulė *bot*. asp
drebulys shíver; (*nuo šalčio t.p.*) chill, féver
drėg|mė dámpness; **~nas** damp
drėkin|imas irrigátion; **~ti** írrigate
drėksti scratch

dresiruot|i train; **~ojas** tráiner
drevė hóllow
dribsniai flakes
drybsoti lie* lázily/áwkwardly/clúmsily
dribti (*kristi*) fall*
driektis stretch, exténd
driežas *zool.* lízard
driksti tear*
drįsti dare; vénture
dryž|is stripe; **~uotas** striped
drob|ė, ~inis línen
drov|ėtis (*varžytis*) feel* shy/embárrassed; (*gėdytis*) be ashámed; **~us** shy, díffident; (*ypač apie vyrą*) báshful
drož|lės shávings; **~ti** cut* out; shave*; (*pieštuką*) point, shárpen
drugys 1) (*liga*) féver; 2) (*peteliškė*) bútterfly
drumst|as túrbid; clóudy; **~i** stir up; *perk.* distúrb
drumzl|ės lees; **~inas** túrbid
drungnas lúkewarm, tépid; (*vėsokas*) cool
drusk|a salt; **~inė** sáltcellar
drūtas 1) (*storas*) thick; 2) (*stiprus*) strong
du two
dubleris dóuble
dublikatas dúplicate
dubuo dish, bowl, turéen
dūd|a pipe; (*dūdelė*) fife; **~ų** o r c h e s t r a s brass band
duetas *muz.* duét
dugnas 1) bóttom; 2) (*fonas*) báckground
duj|inis gáseous, gas(-); **~okaukė** gásmask; **~os** gas *sing*; g a m t i n ė s **~o s** nátural gas *sing*
dukart twice, dóuble
dukr|a dáughter; **~aitė** grándaughter
dukt|ė dáughter; **~erėčia** niece
dūkti 1) (*niršti*) rage, be fránti̇c; 2) (*išdykauti*) romp, frólic
dulk|ė speck of dust; **~ės** dust *sing*; **~ių** s i u r b l y s váccum cléaner; **~ėtas** dústy; **~ėti** get* dústy; **~inas** dústy; **~inti** 1) (*kelti dulkes*) raise dust; 2) (*valyti nuo dulkių*) beat* the dust out of
dulkti (*apie lietų*) drízzle
dūmai smoke *sing*
dumbl|as silt; **~inas** sílty
dumti (*smarkiai bėgti*) rush/tear*/speed alóng
dūmtraukis chímney
dundėti crash; roar; thúnder
duob|ė pit; **~ėtas** búmpy
duoklė tríbute
duomenys dáta, facts
duon|a bread; j u o d a **~** brown bread; **~o s** p a r d u o t u v ė báker's (shop);

užsidirbti ~ą make* one's bread
duoti 1) give*; 2) (*leisti*) let*; allów; 3) (*mušti*) strike*, hit*; ◊ ~ kelią make* way (for); ~ naudą be of use; ~ pradžią give* rise (to)
durininkas pórter, dóorkeeper
durys door *sing*
dūris (*dūrimas*) prick
durklas dágger
durp|ės peat *sing*; **~ynas** péatbog
durt|i (*smeigti*) thrust*, stab; (*adata*) prick; **~uvas** báyonet
dušas shówer
dūsauti sigh
dusyk twice
dusinti choke, súffocate
duslintuvas *tech.* sílencer; múffler
duslus hóllow; tóneless
dusti choke, súffocate; (*sunkiai kvėpuoti*) pant
dusulys short wind
dūzgėti (*pvz., apie bites*) hum, buzz
dūžtamas bríttle, bréakable
dužti break*, be bróken
dvar|as estáte; mánor; **~ininkas** lándowner, lándlord
dvas|ia spírit; soul; **~ininkas** priest, clérgyman*; **~ininkija** clérgy, príesthood; **~inis, ~iškas** spíritual
dvejet|as, ~ukas two
dvej|i two; **~inti** dóuble; **~opas** of two kinds; dóuble
dvejoti hésitate
dvelk|imas breath, whiff; **~ti** 1) (*pūsti*) blow; 2) (*kvepėti*) smell* (of)
dvi two; **~aukštis** twóstórey(ed)
dvibalsis *fon.* díphthong
dvideginis *chem.*: anglies ~ carbónic ácid
dvidešimt twénty; **~as** twéntieth
dviese two of us/you/them (togéther)
dvigub|ai twice, dóuble; **~as** dóuble, twófold; **~inti** dóuble
dvikova dúel
dvylik|a twelwe; **~tas** twelfth
dvilinkas, dvilypis twófold
dvimėtis two-year-óld; of two years
dvyn|ys, ~ukas twin
dviprasmiškas ambíguous
dviratininkas cýclist
dvíratis bike; cycle, *šnek.* bícycle
dvisavaitinis fórtnightly
dvišalis biláteral
dvitaškis *gram.* cólon
dviveid|is dóubledealer; **~iškas** dóublefaced

dvivietis twóseater
dvok|imas stink, stench; **~ti** stink*
džiaugsm|as joy; **~ingas** jóyful, glad
džiaugtis be glad; rejóice (at)
džiauti hang* up (for drýing)
džiazas jázz(band)
džinsai jeans
džiov|a consúmption; **~ininkas** consúmptive
džiovinti dry
džiūgauti rejóice (at)
džiug|inti gládden, make* glad; **~us** chéerful, jóyous
džiunglės júngle *sing*
džiūti dry
džiūvės|ėlis , **~is** (*saldus*) rusk

E, Ė

efekt|as efféct; **~ingas** efféctive, stríking; **~yvus** efféctive, effícient
egiptietis, ~iškas Egýptian
egl|ė, ~utė fír(tree); Kalėdų ~utė Crístmas tree; Naujųjų metų ~utė Néw Year's tree; **~inis** fir
ego|istas égoist; **~istiškas** sélfish; **~izmas** égoism, sélfishness
egzamin|as examinátion; exám *šnek.*; baigiamasis ~ final; stojamasis ~ éntrance examinátion; **~uoti** exámine
egzempliorius cópy; (*pavyzdys*) spécimen
egzist|avimas exístence; **~uoti** exíst
eiga mótion, run; (*pvz., įvykių, ligos*) course
eigulys fórester; fórestguard
eikvo|jimas expénditure; (*nereikalingas*) waste; **~ti** squánder, waste
eil|ė 1) (*vora*) row, line; *kar.* file; 2) (*tvarka*) turn; iš ~ės in turn; be ~ės out of one's turn; 3) (*norint ką gauti*) queue; line *amer.*; 4) *dgs. lit.* verse *sing*
eilėraštis póem; (*trumpas*) rhyme, rime
eilinis I 1) (*sekantis*) next (in turn); 2) (*paprastas*) órdinary
eilin|is II *kar.* prívate; *dgs.* rank and file
eiliuoti vérsify
eilutė 1) (*teksto*) line; 2) (*kostiumas*) cóstume; (*vyriška*) suit
einamasis cúrrent
eis|ena 1) walk, gait; 2) (*ei-*

tynės) procéssion; **~mas** tráffic; ~ m o t a i s y k l ė s tráffic regulátions
ei|ti 1) go*; (*pėščiam*) walk; (*apie traukinius, automobilius ir pan.*) run*; (*apie laiką*) go* by; ~ (*savo*) p a r e i g a s atténd to one's dúties; ~ g e r y n impróve; ~ k i t e d e š i n ė n ! turn to the right!; 2) (*priartėti*) come*; ~ k š e n ! come here!
eitis be gétting on
eitynės procéssion *sing*; march *sing*
eižėti crack; (*apie odą*) chap
ėjikas wálker
ėjimas góing, wálking; *šachm.* move
ekipa *sport*. team
ekipažas 1) (*vežimas*) cáriage; 2) (*įgula*) crew
ekiu écu
ekolog|ija ecólogy; **~inis** ecológical
ekonom|ija ecónomy; **~ika** económics; **~inis, ~iškas** económic(al)
ekranas screen
ekskavatorius éxcavator
ekskurs|antas excúrsionist; **~ija** excúrsion, trip; ~ i j o s v a d o v a s guide
ekspansija *polit*. expánsion
ekspedicija 1) expedítion; 2) (*įstaiga*) dispátch óffice
eksperiment|as expériment; **~inis** experiméntal; **~uoti** expériment
ekspertas éxpert
eksploat|acija exploitátion; **~uoti** explóit
ekspon|atas, ~uoti exhíbit
eksport|as éxport; **~uoti** expórt
ekspresas expréss
ekspromtu óffhand; extémpore [ri]
ekstremistas extrémist
elast|ingas, ~iškas elástic
elegantiškas élegant
elektr|a electrícity; ~ o s š v i e s a eléctric light; ~ o s l e m p u t ė eléctric bulb; **~ifikacija** electrificátion; **~ifikuoti** eléctrify; **~inė** (eléctric) pówerstation; **~inis** eléctric(al); **~inti** eléctrify
elektromagnetas eléctromágnet
elektronika electrónics
elektrotechnik|a eléctrical enginéering; **~as** electrícian; eléctrical enginéer
element|arus eleméntary; **~as** élement
elementorius ABC book
elevatorius élevator
elgesys cónduct, beháviour
elget|a béggar; **~auti** beg, go* bégging
elgtis condúct oneself, be-

háve; (*su kuo*) treat (*smb*), deal* (with)
elitas elite [ei'li:t]
elnias deer*; šiaurės ~ réindeer*
emal|is, ~iuoti enámel
emblema émblem
emfazė émphasis
emigr|acija emigrátion; **~antas** émigrant; **~uoti** émigrate
emoc|ija emótion; **~ingas, ~inis** emótional
enciklopedija encyclopáedia
energ|etika energétics; **~ija** énergy; **~ingas** energétic
eng|iamasis oppréssed; **~imas** oppréssion; **~ti** oppréss
entuzia|stas enthúsiast; **~stiškas** enthusiástic; **~zmas** enthúsiasm
epidemija epidémic
epilogas épilogue
epitetas épithet
epizodas épisode
epocha époc
epušė asp
era éra
erd|ė space; **~us** spácious, róomy
erelis *zool.* éagle
erezija héresy
ėriena (*ėriukas*) lamb
erkė *zool.* tick
erotika erótica
erozija erósion
eršketas *zool.* stúrgeon
erškėtis *bot.* swéetbríar, églantine
ertmė *anat.* cávity
erudicija erudítion
erzin|imas irritátion; **~ti** 1) (*dirginti*) írritate; 2) (*pykinti*) tease, annóy
eržilas stállion
esą *dll.* it seems that, appárently
esamasis: ~ laikas *gram.* the présent tense
esantis béing, existing; aváilable
eskadr|a *jūr.* squádron; **~ilė** *av.* (air) squádron
eskimas Éskimo
eskizas sketch
esm|ė éssence; the main point; dalyko ~ the éssence of the mátter; **~inis** esséntial
esperanto (*kalba*) Esperánto
estafetė *sport.* 1) reláyrace; 2) (*lazdelė*) báton.
estas Estónian
esteti|ka aesthétics; **~nis** aesthétic(al)
ėsti 1) eat*; 2) *vulg.* devóur
estrad|a 1) plátform; 2) (*menas*) varíety art; ~os artistas varíety áctor; **~inis** varíety
ešelonas *kar.* échelon; 2) (*traukinys*) train

ešerys *zool.* perch
etapas stage
etatai staff *sing*
eteris éther
etika éthics
etiketas etiquétte
etiketė lábel
etinis éthic
etiudas 1) *lit.*, *men.* stúdy; sketch; 2) *muz.* étude
Europ|a Eúrope; **~os Sąjunga** Europėan Únion
europiet|is, **~iškas** Européan
evakuacija evacuátion; **~uoti** evácuate
evangelija *bažn.* Góspel
evoliucija evolútion
ežeras lake
ežia 1) (*riba*) bóund(ary); 2) (*lysvė*) bed
ežys *zool.* hédgehog

F

fabrik|as fáctory; mill, plant; **~o ženklas** trade mark; **~uoti** (*klastoti*) fábricate
fabula *lit.* plot
fakelas torch
fakt|as fact; **~inis** áctual, real; **~iškai** práctically; (*iš esmės*) in fact
fakultatyvas óptional súbject/course
fakultetas fáculty
falsifik|acija falsificátion; **~uoti** fálsify, adúlterate
familiarus famíliar, uncereḿonious
fanatikas fanátic
fanera plýwood; (*vieno sluoksnio*) venéer
fantast|inis, **~iškas** fantástic(al)
fantaz|ija fántasy, fáncy; (*vaizduotė t.p.*) imaginátion; **~uoti** 1) dream*; 2) (*pramanyti*) fib
faršas stúffing; **mėsos ~** fárcemeat
fasonas style, fáshion
faš|istas fáscist; **~izmas** fáscism
fauna fáuna
favoritas fávourite
fazanas *zool.* phéasant
fazė phase
fechtuoti(s) fence
federa|cija federátion; **~cinis** féderal; féderative
fėja fáiry
fejerverkas fíreworks
felčeris dóctor's assístant
feljetonas féuilleton; néwspaper sátire
feodal|inis feúdal; **~izmas** feúdalism
ferm|a farm; **~eris** fármer

festivalis féstival
figūr|a 1) figure; 2) *šachm.* chéssman*, piece; **~uoti** figure (as), appéar (as)
fiksuoti fix
fiktyvus fictítious
filharmonija Philharmónic Society
filialas branch
film|as, ~uoti film
filolog|as philólogist; **~ija** philólogy; **~inis** philológical
filosof|as philósopher; **~ija** philósophy; **~inis, ~iškas** philosóphical; **~uoti** philósophize
filtr|as fílter; stráiner; **~uoti** fílter; strain
finalas finále [fiˈná:li]; *sport.* fínal
finans|ai fináncеs; (*pinigai*) móney *sing*; **~inis** fináncial; **~uoti** fináncе
finiš|as, ~uoti *sport.* fínish
firma firm
fizik|a phýsics; **~as** phýsicist
fizinis phýsical; ~ d a r b a s mánual lábour
fiziolog|as physiólogist; **~ija** physiólogy; **~inis** physiológical
fiziškas phýsical
flanelė flánnel
flegmatikas phlegmátic pérson
fleita *muz.* flute
flygelis wing
flirtuoti flirt (with)
flora flóra
fojė fóyer [ˈfɔɪeɪ], lóbby
fokusas (*pokštas*) trick; júggle
folkloras fólklore
fonas báckground
fondas fund; (*atsarga*) stock
fonet|ika phonétics; **~inis** phonétic
fontanas fóuntain
forma shape, form
formal|istas fórmalist; **~izmas** fórmalism; **~umas** formálity; **~us** fórmal
formatas (*dydis*) size
formavimas(is) formátion, fórming
formul|ė, ~uotė fórmula; **~uoti** fórmulate
formuoti form; shape; (*suteikti formą*) mould
forsuoti 1) (*greitinti*) speed* up; 2) *kar.* force; ~ u p ę force a cróssing
fortas *kar.* fort
fortepijonas *muz.* piáno
fortifikacija *kar.* fortificátion
forumas fórum
fosforas phósphorus
fotelis ármchair
fotoaparatas cámera
fotograf|as photógrapher;

~ija 1) phótography; 2) (*nuotrauka*) phóto(graph); 3) (*atelje*) photógrapher's; **~uoti** (take* a) phótograph; **~uotis** have one's phóto táken, be phótographed
fragmentas frágment
frakas drésscoat; swállow-tails *pl*
frakcija *polit.* fáction
fraz|ė phrase; **~eologija** phraseólogy
frontas front
funkc|ija, ~ionuoti fúnction
futbol|as fóotball; **~ininkas** fóotballplayer, fóotballer
futliaras case

G

gabalas piece; (*mažas*) bit; (*cukraus*) lump; (*muilo*) cake
gaben|imas tránsport, transportátion, convéyance; **~ti** transpórt, cárry
gab|umas abílity; fáculty; (*talentas*) tálent; **~us** gífted, cléver
gadin|imas spóiling; **~ti** spoil*
gaida *muz.* 1) (*ženklas*) note; 2) (*melodija*) tune
gaidys cock
gail|a: m a n j o ~ I am sórry for him; ~, k a d ... it is a píty (that)...; j a m ~, k a d ... he is sórry that...; k a i p ~! what a píty; **~esys** píty
gailest|ingas pítiful; **~ingumas** compássion; **~is** píty
gailėti 1) feel*/be sórry (for), píty; 2) (*šykštėti*) grudge; **~s** regrét
gainioti drive*, chase
gairė lándmark
gaisr|as fire; **~ininkas** fireman*; ~i n i n k ų k o m a n d a fírebrigade
gaišatis (*gaišimas*) deláy
gaišinti (*laiką*) waste; (*trukdyti*) detáin, deláy
gaišt|i 1) (*delsti*) línger, be slow; 2) (*apie gyvulius*) die; **~is** waste of time
gaival|as élement; **~ingas, ~iškas** eleméntal; spontáneous
gaiv|inamas refréshing; **~inti** 1) (*pvz., vėsiu gėrimu*) fréshen, refrésh; 2) enlíven, vívify; **~us** (*gaivinantis*) fresh; vívifying
gaižus 1) (*aitrus*) ráncid; 2) (*apie žmogų*) péevish, grúmbling; *šnek.* grúmpy
gajus of great vitálity
gal máybe, perháps
galanterij|a háberdashery; ~o s p a r d u o t u v ė háber-

dasher's (shop), fáncygoods store
gal|as end; p i r š t ų ~a i s on típtoe; ◊ ~ų ~e áfter all; ~ą g a u t i die; ~a s ž i n o ! góodness knows!
galąst|i shárpen, grind*; **~uvas** whétstone
galbūt *žr.* gal
galerija gállery
gal|ėti be áble (+to *inf*); a š ~i u I can; ~i b ū t i perháps, máybe
gal|ia, ~ybė power, might
galima one can; (*leidžiama*) one may; j e i ~ if (it is) póssible; a r ~ į e i t i may I come in?; **~s** póssible
galim|ybė, ~umas possibílity; (*proga*) chance, opportúnity
galing|as pówerful, míghty; **~umas** pówer, might
galinis fínal; end
galiojimas valídity
galioti be válid; (*apie įstatymus, taisykles*) be in force
galūnė 1) *gram.* énding; (*kaitoma*) infléction; 2) *anat.* limb; extrémity
galutinis fínal
galv|a head; v y r i a u s y b ė s ~ head of the góvernment; ◊ i š e i t i i š ~o s go* mad; e i k n u o m a n o ~o s leave* me alóne; t u r ė t i ~o j e take* ínto considerátion
galvažud|ybė múrder; **~ys** múrderer
galvijai cáttle; lívestock *sing*
galvo|jimas thínking; **~sena** way of thínking; **~sūkis** púzzle; **~ti** think* (of, abóut)
galvūgalis bédhead
gama *muz.* scale
gamyb|a, ~inis prodúction; ~o s p r o c e s a s prócess of prodúction; a v a l y n ė s ~ manufácture of shoes
gamykla works; fáctory; mill, plant
gamin|ys manufáctured árticle; próduct; **~ti** 1) prodúce, make*, manufácture; 2) (*valgį*) prepáre; cook
gamt|a náture; ~o s t u r t a i nátural resóurces; ~o s m o k s l a s (nátural) scíence; **~inis** nátural
gana enóugh (*po bdv. ir prv.*); ráther, prétty
gandas rúmour
gandras *zool.* stork
gan|ykla pásture; **~yti(s)** graze, pásture
garai fumes
garant|ija guarantée, secúrity; **~uoti** guarantée
gar|as steam, vápour; **~avimas** evaporátion
garažas gárage
garban|a curl, lock; **~otas** cúrly; **~oti** wave; curl

garb|ė hónour; ~ ė s ž o d i s! upón my hónour! ~ ė s t r o š k i m a s ambítion; p l ė š t i ~ ę dishónour; **~ėtroška** ambítious man*
garbingas hónourable
garbinti 1) (*šlovinti*) glórify; 2) (*gerbti*) hónour; 3) (*nusilenkti*) wórship
gardas pen; enclósure
gardus delícious, tásty; nice *šnek.*
gardžiai tástefully; ~ k v e p ė t i be frágrant; smell sweet
gardžiuotis sávour, relish
gargaliuoti gárgle
garin|is steam (-); **~ti** eváporate
garlaivis stéamer
garnyras gárnish
garnys *zool.* héron
gars|as sound; **~enybė** celébrity; **~ėti** be fámous; **~iai** lóud(ly); alóud
garsiakalbis loudspéaker
garsin|is sound(-); ~ f i l m a s sóundfilm; tálkie *šnek.*; **~tuvas** spéakingtrumpet
garstyč|ia, ~ios mústard
garsus 1) (*skambus*) loud, sonórous; 2) (*žinomas*) wellknówn, fámous
garuoti eváporate, exhále
garvežys (stéam)engine; lócomotive *amer.*
gąsdinti fríghten, scare
gastrolės *pl sing* tour
gastronomas (*parduotuvė*) grócery and provísion shop; (*didelė*) food store
gatavas fínished; (*apie drabužius*) readymáde
gatv|ė street; **~elė** býstreet
gaublys *geogr.* globe
gaubtas I *bdv.* cónvex
gaubt|as II (*lempos*) lámpshade; **~i** 1) (*dengti*) cóver, put* on; 2) (*lenkti*) bend* óut(wards).
gaudimas drone; hum, buzz
gaudyti catch*
gauja 1) (*žmonių*) band, gang; 2) (*šunų, vilkų*) pack
gaus|ėti incréase; **~ybė, ~umas** abúndance, plénty; **~us** abúndant, pléntiful
gausti buzz; (*žemu tonu*) drone
gauti recéive, get*
gavėjas recéiver
gavėnia *bažn.* Lent
gėd|a shame, disgráce; m a n ~ I am ashámed; k a m ~ ą d a r y t i disgráce smb; **~ingas** disgráceful, shámeful; **~inti** shame; **~ytis** be ashámed (of)
gedul|as móurning; **~ingas** fúneral; móurning
gegutė *zool.* cúckoo
gegužė May
geidžiamas desírable

geis|mas lónging (for); (*noras*) desíre; **~ti** long, crave (for); desíre
gėlas fresh
gelbėti save, réscue
gelda trough [trɔf]
gėl|ė flówer; k a m b a r i n ė s ~ ė s índoorplants; ~ ė t a s flówery
geležinis iron (*ir perk.*)
geležinkel|ininkas ráilwayman*; **~is** ráilway; ráilroad *amer.*; ~ i o s t o t i s ráilway station.
geležis íron
gėlynas flówer gárden; partérre [pɑ:ˈtɛə]
gelmė depth
gels|ti turn yéllow; **~vas** yéllowish
gelt|a, ~ligė jáundice
gelti 1) (*skaudėti*) ache; 2) (*apie vabzdžius*) sting*; (*apie gyvatę*) bite*
gelton|as yéllow; **~umas** yéllowness; **~uoti** show* yéllow
geluonis sting
gelžbetonis ferrocóncrete
gemalas *biol.* émbryo, germ
gemb|ė wóoden hook; **~inė** peg, rack
genas *biol.* gene
generalin|is géneral; ~ ė r e p e t i c i j a dress rehéarsal
generolas géneral
genėti lop, prune
genialus of génius; great; ~ ž m o g u s génius
genijus génius
genys *zool.* wóodpecker
genocidas génocide
gent|inis tríbal; **~is** tribe
geograf|as geógrapher; **~ija** geógraphy; **~inis** geográphic(al)
geolog|as geólogist; **~ija** geólogy; **~inis** geológical
geometr|ija geómetry; **~inis** geométric(al)
geradarys bénefactor
gerai well*; okáy; ~! véry well!, all right!
ger|as good*; (*malonus*) kind; ◊ ~ a v a l i a of one's own free will; v i s o ~ o! goodbȳe!; so long!; ~ i a u s i u a t v e j u at best
gerašird|is góodnátured; **~iškumas** good náture
gerbėjas admírer, wórshipper
gerb|iamas hónourable, respéctable; (*laiške*) dear; **~imas** respéct; **~ti** hónour, respéct
gerėti grow* bétter, impróve; (*sveikti*) recóver
gėrė|jimasis admirátion, delíght; **~tis** admíre, be delíghted
geriamas drínkable
gėrybė good; wealth
gėrimas drink, béverage

gerinti impróve; **~s** fawn (upón), cúrry fávour (with)
gėris good
gerkl|ė throat; jai skauda ~ę she has a sore throat
gerok|ai ráther; **~as** 1) (*apygeris*) ráther/prétty good; 2) (*nemažas*) consíderable
gerovė wellbéing; wélfare
gerti 1) drink*; ~ vaistus take* one's médicine; 2) (*siurbti*) absórb, imbíbe
ger|umas kíndness, góodness; **~umu, ~uoju** of one's own free will; (*nesipykstant*) in a fríendly way
gervė *zool.* crane
gervuogė (*uoga*) bláckberry
gesinti put* out, extínguish; (*elektros šviesą*) switch off
gestas gésture
gesti I 1) (*irti*) spoil; (*apie maistą*) go* bad; (*pūti*) rot; (*apie dantis*) decáy; 2) *perk.* becóme corrúpt
gesti II (*blėsti*) go* out
gi *dll:* kalbėk ~! aren't you góing to speak!; greičiau ~! be quick!
gidas guide
gydym|as tréatment; **~ti** treat; cure; **~tis** undergó* a cure/tréatment; **~tojas** phýsician, dóctor
gydomasis cúrative
giedoti sing*, chant; (*apie paukščius*) wárble; (*apie gaidį*) crow*
giedr|as clear, seréne; **~ėti** (*apie orą*) clear (up)
giesmė song; hymn
gigant|as gíant; **~iškas** gigántic
gilė (*ąžuolo*) ácorn
gil|ėti, ~inti déepen; **~intis** go* deep (ínto)
gylis depth
gylys (*vabzdys*) gádfly
giltinė (sýmbol of) death
gilum|a, ~as depth
gilus deep, profóund
gimdyti give* birth (to); bear*
gim|ęs; born; **~imas** birth; ~imimo diena bírthday; ~imo vieta bírthplace
giminait|ė, ~is rélative, relátion
gimin|ė 1) fámily, kin; (*giminaitis*) rélative, kínsman*; 2) *gram.* génder; **~ingas** kíndred, reláted; **~ingumas, ~ystė** relátionship, kíndred; **~iuotis** be reláted
gimnastika gymnástics
gimnazija sécondary school
gimt|as nátive; ~asis kraštas nátive land; ~oji kalba móther tongue; **~i** 1) be born; 2) *perk.* come* ínto béing, aríse; **~inė** nátive land
ginč|as árgument; **~ijamas**

quéstionable; dispútable; **~yti** dispúte; contést; **~ytis** árgue, dispúte; (*bartis*) quarrel
gyn|ėjas 1) protéctor, defénder; 2) *teis.* cóunsel (for the defénce); 3) (*futbole*) back; fúllback; **~yba, ~imas** defénce
ginkl|as arm(s), wéapon; **~avimasis** ármament; **~uotas** armed; ~uotas sukilimas armed rísing; **~uoti(s)** arm
gintaras ámber
giñti I drive*
gínti II (*saugoti*) defénd, protéct; 2) (*žodžiais*) speak* in suppórt (of); *teis.* plead for
gips|as gýps(um); (*chirurgijoje, skulptūroje*) pláster (of Páris); **~inis** pláster
giraitė grove
gird|ėti hear*; kas ~? what's the news?; **~imas** distínct, áudible
gird|ykla wáteringplace, pond; **~yti** 1) give* (*smb smth*) to drink; (*gyvulius*) wáter; 2) (*svaigalais*) make* drunk; 3) (*skandinti*) drown
girgžd|ėjimas,~esys squeak, creak; **~ėti** creak, squeak
giria fórest, wood
gyrimasis bóasting
girininkas fórester
girtas drunk, típsy
girt|i praise; **~inas** práiseworthy; **~is** boast (of), brag (of)
girtuokl|iauti drink* hard; **~is** drúnkard
gysl|a vein; **~otas** sínewy
gitara guitár
gyti 1) (*sveikti*) get* bétter, recóver; 2) (*apie žaizdą*) heal
gyvas 1) líving, alíve; 2) (*judrus*) lívely, brisk, (*žvalus*) ánimated; ◊ sveikas ~! helló!
gyvatė snake; sérpent
gyvatukas *tech.* cóil(pipe)
gyvenam|as(is) 1) dwélling; ~asis plotas flóorspace; ~oji vieta résidence; dómicile; 2) (*apgyventas*) inhábited; (*pvz. kraštas*) pópulated
gyvenimas life*
gyvent|i 1) live; 2) (*turėti buveinę*) reside, dwell*; **~ojas** inhábitant, dwéller; **~ojai** (*šalies, miesto*) populátion *sing*
gyvenvietė séttlement
gyvyb|ė life*; **~inis, ~iškas** vítal
gyvis líving béing
gyvsidabris mércury
gyvulininkystė cáttle breeding
gyvul|ys ánimal; beast; **~iai** cáttle; **~iškas** brútal, béstial
gyvūnija fáuna, the ánimal kíngdom
gyvuo|ti be, exíst; kaip ~ji how are you (gétting on)? tegyvuoja..! long live..!

gižti (*apie pieną, sriubą*) grow* sóurish
glaistyti pútty (with)
glamonė|jimas, ~ti caréss
glamžyti(s) crúmple
glaudės shorts; (*maudymosi*) trunks; slips
glaudus sérried; concíse; (*apie ryšį*) close
glausti 1) (*eiles*) close; 2) (*spausti*) clasp; **~s** (*prie ko*) press oneséIf (to)
glėbys 1) embráce, arms *pl*; 2) (*ko*) ármful (of)
gleivės *pl* múcus *sing*
glemžti grab, seize
gležnas délicate, flábby
gliaudyti (*riešutus*) crack; (*žirnius*) pod
glitus víscous, slímy, stícky
glob|a guárdianship; **~ėjas** guárdian; *teis.* tútor; **~ojimas** care; **~oti** be guárdian (to); take* care (of)
glostyti stroke
gluosnis *bot.* wíllow
gnaibyti pinch, nip
gniaužti (*spausti*) squeeze
gnybti pinch, nip
gniūžtė (*šiaudų*) wisp; (*žolės*) tuff; (*popieriaus*) pack; s n i e g o ~ snowball
gobšus, godus gréedy
golfas *sport.* golf
gomurys *anat.* pálate
gorila *zool.* gorílla
grabal|inėti, ~ioti grope* (for), feel* abóút (for)
grac|ija grace; **~ingas** gráceful
grafik|a dráwing; **~as** 1) (*menininkas*) dráwer; 2) (*diagrama*) graph; 3) (*tvarkaraštis*) schédule.
grafinas decánter; caráfe
graf|inis, ~iškas gráphic
grafystė cóunty
graibyti 1) (*čiupinėti*) feel*, touch; 2) (*nuo paviršiaus*) take* off
graik|as, ~iškas Greek
grakštus gráceful
gramas gram(me)
gramat|ika grámmar; **~inis** grammátical
gramzdinti submérge; plunge
granata *kar.* grenáde
grandin|ė, ~ėlė chain; **~ės** *perk.* chains, fétters
grandiozinis gránd(iose)
grandis 1) link; 2) (*žiedas*) ring; 3) (*grupė*) team, group
grandyti scrape
granitas gránite
grasin|imas threat, ménace; **~ti** thréaten
graud|inti move, touch; **~us** móving, tóuching; (*liūdnas*) sad, dóleful; ~ ž i o s a š a r o s bítter tears
graužikas *zool.* ródent

graužti gnaw; níbble; **~s** grieve, be distréssed
graužtukas core (*of an apple, etc.*)
grav|iruoti engráve; **~iūra** engráving
grąža change
gražėti grow* préttier
gražiai beaútifully, nícely, well
grážinti beaútify, adórn
grąžinti retúrn, give* back
gražiuoju in a fríendly way
grąžtas *tech*. bórer, drill
graž|umas, ~uolė béauty; **~us** béautiful; hándsome; ~us oras good/fine wéather; ◊ toli ~u far from béing
grėb|lys rake; **~styti, ~ti** rake
greičiau sóoner, ráther; **~siai** most próbably, véry líkely
greit|ai 1) (*sparčiai*) quíckly, fast; 2) (*netrukus*) soon; **~as** quick, fast; ~u laiku befóre long; ~asis traukinys fast train
greit|inti quícken; accélerate; (*vykdymą*) speed* up; **~is** speed, rate; **~kelis** híghspeed road; **~omis** húrriedly, hástily; **~umas** quíckness; speed
grės|mė threat, ménace; **~mingas** thréatening, ménacing; **~ti** thréaten
greta I *prl.* (*ko*) by, near
greta II *prv*. side by side
greta III (*eilė*) file; rank
gret|imas, ~utinis adjácent; contíguous
gretinti compáre (to, with), confrónt (with)
gręžti 1) *tech*. bore; drill; 2) (*baltinius*) wring*; 3) (*sukti*) turn
griaučiai 1) skéleton *sing;* 2) *perk*. fráme(work) *sing*
griaunamas(is) destrúctive
griausmas thúnder
griaust|i thúnder; **~inis** thúnder; ~inio trenksmas thúnderclap
griauti 1) (*naikinti*) destróy; 2) (*guldyti*) bring* down; 3) (*žlugdyti*) undermíne
gryb|as múshroom; **~auti** pick múshrooms
griebti seize; catch* hold (of), grasp
grietin|ė sóur cream; **~ėlė** cream
griežiklis bow
griežlė *zool*. lándrail
griežtas sevére, stern; (*reiklus*) strict
griežti 1) : ~ smuiku play the violín; 2) (*dantimis*) grind*, gnash
griežtis *bot*. swede, Swédish túrnip
grikiai búckweat *sing*
grimas máke-up

grimas|a grimáce; darytì ~as make* fáces
grimuoti make* up
grimzti sink*, plunge (ínto)
gryn|as pure; ~asis svoris net weight; ~ais pinigais in cash; ~ame ore in ópen (air)
grindinys pávement
grindys floor *sing*
grynumas púrity
griovimas destrúction, demolítion
griovys ditch
griozdiškas búlky, unwíeldy
gripas *med.* influénza; flu *šnek.*
grįsti 1) (*gatvę*) pave; (*akmenimis*) cóbble; 2) (*savo tvirtinimus*) ground, base
griūti (*kristi*) fall* (down); collápse (*ir žlugti*); ~**is** fall; (*sniego*) ávalanche
griuv|ėsiai rúins; ~**imas** fáll(ing); collápse
grįž|imas retúrn; ~**ti** retúrn, go*/come* back
grob|ikas inváder; plúnderer; ~**imas** plúnder; róbbery; (*teritorijos*) séizure; ~**is** bóoty; plúnder; (*plėšraus žvėries*) prey
grob|styti, ~ti 1) (*plėšti*) plúnder; 2) (*griebti*) seize
grobuonis (*apie žmogų*) plúnderer; (*apie žvėrį*) beast of prey; (*apie paukštį*) bird of prey; ~**iškas** prédatory
grojimas play, pláying
gromuliuoti chew; rúminate
grotelės gráting *sing*
groti play
grotuvas recorder, pláyer
grož|ėjimasis admirátion; ~**ėtis** admíre; ~**ybė** beaúty
grož|inis: ~inė literatūra fíction, bellesléttres [ˈbelˈletr]; ~**is** beaúty
grubti (*nuo šalčio*) becóme* numb
grubus coarse, rough; (*nemandagus*) rude
grūd|ai, ~as grain, corn; ~**inis**: ~inės kultūros céreals
grūdinti témper; *perk.* hárden
grūmoti thréaten, ménace
grumstas clod, lump
grumtis fight*, strúggle
gruodis Decémber
grup|ė, ~uotė, ~uoti(s) group
grūst|i 1) (*smulkinti*) pound; 2) (*kišti*) push, cram; ~**is** crush
gruzin|as, ~iškas Geórgian
guba shock
gudr|ybė, ~umas cléverness; cúnning; ~**us** 1) (*protingas*) cléver, intélligent; 2) (*suktas*) sly, cúnning

guiti (*varyti*) drive*
gulbė swan
guldyti lay* (down)
gulėti lie*
gulsčias 1) (*gulįs*) lýing, recúmbent; 2) (*horizontalus*) horizóntal
gulti lie* (down); e i t i ~ go* to bed
guma rúbber; k r a m t o m o j i ~ (chéwing)gum
gumbas 1) (*nuo sumušimo*) bump; 2) (*atauga*) lump
guminis rúbber
gumulas lump; (dūmų) puff
gundy|ti tempt; sedúce; **~mas** temptátion, sedúcement
guodimas cómfort, consolátion
guolis 1) (*lova*) bed; 2) (*žvėries*) lair; 3) *tech*. béaring
guost|i cómfort, consóle; **~is** (*kam kuo*) compláin (to of)
gurguolė *kar*. tránsport; train
gurklys 1) (*paukščio*) crop; 2) (*žmogaus*) dóuble chin
gurkšn|is drink, móuthful; (*mažas*) sip; (*didelis*) gulp; **~oti** sip
guvus quick, prompt
gūžčioti, gūžtelėti: p e č i a i s ~ shrug one's shóulders
gūžta nest
gvard|ietis guárdsman*; **~ija** Guards *pl*
gvazdik|as *bot*. pink; carnátion; **~ėliai** (*prieskonis*) clove *sing*
gvėra gawk, bóoby
gvildenti 1) (*ankštis*) hill, pod; 2) (*nagrinėti*) consíder, examine

H

harmon|ija hármony; **~i n g a s** harmónious
hektaras héctare
herbas (coat of) arms *pl*; v a l s t y b i n i s ~ State Émblem
hermetiškas hermétic
heroinas héroin
heroj|ė héroine; **~inis, ~iškas** heróic; **~us** héro
hibridas, ~inis hýbrid
hidroelektrin|ė hydroeléctric pówer státion; **~is** hydroeléctric
hidrotechnika hydráulic enginéering
higien|a hýgiene; **~iškas** hygíenic(al)
himnas hymn; v a l s t y b i n i s ~ nátional ánthem
hiperbolė *lit*. hypérbole
hipno|tizuoti hýpnotize; **~zė** (*būvis*) hypnósis; (*įtaigos jėga*) hýpnotism

hipodromas rácecourse
hipotezė hypóthesis
hobis hóbby
homonimas hómonym
honoraras fee
horizont|alė, ~alus horizóntal; **~as** horízon
human|istas húmanist; **~iškas** humáne; **~izmas** húmanism
humor|as húmour; **~istinis** húmorous, comic

I, Į, Y

į (*vidun*) in, ínto; (*krypčiai žymėti*) to, for; d ė t i ~ d ė ž ę put* in a box; į e i t i ~ n a m ą go* ínto the house; e i t i ~ m o k y k l ą go* to school; i š v y k t i ~ V i l n i ų leave* for Vílnius
įamžinti perpétuate, immórtalize
įasmeninti persónify
įaugti grow* in
įbauginti intímidate, cow
įbėgti run* (in, ínto), come* rúnning (in, ínto)
įbesti stick*, thrust* (in, ínto); (*sunkiai*) drive* (in, ínto)
įbrėžti scratch
įbristi wade, ford (ínto)
įbrukti shové, push (ínto)
yda vice, defect
įdaras stúffing, fílling
įdarbinti give* (*smb*) a job
įdaužti make* a hole/dent
ideal|as idéal; **~iai** pérfectly; **~istas** idéalist; **~istinis** idealístic(al); **~izmas** idéalism; **~us** idéal
įdeg|imas súnburn, tan; **~ti** get* súnburnt/brown
idėj|a idéa; **~inis** idéa; ideológical
įdėmus atténtive
ideolog|as ideólogist; **~ija** ideólogy; **~inis** ideológical
įdėti 1) put* in, insért; (*į voką*) enclóse; 2) (*įmokėti*) pay* in; (*kapitalą*) invést
įdiegti implánt; ínculcate
ydingas deféctive; fáulty
idioma ídiom
idiot|as ídiot; **~iškas** idíotic
įdom|umas ínterest; **~us** ínteresting
įdrė|ksti, ~skimas scratch
įdribti fall*, túmble (ínto)
įdub|ęs hóllow, súnken; **~imas** hóllow, cávity; **~ti** sink* in
įduoti 1) (*įteikti*) hand in; 2) (*įskųsti*) repórt (on)
įdūrimas prick
įdurti prick; (*įbesti*) thrust* (ínto)
įdužti crack slíghtly

įeiti go* ín(to), come* in, énter
įėjimas éntrance, éntry
ieškinys *teis*. áction, suit
ieško|jimas search (for); **~ti** look (for), search; seek*
iešmas *glžk*. ráilway point; **~ininkas** *glžk*. swítchman*
iet|is spear; ~ i e s m e t i m a s *sport*. jávelin thrówing
ieva *bot*. bírdcherry tree
įgalinti enáble
įgalio|jimas (*raštas*) wárrant; pówer of attórney; **~ti** áuthorize, empówer; **~tinis** represéntative; (*atstovas*) áuthorized ágent
įgaubtas concáve
įgauti take*; ~ p r o t o learn* sense, grow* wise
įgeidis whim, capríce
įgelti sting*; (*apie gyvatę*) bite*
įgėręs típsy, a bit drunk
įgimtas inbórn, innáte
įgyti acquíre, gain
įgyvendin|imas realizátion; **~ti** réalize; (*įvykdyti*) fulfíl, accómplish
įgnybti pinch
ignoruoti ignóre
įgristi péster, bore, bóther
įgriūti come* down; (*įkristi*) túmble ín (to).
įgrūsti push, shove (ínto)
įgudęs skílful; (*prityręs*) expérienced
įgūdis hábit; skill
įgula 1) *kar*. gárrison; 2) (*laivo, lėktuvo*) crew
įgusti get* used (to); acquíre a hábit
įjungti *tech*. turn on; start; (*srovę*) switch on
įkainoti fix the price, price
įkaisti became* héated; get* hot
įkaitas 1) (*daiktas*) pledge; 2) (*žmogus*) hóstage
įkaitinti heat
įkalbė|jimas persuásion; **~ti** persuáde; talk (ínto)
įkalin|imas imprísonment; **~ti** impríson
įkalti drive*/hámmer in
įkandimas bite; (*vabzdžio*) sting
įkaršt|is clímax; p a č i a m e ~ y j e in full swing
įkąsti bite*; (*apie vabzdį*) sting*
iki I *prl*. to; till, untíl; ~ č i a up to here; ~ š i o l up to now; ~ g a l o to the end.
iki II *jng*. untíl, till
ikimokyklinis preschóol
įkyr|ėti bore, bóther...; **~us** bóthersome, bóring
įkišti put*, shove (ínto)
įkliūti be caught; get* (ínto)
įkopti climb up
ikrai 1) (*žuvyje*) roe *sing*; 2)

(*valgiui*) cáviar(e) [ˈkævɪɑ:] *sing*
įkrėsti (*košės ir pan.*) put*, pour (ínto)
įkristi fall*, sink* (ínto)
įkūnyti embódy, íncárnate
įkurdinti séttle
įkūr|ėjas fóunder; **~imas** foundátion
įkurt|i 1) found; 2) (*ugnį*) make* up the fire; **~uvės** hóusewarming *sing*
įkvėp|imas inspirátion; **~ti** 1) (*oro*) breathe in, inhále; 2) (*pvz., mintį*) inspíre
yla awl
įlanka bay, gulf
įlašinti put*/pour some drops (ínto)
įlaužti break slíghtly; break* (through)
įleisti let* in; (*vaistus*) injéct
įlėkti fly* ín(to)
įlenkti curve/bend* ínwards
ilgai long, (for) a long time
ilgas long
ilgesys yéarning, lónging (for); tėvynės ~ hómesickness
ilgėtis long for; miss
ilginti léngthen, make* lónger
ilg|is length; **~uma** *geogr.* lóngitude; **~umas** length
įlipti (*pvz., į medį*) climb up; (*į traukinį ir pan.*) get* in/on
įlįsti get* ín(to)
ilsėtis rest
iltis fang
įlūžti becóme* fráctured, crack
įmerkti soak, dip
įmigti fall* déeply asléep
įminti (*mįslę*) guess
įmokėti pay* in
įmonė undertáking, énterprise
import|as ímport; **~uoti** impórt
imt|i 1) take*; 2) (*pradėti*) begín*; 3) (*derlių*) hárvest; 4) (*mokesčius*) lévy; **~inai** inclúsive
imtyn|ės *sport.* wréstling *sing*; eiti ~ių wréstle; **~ininkas** *sport.* wréstler
imtis take*/set* to; undertáke*
imtuvas recéiver; wíreless (set)
įnašas contribútion
incidentas íncident
iñd|ai plates and díshes; fajanso ~ cróckery *sing*; porcelianiniai ~ chína *sing*; virtuvės ~ kítchen uténsils; **~as** véssel
índas Índian
indėlis 1) déposit; 2) *perk.* contribútion
indėn|as, ~iškas Índian
individ|as, ~ualus indivídual

industrializ|acija industrializátion; **~uoti** indústrialize
įnešti bring*/cárry in
infekc|ija inféction; **~inis** inféctious
infliacija *ekon.* inflátion
inform|acija informátion; **~uoti** infórm
iniciat|yva inítiative; **~orius** inítiator
įnirš|imas, ~is fúry, rage; **~ti** fly* ínto rage
injekcija injéction
inkaras ánchor
inkilas néstingbox
inkstas kídney
inscenizuoti drámatize, stage
inspektas hótbed, fórcingbed
inspektorius inspéctor
instinkt|as ínstinct; **~yvus** instínctive
institutas ínstitute
instruk|cija instrúctions *pl*, diréctions *pl*; **~torius** instrúctor; **~tuoti** instrúct
instrumentas ínstrument, tool
intakas tríbutary
inteligent|as intelléctual; **~ija** intelléctuals *pl*; intelligéntsia
intensyvus inténsive
interes|antas vísitor, cáller; **~as** ínterest; **~uotis** be ínterested (in)
interjeras intérior
internacional|inis internátional; **~izmas** internátionalism
internatas (*mokykla*) bóardingschool
intervencija intervéntion
interviu ínterview
intymus íntimate
intonacija intonátion
intrig|a intrígue; **~antas** intríguer; **~uoti** intrígue
invalidas ínvalid; d a r b o ~ disábled wórker; k a r o ~ disábled sóldier
inventor|ius 1) (*sąrašas*) invéntory; 2) (*turtas*) stock; **~izuoti** invéntory; take* stock
invest|icija *ekon.* invéstment; **~uoti** invést
inžinierius enginéer
ypač espécially, partícularly
įpainioti entángle, invólve
įpareigo|jimas obligátion; **~ti** oblíge, bind*
ypat|ybė peculiárity; **~ingas** spécial, partícular; ◊ n i e k o ~ i n g o nóthing in partícular
įpėdin|ė héiress; **~is** heir; **~ystė** inhéritance
įpyk|dyti make* ángry; **~ti** get* ángry
įpilti pour in
įpjauti cut slightly; make* an incision

įplėšti tear* slíghtly
įplyšti becóme* slíghtly torn
įprast|as úsual, órdinary; **~i** get* accústomed/used (to)
įprat|imas hábit; **~inti** accústom, train
įprotis hábit
įpulti 1) fall*, túmble(ínto); 2) (*įbėgti*) rush, burst (ínto)
ir and; **~...~** both...and
įranga equípment; installátion
įrank|is ínstrument, tool; ímplement
įraš|as récord; (*pvz., paminkle*) inscríption; **~yti** recórd; (*į sąrašą ir pan.*) énter; inscríbe
įreng|imai, ~imas equípment; **~ti** equíp, fit out
irgi álso, too
irimas disintegrátion; decáy
įriš|imas bínding, bóokcover; **~ti** (*knygą*) bind*
irkl|as oar; (*trumpas*) scull; **~uoti** row; **~uotojas** rówer, óarsman*
įrody|mas proof, évidence; **~ti** prove; démonstrate
iron|ija írony; **~iškas** irónical
irti 1) disíntegrate, decáy; 2) (*apie siūlę*) rip
irti, irtis row
įrūgti get*/becóme*sóur
irzlus írritable, pétulant
įsakas decrée, édict
įsak|ymas órder, commánd; **~inėti** give* órders; be in commánd/charge; **~yti** órder, commánd
įsekti come* in (*after smb*), fóllow (*smb*) in
įsibėgė|jimas rúnning start; **~ti** run* up; šokti **~jus** take* a rúnning jump
įsibrauti 1) intrúde; inváde; 2) (*apie klaidą*) slip in
įsidėmėti pay* atténtion (to); (*atsiminti*) remémber
įsidrąsinti pluck up one's cóurage
įsigalėti (*sustiprėti*) inténsify, becóme* strónger; (*apie papročius ir pan.*) take* root
įsigalioti come* ínto force
įsigeisti get* a strong desíre (for)
įsigerti soak in; be soaked (into)
įsigilinti go* deep (ínto); be absórbed in
įsigyti 1) acquíre; obtáin; 2) (*pirkti*) púrchase
įsigudrinti contríve; mánage
įsikalbėti, įsikalti (*į galvą*) take* (*smth*) ínto one's head
įsikaršč|iavimas férvour, heat; **~iuoti** get* excíted, grow* héated
įsikibti catch* hold of, seize
įsikiš|imas interférence; **~ti** interfére; (*į kalbą t. p.*)

cut* in
įsiklausyti lísten atténtively
įsikurti séttle, estáblish onesélf
įsilaužti break* in
įsiliepsnoti flare/flame up
įsilinksminti *žr.* įsismaginti
įsimylė|jęs in love; **~ti** fall* in love (with)
įsiminti mémorize; be retáined in *smb's* mémory
įsipainioti be/get* mixed up (in)
įsipareigo|jimas engágement, obligátion; **~ti** pledge onesélf
įsisamoninti réalize
įsiskolin|ęs in debt; **~imas** debts *pl*; **~ti** run* ínto debt
įsiskverbti pénetrate
įsismaginti cheer/bríghten up
įsisteigti be estáblished, be set up
įsišaknyti take* root
įsitaisyti 1) *žr.* įsigyti; 2) *žr.* įsikurti
įsiterpti interfére
įsitikin|ęs sure, cónfident; **~imas** convíction; cónfidence; **~ti** be convínced (of); make* sure (of; that)
įsitraukti (*pamėgti*) becóme* keen (on); take* a great ínterest (in)
įsiūlyti (*ką kam*) foist; palm off (*smth on smb*)
įsiu|sti fly* ínto rage; get* fúrious; **~tęs** fúrious; **~tinti** infúriate, enráge
įsivaizduo|jamas imáginary; **~ti** imágine; fáncy
įsiverž|imas invásion; encróachment; **~ti** inváde; encróach (upón)
įsivyrauti becóme predóminant
įsižeisti take* offénce (at)
įsižiūrėti look inténtly, peer (ínto)
įskait|a 1) (*aukštojoje mokykloje*) crédit test; 2) (*įskaitymas*) inclúsion; **~yti** inclúde; **~ytinai** inclúsive
įskaitomas légible
įskaudinti give* pain (to)
įskausti ache
įskristi fly* ín(to)
įskund|ėjas denúnciator; **~imas** denunciátion
įskųsti denóunce
island|as, ~iškas Icelándic, Íceland
įslinkti slip, creep* (into)
įsmukti (*pralįsti*) slip ín(to)
įsodinti put* (*smb*); (*į laivą*) embárk
ispan|as Spániard; **~iškas** Spánish
įspaud|as stamp, brand; **~uoti** stamp, brand
įspė|jimas 1) wárning; 2) (*mįs-*

lės) ánswer, solútion; **~ti** 1) warn; 2) (*mįslę*) guess
įspūd|ingas impréssive, impósing; **~is** impréssion
įstaiga institútion, estáblishment
įstatai regulátions, statutes
įstatym|as law; ~ų leidimas legislátion
įstatyti put* ín(to)
įsteigti found; estáblish, set* up
įstengti be áble
įstiklinti glaze
įstoj|amasis éntrance; **~imas** éntry
istor|ija 1) history; 2) (*pasakojimas*) stóry; **~ikas** históriаn; **~inis**, **~iškas** históriсal; (*žymus*) histórіc
įstoti (*į mokyklą*) énter; (*į organizaciją, kolektyvą*) join
įstrigti stick* in
įstriž|ai slántwise; oblíquely; **~as** slánting, oblíque
įsukti screw (ínto)
įsūnyti adópt
iš 1) from; (*iš vidaus*) out of; ~ po from únder; 2) (*apie medžiagą*) of; 3) (*žymint priežastį*) for, out of; 4) (*dalijant, dauginant*) by; ◊ ~ esmės in éssence; ~ prigimties by náture; ~ mažens from one's chíldhood
išaiškėti turn out
išaiškin|imas elucidátion, cléaring up; **~ti** elúcidate, clear up; expláin (to); (*nustatyti*) ascertáin, find* out
įšaldyti (*ir perk.*) freeze*
išalkti feel*/get* húngry
išankstinis prelíminary; advánce
išardyti 1) (*siūlę*) unríp, rip up; 2) (*sugriauti*) destróy, demólish; 3) take* apárt
išaug|inti (*vaikus*) bring* up; (*gyvulius*) rear; (*augalus*) grow*, raise; **~ti** grow*
išauklėt|as wellbréd; **~i** bring* up; educate
išauš|ti: **~o** it is (dáy)light
išbaidyti scare/fríghten awáy
išbal|ęs pale; **~ti** turn pale
išbaltinti whíten; (*patalpą*) whitewash
išband|ymas test, tríal; *perk.* ordéal; **~yti** try, test; put* to the test
išbarstyti spill*, scátter
išbarti give* (*smb*) a scólding
išbėgioti scátter
išbėgti run* out (of)
išbėrimas (*kūno*) rash, erúption
išberti 1) (*odą*) break* out; 2) (*pvz., grūdus*) émpty, pour out
išbyrėti, **išbirti** pour/spill* out

išblaškyti 1) scátter; 2) *perk.* dispél, díssipate
išblykšti turn pale
išbraukti cross out; (*iš sąrašo*) strike* off
išbūti stay, remain
išdaiga trick, prank
išdal|ijimas distribútion, dispensátion; **~yti** distríbute, dispénse
išdaužti knock/break* out
išdava resúlt, óutcome
išdav|ikas tráitor; **~ikiškas** tréacherous; **~imas** 1) tréachery; *polit.* tréason; (*nusikaltėlio*) extradítion; 2) (*pvz., prekių*) delívery
išdeg|inti burn* out; (*žymę*) brand; **~ti** burn* awáy/out
išdėlioti lay* out
išdėstyti 1) lay* out; 2) (*žinias*) set* forth
išdid|umas pride; háughtiness, árrogance; **~us** proud; háughty, árrogant
išdyk|auti be náughty, romp; **~ęs** náughty
išdirb|imas, ~is (*produkcija*) óutput; (*jos kokybė*) make; **~ti** work (up)
išdraikyti 1) scátter/strew* abóut; 2) (*plaukus*) tousle
išdraugauti have been friends (*for some time*)
išduoti 1) give*, hand; 2) (*paslaptį ir pan.*) give* awáy, betráy
išdžiovinti, išdžiūti dry up
išeikvo|jimas embézzlement, peculátion; **~ti** spend*, embézzle; **~tojas** embézzler
išei|ti 1) go* out; leave*; 2) (*mokslus, mokyklą*) compléte; 3) (*iš spaudos; apie uždavinį; pasirodyti*) be out; come* out; appéar; ~ n a , k a d ... it seems (that)...
išeitis way out
išeivija emigrátion; émigrants *pl*
išėjimas 1) (*veiksmas*) góing out; (*traukinio*) depárture; 2) (*salėje ir pan.*) éxit, way out
išgalvoti invént; (*meluoti*) make* up
išgars|ėti becóme* fámous (for); **~inti** glórify, make* fámous
išgąstis fright, scare
išgaubt|as cónvex; protúberant; **~i** bend*
išgelbėjimas réscue; salvátion
išgenėti lop off; chop off
išgerti drink* (off); (*kavos, arbatos, vaistų*) take*
išgyd|yti cure; **~omas** cúrable
išgijimas recóver
išgirsti hear*
išgyvendinti 1) (*iškelti*) evíct; 2) (*trūkumus*) get* rid (of)

išgriebti snatch/get* out
išgrob|styti plúnder; **~ti** steal*
išgrūsti push/force out; drive* out
įšildyti warm up
išilg|ai 1) *prv*. léngthways; 2) *prl*. alóng; ◊ s k e r s a i i r ~ far and wide; **~as** léngthwise
išimt|i take* out; ~ i š a p y v a r t o s withdráw* from use; **~inai** exclúsively; **~inis** exéptional; **~is** excéption
išjudinti move; *perk*. shake* up
išjungti (*vandenį, dujas, šviesą*) turn off; (*elektrą*) switch off; cut* off
išjuokti make* fun (of); rídicule
iškab|a sígnboard; **~inti** hang* out; (*skelbimą*) post up
iškalbing|as éloquent; **~umas** éloquence
iškamša (*gyvulio*) stuffed ánimal; (*paukščio*) stuffed bird
iškankintas worn/tíred out, exháusted
iškarp|a (*laikraščio*) cútting, clípping; **~yti** cut* out
iškas|ena fóssil; **~ti** dig up; (*rūdą, anglį*) extráct, mine
iškeisti exchánge
iškeliauti set* off, leave*
iškelti 1) raise, lift; (*vėliavą*) hoist; 2) (*iškraustyti*) evíct; 3) (*surengti*) arránge
iškentėti, iškęsti undergó*, bear*; súffer
iškyla 2) pícnic; 2) (*išvyka*) trip
iškilm|ė féstival; **~ės** celebrátions; festívities; **~ingas** sólemn
iškilti 1) rise*; 2) (*į paviršių*) come* to the súrface, emérge
iškirpti cut* out
iškirsti hew out, cut* down
iškišti put* out
iškyšulys *geogr*. cap
išklaus(inė)ti quéstion; make* inquíries
išklausyti 1) lísten to; (*iki galo*) hear* out; 2) *med*. sound
iškopti climb/come* out
iškovoti (*pergalę*) win*, gain
iškraipy|mas distórtion, misrepresentátion; **~ti** distórt, misrepresént
iškrauti unlóad
iškrikti dispérse, scátter
iškristi fall* out
iškrovimas unlóading
iškvailinti call (*smb*) a fool
iškvėpti breathe out
iškviesti call; send* for
išlaid|os expénses; expéndíture *sing*; **~us** extrávagant, wásteful
išlaik|ymas máintenance;

~yti 1) (*aprūpinti*) maintáin; suppórt; 2) bear* endúre; 3) ~yti egzaminą pass an examinátion; **~ytinis** depéndent
išlaipin|imas disembárkation; **~ti** disembárk; (*desantą*) land
išlaistyti spill*
išlaisvin|imas, ~ti *žr.* išvad|avimas, ~uoti
išlakstyti fly* awáy, scátter
išlaužti break* ópen
išleidimas (*produkcijos*) óutput; (*pinigų*) expénditure
išleisti 1) (*į laisvę*) reléase; (*paukštį*) let* out; 2) (*spausdinį*) públish; íssue; 3) (*pinigus*) spend*
išleistuvės *pl* séeingoff párty *sin,* párting feast
išlėkti fly* out; (*apie žmogų*) rush out
išlenkti bend*
išlepintas spoilt
išlydėti see* off
išlydyti (*metalą*) smelt
išlieti (*vandenį*) pour out
išlikti remáin, be left
išlipti climb out; get* out; (*iš laivo*) land
išlošti win*
išmaišyti mix up
išmaitinti maintáin, keep*; províde (for)
išmanyti understánd*
išmatavimas méasuring
išmatos fáeces, éxtrement *sing*
išmėgin|imas, ~ti *žr.* išband|ymas, ~yti
išmesti 1) throw* out; 2) (*pvz., stiklinę*) drop, let* fall
išmėtyti throw* abóut, scátter
išminčius sage, wise man*
išmint|ingas wise, réasonable; **~is** réason, wísdom
išmiręs extínct
išmirkyti soak, steep
išmirti die out, becóme* extínct
išmokėti pay* off
išmokti learn*; máster
išmušti 1) (*sienas*) páper; 2) (*apie laikrodį*) strike*; 3) (*pvz., priešą*) dislódge
išnagrinėti ánalyse; (*reikalą*) look (ínto)
išnaikinti destróy; anníhilate
išnarinti díslocate
išnarplioti unrável, disentángle
išnaša fóotnote
išnaud|ojimas exploitátion; **~ti** 1) use up, make* use of; 2) (*eksploatuoti*) explóit; **~tojas** explóiter
įšnekėti *žr.* įkalbėti
išneš|ioti (*pvz., laiškus*) delíver; **~ti** cárry/take* out

išniekinti profáne; (*jausmus*) defíle
išnir|imas dislocátion; **~ti** díslocate
išnuomoti let*, rent, lease
išor|ė extérior; (*žmogaus*) appéarance; **~inis** óutward, extérnal
išpainioti disentángle; (*siūlus*) unrável
išpakuoti unpáck
išparduoti sell* off/out
išpasakoti tell*; recóunt
išpeikti speak* ill; run* down
išpildy|mas fulfílment; **~ti** (*pažadą ir pan.*) fulfíl
išpilti pour out; (*netyčia*) spill*
išpirkti 1) redéem; (*belaisvį*) ránsom; 2) (*kaltę*) éxpiate; 3) (*prekes*) buy* up
išpjau|styti, ~ti cut* out
išplaukti swim* out; (*į paviršių*) come* to the súrface
išplepėti blab, blurt out, give* awáy
išplėsti wíden, enlárge; expánd
išplėšti 1) tear* out; (*iš rankų*) snatch out; 2) (*pvz., turtą*) rob, plúnder
išplėtimas exténsion; expánsion
išplitęs wídespread
išprotėti go* mad
išpuik|ęs háughty, árrogant; **~ti** get* puffed up
išpurvinti make* dírty, dírty, soil
išrad|ėjas invéntor; **~imas** invéntion; **~ingas** invéntive
išraišk|a expréssion; **~ingas, ~us** expréssive
išrasti invént
išrašas éxtract, éxcerpt
išrašyti 1) (*iš knygos*) write* out; 2) (*iš ligoninės*) dischárge
išrauti root out/up; upróot
išreikšti expréss
išrėžti cut* out
išrink|imas (*pvz., delegatų*) eléction; **~ti** 1) seléct, pick out; 2) (*balsavimu*) eléct
išryškinti 1) revéal, bring* to light; 2) *fot.* devélop.
išrūpinti obtáin (áfter much tróuble)
išsamus exháustive
išsaugo|jimas preservátion; **~ti** keep*, presérve; retáin
išsekti 1) (*apie vandenį*) run* dry; 2) (*apie jėgas*) be exháusted
išsemti exháust; scoop out
išsiblaivyti (*apie orą*) clear up/awáy
išsiblašk|ęs ábsentmínded; **~yti** 1) (*išsisklaidyti*) dispérse; 2) (*pasilinksminti*) distráct onesélf

išsidažyti (*veidą*) make* up; ~ lūpas put* lípstick on
išsidėstymas (*padėtis*) situátion; disposítion
išsigalvoti make* up; fabricate
išsigąsti be fríghtened (with)
išsigelbėti save onesélf; escápe
išsigydyti be cured (of), recóver (from)
išsigim|ęs degénerate; **~imas** degenerátion; **~ti** degénerate
išsiginti renóunce; retráct
išsiilgti miss
išsyk at once
išsikelti 1) (*kitur gyventi*) move; 2) (*į krantą*) land
išsikišti protrúde, jut out
išsikraustyti *žr.* išsikelti 1)
išsilaikyti 1) (*pvz., pozicijose*) hold* out, stand*; 2) (*ant kojų*) keep* one's feet
išsilavin|ęs éducated; **~imas** educátion
išsimaitinti live (on); subsíst (on)
išsimiegoti have a good sleep; sleep* off
išsimokėtinai by instálments
išsimokslin|ęs, **~imas** *žr.* išsilavin|ęs, ~imas
išsipildyti come* true
išsiplėsti wíden; expánd; *perk.* spread*
išsipurvinti make* onesélf all múddy
išsipūsti swell*, puff up
išsirinkti choose*
išsiskirstyti go* awáy; (*apie minią*) break* up
išsiskirti 1) be distínguished (by); stand* out (for); 2) (*atsisveikinant*) part; 3) (*apie sutuoktinius*) divórce, be divórced
išsisklaidyti dispérse, scátter; (*apie dūmus, rūką*) clear awáy
išsiskleisti ópen
išsisukinėti dodge, shift
išsisukti 1) (*išsinarinti*) díslocate, put* out; 2) (*iš bėdos*) éxtricate onesélf, wríggle out; 3) (*vengti*) elúde, eváde
išsišakoti rámify; fork (*apie kelią*)
išsišokėlis úpstart
išsiteisinti jústify onesélf; (*prieš ką*) set* onesélf right (with smb)
išsitempti, **išsitęsti** stretch (onesélf)
išsitiesti 1) stretch (onesélf), sprawl; 2) (*išsilyginti*) stráighten itsélf
išsivad|avimas liberátion; **~uoti** get* free; make* onesélf free
išsivaikščioti go* awáy; (*apie minią*) dispérse

išsivynioti 1) unwráp; 2) (*savaime*) get* unwrápped
išsivysty|mas devélopment; **~ti** devélop
išsižadėti renóunce; (*žodžio*) retráct
išsižioti ópen one's mouth
išskaičiuoti cálculate; (*išvardyti*) númerate
išskaityti (*iš užmokesčio*) dedúct
išskėsti move apárt; spread* (wide)
išskirstyti (*tarp*) distríbute
išsk|irti 1) (*atrinkti*) pick out; 2) (*kaip išimtį*) exclúde, excépt; **~yrus** excépt, with the excéption (of)
išsklaidyti dispérse; (*baimę, abejonę*) dispél
išskristi fly* out; *av*. start
išskubėti leave* húrriedly
išslinkti, išslysti slip out
išspausti squeeze/press out
išsprukti slip awáy, escápe
išstatyti (*daiktus*) displáy; set* forth; (*parodoje*) expóse, exhíbit
išstoti (*iš organizacijos*) leave*
išstumti 1) push out; 2) *perk*. oust; supplánt
išsukti unscréw
iššaukti call; call out
iššauti fíre a shot; fíre off
iššifruoti decípher
iššluostyti wipe (up)
iššluoti sweep* (out)
iššokti jump out
iššūkis challenge
iššvaistyti 1) throw* abóut; 2) *perk*. squánder (awáy)
ištaigingas cómfortable
ištaškyti spill*, splash
išteisin|imas *teis*. acquíttal; **~ti** jústify; *teis*. acquít
ištekė|jusi márried; **~ti** 1) márry; 2) (*apie skysčius*) flow out, run* out
ištekliai resérves
ištęstas longdráwn, longwínded
ištiesti 1) stretch (out); 2) (*ištiesinti*) stráighten
ištikim|as fáithful, devóted, lóyal; **~ybė, ~umas** fáithfulness, lóyalty; (*atsidavimas*) devótion
ištikti strike*, overtáke*
ištinti swell* up/out
ištyrimas investigátion; (*ligonio*) examinátion
ištis|ai complétely, entírely; **~as** whole, entíre; **~ą dieną** all day; **~inis** contínuous; (*apie masę*) sólid, compáct
ištiž|ęs slack, lánguid, slúggish; **~imas** lánguor
ištrauka éxtract; pássage
ištraukti draw*/pull out; (*išvilkti*) drag out; (*kamštį ir pan.*) take* out; (*stalčių*)

ópen
ištrėmimas éxile; bánishment
ištremti éxile; bánish
ištrinti wipe off; (*tai, kas parašyta*) eráse, rub out
ištro|kšti becóme*/get* thírsty; **~škęs** thírsty
ištrūkti 1) tear* onesélf awáy; escápe; 2) (*apie sagą*) be torn out
ištušt|ėti becóme* émpty; becóme* desérted; **~inti** émpty
ištverm|ė endúrance; **~ingas** hárdy; tough
ištverti bear*, endúre
ištvinti overflów
ištvirk|ęs depráved; corrúpt; **~imas** deprávity, corrúption; **~inti** corrúpt, depráve; **~ti** becóme* corrúpted/depráved
išvad|a conclúsion; (p a) d a r y t i ~ą draw* a conclúsion; p r i e i t i ~ą come* to the conclúsion
išvad|avimas liberátion, delíverance; **~uojamasis** líberatory, emancipátion; **~uoti** líberate, reléase; free; **~uotojas** líberator
išvaikyti drive* awáy; dispérse
išvaizda appéarance, looks *pl*, air
išvakar|ės eve *sing*; ~ė s e on the eve (of)
išvardyti enúmerate; name
išvarg|ęs tired; **~intas** tíred out, exháusted; **~inti** tire out, exháust; **~ti** be tired out, be exháusted
išvaryti drive* awáy, expél
išvaž|iavimas depárture; **~iuoti** leave*; depárt
išvengti avóid; (*bausmės*) escápe, eváde
išversti 1) pull down; overtúrn; 2) (*pvz., rankovę*) turn (insíde) out; (*drabužį*) turn; 3) (*į kitą kalbą*) transláte; (*žodžiu*) intérpret
išvesti lead* out; take* out
išvežti 1) drive*/take* awáy; 2) (*prekes*) expórt.
išvien togéther
išvietė wátercl óset (*sutr.* WC), lávatory
išvyk|a excúrsion; trip; óuting; **~imas** depárture; **~ti** depárt (from), leave* for
išvilioti coax, whéedle (out of); (*apgavyste*) swíndle
išvynioti unróll, unwráp
išvirkšč|ias ínsíde out; ~i a p u s ė the wrong side
išvirkšt|i injéct; **~imas** injéction
išvirsti fall* out; (*apie žmogų*) túmble out
išviršinis óutward, extérnal

išvystym|as devélopment; **~ti** (*pvz., pramonę*) devélop
išvyti drive* out/awáy
it *dll.* like, as if
įtaig|a suggéstion; **~us** suggéstive
įtaisas device
įtak|a ínfluence; d a r y t i ~ą ínfluence, have ínfluence (on); **~ingas** influéntial
ital|as, ~iškas Itálian
įtampa 1) *el.* vóltage; 2) *žr.* įtempimas
įtar|imas suspícion; **~(inė)ti** suspéct; **~tinas** suspícious
įteigti suggést
įteik|imas hánding, delívery (of to); presentátion; **~ti** hand (in), delíver; (*iškilmingai*) presént
įteisinti légalize, legítimate
įtekėti flow (ínto), fall* (ínto)
įtemp|imas ténsion; (*jėgų*) strain, éffort; **~tas** strained, tense; (*apie darbą*) strénuous; **~ti** 1) strain; stretch; 2) (*į vidų*) pull/draw* in
įterp|imas insértion; **~ti** insért, put* in; **~tinis** *gram.* parenthétic
įtikin|amas convíncing; **~ti** convínce, persuáde
įtikti please
įtraukti 1) draw* in; 2) (*į programą*) inclúde; (*į sąrašą*) énter (on a list), inscríbe
įtrinti rub (in)
įtvirtinti 1) (*žinias*) consólidate; fix; 2) *kar.* fórtify
įvad|as introdúction; **~inis** introdúctory
įvaikinti adópt a child*
įvairia|rūšis heterogéneous; **~spalvis** párticoloured
įvair|umas varíety, divérsity; **~uoti** váry; **~us** várious, divérse
įvardis *gram.* prónoun
įvaryti drive* in
įvart|is *sport.* goal; į m u š t i ~į score a goal
įvaž|iavimas (*vieta*) éntry, éntrance; **~iuoti** drive* in; (*dviračiu*) ride* in
įveikti overcóme*, surmóunt; (*nugalėti*) gain a víctory
įvelti invólve, entángle
įverti: ~ s i ū l ą į a d a t ą thread a néedle
įvertin|imas estimátion; appreciátion; **~ti** éstimate; appréciate
įvesti lead*/bring* in; introdúce
įvežti 1) bring* in; 2) (*prekes*) import
įvykd|ymas fulfílment; realizátion; **~yti** cárry out, fulfíl; (*įgyvendinti*) réalize; **~omas** féasible, prácticable
įvyk|is evént; **~ti** háppen,

occúr; (*pvz., apie koncertą*) take* place
izol|iacija isolátion; **~iacinis** ínsulating; **~iuoti** ísolate
įžambus slánting, oblíque
įžang|a introdúction; **~inis** introdúctory; ~ i n i s ž o d i s ópening addréss
ižd|as tréasury; **~ininkas** tréasurer
įžeid|imas ínsult; **~žiamas** insúlting, abúsive
įžeisti insúlt; (*šiurkščiai*) óutrage
įžemin|imas éarth(ing); **~ti** earth
įžengti énter
įžym|ybė celébrity; **~us** fámous; remárkable; (*tik apie žmogų*) éminent
įžiūrimas vísible, nóticeable
įžūl|umas ímpudence, ínsolence; **~us** ímpudent, ínsolent
įžvalgus sagácious; pénetrating, shrewd
įžvelgti percéive

J

jachta yacht
japon|as, ~iškas Japanése
jau alréady; *dažnai neverčiamas*: a r t u ~ p i e t a v a i? have you had (your) dínner?
jaudin|imasis agitátion, emótion; excítement; **~ti** ágitate; excíte; (*kelti nerimą*) wórry, alárm; **~tis** be ágitated; be excíted; wórry
jaukas bait
jauk|umas cósiness; **~us** cósy
jaun|as young; **~atvė** youth; **~ikis** brídegroom; **~imas** youth, young péople; **~ystė** youth; **~oji** bride
jaunuol|ė girl; **~is** youth; **~iškas** yóuthful
jausm|as sense; féeling; **~ingas** sénsitive
jausti(s) feel*; k a i p j a u č i a t ė s ? how are you?
jaustukas *gram*. interjéction
jaut|iena beef; **~is** ox*
jautr|umas sénsitiveness; **~us** sénsitive
javai (*lauke*) corn *sing*; (*grūdai*) grain *sing*; v a s a r i n i a i ~ spring crops
jėg|a strength, force; *tech., fiz.* pówer; i š v i s ų ~ ų with all one's might
jei, jeigu if; ~ n e unléss
ji she; (*apie daiktus*) it
jie they
jis he; (*apie daiktus*) it
jodas íodine
jog that

jok|s no; none; ◊ ~ i u b ū d u by no means
Joninės St. John's Day, Mídsummer's Day
joti ride*
jubiliej|inis júbilee *attr*; **~us** annivérsary; júbilee
judamas móbile
jud|ėjimas 1) (*judesys*) mótion; 2) (*sąjūdis*) móvement; 3) (*gatvėje*) tráffic; **~ėti, ~inti** move
judrus lívely, áctive
judu, judvi both of you, you two
juk why; *t.p. verčiamas klausimais* is it (not)?, will you (not)? *ir pan.*
jungas yoke
jung|iklis *tech.* switch; **~inys** combinátion
jungt|i join, uníte; (*rišti*) connéct; (*derinti*) combíne; **~inis** uníted, joint; **~is** 1) uníte; 2) *chem.* combíne
jungtis *dkt. gram.* línkverb
jungtukas *gram.* conjúnction
jungtuvės márriage *sing*
juntamas percéptible, tángible
juo: ~... ~ the... the
juodadarbis unskílled wórker
juodaodis bláckskínned; cóloured man*
juod|as black; ~ a d u o n a brown bread, rýebread
juod|ėti grow*/turn black; **~inti** blácken (*ir perk.*)
juodraštis rough cópy
juodu they both
juod|umas bláckness; **~žemis** black earth
juok|as 1) láughter; 2) *dgs.* jokes; ~ u s k r ė s t i joke; ~ a i s in jest; **~auti** joke; **~darys** fool, jéster; **~ingas** láughable, ridículous; **~inti** make* laugh
juoktis laugh; (*iš ko*) mock (at), make* fun (of)
juosmuo waist, loins *pl*
juosta 1) (wóven) sash; 2) (*kaspinas*) ríbbon; 3) *geogr.* zone
juosti I gírdle, gird*
juõs|ti II grow* black; **~vas** bláckish
jūr|a sea; ~ o s l i g a séasickness; **~eivis** séaman*
jurginas *bot.* dáhlia
jurid|inis, ~iškas jurídical; légal
jūrin|inkas sáilor, séaman*; **~is** sea(-)
juristas láwyer
jūs you; **~iškis** your; yours
justi feel*; sense
jūsų your; yours
jutim|as sensátion; ~ o o r g a n a i órgans of sense
juvelyras jéweller

K

kabelis cáble
kab|ėti hang*; **~ykla** cóatstand; (*prieškambaryje*) (háll) stand;**~iklis** clóthespeg
kabina booth; (*automobilio, lėktuvo*) cábin
kabinetas 1) stúdy; (*gydytojo*) consúltingroom; 3) *polit.* cábinet
kabinėtis 1) (*griebtis*) clutch (at); 2) *žr.* kabiñtis
kabint|i 1) hang*; suspénd; 2) (*prie ko*) hitch, hook; **~is** (*prie ko*) find* fault (with), cávil (at), carp (at)
kabl|elis *gram.* cómma; **~iataškis** *gram.* sémicolon; **~ys, ~iukas** hook
kaboti hang*
kabutės *gram.* invérted cómmas; quotátionmarks
kačiukas kítten
kad that; ~ n e lest
kada when; ~ n o r s (*ateityje*) some day; (*klausiamajame ir sąlygos sakiniuose*) éver
kadagys *bot.* júniper
kadaise once (upón a time); fórmerly
kadangi as, since, becáuse
kadrai personnél *sing*, staff *sing*
kai when; ~ k a d a sómetimes; ~ k a s sómebody; sómething; ~ k o k s, ~ k u r i s some; ~ k u r here and there
kailin|iai fúrcoat *sing*; **~is** fur(-)
kailis (*oda*) skin, hide; (*plaukuotas*) fur
kaimas víllage; (*priešpastatant miestui*) cóuntry, cóuntryside
kaimenė herd; (*avių, ožkų*) flock
kaimietis cóuntryman*
kaimyn|as néighbour; **~inis** néighbouring; next; **~ystė** néighbourhood
kaimiškas cóuntry; rúral
kain|a price, cost; **~uoti** cost*
kaip 1) (*klausiant*) how; what; 2) (*palyginimui, būdui žymėti*) like; as; d a u g i a u ~ more than; ~ a n t a i for exámple; ~ n o r s sómehow; ~ t i k just, exáctly
kair|ė (*ranka*) left hand; (*pusė*) léfthand side; **~ėje** on the left; į ~ ę to the left
kaisti 1) (*šilti*) get* warm; 2) (*prakaituoti*) sweat; 3) (*iš gėdos*) blush
kaistuvas pan, sáucepan
kaišioti poke, thrust*
kaitalioti(s) álternate, interchánge
kaitint|i heat, warm; **~is**

(*saulėje*) bask in the sun
kaitr|a heat; **~us** hot
kajutė *jūr.* cábin
kakava cócoa
kaklaraištis tie, nécktie
kaklas neck
kakta fórehead ['fɔrɪd]
kalakut|as, ~ė túrkey
kalavijas sword
kalb|a 1) lánguage, tongue; užsienio ~ fóreign lánguage; 2) (*pasisakymas*) speech (*ir gram.*); tiesioginė ~ *gram.* diréct speech; ~os dalys *gram.* parts of speech; 3) (*pokalbis*) talk, conversátion
kalbė|jimas speech; **~ti(s)** speak*, talk; **~tojas** spéaker
kalbin|inkas línguist; **~is** linguístic
kalbus tálkative
Kalėdos Chrístmas *sing*
kalėjimas príson, jail
kalendorius cálendar
kalėti be imprisoned
kalin|imas imprísonment; **~ys** prísoner; **~ti** detáin in príson
kaliošai galóshes; rúbbers
kalkė cárbonpaper; trácing-paper
kalkės lime *sing*
kalnagūbris móuntain; (*neaukštas*) hill; **~elis** híllock; **~ietis** mountainéer; **~ynas** móuntain chain; **~uotas** móuntainous
káltas I (*įrankis*) chísel
kalt|as II guílty (of); aš ~ it is my fault; **~ė** fault, guilt
kalti 1) (*geležį*) forge; 2) (*vinis*) hámmer (in), drive* in; 3) *šnek.* (*mechaniškai mokytis*) cram, con
kaltin|amasis (*asmuo*) accúsed; **~imas** charge, accusátion
kaltin|inkas cúlprit; **~ti** accúse (of), charge (with)
kaltumas guíltiness
kalva hill
kalv|ė smíthy, forge; **~is** (bláck)smith
kalvotas hílly
kam 1) *įv.* whom; to what; 2) *prv.* what for
kambar|inis índoor; **~ys** room
kame where; ~ nors sómewhere
kamer|a cell; chámber; bagažo saugojimo ~ *glžk.* clóakroom; **~inis** chámber
kamienas 1) trunk, stem; 2) *gram.* stem
kamin|as chímney; **~krėtys** chímneysweep
kampanija campáign
kamp|as córner; *mat.* ángle; **~elis** córner; nook; **~uotas**

ángular
kamšatis crush
kamšyti 1) (*plyšius*) stop up; plug; 2) *žr.* kimšti
kamštis cork; (*stiklinis*) stópper
kamuolys 1) d ū m ų ~ puff of smoke; d u l k i ų ~ dústcload; 2) (*sviedinys*) ball; 3) (*siūlų*) clew
kamuoti *žr.* kankinti
kanadiet|is, ~iškas Canádian
kanal|as canál; (jūros) chánnel; **~izacija** séwerage
kanapė hemp
kanceliar|ija óffice; **~inis, ~iškas** óffice(-); ~ i n ė s p r e k ė s státionary *sing*
kančia súffering; tórment
kandidat|as cándidate; i š k e l t i ~ u nóminate; **~ūra** cándidature
kandiklis cigarétteholder
kandis moth
kandus 1) stínging; 2) *perk.* bíting
kandžioti bite*; (*apie vabzdžius t. p.*) sting*
kankin|imas tórture, tórment; **~ti** tórture, tormént
kankorėžis cone
kanopa hoof
kantr|iai pátiently, with pátience; **~ybė, ~umas** pátience; **~us** pátient
kap|ai *dgs.* cémetary, gráveyard *sing*; **~as** grave
kapeika cópeck
kapinės cémetery *sing*, gráveyard *sing*
kapital|as cápital; **~istas** cápitalist; **~istinis** cápitalist, capitalístic; **~izmas** cápitalism
kapitonas cáptain
kapituliacija capitulátion
kapòtas *aut.* bónnet
kapoti chop; (*malkas*) hew
kapriz|as capríce; whim; **~ytis** be caprícious, be náughty
karal|iauti reign; **~ienė** queen; **~ystė** kíngdom; **~ius** king
karas war; a n t r a s i s p a s a u l i n i s ~ World War Two
karburatorius *tech.* carburétor
karčiai (*arklio*) mane *sing*
kardas sword; sábre
kardinolas *bažn.* cárdinal
kareivinės bárracks
kareivis sóldier
karelas Karélian
kariauti be at war; make* war (on); fight*
karieta coach
karikatūra caricatúre; (*politinė*) cartóon
karingas mártial, wárlike
karininkas ófficer
kar|inis mílitary; ~ i n ė

t a r n y b a mílitary sérvice; **~ys** wárior; sóldier; **~iškis** sóldier; sérviceman*; **~iuomenė** ármy; fórces *pl*
karjera caréer
karjeristas officeséeker, pláce-hunter, clímber
karklas wíllow
karkvabalis cóckchafer
karnavalas cárnival
karnizas córnice
karoliai beads
karpa wart
karpis carp
karpyti cut*; clip
karstas cóffin
karščiavimas féver; féverishness
karščiuot|i be féverish; féver; **~is** get* excíted
karštas 1) (*pvz., valgis, diena*) hot; 2) (*pvz., žmogaus troškimas*) árdent, pássionate
karščiai hot séason *sing*
karšt|is 1) (*oras*) heat; 2) (*ligonio*) féver; **~ligė** féver; **~ligiškas** féverish; **~umas** heat; (*perk. t. p.*) árdour
karta generátion
kartais sómetimes
kart|as time; ~ą once; d a r ~ą once more; i š ~o right awáy; d u ~u s twice
karti hang*; **~s** hang* onesélf
kártis I (*virpstas*) perch
kartis II (*gyvulio*) mane
kartkarčiais from time to time
kartojimas repetítion
kartonas cárdboard
kartoti repéat
kartu togéther
kartumas bítter taste
kartūnas cótton (print)
kartus bítter
kartuvės gállows
karūna crown
karuselė mérrygoround
karvė cow
karvelis pígeon; dove
karžygys héro
kas (*apie asmenį*) who; (*apie daiktą*) what; ~ n o r s (*apie asmenį*) sómebody, sómeone; ánybody; (*apie daiktą*) sómething; ánything
kasa I (*plaukų*) plait
kasa II 1) cash desk; cash régister; (*bilietų*) bóoking office; 2) (*įstaigos pinigai*) cash
kasdien, ~inis dáily; **~is, ~iškas** órdinary, cómmonplace
kas|ėjas dígger; návvy; **~ykla** mine, pit
kaset|ė, ~inis cassétte
kasininkas cashíer
kasyti scratch
kaskart évery time
kasmet évery year; yéarly; **~inis** ánnual, yéarly
kasnakt évery night

kąsnis piece, bit
kaspinas ríbbon, bow
kast|i dig*; **~uvas** spade
kąsti bite*; (*apie vabzdžius t. p.*) sting*
kaštonas *bot.* chéstnut
katalik|as, ~iškas Cathólic
katalogas cátalogue
katastrofa catástrophe, áccident
katė cat
katedra 1) chair; 2) *bažn.* cathédral
ką tik just (now)
katil|as bóiler; **~inė** bóiler-room
katinas tómcat
katorga pénal sérvitude
katras which (of the two)
kaučiukas rúbber, cáoutchouc ['kautθuk]
kaukaz|ietis, ~iškas Caucásian
kauk|ė mask; n u p l ė š t i ~ę unmásk; **~ėtas** masked
kaukolė skull
kaukti howl; (*apie sireną*) hoot
kaul|as bone; **~ėtas** bóny; **~iukas** (*vyšnios ir pan.*) stone
kaup|imas (*kapitalo*) accumulátion; **~ti** 1) *ž. ū.* earth up; hoe; 2) (*kapitalą*) accúmulate; **~tukas** hoe
kaustyti (*arklį*) shoe*
kautis fight*
kaušas scoop; dípper, ládle; (*žemsemės*) búcket
kava cóffee
kavaler|ija cávalry; **~istas** cávalryman*
kavalierius cávalier
kavin|ė cafe; **~ukas** cóffee-pot
kazachas Kazákh
kazlėkas bútter múshroom
kazokas Cóssack
kažin scárcely, hárdly
kažkada once; fórmerly
kažkaip sómehow
kažkas (*apie žmogų*) sómebody; (*apie daiktą*) sómething
kažkoks some
kažkur sómewhere
keblus embárrassing; (*sunkus*) dífficult
kėdė chair
kedras *bot.* cédar
keik|smas, ~smažodis curse, swéarword; **~ti** scold; abúse; **~tis** swear*, curse
keistas strange, odd
keisti(s) change
keistuolis crank, eccéntric
keitimas exchánge; **~is** change
kekė clúster; v y n u o g i ų ~ bunch of grapes
keleiv|inis pássenger(-); **~is** pássenger

kel|etas, ~eri, ~i séveral, some, a few
kelialapis pass
keliam|asis: ~ieji metai léapyear *sing*
kelias 1) road, way; 2) (*kelionė*) jóurney; 3) (*būdas*) way
keliaut|i trável; (*jūra*) vóyage; **~ojas** tráveller
keliese 1) (*klausiant*) how mány; 2) (*keli*) some, a few (togéther)
kėlimas (*į viršų*) ráising, rise
kėlinys *sport.* half, time, períod
kelint|as which; ~a valandá what is the time
kelion|ė jóurney; (*jūra*) vóyage; (*pramoginė*) trip; ~ės išlaidos trávelling expénses
kelis knee
kelm|as stump, stub; **~uotas** stúbby
keln|aitės pants; (*glaudės*) shorts; **~ės** tróusers; apatinės ~ės dráwers, pants
keltas férry(boat)
kelt|i 1) raise; lift; 2) (*žadinti*) wake*; rouse; 3) (*keltu*) férry; **~is** 1) (*liftu ir pan.*) go* up; 2) (*iš miego*) get* up; 3) (*į kitą vietą*) move
kempinė sponge
kengūra *zool.* kangaróo
kenk|ėjas 1) wrécker; 2) *ž. ū.* pest; vérmin; **~imas** wrécking, sabotáge
kenksmingas hármful, bad*; (*sveikatai*) unhéalthy
kenkti harm; do harm; ínjure
kent|ėjimas, ~imas súffering; **~ėti** súffer, endúre
kepalas loaf*
kepėjas báker
kepenys lı́ver *sing*
kepykla bákery
kepsnys roast
kept|i bake; (*keptuvėje*) broil, fry; (*orkaitėje*) roast; **~uvė** frŷingpan
kepur|aitė (*moteriška*) hat; **~ė** cap
kerai charms, sórcery *sing*
kerdžius hérdsman*
kerš|yti revénge oneсélf (upón for); avénge; **~tas** véngeance, revénge; **~tingas** revéngeful
kert|ė, ~inis córner
kėsintis attémpt, encróach (on)
kęsti *žr.* kentėti
ketin|imas inténtion; **~ti** inténd, be abóut (+to *inf*)
ketur|i four; visomis ~iomis on all fours
keturiasdešimt fórty; **~as** fórtieth
keturiese the four of us/you/them/(togéther)
keturiolik|a fóurtéen; **~tas**

fóurtéenth
ketus cast íron
ketver|i, ~tas, ~tukas four
ketvirta|dalis a quárter; **~dienis** Thúrsday
ketvirt|as fourth; **~finalis** *sport*. quarterfinal; **~is** quárter; **~oji** one fourth
kevalas, kiaukutas shell
kiaul|ė pig, sow; **~iena** pork
kiaur|ai through; **~as** full of holes, hóley
kiaušas skull
kiaušin|is egg; **~ienė** ómelet(te); p l a k t a **~i e n ė** scrámbled eggs *pl*
kiautas shell
kibernetika cybernétics
kibinti tease
kibiras búcket, pail
kibirkš|čiuoti spárkle; **~tis** spark
kyboti hang*
kibti 1) cling* (to); 2) (*apie žuvis*) bite*; 3) (*priekabių ieškoti*) cávil (at), carp (at)
kiek 1) (*klausiant*) how much; how mány; 2) (*truputį*) a líttle, sómewhat; 3) as far as; ~ m a n ž i n o m a as far as I know
kiek|ybė quántity; **~is** amóunt, número
kiekvien|as 1) évery, each; ~ ą d i e n ą évery day; 2) (*kaip dkt.*) éveryone
kiem|as yard, court; **~sargis** yárdkeeper
kieno whose
kiet|as 1) hard; (*mėsa*) tough; (*ne skystas*) sólid; 3) (*miegas*) sound; 3) (*kiaušinis*) hárd-boiled; **~umas** solídity, hárdness
kietėti hárden, grow*/becóme* hard
kikenti gíggle, chúckle
kílimas I cárpet; (*nedidelis*) rug
kilímas II rise
kilmė 1) órigin; 2) (*priklausymas savo gimimu*) bírth, descént
kilnia|dvasis, ~širdis magnánimous, génerous
kilnojamas 1) móbile, itínerant; 2) (*apie turtą*) móvable
kilo|gramas kílogram(me); **~metras** kílometre
kilpa loop; (*sagai*) búttonhole; (*mezginio*) stitch
kilti 1) rise*; go* up; 2) (*prasidėti*) aríse*, spring* up; 3) (*gauti kilmę*) come* (of), descénd (from)
kimšti stuff; (*pri-, sukimšti*) cram
kin|as I, ~iškas Chinése
kinas II cínema; móvies *pl amer.*; ~o ž v a i g ž d ė film/móvie star
kinkyti hárness
kintamas chángeable, vári-

able
kioskas booth; laikraščių ~ néwsstall, néwsstand
kiparisas *bot.* cýpress
kipšas dévil
kirčiuoti stress, accént
kirgizas Kírghíz
kirm|ėlė, ~inas worm
kirp|ėjas háirdresser; (*vyrų*) bárber; **~ykla** háirdressing salóon, háirdresser's; (*vyrų*) bárber's (shop); **~imas** 1) (*plaukų*) háircutting; 2) (*avies*) shéaring
kirpt|i cut*, clip; (*avis*) shear*; **~is** have one's hair cut
kirsti 1) (*medžius*) fell; 2) (*javus*) reap; cut*; 3) (*gelti*) sting*; 4) (*smogti*) hit*, strike*; 5) (*snapu*) peck; 6) (*kelią*) cross
kirtis 1) (*smūgis*) blow, stroke; 2) *lingv.* stress, áccent
kirvis axe
kisielius (thin) jélly
kisti change
kišenė pócket
kišimasis interférence
kyšinink|as, ~ė bríbetaker; **~auti** take* bribes; **~avimas** bríbery
kyšis bríbe; duoti kam ~į bríbe *smb*
kiškis hare
kyšoti (*aukštyn*) stick* up; (*į lauko pusę*) stick* out
kišt|i shove, thrust*; **~is** méddle (in, with); poke one's nose
kitados once, once upón a time; fórmerly
kitaip 1) dífferently; 2) (*priešingu atveju*) ótherwise, or else
kitąkart anóther time, some óther time
kit|as 1) óther, anóther; (*kitoniškas*) dífferent; 2) (*ateinantis*) next; ~ą savaitę next week
kitimas change
kito|ks, ~niškas dífferent, of dífferent kind
kitur élsewhere, sómewhere else
kivirč|as discórd, dissénsion, quárrel; **~ytis** quárrel (with), fall* out (with)
klaid|a mistáke; érror; fault; per ~ą by mistáke; **~ingas** wrong; false; erróneous; **~inti** misléad*
klaidžioti roam, wánder
klaikus hórrid, dréadful, térrible, mónstrous
klaj|oklis nómad; **~okliškas** nómad, nomádic; **~oti** roam, rove, wánder
klampoti wade through/in mud
klanas púddle
klas|ė 1) class; visuome-

n i n ė ~ sócial class; 2) (*mokykloje*) form; (*mokyklos kambarys*) clássroom; **~inis** class(-)
klastingas insídious, cráfty
klastoti forge; (*pinigus*) cóunterfeit
klaupti(s) kneel*
klausa ear, héaring
klausiamas(is) interrógative; (*apie žvilgsnį, toną ir pan.*) inquíring
klausimas quéstion
klausinėti quéstion; (*apie ką*) make* inquíries (abóut)
klaus|yti 1) lísten (to); (*paklusti t. p.*) obéy; 2) (*paskaitų*) atténd; ◊ ~ a u ! (*kalbant telefonu*) hulló!; **~ytis** lísten in; **~ytojas** héarer, lístener
klaust|i ask; (*teirautis*) inquíre; **~ukas** quéstion mark
klavišas key
kleg|esys húbbub, hum; **~ėti** hum, make* a noise/húbbub
klestėti prósper, flóurish; thrive*
klėtis gránary
klevas máple
klib|(ė)ti (*apie dantį, vinį*) get* loose; **~inti** shake* loose
kliedė|jimas delírium; **~ti** be delírious, rave
klientas clíent
klij|ai glue *sing*; **~uoti** glue; gum; (*miltelių klijais*) paste
klika clique [kli:k]
klykti scream, yell
klimat|as clímate; **~inis** climátic
klimpti stick* (in)
klinika clínic
klysti make* mistákes, be mistáken, be wrong
kliudyti 1) (*liesti*) touch; 2) (*trukdyti*) prevént (from), hínder (from); 3) (*pataikyti*) hit*
kliūtis óbstacle, impédiment
klojimas (*kluonas*) barn
klonis válley
klostė fold, plait
kloti (*lovą*) make* the bed
klubas I club
klubas II (*kieno*) hip
klumpė sábot
klūp|ėti, ~oti kneel*, be on one's knees
klupti stúmble (óver)
klusn|umas obédience; **~us** obédient
knarkti snore
kniaukti (*apie katę*) mew; miáow
knibždėti swarm (with)
knyg|a book; **~ynas** bóokshop; **~inis** bóokish
knist|i núzzle, root; **~is** (*ieškoti*) rúmmage
ko 1) what; (*apie asmenį*) who; whom; 2) (*kodėl*) why; 3) (*apie tikslą*) what for

kodas, kodeksas code
kodėl why
koj|a leg; (*pėda*) foot*; **~inė** stócking; (*vyriška*) sock
kokakola CocaCóla
kokybė quálity
kok|s what; ~ n o r s ány, some; ~ b e b ū t ų whatéver; ~ i u b ū d u? how?
kokteilis cócktail
kol, kolei 1) while; 2) (*tol, kol*) till, until; ~ k a s for the time béing; (*atsisveikinant*) so long
koleg|a cólleague; **~ija** 1) board; 2) (*mokykla*) cóllege
kolekci|ja colléction; **~onuoti** colléct
kolektyv|as colléctive (bódy); **~inis, ~us** colléctive
kolona cólumn
kolonij|a cólony; **~inis** colónial
koloniza|ija colonizátion; **~torius** cólonizer
komand|a 1) (*įsakymas*) órder; 2) (*būrys*) detáchment; 3) (*laivo*) crew; 4) *sport.* team; **~avimas** commánd
komandiruot|ė míssion; búsiness trip; **~i** send* (on a míssion)
komanduoti give* órders; *kar.* commánd
kombain|as hárvester; cómbine; **~ininkas** cómbine óperator
komedija cómedy
komendant|as 1) commandánt; 2) (*pastato, bendrabučio*) superinténdent; **~ūra** commandánt's óffice
koment|aras cómment, cómmentary; **~uoti** cómment
komerc|ija cómmerce; **~inis** commércial
komersantas búsinessman*; mérchant
kometa cómet
komisija commíssion, commíttee
komiškas cómi
komitetas commíttee
komoda chest of dráwers
kompanija cómpany
kompasas cómpass
kompens|acija compensátion; **~uoti** cómpensate
kompeten|cija compétence; **~tingas** cómpetent
kompiuteris compúter
kompleks|as, ~inis, ~iškas cómplex
komplektas set
komplik|acija complicátion; **~uoti** cómplicate
komplimentas cómpliment
kompotas stewed fruit
kompozitorius compóser
kompresas *med.* cómpress
kompromisas cómpromise
kompromituoti cómpromise

komunalinis commúnal, munícipal
komunikacija communicátion
komunist | as, ~inis, ~iškas cómmunist
komunizmas cómmunism
komutatorius *tech.* swítchboard
koncentr | acija concentrátion; **~uoti** cóncentrate
koncertas cóncert
kondensuoti condénse
konditerija conféctionery
konduktorius condúctor; (*tik glžk.*) guard
kone álmost
konferencija cónference
konfiskuoti cónfiscate
konfliktas cónflict
kongresas cóngress
konjakas cógnac
konkretus cóncrete
konkur | encija competítion; **~entas, ~ė** compétitor; ríval; **~uoti** compéte
konkursas competítion
konservai tinned food *sing*
konservatorija consérvatoire
konservatorius consérvative
konservuoti presérve
konspekt | as súmmary, ábstract; **~uoti** make*/take* notes
konspiracija conspíracy, sécrecy
konstatuoti state
konstituc | ija constitútion; **~inis** constitútional
konstrukc | ija constrúction; **~torius** desígner, constrúctor
konsul | as cónsul; **~atas** cónsulate
konsult | acija consultátion; spécialist advíce; (*universitete*) tutórial; **~uoti(s)** consúlt
kontaktas cóntact
kontekstas cóntext
kontinent | as cóntinent; **~inis** continéntal
kontora óffice
kontrabanda cóntraband, smúggling
kontrastas cóntrast
kontrol | ė contról; **~ierius** inspéctor; *glžk.*, *teatr.* tícket colléctor; **~iuoti** contról, check
kontrrevoliucija counter revolútion
kontūras óutline
kontūzyti contúse
konvojus éscort; *jūr.* cónvoy
koopera | cija cooperátion; **~tyvas** coóp(erative)
koordinuoti coordinate
kopa dune
kopėčios ládder *sing*
kopij | a, ~uoti cópy
kop | imas ascént, clímbing
koplyčia chápel

kopti (*aukštyn*) climb
kopūst|ai (*sriuba*) cábbage soup *sing*; **~as** cábbage
korėjietis Koréan
korekt|orius próofreader; **~ūra** proof
koresponden|cija correspóndence; **~tas** correspóndent
koridorius córridor, pássage
korys hóneycomb
kort|a, ~elė card
kosėti cough
kosminis cósmic
kosmo|sas space; cósmos; **~nautas** spáceman*; ástronaut, cósmonaut
kostiumas suit; (*moteriškas t. p.*) cóstume
kosulys cough
košė pórridge; (*skysta*) grúel
košmaras níghtmare
košti strain, fílter
kot|as hándle; (*kirvio*) helve; **~elis** pénholder
kotletas cútlet, chop; ríssole
kova strúggle, fight
kovas 1) (*paukštis*) rook; 2) (*mėnuo*) March
kovingas fíghting; spírited
kovot|i fight*, strúggle; **~ojas** fíghter, chámpion
krabždėti rústle; scratch
krachas crash, collápse, fáilure
kraipyti 1) (*galvą*) turn abóut; 2) (*uodegą*) wag; 3) (*faktus*) distórt
krakmol|as, ~yti starch
kramtyti chew
kranas (*keliamasis*) crane
krankti croak, caw
krant|as (*upės, ežero*) bank; (*jūros*) séashore; **~inė** embánkment, quay
krapai dill *sing*
krapštyti pick; (*nagais*) claw, scratch
krašt|as 1) (*pakraštys*) edge, bórder; 2) (*šalis*) land; région; **~ovaizdis** lándscape
kraštutin|is extréme; **~umas** extrémity; extréme
krat|a search; **~yti** 1) (*purtyti*) shake*, jolt; 2) (*daryti kratą*) search
krauj|as blood; **~o praliejimas** blóodshed; **~avimas** bléeding
kraujuot|as blóody; **~i** bleed*
kraustytis (*į naują butą*) move (to)
krauti 1) (*į krūvą*) pile, heap; 2) (*kaupti*) lay* asíde/by; 3) (*akumuliatorių*) charge; 4) (*lizdą*) build* (a nest)
krautuvė shop; store *amer*.
kredit|as crédit; **~uoti** crédit; give*/grant crédit
kregždė swállow
kreida chalk
kreipimasis addréss; appéal

kreipt|i diréct; turn; **~is** addréss; (*prašant*) applȳ (to), appéal (to)
kreiv|as cróoked; curved; wry; **~umas** cúrvature
kremas cream
kremuoti cremáte
kremzlė cártilage
krepšelis small (shopping) bag
krepš|ininkas básketball pláyer; básketballer **~inis** básketball; **~ys** bag; básket
krėslas ármchair
kresnas thicksét, stumpy
krėsti 1) shake*; 2) (*kratą daryti*) search
kriauklė (*vandentiekio*) sink
kriaunos hándle *sing*, half *sing*
kriaušė pear; (*medis*) pear tree
krienas *bot*. hórseradish
krikščion|ybė Christiánity; **~is**, **~iškas** Christian
krikšt|as *bažn*. báptism; **~yti** *bažn*. báptize
krioklys wáterfall
krypt|i turn; tend (to); **~is** diréction
krypuoti wáddle, tóddle, stágger
krislas mote
kristi 1) fall*; (*greitai*) drop; 2) (*apie gyvulius*) pérish, die
krištol|as, ~inis cútglass, crȳstal
kritik|a críticism; **~as** crític; **~uoti** críticize
kritimas fall
kritiškas critical
krituliai (*atmosferos*) precipitátion *sing*
kriuksėti grunt
krizė crísis
kryžiažodis cróssword (púzzle)
kryž|ius cross; **~kelė** cróssroad(s), cróssing
kryžm|ai crósswise; **~inis** cross(-); **~i n ė u g n i s** cróss fire; **~inti** cross
kroatas Cróat, Croátian
krokodilas crócodile
kronika chrónicle
krosas *sport.* crosscóuntry (race)
krosnis stove; *tech*. fúrnace
krov|ėjas, ~ikas lóader; (*uoste*) stévedore; **~imas** lóading; **~inys** load; (*laivo*) cárgo
krūmas bush, shrub
kūkčioti sob
kukuoti cry, cuckoo
kulkšnis *anat*. ánkle(bone)
kumpl|iaratis cógwheel; **~inis, ~iuotas** toothed
kumščiuoti punch, box; strike* (*smb*) with one's fists
kuodas 1) (*paukščio*) crest; 2) (*plaukų*) tuft of hair, tóp-

knot
kruop|elė grain; **~os** groats; manų ~os semolína *sing*
kruopštus thórough, cáreful; (*apie žmogų*) páinstaking
krūptelėti give* a start, start
kruša hail
krutėti stir, move
krūtin|ė breast; bósom; ~ės ląsta chest
krutinti move, stir
krūtis breast
krūva heap, pile
kruvinas blóody
krūvis 1) *el.* charge; 2) load
kubas cube
kubil|as, ~ėlis vat, tub
Kūčios *bažn.* Chrístmas Eve
kūdik|is báby, ínfant; **~ystė** ínfacy; **~iškas** ínfantile
kūdra pond
kūgis (*pvz., šieno*) rick, stack
kūjis hámmer
kukl|umas módesty; **~us** módest
kukurūz|ai maize *sing*; corn *sing amer.*
kulis|ai: už ~ų behínd the scenes (*ir perk.*)
kulka búllet
kulkosvaid|ininkas machínegunner; **~is** machínegun
kulnas heel
kulti 1) thresh; 2) (*mušti*) thrash
kultūr|a cúlture; **~ingas** cúltured; éducated; **~inis** cúltural
kumel|ė mare; **~ys** stállion; **~iukas** foal, colt
kumpis ham, gámmon
kumštis fist
kūn|as bódy; dangaus ~ai héavenly bódies
kunigas priest
kuo 1) (with/by) what; 2): ~ geriausias the best; ~... tuo the... the
kuoja roach
kuolas stake, pícket
kuomet when; (*kada nors praeityje*) éver
kuopa *kar.* cómpany
kuosa *zool.* jáckdaw, daw
kupė compártment
kupeta stack, cock
kupinas full
kupra hump
kupranugaris cámel
kuprinė knápsack; (*moksleivio*) sátchel
kupr|ys húmpback; **~otas** húmpbacked
kur where; ~kas much, far; ~ nors sómewhere; ánywhere; ~ ne ~ here and there
kurapka *zool.* pártridge
kuras fúel
kurč|ias deaf; **~nebylis** déafmute
kūrenti heat
kūryb|a creátion; (*kūriniai*)

works *pl*; **~inis, ~iškas** creátive
kūrikas stóker
kūrinys work
kur|is (*apie negyvuosius daiktus*) which; (*apie žmones*) who; ~į laiką for some time; bet ~ ány
kurmis *zool.* mole
kurortas health resórt
kurs|antas stúdent; **~as** 1) course; 2) (*universitete*) year
kurstyt|i (*karą ir pan.*) incíte, ínstigate; **~ojas** ínstigator
kurti 1) (*ugnį*) kíndle, make* up a fire; 2) (*meno kūrinius*) creáte; (*mokslą, teoriją; steigti*) found
kurt|inti déafen; **~umas** déafness
kušetė couch
kutenti tíckle
kuždėti whísper
kvadrat|as, ~inis square
kvail|as fóolish, stúpid, sílly; **~ys** fool; blóckhead; **~ystė** fóolery, fólly; (*nesąmonė*) nónsense; **~umas** stupídity; fóolishness
kvaišalas narcótic, dope
kvalifik|acija qualificátion; **~uotas** skilled, quálified
kvap|as 1) smell; 2) (*kvėpavimas*) breath; **~us** frágrant, swéetscénted
kvartalas (*miesto*) block, quárter
kvato|jimas láughter; roar; **~ti** laugh (loud); (*smarkiai*) roar with láughter
kvepalai pérfume *sing*, scent *sing*
kvėpavimas bréathing
kvepėti smell*
kvėpuoti breathe; (*sunkiai*) pant
kvie|sti invíte; **~timas** invitátion
kvietys wheat (*t. p. kviečiai*)
kvitas recéipt
kvo|sti quéstion, intérrogate; **~ta** 1) ínquest; 2) (*norma*) quota

L

lab|ai véry; (*su veiksmažodžiu*) véry much; ~ šaltas véry cold; jam tai ~ patiko he liked it véry much; **~iau** more; juo ~iau all the more; **~iausiai** most (of all)
labanakt(is)! good night!
lab|as good; ~! helló; good mórning/afternóon/évening; viso ~o! (*atsisveikinant*) goodbýe!; perduokit jam ~ų dienų give him my best regárds

labdar|a chárity; **~ingas** cháritable
laboratorija labóratory
lagaminas trunk; (*nedidelis*) súitcase
laibas thin, slim
laida (*laikraščio*) íssue; (*knygos*) edítion
laidas 1) (*garantija*) guarantée; 2) *tech.* wíre
laidynė (*lygintuvas*) íron
laidininkas *fiz.* condúctor
laidyti (*lyginti*) íron
laidot|i búry; **~uvės** fúneral *sing*; búrial *sing*
laiduoti vouch for; guarantée
laik|as 1) time; m e t ų ~ séason; 2) *gram.* tense; ◊ p a t s ~ it is high time; p o ~o too late
laikymasis (*pvz., įstatymų*) obsérvance
laikin|ai témporarily; **~as** témporary; provísional
laikysena béaring
laikyt|i 1) hold*, keep*; 2) (*kuo*) consíder, think*; 3) (*egzaminus*) take*, go* in (for); **~is** 1) hold* on (to); 2) (*pvz., įstatymų*) obsérve, keep*; ~i s t v a r k o s keep* órder
laikotarpis périod
laikrašt|inis, ~is néwspaper; páper *šnek.*
laikrod|ininkas wátchmaker; **~is** clock; (*kišeninis, rankinis*) watch
laiku in time; in due course
laim|ė 1) háppiness; 2) (*sėkmė*) luck; ~e i lúckily
laimė|jimas 1) (*pvz., loterijoje*) prize; 2) (*pasiekimas*) achíevement; **~ti** win*, gain
laimikis prize, bóoty; (*medžiotojo, žvejo*) bag, catch
laiming|ai háppily; ~ ! good luck!; **~as** háppy; (*sėkmingas*) fórtunate, lúcky
laipioti climb, clámber
lapsniavimas *gram.* degrées of compárison
laipsn|is 1) degrée; 2) (*karinis*) rank; **~iškas** grádual
laipt|ai stairs; stáircase *sing*; **~as** step
laiptinė stáirway, stáircase
laistyt|i wáter; **~uvas** wáteringcan; (*žarna*) hose (pipe)
laisvai fréely; at ease, éasily
laisvalaikis léisure
laisv|as 1) free; 2) (*apie vietą ir pan.*) vácant; 3) (*apie drabužį*) loose; **~ė** fréedom, líberty
laišk|anešys póstman*; **~as** létter
laiv|as ship, véssel; **~elis** boat; **~ynas** fleet; k a r i n i s j ū r ų ~y n a s návy; **~ininkystė** navigátion
laižyti lick

lakas 1) várnish, lácquer; 2) (*antspaudams*) séalingwax
lakioti, lakstyti run* abóut
lakštas sheet; leaf*
lakštingala nightingale
lakti lap
lakūnas flier, pilot, áviator
lakuot|as várnished; pátentleather *attr*; **~i** várnish, lácquer
landžioti creep*/crawl abóut; creep* in/out
lang|as window; **~elis** 1) (*orlaidė*) ventilátion pane; 2) (*audinyje*) check; (*popieriuje*) square; **~inė** shútter
lankas 1) (*kinkomasis*) sháftbow; 2) (*statinės*) hoop; 3) (*šaunamasis*) bow; 4) (*knygos*) sheet
lank|yti call on; visit; (*paskaitas ir pan.*) atténd; **~ytojas** visitor; **~omumas** atténdance
lankstyti 1) bend*; 2) (*popierių*) fold
lankstus fléxible, súpple
lap|as 1) (*augalo*) leaf*; 2) (*popieriaus ir pan.*) sheet; **~elis** (*agitacinis*) léaflet
lapė fox
lapinė (*sode*) árbour
lapkritis Novémber
lapuotis *bot.* (*medis*) decíduous tree
ląstelė *biol.* cell
laš|as drop; **~ėti** drip, drop
lašiniai (*kiaulės*) bácon *sing*
lašinti pour, drop by drop
lašnoti drizzle
latv|is Lett; **~iškas** Léttish
lauk!, laukan! awáy (with you)!; ~ iš čia! get out!; eik ~an! go out!
lauk|as field; **~e** out of doors, óutside; iš ~o from the óutside
lauk|iamasis wáitingroom; **~imas** expectátion; wáiting
laukinis wild; ~ žmogus sávage
laukti wait (for); (*tikėtis*) expéct
laur|as láurel; **~eatas** láureate
lauž|as 1) (*ugnis*) (cámp) fire; bónfire; 2) (*metalo*) scrap; **~(y)ti** break*; **~tinis**: ~tiniai skliaustai square bráckets; **~tuvas** crówbar
lavin|imas(is) devélopment; **~ti(s)** devélop
lavonas corpse
lazda stick
lazdynas nut tree
lazeris láser
lažybos bet *sing*; **~intis** bet
led|ai 1) (*kruša*) hail *sing*; 2) (*valgomieji*) icecréam *sing*; **~as** ice; **~ynas** glácier; **~inis** icy; **~laužis** icebreaker
leid|ėjas públisher; **~ykla** públishing house; **~imas** 1)

edítion; 2) (*teisė*) permíssion; ~**inys** publicátion
leisti 1) (*duoti sutikimą*) let*, allów, permít; 2) (*pvz., knygą*) públish; 3) (*pinigus, laiką*) spend*
leistis 1) start, set* out; 2) (*žemyn*) go* down, descénd; (*apie saulę*) set*
leitenantas lieuténant
legaliz|uoti légalize; ~**us** légal
lėkštas flat
lėkšt|ė plate; ~**elė** sáucer
lėkti fly*
lektorius lécturer, réader
lėktuv|as áeroplane; (áir-) plane; ~**nešis** áircraft cárrier
lėlė doll
lelija *bot*. líly
lėl|ytė, ~**iukė** dólly; (*akies*) púpil (of the eye)
lementi múmble
lemiamas decísive
lemp|a lamp; (*radijo*) valve; ~**utė** (*elektros*) bulb
lemt|ingas fátal; ~**is** fate; déstiny
lengvaatletis track and field áthlete
lengvabūd|is, ~**iškas** líght(mínded), frívolous; (*apie poelgį*) cáreless
lengv|as 1) light; 2) (*nesudėtingas*) éasy; ~**ata** prívilege, advántage; ~**inti** 1) facílitate, make* éasier; 2) (*naštą*) líghten; ~**umas** líghtness; éasiness
lenk|as Pole; ~**iškas** Pólish
lenkti(s) bend*, bow; (*iš(si) lenkti*) curve
lenktyn|ės 1) race *sing*; (*arklių*) the ráces; 2) (*varžybos*) competítion *sing*; ~**iauti** compéte; ~**iavimas** competítion
lent|a board; ~**elė** plate; (*medinė*) small board/plank; ~**yna** shelf*
lep|inti spoil, pámper; ~**us** fastídious, squéamish
les|inti feed*; ~**ti** peck
lėšos means, resóurces
lėtas slow
letena paw
lėtėti, lėtinti slow down
lėtinis *med*. chrónic
liaud|is péople; ~ i e s d a i n a folk song; ~**iškas** pópular
liauka *anat*. gland
liaupsinti extól, praise
liautis stop; cease
liberalas líberal
lydeka pike
lydėti accómpany; see* off
lydyti melt
liejykla fóundry
liekana 1) (*sumos*) remáinder, rest; 2) survíval
lieknas slénder, slim
liemen|ė wáistcoat; ~**ėlė** bra

liemuo 1) trunk, bódy; 2) (*medžio*) trunk
liepa 1) líme (tree), línden; 2) (*mėnuo*) Julý
liepsna flame; blaze
lieptas fóotbridge
liepti órder, tell*
lies|as lean, thin; **~ėti** grow* thin
lie|sti touch; t a i ~č i a j į it concérns him
liet|i I pour; (*ašaras, kraują*) shed*; **~is** flow; screa
lieti II (*iš metalo*) found
liet|ingas ráiny, wet; **~paltis** ráincoat
lietus rain
Lietuva Lithuánia
lietuv|is, ~iškas Lithuánian
liežuvis tongue
liftas lift; élevator *amer.*
lig, ligi I *prl.* (*žymint nuotolį*) (up/down) to; (*žymint laiką*) to, till, untíl; ~ k o l (e i) ? up to where?; till what time?; ~ p a t V i l n i a u s as far as Vílnius
lig, ligi II *jng.* till, untíl
lyg (*palyginant*) like, as; (*tartum*) as if
liga íllness; (*tam tikra*) diséase
lygiagret|ė, ~is, ~us páralle1
lygiai (*tiksliai*) sharp, exáctly
lygiateis|is équal in rights; **~iškumas** equálity (of rights)
lygybė equálity
lyginamasis 1) compárative; 2) *fiz.* specífic
lygin|imas compárison; **~is** éven; **~ti** 1) (*du dalykus*) compáre; 2) (*laidyne*) íron; 3) (*teises*) équalize
lygiomis: s u ž a i s t i ~ draw*; b a i g t i s ~ end in a draw
lygis 1) lével; 2) (*ekonominis, kultūrinis*) stándard
ligon|inė hóspital; **~is** pátient, ínvalid
ligotas síckly, áiling
lygtis *mat.* equátion
liguistas 1) síckly; 2) (*nenormalus*) mórbid
lyg|uma plain; **~us** 1) éven, flat; 2) (*dydžiu, reikšme*) équal
likimas fate; déstiny
likti 1) remáin; stay; (*būti paliktam*) be left; 2) (*tapti*) becóme*, get; ◊ l i k s v e i k a s ! goodbýe!
likutis remáinder, rest
likvid|acija liquidátion; **~uoti** líquidate
limonadas lemonáde
limpamas (*apie ligas*) inféctious; cátching *šnek.*
lin|ai, ~as flax
lynas I (*virvė*) rope
lynas II (*žuvis*) tench

lindėti stick*, be/keep* in híding
linguoti rock, swing*
linija line
lininis fláxen; (*apie medžiagą*) línen
liniuo|tė rúler; **~ti** line, rule
link towárds
linkė|jimas wish; perduokite **~jimus** give my cómpliments (to); **~ti** wish
linkęs inclíned
linkmė diréction
linksėti (*galva*) nod
linksm|as mérry, gay; chéerful; **~ybė** mérriment, mirth
linksmint|i amúse, entertáin; **~is** make* mérry; have a good time
linksnis *gram.* case
linktelėti (*galva*) nod; (*sveikinantis*) bow
linkti 1) bend*; 1) (*turėti patraukimą*) be inclíned, have an inclinátion (for)
lynoti drízzle
liokajus 1) fóotman*; 2) *perk.* láckey
lipdy|ba módelling; **~ti** 1) (*pvz., iš molio*) módel, scúlpture; 2) *žr.* klijuoti
lipšnus afféctionate, ténder
lipti I climb, clámber; ~ laiptais aukštyn [žemyn] go* upstáirs [downstáirs]
lip|ti II (*pvz., apie klijus*) stick*; **~us** stícky
lįsti (*į*) get* (into)
lysvė bed
litas lítas
literatūr|a líterature; **~inis** líterary
lytėti touch
lyti rain
lytinis séxual
lytis I 1) *biol.* sex; 2) *gram.* form
lytis II (*ledo*) block of ice, ícefloe
litras lítre
lituoklis *tech.* sólderingiron
lituoti sólder
liūd|esys mélancholy; sórrow; **~ėti** be sad, grieve
liud|ijimas 1) (*veiksmas*) wítnessing, évidence; 2) (*dokumentas*) certíficate, lícence; **~ininkas** wítness; **~yti** bear* wítness, téstify
liūdnas sad, mélancholy, sórrowful
liuobti feed*, give* food (*to animals*)
liūtas líon
liūtis héavy shówer, dównpour
lizdas nest
lobis tréasure
log|ika lógic; **~iškas** lógical
lojimas bárk(ing)
lokys *zool.* bear
lop|as, ~inys, ~yti patch

lopš | elis: vaikų ~elis créche [kreis], núrsery; **~inė** lúllaby; **~ys** crádle
loš | ėjas, ~ikas pláyer; (*azartiniame lošime*) gámbler; **~imas** pláy(ing); game; **~ti** (*žaisti*) play
loterija lóttery
loti bark
lotyniškas Látin
lova bed; (*be patalo*) bédstead
lovys trough [trɔf]
lozungas slógan
ložė *teatr.* box
lubos céiling *sing*
luitas lump; (*žemės, molio*) clod
lukštas husk; kiaušinio ~ éggshell
luo | šas lame; **~ys** crípple
lūpa lip
lupena péeling
lupti 1) (*medžio žievę*) bark; (*bulves, vaisius*) peel; (*kailį, odą*) skin; 2) (*mušti*) beat*, flog
lūšna hut; shack
lūž | imas 1) bréaking; 2) *fiz.* refráction; 3) (*kaulo*) frácture; **~is** 1) break; 2) (*griežtas pasikeitimas*) túrning point; súdden change; **~ti** break*

M

mačas *sport.* match
mad | a fáshion; **~ingas** fáshionable
magistralė híghway
magnet | as mágnet; **~inis** magnétic(al)
magnetofonas táperecorder
main | ai, ~as exhánge; **~yti(s)** chánge; exchánge
maist | as food; **~ingas** nóurishing
maišas bag; (*didelis*) sack
maišatis confúsion, mess
maišyti 1) stir; (*daryti mišinį*) mix; 2) (*trukdyti*) hínder
maišt | as revólt; ríot; **~auti** revólt; **~ingas** rebéllious; **~ininkas** rébel
maitin | imas féeding; nóurishment; **~ti** feed* nóurish; **~tis** feed* (on)
maivytis mince; put* on airs; (*daryti grimasas*) grimáce, make*/pull fáces
majonezas mayonnáise
majoras májor
makaronai macaróni
makaulė *šnek.* nóddle, pate
makleris 1) bróker; 2) (*sukčius*) swíndler
maksimal | iai at most; **~us** máximum
makštis (*akiniams ir pan.*)

case; (*kardo*) sheath*
mald|a *bažn*. práyer; **~auti** beg, implóre, entréat; **~avimas** entréaty
maliarija *med*. malária
malk|inė wóodshed; **~os** fírewood *sing*
malonė fávour; (*gailestingumas*) mércy
malon|umas pléasure; **~us** pléasant, kind, pléasing
malšinti 1) (*sukilimą*) suppréss, put* down; 2) (*skausmą*) soothe; (*pyktį*) calm; 3) (*troškulį*) slake; (*alkį*) sátisfy
malti grind*, mill
malūnas mill; **~ininkas** míller; **~sparnis** *av*. hélicopter
mama múmmy; ma *šnek*.
man me, to me, for me
manas(is) my; mine
mandag|umas políteness, cóurtesy; **~us** políte
mandarinas tángerine
mane, manęs me
manevr|as, ~uoti manoeúvre
manier|a mánner, **~ingas** afféted, preténtious
manifest|acija demonstrátion; **~as** manifésto
many|mas opínion; **~ti** 1) (*galvoti*) think*; 2) (*ketinti*) inténd, plan
manipuliuoti manípulate, hándle
maniškis my; mine
mankšt|a gymnástics *pl*; éxercises *pl*; **~inti** éxercise, train
mano my; mine
mant|a belóngings *pl*; (*turtas*) próperty, fórtune; s u v i s a ~ a with bag and bággage
maras plague
maratonas márathon
marg|as mótley, váriegated; **~inti** móttle, spéckle
marinuoti 1) píckle; 2) *šnek*. (*atidėlioti*) shelve
marios sea *sing*
marlė gauze
marmuras márble
maršalas márshal
marš|as, ~iruoti march
marškiniai (*vyriški*) shirt *sing*; (*moteriški*) chemíse *sing*; n a k t i n i a i ~ (*vyriški*) níghtshirt *sing*; (*moteriški*) níghtdress *sing*; a p a t i n i a i ~ vest *sing*; úndershirt *sing amer*.
maršrutas route, itínerary
marti (*sūnaus pati*) dáughter-in-law
masalas bait; lure
masažas mássage ['mæsa:ʒ]
mas|ė mass; **~ės** (*liaudis*) the másses; ~ ė s ž m o n i ų crowds of péople; **~inis, ~iškas** mass(-)
masyvus mássive
maskaradas fáncy(dress) ball

maskatuoti 1) dángle; 2) (*apie drabužius*) hang* lóose(ly)
maskuoti mask, disguíse; *kar.* cámouflage
mast|as, ~elis scale
mąstymas thínking, thought; **~ti** think*, refléct
mašalas *zool.* midge
mašin|a 1) machíne; éngine; 2) *šnek.* (*automobilis*) car; **~ėlė** (*rašomoji*) týpewriter
mašininkė týpist
mašinistas (*garvežio*) éngine-driver
mat|as I méasure; i m t i ~ą take* smb's méasure
matas II *šachm.* (chéck) mate
matematik|a mathemátics, maths; **~as** mathematícian
materialinis matérial
materiali|stinis materialístic; **~izmas** matérialism
materija *filos.* mátter
matymas sight, vísion
matinis (*neblizgantis*) mat; dull
matyt (*įterp. žodis*) évidently, óbviously
matyti see*
matomas vísible
matracas máttress
matuoti méasure
maudy|mas(is) báthing; **~ti(s)** bathe; e i t i ~ t i s go* for a swim
mauti 1) put*/get* on; 2) *šnek.* (*bėgti*) rush, dash
mazgas knot
mazgot|ė rag; **~i** wash; (*indus*) wash up
máž|a líttle*, few; **~ai** líttle*, not much*; not enóugh
mažakraujystė anáemia
mažametis júvenile
mažas small, líttle*
maždaug appróximately
mažėti decréase, dimínish; be reduced; (*apie skausmą*) abáte
mažiau less; **~sia** the least
mažinti decréase, dimínish, léssen; (*pvz., kainą, greitį*) redúce
maž|ytis, ~iukas tíny, wee
mažmožis trífle
mažokas prétty small, sómewhat small/líttle
mažuma minórity
mažutis *žr.* mažytis
mechan|ika mechánics; **~ikas** enginéer, mechánic; **~inis, ~iškas** mechánical
mechaniz|acija mechanizátion; **~mas** méchanism; **~mai** machínery *sing*; **~uoti** méchanize
medalis médal
medicin|a médicine; ~ o s s e s u o (hóspital) nurse; **~inis, ~iškas** médical
med|iena wood; **~inis**

wóoden
med|is 1) tree; 2) (*medžiaga*) wood; **~žio anglis** chárcoal
medus hóney
medviln|ė, ~inis cótton
medžiag|a 1) matérial; stuff; 2) *filos.* mátter; **~inis** matérial; fábric
medžio|klė húnting; **~ti** hunt; **~tojas** húnter
mėgautis take* pléasure/delíght (in); enjóy
mėgdžio|jimas imitátion; **~ti** ímitate
mėgėj|as 1) (*ne profesionalas*) ámateur; 2) (*aistringas*) lóver; fan; **~iškas** amatéurish
mėgin|imas trýing, attémpt, endéavour; **~ti** try, attémpt, endéavour
mėg|stamas fávourite; **~ti** like, be fond (of)
megzt|i 1) (*mazgą*) knot; 2) (*megzinį*) knit* ; **~inis, ~ukas** swéater; júmper
meilė love
meilik|auti flátter; **~autojas** flátterer; **~avimas** fláttery
meilintis 1) make* up (to), fóndle; 2) (*apie šunį*) fawn (upón)
meilus afféctionate, sweet; lóvely; kind
meistr|as 1) (*gamykloje*) fóreman*; 2) (*žinovas*) máster, expert; **sporto ~** máster of sport(s); **~iškas** másterful, másterly; **~iškumas** skill, mástery
melag|ingas lýing; false; **~is** líar; **~ystė** lie
melas lie
mėlyn|as blue; **~ė** 1) (*kūno*) bruise; 2) (*uoga*) bílberry
melodija mélody, tune
melsti entréat (for), implóre (for), pray (for)
melsvas blúish
meluoti lie, tell* lies
melž|ėja mílkmaid; **~ti** milk
menas art
mėnesiena 1) móonlight; 2) (*naktis*) móonlit night
mėnesinis mónthly
men|ininkas ártist; **~inis, ~iškas** artístic
meniu ménu
menk|as small; slight; (*prastas*) poor; (*silpnas*) weak; (*gležnas*) féeble; **~inti** belíttle; depréciate
menkė *zool.* cod
menkniekis trífle
mėnulis moon
mėnuo month
meras máyor
merg|aitė, ~ina girl; **~ytė** líttle girl
mes we
mės|a flesh; (*valgis*) meat; **~ininkas** bútcher

mesti 1) throw*, hurl, cast*; 2) (*nustoti*) give* up, leave* off
mešker|ė físhingrod; **~ioti** fish
mėšlas manúre, dung
mėšlung|is cramp, convúlsion; **~iškas** convúlsive
mėta *bot.* mint
met|ai year *sing*; p r a e i t a i s ~ a i s last year; m o k s l o ~ school year *sing*; N a u j i e j i ~ (*šventė*) New Year's Day
metal|as métal; **~inis** metállic; **~urgija** métallurgy
met|as time; ~ k e l t i s it is time to get up; š i u o ~ u at présent; v i e n u ~ u simultáneously, at the same time
meti|kas thrower; **~mas** thrówing, throw
metin|ės annivérsary *sing*; **~is** ánnual
mėtyt|i 1) throw*, cast*, fling; 2) (*pinigus*) squánder, waste; **~is** throw* at each óther
metmenys (*projektas*) sketch *sing*, draft *sing*
metodas méthod, way
metras métre
metrika: g i m i m o ~ birth certíficate
metro, metropolitenas the úndergroụnd; súbway *amer.*; (*Rusijoje t. p.*) métro; (*Londone t.p.*) tube
mezg|imas, ~inys knítting
miaukti mew, miáow
miegalius *šnek.* sléepyhead
miegamasis bédroom
mieg|as sleep; n o r i u ~o I want to sleep; **~oti** sleep*; e i t i ~ o t i go* to bed
mieguistas sléepy
miel|ai with pléasure, wíllingly; **~as** 1) (*malonus*) nice, sweet; 2) (*brangus*) dear; ◊ s u ~ u n o r u with (the gréatest) pléasure, wíllingly
mielės yeast *sing*
miesčioniškas phílistine, nárrowmínded
miest|as town; cíty; **~ietis** tównsman*; ~ i e č i a i tównspeople; **~inis, ~iškas** tówn(-), úrban
mietas stake, pícket
miež|iai bárley *sing*; **~is** (*ant akies*) sty
migdyti lull to sleep
migdolas *bot.* álmond
migl|a mist, fog; **~otas** 1) místy, fóggy; 2) *perk.* (*neaiškus*) vague, házy
mygt|i (*mygtuką*) push; **~ukas** *el.* bútton
mikčioti stámmer
miklus 1) (*lankstus*) fléxible; líssom, lithe; 2) (*vikrus*) adróit, déxterous
mikrofonas mícrophone; mike *šnek.*
miksėti stútter, stámmer

mykti low, moo
mylėti love, be fond (of)
mylia mile
milijardas mílliard; bíllion *amer.*
milijonas míllion; **~ierius** millionáire
mylim|as dear; belóved; (*mėgiamas*) fávourite; **~asis, ~oji** swéetheart, belóved
milimetras mílimetre
milinė greatcóat, óvercoat
militar|istas mílitarist; **~izmas** mílitarism
milt|ai flóur *sing*; **~eliai** pówder *sing*
myluoti fóndle, caréss
milžin|as gíant; **~iškas** gigántic, treméndous; colóssal, enórmous
mina I *kar.* mine
mina II (*veido ištraiška*) cóuntenance, expréssion
mindyti, mindžioti *žr.* minti
minėjimas (*šventės*) celebrátion
mineral|as, ~inis míneral
minėti 1) méntion; 2) (*pvz., sukaktį*) célebrate
minia crowd
minim|alus, ~umas mínimum
ministerija mínistry; board; depártment *amer.*
ministras mínister; sécretary; ~ **pirmininkas** Prime Mínister, Prémier
minkyti knead
minkštas 1) soft; 2) *perk.* mild, géntle
minkšt|ėti, ~inti sóften
minti (*pvz., žolę*) tread*, trámple (on)
mintinai by heart
mintis thought; idéa
minusas 1) mínus; 2) *perk.* deféct, dráwback
minutė mínute
miręs dead
mirg|ėjimas, ~esys shímmer, glímmer, twínkling; **~ėti** (*pvz., apie žvaigždes*) twínkle, shímmer, glímmer; (*marguoti, virpėti*) flícker
mirkčioti, mirksėti 1) (*apie šviesą*) twínkle; 2) (*akimis*) blink, wink
mirk|yti, ~ti soak
mirt|i die; **~inas** mórtal; déadly; **~ingas** mórtal; **~ingumas** mortálity; **~is** death
misija míssion
mįslė ríddle; púzzle
misti feed* (on), live (on)
mišinys míxture; médley
mišios *bažn.* mass *sing*
mišk|as fórest, wood; ~**o medžiaga** tímber; lúmber *amer.*; **~ingas** wóoded, wóody
mišrainė sálad
mišrus mixed

mityba nóurishment, nutrítion
mitingas méeting
mitologija mythólogy
mitrus quick, prompt; (*vikrus*) ágile
mobiliz|acija mobilizátion; **~uoti** móbilize
močiutė 1) (*senelė*) gránny; 2) (*mama*)
modelis módel, páttern
modernus módern, uptodáte
mojuoti wave
mokėjimas I (*pvz., mokesčių*) páyment
mokėjimas II skill; knówledge
mokestis tax; n a r i o ~ mémbership dues *pl*
mokėti I (*duoti pinigus*) pay*
mokėti II know*; (*sugebėti*) can, be áble
mokykla school; v i d u r i n ė ~ sécondary school; v a k a r i n ė ~ évening school
mokyklinis school(-)
mokym|as téaching; **~asis** léarning; stúdies *pl*
mokin|ys 1) schóolboy; **~ė** schóolgirl; 2) púpil; (*pasekėjas*) discíple
moky|tas léarned; **~ti** teach*, instrúct; **~tis** learn*, stúdy
mokytojas téatcher
mokomasis intrúctional; tráining
moksl|as 1) scíence; (*žinios*) knówledge; 2) (*išsimokslinimas*) educátion; 3) *žr.* mokymasis
moksleiv|is, ~ė schóolboy (girl), púpil
moksl|ininkas scíentist; schólar; **~inis, ~iškas** scientífic
molas pier, bréakwater
moldav|as, ~iškas Moldávian
molis clay
moliūgas *bot.* púmpkin
momentas móment, ínstant
monarchija mónarchy
moneta coin
mongolas Móngol; **~iškas** Mongólian
monopol|ija, ~is monópoly
monotoniškas monótonous
montažas assémbling, móunting
mont|eris *el.* eletrícian; **~uoti** assémble, mount
moral|ė mórals *pl*; **~inis, ~us** móral
morka cárrot
mosikuoti *žr.* mosuoti
mostas gésture
mosuoti wave; swing*; (*uodega*) wag
moter|is woman*; **~ims** wómen's, ládies'; **~iškas** fémale; féminine, wómanly
moti wave

motin|a móther; *b i č i ų* ~ queen; **~ystė** mótherhood; **~iškas** matérnal; mótherly
motyvas 1) (*priežastis*) mótive; 2) *muz.* tune
motocikl|as mótorcycle; **~ininkas** mótorcyclist
motor|as mótor; éngine; **~laivis** mótor boat
mova muff
mudu, mudvi both of us
mugė fair
muil|as soap; **~inas** sóapy; **~inė** sóapbox; **~inti** soap, láther
muit|as dúty, cústoms *pl*; **~inė** cústomhouse; **~inis** cústom(s)
mulkinti fool, dupe
mūrin|ininkas bricklayer; **~is** stone *attr*; brick
murmėti múrmur; mútter, múmble
musė fly
mūsišk|iai our (own) péople; **~is** our (own)...; ours
mūsų our; ours
mušimas béating
mūšis báttle
mušt|i 1) beat*; thrash; 2) (*apie laikrodį*) strike*; **~ynės** scúffle *sing*; **~is** scúffle; fight*
mūvėti (*pirštines, žiedą*) wear*
muziejus muséum
muzik|a músic; **~alus** músical; **~antas, ~as** musícian

N

na now!; well!
nacija nátion
nacional|inis nátional; **~izacija, ~izavimas** nationalizátion; **~izmas** nátionalism; **~izuoti** nátionalize
naft|a oil; **~otiekis** pípeline
nag|as nail; (*žvėries*) claw; **~ingas** skílful
nagrinė|jimas análysis; **~ti** 1) exámine; look (ínto); 2) *gram.* (*sakinio dalimis*) ánalyse
naikin|imas destúction; **~ti** destróy; **~tuvas** *av.* fíghter
naivus naíve
nakčia by night
naktinis night(-); níghtly
nakt|is night; *v ė l a i* ~**į** late at night; *l a b o s* ~**i e s**! good night!
nakvynė lódging for the night
nakvoti pass*/spend* the night
nam|as house*; home; *p o i l s i o* ~**a i** hóliday/rest céntre/ home *sing*
nam|ie at home; **~inis** domés-

tic; **~o** home
naras (*žmogus*) díver
nardyti dive; plunge
narys mémber
narko|manas (drug) áddict; **~tikas** narcótic; drug
narplioti tángle; (*at~, iš~*) untángle
nars|umas cóurage; **~us** brave, courágeous
naršyti ránsack, rúmmage
narvas cage
nasrai jaws
našlait|is, ~ė órphan
našl|ė wídow; **~ys** wídower
našta búrden
naš|umas productívity; **~us** prodúctive; (*apie žemę*) fértile
natūralus nátural
naud|a use; bénefit; **~ingas** úseful; (*sveikatai*) héalthy
naudo|ti use, make* use (of); **~tis** make* use (of); (*teise*) enjóy; ~tis proga take* an opportúnity
naujagimis néwborn (báby)
nauj|ai in a new way; (*kitaip*) néwly, anéw; **~as** new; (*dabartinis*) módern; kas ~a? what is the news?; ◊ iš ~o anéw, agáin
naujiena 1) news; 2) (*kas nors nauja*) nóvelty
naujov|ė innovátion; **~iškas** néwfáshioned, módern
ne not; no; ~ koks bad, poor
nė not; ~ joks none
neabejotinas undóubted, indúbitable
neaiškus vague, obscúre
neakivaizdinis: ~ mokymas tuítion by correspóndence
nealkoholinis nonalcohólic, álcoholfree
neapgalvotas rash; thóughtless
neapibrėžtas indéfinite
neapykanta hátred
neapkęsti hate
ne(ap)mokamas free (of charge)
neapmokestinamas tax frée, taxexémpt
neaprėpiamas bóundless, imménse
neapsakomas unspéakable, untóld
neapsaugotas unprotécted
neapsiavęs shóeless; báreféoted
neapsimok|ėti: **~a** it is not worth (while)
neapsirengęs undréssed
neapsisprendęs undecíded
neapsižiūrėjim|as óversight; per ~ą by an óversight
neatidėliotinas úrgent
neatidus inatténtive
neatmenamas immemórial
neatsakingas irrespónsible

neatsargus cáreless; imprúdent
neatsilikti keep* up (with)
neatsispirti surrénder
neatskiriamas inséparable
nebaigtas unfínished, incompléte
nebe no more/lónger
nebent (*jei bent*) unléss, if ónly; (*išskyrus gal*) excépt perháps
nebėr(a) there is/are no...
nebėra there is/are no more
nebylys dumb man*
neblogas not bad, quite good
nebrangus inexpénsive, cheap
nebūti be ábsent (from)
nebuvimas ábsence
nedarbas unemplóyment
nedarbingas disábled; ínvalid
nedaug (a) líttle, few, some; ~ laiko líttle time; ~ žmonių few péople
nedegamas fíreproof
nedeklaruota undecláred
nedelsiant withóut deláy; immédiately
nederl|ingas infértile; bárren; **~ius** bad hárvest, poor crop
nedoras immóral
nedrąsus shy, tímid
nedrausmingas undísciplined
negailestingas pítiless, mércíless, rúthless
negalėti not be able, be unáble; cannot (*present tense*), could not (*past tense*)
negalia 1) disabílity; 2) (*negalavimas*) indisposítion
negalim|a 1) it is impóssible; 2) (*draudžiama*) it is not allówed; **~as** impóssible
negarb|ė dishónour, disgráce: **~ingas** dishónourable
neginčijamas unquéstionable, indispútable
negirdėtas unhéard-of, unprécedented
negyvai to death
negyvas dead; lífeless
negyvenamas uninhábited; uninhábitable
negras Négro; black
negražus not nice, not beaútiful, not goodlóoking, unattráctive
negrynas impúre
negu than
nei: ~ ... ~ néither...nor
neig|iamas négative; **~imas** deníal; **~ti** denỹ
neilgai not long
neįmanomas impóssible
neišauklėtas íllbréad
neišgydomas incúrable
neišlaikymas (*egzamino*) fáilure
neišmanymas ígnorance
neišmatuojamas imméasur-

able
neišsemiamas inexháustible
neišspr|endžiamas insóluble, solútionproof; **~ęstas** unsólved
neištikimas unfáithful
neišvengiamas inévitable
neįtiki|mas incrédible; (*nepaprastas*) inconcéivable; **~namas** unconvíncing
neįvykdomas unréalizable
nejaú, nejaugí réally?
nejudamas immóvable, immóbile
nejuokais in éarnest, sériously
nekaip (*prastai*) póorly
nekalt|as ínnocent; **~umas** ínnocence
nekantr|auti be impátient; wait impátiently (for); **~us** impátient
nekenskmingas hármless
nekęsti hate
nekilnojamas(is) immóvable
neklausy|mas disobédience; **~ti** disobéy
nekoks poor, bad
nekultūringas uncúltured
nelabai not too (much); not much
nelaim|ė misfórtune; disáster, calámity; **~ingas** unháppy, unfórtunate; ~ingas atsitikimas áccident
nelaisv|ė captívity; paimti į ~ę take* (*smb*) prísoner
nelankymas *mok.* nonatténdance
nelauktas unexpécted
neleisti 1) (*uždrausti*) forbíd*, not allów; 2) (*trukdyti*) prevént
neleistinas inadmíssible
nelegalus illégal
neliečiam|ybė, ~umas inviolabílity; asmens ~umas pérsonal immúnity
nelygybė inequálity
nelyginis odd
nelygus 1) unéqual; 2) (*apie paviršių*) unéven
nelinkęs disinclíned, undispósed
nemalon|ė disfávour, disgráce; **~umas** annóyance; tróuble; **~us** unpléasant, disagréeable
nemandagus rude, impolíte
nemat|ytas unséen; *perk.* unprécedented; **~omas** invísible
nemaža (*su dkt.*) not a líttle (*prieš vns.*); not a few (*prieš dgs.*); (*su vksm.*) a great deal
nemėgti dislíke
nemiga(s) sléeplessness; *med.* insómnia
nemirting|as immórtal; (*apie garbę ir pan.*) undýing; **~umas** immortálity

nemokam|ai, ~as free of charge
nemokšišk|as ígnorant; **~umas** ígnorance
nenaudingas úseless, unprófitable
nendrė *bot.* reed
nenormalus 1) abnórmal, irrégular; 2) *šnek.* mad, crázy
nenoromis unwíllingly; relúctantly
nenugalimas 1) invíncible, uncónquerable; 2) (*labai stiprus*) irrésistible
nenuilstamas untíring, indefátigable
nenukrypstamas stéady, stéadfast
nenumatytas unforeséen
nenuorama fídget, rólling stone
nenuoširdus insincére
nenustygti be réstless; fídget (aróund)
nenutrūkstamas unbróken, uninterrúpted; contínuous
neobjektyvus unfáir, biás(s)ed
nepadorus indécent, impróper
nepageidaujamas undesírable, unwíshed
nepagydomas incúrable
nepagrįstas gróundless
nepaisant in spite of; notwithstánding
nepaisyti negléct, disregárd
nepajudinamas unshákable, stéadfast
nepakankamas insuffícient
nepakeičiamas irrepláceable; indispénsable
nepakeliui out of the way
nepakenčiamas unbéarable; intólerable
nepaklusnus disobédient; (*apie vaiką*) náughty
nepalankus unfávourable; illdispósed (towárds)
nepaliaujamas incéssant, uncéasing
nepalyginamas incómparable
nepanašus unlíke
nepaprastas unúsual, uncómmon; extraórdinary
neparankus unhándy, invénient
nepartinis *bdv.* nonpárty
nepasirašytas unsígned
nepasiruošęs unprepáred, not réady
nepasisek|imas fáilure; **~ti** fail
nepasitikė|jimas, ~ti distrúst, mistrúst
nepastebimas unnóticeable, impercéptible
nepastovus (*apie žmogų*) incónstant; (*apie orą ir pan.*) chángeable
nepataik|ymas, ~yti miss

nepataisomas irremédiable; (*apie žmogų*) incórrigible
nepatenkinamas unsatisfáctory
nepatikimas unreliable; insecúre
nepatikti dislike
nepatyręs inexpérienced
nepatog|umas inconvénience; **~us** uncómfortable; inconvénient
nepavydėtinas unénviable
nepavyk|ęs unsuccésful; **~ti** fail
nepavojingas safe
nepažįstamas unknówn; (*svetimas*) strange
nepelningas unprófitable; **~ytas** undesérved
nepermaldaujamas inéxorable
nepersistengti go* éasy, take* it éasy
neperskiriamas inséparable
neperšlampamas wáterproof
nepilnametis I *bdv*. underáge
nepilnametis II *dkt*. minor
neprašytas unásked
nepribrendęs unripe
neprieinamas inaccéssible
nepriekaištingas irrepróachable
nepriimtinas unaccéptable
nepriklausom|as indepéndent (of); **~ybė, ~umas** indepéndence
neprinokęs, neprisirpęs unripe
neprižiūrimas neglécted, uncáred-for
neprotingas unréasonable, unwise
nėra there is no, there are no; ◊ ~ **už ką (dėkoti)**! don't méntion it!, that's all right
neram|umai distúrbace *sing*; **~umas** anxiety, unéasiness; **~us** 1) unéasy, réstless; 2) (*susirūpinęs*) ánxious
nerašytas unwritten
nerašting|as illiterate; **~umas** illiteracy
nerealus unréal
neregys blind man*
nereikalingas unnécessary, néedless
neribotas unlimited
nerimauti wórry; be ánxious
nėriniai lace *sing*
neryžting|as irrésolute, indecisive; **~umas** indecision, irresolútion
nerti 1) (*į vandenį*) dive, plunge; 2) (*kilpą, virvę*) noose
nerūpestingas cáreless; háppygolucky
nerv|as nerve; **~ingas** nérvous; **~inti** annóy; make* (*smb*) nérvous; **~intis** be nérvous

nes for, as, becáuse
nesąmon|ė nónsense; **~ingas** uncónscious
nesant in the ábsence (of)
nesantaika disagréement
nesaugus unsáfe, insecúre
nesavanaudiškas disínterested
nesąžiningas unconsciént; dishónest
nesėkm|ė fáilure; **~ingas** unsuccéssful
neseniai récently; látely
nesikalbėti be not on spéaking terms
nesiliaujamas incéssant
nesirūp|inimas, ~ti negléct
nesisekti fail, be unsuccéssful
neskanus tásteless, unáppetizing
nesportiškas unspórtsmanlike
nesuderinamas incompátible
nesudėtingas símple, not cómplicated
nesugriaunamas indestrúctible
nesusijaudinęs unexcíted
nesusipratimas misunderstánding
nesusivaldy|mas unrestráint; lack of selfcontról; **~ti** lose* one‘s témper/selfcontról
nesuskaičiuojamas incálculable; (*gausus*) innúmerable
nesutaikomas irréconcilable
nesutarimas disagréement; díscord
nesveikas 1) (*apie klimatą ir pan.*) unhéalthy; 2) (*apie žmogų*) ill*, sick
nešališkas impártial, unbías(s)ed
nėščia prégnant
nešikas pórter
neš|ioti 1) cárry; 2) (*dėvėti*) wear*; **~ti** cárry
neštuvai strétcher *sing*
nešvankus obscéne, impróper, indécent
nešvarus uncléan, dírty; impúre
net(gi) *dll.* éven
netaisyklingas irrégular
neteisėtas illégal
neteis|ybė 1) injústice; 2) (*netiesa*) fálsehood; **~ingas, ~us** unjúst; incorréct
netek|imas loss; **~ti** lose*
netyčia uninténtionally
netiesa untrúth, fálsehood
netiesioginis indiréct
netikęs unfít; good-for-nóthing
netikėtas unexpécted
netikras 1) untrúe; false; (*apie dokumentus*) forged; 2) (*kuo*) uncértain (of)
netikslus ináccurate

netinkamas unfít; unsúitable
netoli I *prv*. not far
netoli II *prl*. near, close to
netolimas near, not far off; (*trumpas*) short
netrukus soon (áfter)
neturė|jimas lack; **~ti** lack; ~ d a m a s for lack/want (of)
neturting|as poor; **~umas** póverty
netvark|a disórder; **~ingas** disórderly; untídy
neutral|itetas neutrálity; **~us** neútral
neužimtas unóccupied; disengáged
neužmirštamas unforgéttable
neužtekti not be enóugh, not suffíce
nevaisingas stérile; *perk*. frúitless
nevalg|ius on an émpty stómach; **~omas** inédible, unéatable
nevartojamas not in use
nevaržomas free and éasy
nevedęs unmárried, síngle
neveik|imas, ~lumas ináction; **~lus** ináctive
neveltui 1) (*ne be pagrindo*) not withóut réason; 2) (*ne be tikslo*) not in vain
nevert|as unwórthy
nevykęs unsuccéssful; bad*
nevikrus clúmsy, slow
neviltis dispáir
nežymus 1) (*nesvarbus*) insigníficant; 2) (*nedidelis*) small, slight
nežinojimas ígnorance
nežinomas unknówn
nežmoniškas inhúman
niekada néver
niekaip in no way; by no means
niek|ai nónsense *sing*, rúbbish *sing*; **~as** nóthing; nóbody; no one; ◊ ~ a m t i k ę s good-for-nóthing; véry bad
niekieno nóbody's, no one's
niekin|gas déspicable, contémptible; **~ti** scorn, despíse
niek|is nóthing; ~ i s ! (*nesvarbu*) néver mind!; **~niekis** trífle
niekš|as víllain, scóundrel; **~iškas** vile, base
niekur nówhere
niežėti itch
nykimas disappéarance
nykštys thumb
nykti 1) (*dingti*) disappéar; vánish; 2) (*silpnėti*) grow* féeble/síckly
niokoti dévastate
niūniuoti hum
niurnėti grúmble; growl
nok|inti, ~ti rípen
nor|as wish, desíre; s a v o ~ u of one's own will; **~ėti** want; (*geisti*) wish, desíre; **~imas**

desírable
norm|a norm; rate; **~alus** nórmal
norom(is) wíllingly
nors I *jng.* (al)thóugh
nors II *prv.* (*bent*) at least
norveg|as, ~iškas Norwégian
nosinė hándkerchief
nosis nose
nota *polit.* note
notaras nótary
nualinti exháust
nualp|imas, ~ti faint, swoon
nubaidyti fríghten/scare awáy/off
nublukęs fáded
nudeg|imas 1) burn; 2) (*nuo saulės*) súnburn, tan; **~inti** burn*, scorch; **~ti** 1) be burnt; 2) (*saulėje*) get* súnburnt/brown
nudengti uncóver
nudribti túmble, fall* down
nudumti *šnek.* spéed*/whirl awáy
nudurti (*gyvulį*) kill; (*žmogų*) stab to death
nudvėsti die; croak *šnek.*
nudžiugti be delíghted/glad
nueiti go* (to, awáy)
nugalėt|i overcóme*; (*nukariauti*) cónquer; **~ojas** cónqueror; víctor; *sport.* wínner
nugar|a, ~ėlė back; **~kaulis** báckbone
nugirsti overhéar*
nugriauti take*/pull down
nuimti 1) take* off; 2) (*derlių*) gáther in
nujau|sti forbóde, have a féeling/preséntiment; **~timas** preséntiment
nukabinti unháng*; unhóok
nukar|iauti cónquer; **~iavimas** cónquest
nukąsti bite* off
nukelti 1) (*į kitą vietą*) move (sómewhere else); 2) (*vėlesniam laikui*) put* off, postpóne; 3) (*nuimti*) take* off/down
nukentėti (*nuo*) súffer (from); (*už*) súffer (for)
nuklysti stray; (*nuo kelio*) go* astráy, lose* one's way
nukonkuruoti outríval
nukreipti diréct; (*į šalį*) divért; avért
nukryp|imas digréssion; *polit.* deviátion; **~ti** divérge (from), déviate (from); (*nuo temos*) digréss (from)
nukristi fall* (down); fall* off
nulašėti tríckle down
nulauž(y)ti break* off
nuleisti 1) (*žemyn*) let* down, lówer; ~ g a l v ą hang* one's head; ~ a k i s cast* down one's eyes; 2) (*laivą į van-

denį) launch
nulemti (*iš anksto*) predetérmine
nulinis zéro *attr*
nulipti come* down; (*nuo arklio, dviračio*) dismóunt
nulis nought; zéro
nuliū|dęs sad, sórrowful; **~dinti** grieve, sádden; **~sti** grieve, be sad
nulūžti break off; (*su garsu*) snap off
numalšin|imas (*sukilimo ir pan.*) suppréssion; **~ti** 1) (*troškulį*) slake; (*alkį*) sátisfy; (*skausmą*) assúage; 2) (*užgniaužti*) suppréss
numanyti understánd*; implý; (*žinoti*) know*
numatyti foresée*
numeris 1) númber; 2) (*pvz., batų*) size; 3) (*pvz., viešbutyje*) room; 4) (*programos*) ítem; 5) (*laikraščio*) númber, íssue
numesti throw* off; (*žemyn*) throw* down
numigti take*/have* a nap/sleep
numylėtinis swéetheart, dárling; pet
numinti tread* on
numiręs dead
nuneš|ioti (*drabužį*) wear* out; **~ti** take* (awáy), cárry (awáy)
nunioko|jimas devastátion; **~ti** dévastate, lay* waste
nuo from, off; of
nuobod|ulys, ~umas wéariness; tédium; **~us** dull, bóring, tédious
nuobodžiauti be bored
nuodai póison *sing*
nuod|ingas póisonous; (*pvz., apie gyvatę*) vénomous; **~yti** póison
nuodugnus thórough
nuogas náked, nude; bare
nuojauta féeling; (*bloga*) forebóding
nuolaida 1) (*kainos*) discóunt; 2) concéssion
nuolankus submíssive; meek; (*nusižeminęs*) húmble
nuolat cónstantly; **~inis** cónstant, contínual; (*nekintamas*) pérmanent
nuolauža frágment
nuom|a 1) lease; 2) (*mokestis*) rent; **~ininkas** léaseholder, ténant; **~ojimas** létting; hire
nuomonė opínion
nuomoti rent; (*duoti į nuomą*) let*
nuopelnas mérit, desért
nuorašas cópy
nuorūka cigarétte end/butt; fágend
nuosaikus móderate; témperate
nuosaka *gram.* mood; l i e p i a-

moji ~ impérative mood
nuosav|as own; **~ybė** próperty
nuosėdos sédiment *sing*
nuoseklus consístent
nuospauda corn
nuosprendis séntence; decrée
nuostabus wónderful; astónishing; surprísing
nuostatai regulátions; státute *sing*
nuostol|ingas dámaging, detriméntal; **~is** loss; (*žala*) dámage
nuošaliai alóof, apárt
nuošird|umas sincérity; **~us** sincére, ópenhéarted, córdial
nuotaika mood
nuotaka bride
nuotakus inclíned
nuotyk|ingas advénturous; **~is** advénture
nuotolis dístance
nuotrauka phóto(graph)
nuotrupa 1) (*duonos*) crumb; 2) (*pašnekesio ir pan.*) frágment
nuovargis tíredness, wéariness
nuovoka understánding
nuožiūr|a discrétion; savo ~a at one's discrétion
nuožmus fierce, ferócious
nuožulnus slóping
nupjauti cut* off
nuplauti wash off; (*nunešti*) wash awáy
nuplėšti tear* off
nuplik|ęs bald; **~ti** go*/turn bald
nuplyšęs rágged; shábby
nupurtyti shake* off; (*vaisius*) shake* down
nupūsti blow* awáy/off
nuraminti quíet; soothe
nurašyti cópy (from); crib (from)
nuraškyti pluck/pick (off)
nurengti undréss
nurimti becóme* quíet
nurody|mas indicátion; **~ti** índicate; point out
nusegti *žr.* atsegti
nusen|ęs aged; **~ti** becóme* old
nusiaubti dévastate, rávage
nusiauti take* off one's shoes
nusigąsti be/get* fríghtened (with)
nusiginkl|avimas disármament; **~uoti** disárm
nusigyven|imas impóverishment; **~ti** becóme* impóverished
nusigręžti turn awáy (from)
nusikal|sti commít a crime, be guílty; **~ėlis** críminal; **~timas** crime
nusikirpti cut* one's hair; have

one's hair cut
nusikratyti shake* off; (*atsikratyti*) get* rid (of)
nusikvatoti burst* out láughing
nusilei|dimas (*nuo aukštumos*) descént; **~sti** 1) descénd, come* down; (*apie saulę*) set*; 2) (*paklusti*) yield, submít (to)
nusilupti come* off; peel off
nusilpti becóme* weak
nusimaudyti take* a bath; (*ežere ir pan.*) take* a swim
nusimauti take*/pull off
nusimin|ęs glóomy; dispírited; **~imas** dejéction; **~ti** lose* heart
nusipeln|ęs desérved; (*įžymus*) distínguished; **~yti** desérve, mérit
nusipirkti buy* (for onesélf)
nusiramin|imas cálming; quíeting; **~ti** calm/quíet down
nusirengti undréss
nusirišti untíe, undó
nusistat|ymas áttitude; **~yti** (*apsispręsti*) séttle (on); (*nutarti*) make* up one's mind
nusistebė|jimas astónishment, surpríse; **~ti** be astónished, be surprísed
nusisukti turn awáy (from)
nusišauti shoot* oneself; blow* out one's brains
nusišluostyti wipe oneself; dry oneself
nusiteikęs dispósed; g e r a i ~ in a good mood; b l o g a i ~ out of spírits
nusitverti catch* hold (of); catch* (at)
nusiųsti send* off/awáy; (*ko*) send* (for)
nusiv|ylimas disappóintment; **~ilti** be disappóinted (in)
nusižemin|imas humiliátion; **~ti** húmble oneself
nusižengti be at fault; offénd
nusižud|ymas súicide; **~yti** commít súicide
nuskausminimas anaesthetizátion
nuskristi fly* awáy
nuskur|dimas impóverishment; **~sti** becóme* impóverished
nusnausti take*/have a nap/doze
nuspausti press (down); tread (on)
nuspręsti decíde, make* up one's mind
nustatyt|as définite; fixed; **~i** defíne, detérmine; (*laiką, kainą*) fix, set*
nustebimas surpríse, astónishment
nustebti be astónished, be surprísed

nustoti 1) (*ko*) lose*; 2) (*liautis*) stop, cease
nustumti push awáy/asíde
nušauti shoot* (down)
nušluostyti wipe off
nušokti jump down/off
nušvilpti (*artistą ir pan.*) hiss
nutar|imas decísion; resolútion; **~ti** decíde
nuteisti séntence, condémn
nutiesti (*kelią ir pan.*) build*; ~ elektros laidus instáll eléctrical equípment
nutilti (*apie žmogų*) fall* sílent; (*apie garsus*) stop
nutol|ęs dístant, far off, remóte; **~ti** move awáy/off
nutrauk|imas rúpture; (*sustabdymas*) cessátion; **~ti** 1) (*pvz., virvę*) break*; 2) (*nutempti*) pull off; 3) (*nustoti*) stop, cease
nutrinti 1) (*kas parašyta*) rub/wipe off/out; 2) (*koją ir pan.*) rub sore
nutrūkti 1) (*apie sagą ir pan.*) come* off; 2) break* (off/awáy); 3) (*liautis*) cease
nutūpti 1) (*apie lėktuvą*) land; 2) *žr.* tūpti.
nutverti catch*; seize
nuvarg|ęs tired, wéary; **~inti** tíre, fatígue; **~ti** get* tíred
nuversti throw* down; *perk.* overthrów
nuvertinti depréciate
nuvesti lead*/take* awáy
nuvežti drive*/take* awáy
nuvykti go* (to)
nuvirsti fall* down
nuvyti drive* awáy/off
nužydėti fade; fínish blóssoming
nužud|ymas múrder; assassinátion; **~ti** kill; múrder; (*klastingai*) assássinate

O

o *jng.* and; (*bet*) but
obelis ápple tree
objektas óbject
obligacija bond
obliuoti, oblius plane
obuolys ápple
od|a 1) skin; 2) (*medžiaga*) léather; **~inis** léather
oficialus offícial
oksidas *chem.* óxide
okup|acija occupátion; **~antas** inváder; **~uoti** óccupy
ola cave
oland|as Dútchman*; **~iškas** Dutch
olimpiada *sport.* the Olýmpic Games *pl*
opa úlcer, sore
oper|a ópera; ~ os teatras óperahouse*

operacija operátion
operetė músical cómedy
operuoti óperate (on)
oportunistas tímeserver, óppportunist
opozicija oppośition
optika óptics
opus délicate; (*svarbus*) sore
oranžinis órange
oras 1) (*dujos*) air; 2) (*oro stovis*) wéather
orbita órbit
ordin|as órder; **~inkas** órderbearer
organas órgan
organiz|acija organizátion; **~atorius** órganizer; **~mas** órganism; **~uoti** órganize
original|as, ~us oríginal
orinis air(-)
orkaitė óven
orkestras órchestra; (*dūdų*) (brass)band
ošti rústle
ovacija ovátion
ozonas *chem.* ózone
ož|ys, ~ka goat

P

paaiškėti turn out
paauglys téenager; júvenile
paaukštin|imas 1) rise; 2) (*pareigų*) promótion; **~ti** 1) rise; 2) (*pareigas*) promóte
pabaig|a end; consclúsion; **~imas** terminátion, complétion; **~ti** *žr.* baigti
pabaisa mónster
pabalti (*išblykšti*) turn pale
pabarti give* a scólding, scold a líttle
pabauda fine, pénalty
pabėg|ėlis fúgitive; refugée; **~imas** flight; escápe
pabėgis *glžk.* sléeper
pabėgti run* awáy; escápe
pablog|ėjimas change for the worse; **~ėti** becóme* worse, détériorate; **~inti** make* worse
pabraukti underlíne
pabrėžti 1) underlíne; 2) *perk.* émphasize, lay* stress (on)
pabūklas *kar.* piece of órdance, gun
pabusti wake* up
pabūti stay for a while
pacientas pátient
pačiupti catch*, seize
pačiūž|ininkas skáter; **~os** skates
padanga tyre; tire *amer.*
padaras créature
padargas ínstrument; ímplement
padarinys cónsequence
padas sole
padaug|ėjimas, ~inimas ín-

crease
padavė|ja wáitress; **~jas** wáiter
padažas sauce; (*mėsos*) grávy
padeg|ėjas incéndiary; **~imas** árson; **~ti** set* fire (to), set* on fire
padėjėjas assístant, help
padėka grátitude; thanks *pl*
padėklas tray
padėti 1) (*pvz., knygą*) put*, lay*; 2) help, assíst
padėtis 1) posítion; situátion; 2) (*būvis*) state; (*visuomenėje*) státus, stánding
padėvėtas shábby, threádbare
padirb|ėti do some work; **~tas** 1) done; (*pagamintas*) made; 2) (*suklastotas*) false; forged
padorus décent, próper
padrąsinimas encóuragement
padūkęs fúrious; mad
paduoti 1) give*; 2) (*į stalą*) serve; 3) (*įteikti*) hand in
paeiliui one áfter anóther; by turns
paeiti 1) (*paėjėti*) walk/go* a líttle; 2) (*galėti eiti*) be áble to walk/go
pagal 1) alóng; 2) (*sutinkamai su*) accórding to; by; ~ į s a k y m ą by órder
pagalb|a help, assistance; p i r m o j i / g r e i t o j i ~ first aid; **~inis** auxíliary
pagaliau I *prv*. at last, fínally
pagaliau II *dll*. áfter all
pagalys stick
pagalvė píllow
pagarb|a hónour, respéct; estéem; **~us** respéctful
pagauti catch*
pagedęs spoilt
pageid|aujamas desírable; **~auti, ~avimas** wish, desíre
pagelbėti help, assíst
pagerbti hónour, do hómage (to)
peger|ėjimas, ~inimas impróvement; **~ėti, ~inti** impróve
pagyrim|as praise; s u ~u with hónours
pagirti praise; **~nas** práiseworthy
pagyrūnas bóaster, brággart
pagyvenęs élderly
pagyv|ėti becóme* ánimated; **~inti** enlíven, bríghten up
pagrind|as foundátion, base; básis; **~inis** fundaméntal, príncipal
pagrįst|as (well)gróunded; **~i** ground, base
pagrobti seize; (*žmones*) kídnap
paguldyti lay*; ~ į p a t a l ą put* to bed

pagunda temptátion
paguoda cómfort, consolátion
pailgas óblong
pailsti get* tired
paimti take*
pain|iava mess, comfúsion, múddle; tángle; **~ioti** confúse; tángle; **~us** confúsing, íntricate, cómplicated
pajamos recéipts; íncome *sing*; ~ i r išlaidos íncome and expénditure *sing*
pajėg|os: ginkluotosios ~os armed fórces; **~ti** be áble; **~umas** capácity; pówer; **~us** áble; pówerful
pajungti subjéct; subdúe
pajuok|a móckery; **~ti** mock (at)
pajūris séaside; séashore
pajus *ekon.* share
pajusti *žr.* justi
pakab|a tab, hánger; **~as** peg
pakait|alas, ~as súbstitute; **~omis** by turns
paka|kti suffíce; be enóugh; ~nka! that will do!; enóugh!
pakalbėti have a talk (with abóut)
pakalnė slope; (*kalno šlaitas*) híllside
pakankamas suffícient
pakasti (*iš apačios*) undermíne
pakaušis back of the head
pakavimas pácking
pakei|čiamas remóvable; repláceable; álterable; **~sti** change; álter; (*kuo*) repláce (by); **~timas** change; alterátion
pakel|ė róadside; **~eivis** fellowtráveller; **~iui** on the way
pakelti 1) raise; pick up; 2) (*iš miego*) wake*; 3) (*pakęsti*) bear*, endúre
pakenčiamas tólerable; fáirly good
pakenkti 1) harm, ínjure; (*pagadinti*) dámage; 2) *med.* afféct
pakentėti (*turėti kantrybės*) be pátient
paketas párcel; pácket
pakibti hang*, dángle
pakyla dáis, plátform
pakil|imas 1) rise; 2) (*aukštuma*) éminence; 3) (*dvasios*) animátion; **~ti** rise*
pakišti (*po*) put*/tuck únder
paklausa demánd
paklausyti *žr.* paklusti
pakly|dęs stray; **~sti** lose* one's way
pakliūti 1) be caught; (*į*) get* into; 2) (*palaikyti*) hit*
paklodė sheet
paklusnus obédient; sub-

míssive
paklusti obéy; submít
pakopa 1) step; 2) (*stadija*) stage
pakrantė (*upės*) ríverside; (*jūros*) coast
pakraštys 1) bórder, óutskirts *pl*; 2) (*knygos*) márgin
pakryp|ęs tílted, slánted; **~ti** turn
paktas pact; n e p u o l i m o ~ nonaggréssion pact
pakuot|ė pácking; **~i** pack
pakvaišti go* crazy/mad
pakvietimas invitátion
pakvipti begín* to smell (of)
palaidas loose
palaidinukė blouse
palaikyti *žr.* paremti
palaim|a bliss; **~inti** bless
palaipsniui grádually
palangė wíndowsill
palankus 1) benévolent, well-dispósed; 2) (*tinkamas*) fávourable
palapinė tent
palata ward
palei by, near; (*pagal*) alóng
palei|dimas 1) (*išlaisvinimas*) reléase; 2) dismíssal; **~sti** 1) let* go; 2) (*duoti laisvę*) set* free; 3) (*pvz., mašiną*) set* in mótion
palengv|a, ~ėle slów(ly)
palengvin|imas relíef; **~ti** (*skausmą*) relíeve; (*darbą*) facílitate
paliaubos ármistice *sing*, truce *sing*
palydovas (*žemės*) sátellite
paliesti 1) touch; 2) (*paveikti*) afféct
palieti 1) spill*; 2) (*palaistyti*) wáter
palygin|amas cómparable; **~imas** compárison; **~ti** 1) compáre; 2) (*įterpt. žodis*) compáratively
palik|imas inhéritance; légacy; **~ti** 1) leave*; abándon; 2) (*turtą*) bequéath; leave*
palinkti 1) bend* down, lean*; 2) (*į ką*) inclíne (to)
paliov|a: b e ~o s uncéasingly
palmė *bot.* pálm (tree)
paltas (óver)coat
palūkanos ínterest *sing*
pamaina (*fabrike ir pan.*) shift
pamaldos *bažn.* (church) sérvice *sing*
pamatas base, foundátion
pamažu líttle by líttle
pamėg|imas líking (for); fóndness; **~ti** grow* fond of, come* to love
pamérkti I give* a wink (at)
pamer̃kti II soak, steep
pamesti lose*
pamilti *žr.* pamėgti
paminėti méntion; t a m

įvykiui ~ in commemorátion (of the evént)
paminklas mónument
pamiršti forgét*
pamiš|ėlis mádman*; **~ęs** mad, crázy; *med.* insáne; **~imas** mádness, craze; insánity; **~ti** go* mad/crázy
pamok|a lésson; mokytis ~as do one's léssons; **~yti** (*nubausti*) give* a good lésson; **~omas** instrúctive
pamokslas *bažn.* sérmon (*ir perk.*)
pamotė stépmother
pamušalas líning
panaikin|imas abolítion; **~ti** abólish; (*pvz., įstatymą*) annúl
panardinti immérse (in), plunge (in, into); (*trumpam*) dip
panaš|iai like; ir ~ and so on; **~umas** líkeness; resémblance; **~us** resémbling; (*į ką*) like, símilar (to); ◊ nieko ~aus nóthing of the kind
panelė young lády; (*kreipiantis*) miss
panieka contémpt, scorn
paniekin|amas contémptuous; **~ti** scorn, disdáin
panika pánic
paniur|ęs glóomy, súllen; **~omis** súllenly; **~ti** gloom; frown
papėdė (*kalno ir pan.*) foot
papeikimas réprimand
paperkamas bríbable, corrúptible
papild|ymas súpplement; addítion; **~inys** *gram.* óbject; **~yti** súpplement (with); fill up (with); **~omai** in addítion; éxtra; **~omas** additíonal, suppleméntary
papirk|imas bríbery; graft; **~ti** bribe, graft
papirosas cigarétte
papjauti kill, sláughter
paplit|ęs wídespread; **~imas** spréading; diffúsion
paplūdimys beach
paprast|ai úsually, génerally; **~as** úsual, órdinary, cómmon; (*nesudėtingas*) símple; **~umas** simplícity
papratimas hábit
paprotys cústom
papūga *zool.* párrot
papulti (*į*) get* (ínto)
papuoš|alas adórnment; órnament; **~imas** decorátion; **~ti** adórn, décorate
para twénty four hours
paradas paráde; (*kar. t.p.*) revíew
paraidžiui líterally; skaityti/rašyti ~ spell*
paraiška claim (for), applicátion (for); órder (for)
parakas (gún)powder

paralyž|iuoti páralyse; **~ius** parálysis
parama suppórt
parankus hándy
parapija *bažn.* párish
parašas signature
parašiut|as párachute; **~ininkas** párachute júmper; párachutist
paraštė márgin
parau|ęs red; (*iš gėdos*) blúshing; **~sti** turn red; (*susigėdus*) blush
parbėgti retúrn rúnning
parblokšti strike* down
pardav|ėjas séller; (*parduotuvėje*) shópassistant; sálesman*; **~ėja** sáleswoman*; **~imas** sale, sélling
parduoti sell*; **~uvė** shop; store *amer.*
pareig|a dúty; **~ingas** dútiful
pareikalavim|as demánd; ◊ **iki ~o** post réstante [pəust'restɑ:nt]; *amer.* géneral delívery
parei|kšti decláre; **~škimas** 1) (*prašymas*) applicátion; 2) declarátion, státement
pareiti retúrn, come* back/home
paremti suppórt; back up
pereng|iamasis prepáratory; **~imas** preparátion; **~ti** prepáre; **~tinis** prelíminary
pargriūti fall* down
parink|imas seléction; choice; **~ti** seléct; choose
parkas park
parkristi fall* down; túmble
parlamentas párliament
parnešti bring* back/home
paroda exhibítion, show
parod|ymas shów(ing); (*liudytojo*) évidence, téstimony; **~yti** show*; (*išstatyti*) displáy; (*teisme*) give* évidence
parpulti fall* (down); (*užkliuvus*) trip, fall* óver
parsiduoti 1) sell* one's own; 2) (*kam*) sell* onesélf (to)
parskristi (*lėktuvu*) arríve home by aír
parš|as pig; **~iukas** súckingpig
parteris *teatr.* the pit; (*pirmosios eilės*) the stalls *pl*
partija 1) *polit.* párty; 2) (*būrys*) párty; detáchment; 3) (*prekių*) batch; 4) (*žaidime*) game; 5) *muz.* part
partinis I *bdv.* párty
partinis II *kaip dkt.* mémber of the párty
partizan|as, ~inis partisán, guerílla
partneris pártner; compánion
partrenkti knock down
parūkyti have a smoke
paruoš|imas preparátion;

~tas prepáred, réady; **~ti** prepáre
parvažiuoti (*namo*) come*/get* home
parvesti, parvežti bring* home/back
pas 1) (*prie*) by; (*kartu*) with; ~ m u s with us; (*krašte*) in our cóuntry; 2) (*žymint kryptį*) to
pasaga (hórse)shoe
pasak|a (fáiry)tale, stóry; **~ėčia** fáble
pasakinėti prompt
pasakiškas fábulous; fantástic; incrédible
pasako|jimas narrátion; stóry; **~ti** tell*; narráte
pasas pássport
pasaulėžiūra world óutlook
pasaul|inis world(-); univérsal; **~is** world
pasekėjas fóllower
pasekmė cónsequence
pasėliai crops
pasenęs 1) (*apie žmogų*) aged, old; 2) (out)dáted; old-fáshioned; archáic
pasiauko|jimas selfsácrifice; **~ti** sácrifice onesélf
pasibaisėjimas térror, hórror
pasibjaurėjimas avérsion, disgúst
pasidalyti divíde up
pasidaryti 1) (*tapti*) becóme*, get*; 2) (*atsitikti*) háppen; 3) (*sau*) make*/do for onesélf
pasidavimas surrénder
pasididžiavimas pride
pasiduoti surrénder (to); yield (to)
pasiek|imas achíevement; **~ti** 1) reach; 2) *perk.* achíeve
pasielg|imas áct(ion); **~ti** act; (*su kuo*) treat (smb)
pasien|ietis fróntierguard; **~is** fróntier
pasigailė|jimas mércy; píty; **~ti** take* píty (on); spare; **~tinas** pítiful; míserable
pasigardž|iavimas, ~iuoti rélish, sávour
pasigėrėjimas admirátion
pasig|ėręs drunk; drunken *attr*; tight, fúddled *šnek.*; **~erti** get* drunk/tight
pasigesti miss
pasigirsti be heard
pasiilgti miss; long (for), yearn (for)
pasiimti (*su savimi*) take* with onesélf
pasijudinti budge, move
pasikalbė|jimas talk, conversátion; **~ti** (have a) talk
pasikei|sti change; **~timas** change; alternátion
pasikėsin|imas attémpt; **~ti** attémpt; encróach (upón)
pasikliauti relý (upón)
pasikloti (*patalą*) make* one's

bed

pasikviesti invíte to one's house

pasileidęs díssolute, prófligate; fast *šnek.*

pasilenkti stoop; bow

pasilikti stay, remáin

pasilinksminimas entertáinment; amúsement; (*vakarėlis*) (évening) party

pasimaty|mas appóintment; date *šnek.*; ◊ i k i ~m o ! see you!, so long!; **~ti** see* each óther

pasimesti be lost

pasinaudoti aváil onesélf (of), take* advántage (of)

pasipiktin|ęs indígnant; **~imas** indignátion; **~ti** be/ becóme* indígnant (*at smth, with smb*)

pasipuošti adórn onesélf; (*puošniai apsirengti*) dress up, smárten (onesélf) up

pasiraš|ymas subscríption; sígning; **~yti** subscríbe; (*padėti parašą*) sign

pasirei|kšti show* itsélf; becóme* appárent; **~škimas** manifestátion

pasireng|ęs réady, prepáred; **~ti** prepáre (for), get* réady (for)

pasirink|imas choice; **~ti** choose* (for onesélf)

pasiryž|ęs detérmined, résolute; **~imas** resolútion; **~ti** detérmine, resólve

pasirody|mas appéarance; **~ti** appéar, show* onesélf

pasiruoš|ęs prepáred, réady; **~imas** preparátion; **~ti** *žr.* pasirengti

pasirūpinti 1) (*kuo*) take* care (of), look (áfter), see* (to); 2) (*daryti ko atsargas*) lay* in (a stock of)

pasisakym|as speech; útterance; **~ti** speak* out; have one's say; (*už, prieš*) decláre (for, agáinst)

pasisavin|imas appropriátion; **~ti** apprópriate

pasisek|imas succéss; good luck; **~ti** 1) be a succéss; 2) succéed; j a m ~ė he succéeded (in), he mánaged (to)

pasisuk|imas túrn(ing); **~ti** turn

pasisveikin|imas gréeting; **~ti** greet

pasišalinti go* away

pasišiauš|ęs dishévelled, brístling; **~ti** brístle up, stand* on end

pasišv|entimas devótion; **~ęsti** devóte onesélf (to)

pasitaikyti 1) háppen; 2) (*būti aptinkamam*) be found

pasitaisyti 1) corréct onesélf; 2) (*sveikti*) get* well, recóver

pasitarimas cónference

pasiteisinimas excúse
pasitenkin|imas satisfáction; **~ti** be sátisfied (with); contént oneself (with)
pasityčiojimas móckery
pasitik|ėjimas cónfidence; trust; **~ėti** trust, relÿ (upón); **~intis** (*savimi*) cónfident
pasitraukti go* awáy; (*į šalį*) step asíde
pasiturintis well-to-dó, well-óff
pasiūla *ekon.* supplÿ; ~ i r p a k l a u s a supplÿ and demánd
pasiūly|mas óffer, propósal; suggestion; (*susirinkime*) mótion; **~ti** 1) óffer; 2) (*svarstymui*) suggést, propóse
pasiunt|inybė émbassy; **~inys** 1) méssenger; 2) (*valstybės atstovas*) énvoy, mínister
pasiut|ęs mad, rábid; **~imas** 1) (*liga*) rábies; hydrophóbia; 2) (*įtūžimas*) frénzy; **~iškas** fúrious
pasivaikščio|jimas walk; **~ti** take* a walk; e i t i ~ t i go* for a walk
pasivaišinti treat oneself (to)
pasivažinėti run*, drive*; (*dviračiu*) ride*
pasižadė|jimas, ~ti prómise, pledge
pasižymėti 1) (*išsiskirti*) distínguish oneself; 2) (*užsirašyti*) put* down; take* notes
paskait|a lécture; l a n k y t i ~ a s attend léctures; s k a i t y t i ~ a s lécture; **~ininkas** lécturer
paskatin|imas indúcement; **~ti** (*ką daryti*) indúce, impél
paskelb|imas declarátion; publicátion; **~ti** decláre; (*pranešti*) annóunce; (*spaudoje*) públish
paskendęs 1) drowned; 2) *perk.* sunk, wrapped in, absórbed
paskiau (*po to*) then; (*kiek vėliau*) (a little) láter
paskyrimas appóintment, nominátion
paskirt|i appóint; nóminate; (*kūrinį*) dédicate (to); **~is** púrpose
paskol|a loan; **~inti** lend*
paskui I áfter(wards); (*vėliau*) láter on
páskui II *prv.* behínd
páskui III *prl.* áfter; e i t i ~ k ą fóllow smb
paskutinis last; (*naujausias*) látest
paslapč|ia, ~iom(is) sécretly
paslapt|ingas mystérious; **~is** mÿstery; sécret; i š l a i k y t i ~ į keep* a sécret
paslaug|a sérvice; **~us** oblíging

paslysti slip
pasmerk|imas condemnátion, doom; **~ti** condémn, doom
pasmirsti (begín* to) stink*
pasninkas *bažn.* fast
paspartinti quícken; speed up
paspringti choke (with, on)
pasta paste; d a n t ų ~ tóothpaste
pastab|a remárk, observátion; (*teksto paaiškinimas*) cómment, note; **~us** obsérvant
pastanga éffort
pastarasis látter
pástat|as búilding; (*puošnus*) édifice; **~ymas** 1) buílding; constrúction; 2) *teatr.* stáging; **~yti** 1) build*; constrúct; 2) *teatr.* stage
pasteb|ėti nótice; remárk, obsérve; **~imas** nóticeable, percéptible
pastogė 1) gárret; 2) *perk.* (*prieglobstis*) home, shélter; b e ~ s hómeless
pastoliai scáffolding *sing*
pastov|umas cónstancy; stabílity; **~us** cónstant; stáble, stéady
pastraipa páragraph
pastumdėlis (general) dógsbody
pasveik|imas recóvery; **~ti** recóver, get* well
pašalinimas remóval
pašalinis I *bdv.* strange; óutside
pašalinis II *dkt.* stránger; óutsider
pašalinti remóve; elíminate; (*iš darbo*) dismíss; (*iš mokyklos*) expél
pašalpa bénefit; grant; relíef
pašaras fódder
pašauk|imas vocátion; cálling; **~ti** call; (*į kariuomenę*) call up
pašėlęs fúrious, wild, mad
pašiepti mock, jeer (at)
pašildyti warm up
pašnabždom(is) in a whísper
pašnek|esys talk, conversátion, chat; **~ovas** interlócutor
pašokti (*aukštyn*) jump up
pašt|as 1) post; (*korespondencija*) mail; o r o ~ air mail; ~ d ė ž u t ė létterbox; 2) (*įstaiga*) póstoffice; **~ininkas** póstman*
pašvaistė glow; ◊ š i a u r ė s ~ nórthern lights *pl*; Auróra Boreális *knyg.*
pašventinti *bažn.* cónsecrate, sánctify
pat: t a s ~, t o k s ~ the same; t u o j a u ~ right now
pataikauti 1) tóady; 2) (*nuolaidžiauti*) indúlge
pataikyti hit*

patal|as bed; ~**ynė** bédding
patalpos prémises
patams|iais, ~**yje** in the dark; ~**is** dárkness, dark
patapšnoti (*per petį*) pat, clap (on)
patar|iamasis consúltative, delíberative; ~**imas** advíce
patarlė próverb
patarn|auti do a sérvice; ~**avimas** sérvice; (good) turn
patart|i advíse; ~i n a it is advísable
patefonas grámophone
pateikti presént; prodúce
pateisin|imas justificátion; excúse; ~**ti** jústify
patekti get* (ínto); (*atsidurti*) find* onesélf
patelė fémale
patenkin|amas satisfáctory; ~**imas** satisfáction; ~**tas** contént (with), pleased (with); ~**ti** sátisfy
patentas pátent (for, of)
patėvis stépfather
patiekalas dish
paties|alas cárpet; (*nedidelis*) rug; ~**ti** spread*
patikėti trust; entrúst
patikimas relíable; trústy
patikrin|imas verificátion; (*žinių, sveikatos*) examinátion; (*kontrolė*) contról; ~**ti** vérify; check; exámine
patikslinti spécify; make* more precíse
pati|kti please; j a m ~n k a he likes
patylomis sílently, nóiselessly; stéalthily
patinas male
patinimas swélling
patyrimas expérience
patirti expérience; súffer
patog|umas convénience; cómfort; ~**us** cómfortable; (*tinkamas*) convénient
patranka gun, cánnon
patrauk|lus attráctive, wínning; ~**ti** draw*; (*dėmesį t. p.*) attráct
patriot|as pátriot; ~**inis,** ~**iškas** patriótic; ~**izmas** pátriotism
patrulis patról
pats 1) *sing* mysélf; *pl* oursélves; 2) *sing* yoursélf; *pl* yoursélves; 3) *sing* himsélf, hersélf itsélf; *pl* themsélves; (*kaip tik*) the véry
patvar|umas stéadfastness, stéadiness; ~**us** stéadfast, stéady
patvirtin|imas confirmátion; corroborátion; ~**ti** confírm; corróborate; (*sutartį, paktą*) rátify; ~t i k o g a v i m ą acknówledge the recéipt of smth
paukštininkystė póultry ráising

paukšt|is bird; naminiai ~čiai póultry
paunksnis shade
paupys ríverside
pauzė pause, ínterval, stop
pavadinimas 1) name; 2) (*knygos*) títle
pavaduot|i act for; **~ojas** ácting; vice, députy
pavaldus subórdinate (to)
pavara *tech.* gear; drive
pavardė (súr)name
pavarg|ęs tired; **~imas** tíredness; **~ti** get* tired (with)
pavarto|jimas use; applicátion; **~ti** applý; use
pavasar|inis spring(-); **~is** spring
pavedimas commíssion
paveikslas pícture; páinting
paveikti ínfluence
pavėlav|ęs late; **~imas** cóming late
paveldė|jimas inhéritance; **~ti** inhérit; **~tojas** heir; **~toja** heiress
paveldimas inhéritable; heréditary
pavėluot|as beláted; overdúe; **~i** be late
pavėnė árbour; súmmerhouse*
paverg|imas enslávement; **~ti** ensláve
paversti turn (ínto)
pavėsis shade
pavesti charge (with), commíssion (with)
pavėžinti, pavežti give* alift
pavidalas shape
pavyd|as 1) énvy; 2) jéalousy; **~ėti** 1) énvy; 2) (*pavyduliauti*) be jéalous (of); **~us** 1) énvious; 2) (*pavydulingas*) jéalous
pavienis síngle, sólitary; indivídual
pavyk|ti turn out well; jam ~o he succéeded (in)
pavilioti entíce awáy, allúre
pavirsti turn (ínto)
paviršius súrface
paviršutiniškas superfícial
pavyti catch* up, overtáke*
pavyzdin|gas esémplary, módel; **~is** módel *attr*, stándard *attr*
pavyz|dys exámple, ínstance; (*modelis*) módel; páttern, sámple, spécimen; ~džiui for exámple
pavoj|ingas dángerous; **~us** dánger
pažad|as, ~ėti prómise
pažang|a prógress; **~us** progréssive; advánced
pažei|dimas infríngement, transgréssion; violátion; **~sti** break*; infrínge (upón), transgréss
pažemin|imas (*moralinis*) humiliátion; **~ti** 1) lówer; 2) (*kie-*

no pareigas) demóte; 3) (*morališkai*) humíliate, abáse
pažengti (*moksle*) make* prógress (in); (*pirmyn*) advánce
pažiba (*garsenybė*) celébrity
pažym|a, ~ėjimas certíficate; **~ėti** 1) mark; 2) (*paliudyti*) cértify; attést; **~ėtinas** nóteworthy; **~ys** 1) mark; 2) (*žymė*) sign
pažint|i know*; (*atpažinti*) récognize; **~is** acquáintance
pažįstamas I *bdv*. famíliar
pažįstamas II *dkt*. acquáintance
pažiūr|a view; **~ėti** look (at), take* a look (at); (*į žodyną, užrašus*) look up; consúlt
pažodinis word for word; líteral
pečiai shóulders
pėda foot*
pedagog|as pédagogue; téacher; **~ika** pedagógics; **~inis, ~iškas** pedagógic(al)
pedalas pédal; (*tech. t.p.*) tréadle
pėdas sheaf*
pėds|akas trace, track; (*kojos*) fóotprint; **~ekys** (*šuo*) blóodhound
peikti blame; cénsure
peil|is knife*; **~iukas** pénknife*
peizažas lándscape
pelė mouse*
pelėda *zool*. owl
pelėkautai móusetrap
pelen|ai áshes; **~inė** áshtray
pelėsiai mould *sing*
pelyti grow* móuldy/músty
pelkė bog, swamp, marsh
peln|as prófit; **~ingas** prófitable; **~ytas** mérited; **~yti** desérve; mérit
pempė *zool*. pé(e)wit
penėti feed*; (*tukinti*) fátten
penket|as, ~ukas five
penki five; ~ š i m t a i five húndred
penkiasdešimt fífty; **~as** fíftieth
penkiese the five of us/you/them (togéther)
penkiolik|a fíftéen; **~tas** fíftéenth
penkta|dalis the fifth part; one fifth; **~dienis** Fríday
penktas fifth
pens|ija pénsion; **~ininkas, ~ė** pénsioner
pentinas spur
pepsikola Pepsi(cóla)
per I 1) through; acróss; óver; 2) (*žymint laiką*) in; dúring; 3) (*dėl*) becáuse of
per II *dll*. (*virš saiko*) too
peraugti 1) overgrów*; outgrów* 2) *perk*. (*į*) devélop (ínto)
perbėgti run* acróss, cross

perbraižyti draw* agáin/anéw
perbraukti 1) cross (through); (*išbraukti*) cross out; 2) (*ranka*) run*/pass (óver)
perdaug too, too much/mány
perdavimas 1) transmíssion; tránsfer; 2) (*įteikimas*) hánding óver
perdė|jimas exaggerátion; **~ti** exággerate
perdirbti remáke; do/work óver; (*kūrinį*) adápt
perduoti 1) pass, give*; (*įteikti*) hand; 2) (*pranešti*) tell*; 3) (*turtą, teisę*) transmít
perdurti pierce; (*ginklu*) run* through
pereinamas transítional
pereiti 1) cross, get* acróss; go* óver; 2) (*prie*) pass on (to)
perėja 1) pass; 2) (*gatvės*) cróssing
perėjimas cróssing; pássage; *perk*. transítion
pergal|ė víctory; **~ingas** victórious
pergalvoti change one's mind
pergirti overpráise
pergyventi 1) expérience, go* through; 2) (*gyventi ilgiau*) outlíve, survíve
pergroti play agáin/anéw; repláy
pergrupuoti regróup
periferija 1) periphery; 2) (*provincija*) the próvinces *pl*, the óutlying dístricts
perimti 1) (*patirtį ir pan.*) adópt, take*; (*pareigas*) take* óver; 2) (*per daug imti*) take* too much; 3) (*laišką, žinias*) intercépt; 4) (*apie šaltį, drebulį*) go* right through, pierce
period|as périod; **~inis** periódic(al)
perkai|sti, ~tinti overhéat
perkaręs fámished
perkas|as canál; **~ti** 1) (*iš naujo*) dig* óver agáin; 2) (*skersai*) dig* acróss/through
perkąsti 1) bite* through; (*riešutą*) crack; 2) *šnek*. (*užkąsti*) take* a bite; 3) *perk*. (*suprasti*) see through
perkelti 1) (*į kitą vietą*) transfér; move; 2) (*per*) take* acróss
perkišti pass/force through
perkrauti (*per daug*) overlóad; (*darbu*) overwórk
perkūn|as thúnder; **~ija** thúnderstorm; **~iškas** (*garsus*) thúnderous; **~sargis** líghtningconductor
perlaida remíttance; p a š t o ~ póstal órder
perlas pearl
perleisti 1) (*atiduoti*) let*

(*smb*) have; 2) (*per ką*) let*/ pass through
perlėkti fly* óver; fly*
permain|a change; **~ingas** chángeable
permatomas transpárent
permesti throw* óver; (*kariuomenę*) transfér
permirkti get* wet/soaked
permokėti overpáy* (to); pay* (*smb*) too much (for)
pernai last year
pernakt all night (long)
pernešti cárry (óver); transpórt
pernykštis last year's
perpil|dyti overfíll (with); (*apie patalpą*) overcrówd; **~ti** pour (from...ínto...)
perpjauti (*pusiau*) cut* (in two); (*pjūklu*) saw in two
perplaukti swim* acróss
perprodukcija *ekon.* overprodúction
perpus in two, half-and-hálf; ~ m a ž i a u half as much
perpuvęs overrótten
perraš|ymas rewríting; cópying; **~yti** rewríte; (*mašinėle*) retýpe
perrėkti outshóut, outcrý
perrinkti 1) reeléct; 2) (*bulves ir pan.*) sort (out)
perrišti 1) (*ryšulį*) tie up; 2) (*žaizdą*) bándage, dress
persiauti change one's shoes
persėdimas change
persekio|jimas 1) persecútion; 2) (*vijimasis*) pursúit; **~ti** 1) pérsecute; 2) (*vytis*) pursúe; chase
persėsti change one's seat; ~ į k i t ą t r a u k i n į change trains
persidirbti overwórk (onesélf)
persigalvoti change one's mind
persigerti 1) drink* too much; get* drunk; 2) let* wáter through
persikas peach
persikėlimas migrátion; remóval, move
persikelti migráte; remóve, move
persilaužimas túrning-point; (*ligos*) crísis
persimesti 1) throw (óver); 2) (*žodžiais, žvilgsniais*) exchánge; 3) (*apie ugnį, epidemiją*) spread*; 4) (*pas priešus*) desért
persirašyti 1) rewríte (for onesélf); 2) (*nusirašyti*) cópy (for onesélf)
persirengti 1) change (one's clothes); 2) (*maskuojantis*) disguíse onesélf (as)
persistengti overdó*
persišald|ymas cold, chill; **~yti** catch* cold

persitvarkyti restrúcture; refórm
persiųsti send*; (*pinigus*) remít
persivalgyti overéat*, overféed*
perskambinti ring*/call up agáin; redíal
perskirti séparate, part
perskristi fly* óver; fly*
persodinti 1) (*į kitą vietą*) make* (*smb*) change his/her seat; 2) (*augalus*) transplánt
personalas staff, personnél
perspausdinti reprínt; (*mašinėle*) retýpe
perspektyva 1) perspéctive; 2) (*ko laukiama*) próspect; óutlook
perspėti warn
persvara superiórity; *balsų p.* majority of votes
persvarstyti (*nutarimą*) reconsíder
peršal|imas cold, chill; **~ti** catch* cold
peršokti jump óver/acróss
peršviesti *med.* Xráy
perteikti rénder; convéy
perteklius abúndance; súrplus
pertrauk|a ínterval; break; **~ti** break* (off); interrúpt
pertvara partítion
pertvark|a restrúcturing; **~ymas** reorganizátion; **~yti** refórm, reórganize; reconstrúct
pertverti partítion off
perukas wig
pervargti be overtíred; overwórk onesélf
pervaž|a *glžk.* cróssing; **~iuoti** 1) cross; 2) (*suvažinėti*) run* óver; 3) (*į kitą vietą*) move
pervedimas (*pinigų*) remíttance
pervers|mas revolútion; **~ti** turn óver
perverti pierce; run* through
pervertinti overéstimate, overráte
pervesti 1) take* acróss; 2) (*pinigus ir pan.*) remít
pervež|imas transportátion; **~ti** transpórt
peržengti 1) step óver, overstép; 2) *žr.* pažeisti
peržiūr|a (*filmo, spektaklio*) revíew; **~ėti** look óver (agáin); revíse; revíew
peržvelgti glance/run* óver/through
pėsč|iasis pedéstrian; **~iomis** on foot
pėstininkai *kar.* ínfantry *sing*
pešt|i pull; **~is** scúffle; fight*
peteliškė bútterfly
pet|ys shóulder; **~nešos** bráce *sing*

pian|inas piáno; **~istas** píanist
piemuo shépherd
pien|as milk; **~inė** dáiry (*įmonė, parduotuvė*); **~ininkystė** dáirying; **~inis, ~iškas** milk(-), mílky
pieš|imas, ~inys dráwing; **~ti** draw*; 2) (*vaizduoti*) depíct; **~tukas** péncil
pietauti have dínner; dine
piet|inis south, sóuthern; **~ryčiai** southéast *sing*
piet|ūs 1) dínner *sing*; 2) south *sing*; **~vakariai** south-wést *sing*
pieva méadow
pig|iai chéap(ly); **~ti** fall* in price, chéapen; **~umas** low príces *pl*; **~us** cheap
piktas 1) (*supykęs*) ángry; 2) (*pikto būdo*) cross, wícked
pykti be ángry/cross (with)
piktintis be indígnant (at)
pyktis ánger, málice
piktnaudžiauti abúse
piktžaizdė úlcer
piktžolė weed
piliakalnis mound
piliet|ybė cítizenship; **~inis** cívil; **~is** cítizen
pylimas embánkment; bank
pilis cástle
piliulė pill
pilkas grey
pilnametis of age, ádult
pilnas 1) full; 2) (*apie žmogų*) stout
pilnatis full moon
pilnutinai in full, fúlly
pilot|as, ~uoti pílot
pilt|i pour; **~uvėlis** fúnnel
pilvas stómach
pynė plait [plæt]
pinig|ai móney *sing*; **~inė** purse; **~inis** móney(-)
pinklės 1) (*spąstai*) snare *sing*; 2) *perk.* intrígues
pint|i weave*; (*kasas*) braid; **~inė** básket
pionierius pionéer
pyp|čioti, ~inti peep
pipiras pépper
pypkė pipe
pyrag|aitis cake; pástry; **~as** pie; (*saldus*) cake
pirkėjas buýer; (*nuolatinis*) cústomer
pirkia cóttage, hut
pirkinys púrchase
pirklys déaler; (*stambus*) mérchant
pirkti buy*
pirm(a) *prl.* befóre; ~ v i s k o first of all
pirma *prv.* 1) (*žymint laiką*) first; 2) (*išskaičiuojant*) fírstly
pirma|ienis Mónday; p i r m ą k a r t for the first time; **~klasis** first fórmer; **~kursis** first-year stúdent; **~laikis** préma-

ture; **~rūšis** fírstráte
pirmas(**is**) first; (*iš paminėtų*) fórmer
pirmenyb|ė priórity; advántage; **~ės** *sport*. chámpionship *sing*
pirm|esnis prévious; **~iausia** first of all
pirmykštis prímitive
pirmyn fórward
pirmininkas cháirman*; président; s u s i r i n k i m o ~ cháirman* of a méeting
pirmumas 1) precédence; priórity; 2) (*pirmenybė*) préference
pirmtakas prédecessor
pirmutinis first
pirščiukas (*siuvamasis*) thímble
piršlys mátchmaker
pirštas fínger; (*kojos*) toe
pirštinė glove
pirtis bath; (*pastatas*) báthhouse
pjauti 1) cut*; 2) (*pjūklu*) saw*; 3) (*šieną*) mow*; 4) (*javus*) reap; 5) (*žudyti*) kill; sláughter
pjesė play
pjovimas 1) cútting; 2) (*javų*) réaping; 3) (*šieno*) mówing; 4) (*medžių, lentų*) sáwing; 5) (*gyvulių*) sláughter
pjūklas saw
pjūtis hárvest
pjuvenos sáwdust *sing*
pjūvis séction
plačiai wíde(ly)
plakatas plácard; póster
plak|imas (*širdies*) beat, palpitátion; **~ti** (*apie širdį*) pálpitate; beat*
plaktukas hámmer
planas plan; (*miesto*) map
planeta plánet
plan|ingas systemátic, planned; **~inis** planned; **~uoti** plan
plasnoti flap, flútter
plastmas|ė, ~inis plástic
plaštaka hand
platėti wíden
platforma 1) (*vagonas*) truck; 2) *polit*. plátform
platina plátinum
platinti 1) wíden; 2) (*skleisti*) spread*
plat|uma *geogr*. látitude; **~umas** width, breadth; **~us** wide; broad
plauč|iai lungs; ~ i ų u ž d e g i m a s pneumónia
plaukai hair *sing*
plaukikas swímmer
plaukiojimas 1) swímming; 2) (*laivu*) navigátion; vóyage
plaukti 1) swim*; (*apie daiktą*) float; 2) (*laivu*) návigate, sail; (*valtimi*) boat
plaukuotas háiry, haired
plauti wash, rinse; ~ g e r k-

lę gárgle
pleiskanos dándruff *sing*, scurf *sing*
pleištas wedge
plenarinis plénary
plentas macádam (road), híghway
plenumas plénum
plep|ėti chátter; **~ys** chátterer, chátterbox; **~us** gárrulous
plėsti wíden; *perk*. exténd; **~s** spread*; wíden
plėšik|as róbber; plúnderer; **~auti** rob; plúnder; **~avimas** róbbery
plėš|imas plúnder; róbbery; **~yti** tear*
plėšrus: ~ **paukštis** bird of prey; ~ **žvėris** beast of prey
plėšti 1) tear*; 2) (*grobti*) rob; plúnder
plėtimas(is) bróadening, exténsion
plėtoti devélop; expánd
plėvė mémbrane; film
plevėsuoti fly*, flútter
pliaukš|ėti smack; crack; **~ti** (*liežuviu*) talk rúbbish/nónsense; drível
pliažas beach
plien|as, ~inis steel
plik|as 1) (*be plaukų*) bald; 2) (*nuogas*) náked, bare; **~ti** go*/grow* bald
plisti spread*
plyšys crack; chink; split
plyšti 1) (*dėvėtis*) tear*; 2) (*skilti*) split*; burst*
plyt|a brick; **~elė** (*šokolado*) bar; **~inė** bríckyard
pliusas *mat*. plus (*ir perk*.)
pliuškintis splash/flop abóut
pliuškis, -ė fíghtly créature
plojimai appláuse *sing*; cláp(ing) *sing*
plokščias flat
plokštelė 1) plate; 2) (*gramofono*) ~ récord; disc
plomb|a 1) seal; 2) (*dantų*) stópping; **~uoti** (*dantis*) stop, fill
plon|as thin; (*apie audinius*) fine; (*laibas*) slim, slénder; **~umas** thínness
plotas área
ploti (*delnais*) appláud, clap
plotis width, breadth
plūduriuoti float
plūgas plough
plukd|ymas flóating; **~yti** (*medžius*) float
plunksn|a 1) (*paukščio*) féather; 2) (*rašymui*) pen; **~akotis** pén(holder); **~inukas** (*badmintono*) shúttlecock
pluoštas 1) (*plaukų*) tuft; 2) (*linų*) fíbre; 3) *perk*. a quántity (of)
plūstamas abúsive
plūsti 1) (*lietis*) flow; rush; 2)

(*keikti*) abúse; (*barti*) scold
pluta crust
po 1) (*žymint vietą*) in; on; (*apačioj*) únder; 2) (*žymint laiką*) áfter; (*ateityje*) in; 3) (*dalinant*): ~ du [tris] two [three] each
pobūdis cháracter
pobūvis party, sócial
podukra stépdaughter
poelgis act, deed
poema póem
poet|as póet; **~ė** póetess; **~inis, ~iškas** poétic(al)
poezija póetry
pogrindis 1) (*rūsys*) céllar; 2) *polit.* únderground (actívity)
poils|iauti rest; **~is** rest; reláxátion; ~io diena réstday
pojūtis sensátion
pokalbis conversátion, talk
pokarinis póstwar
pokylis feast, bánquet
pokšt|as trick; prank; joke; krėsti ~us play tricks
poleminis controvérsial, polémical
poliarinis árctic, pólar
polic|ija políce; **~ininkas** políceman*
poliklinika óutpatient, clínic
polinkis bent (for), turn (for)
polis (*tilto*) pile
polit|ika pólitics *pl*; (*kursas*) pólicy; **~ikas** polítícian; **~inis, ~iškas** polítical; **~kalinys** polítical prísoner
polius pole
pomėgis (*ko*) líking (for)
pomidoras tomáto
pomirtinis pósthumous
pompa (*siurblys*) pump
pon|as (*kreipiantis*) sir; (*prie pavardės*) Mr.; **~ia** (*kreipiantis*) my (dear) lády; (*prie pavardės*) Mrs.; **~iškai** like a lord/géntleman*
popier|inis, ~ius páper
popiet in the afternóon
popiežius Pope
populiar|inti pópularize; **~us** pópular
pora pair; cóuple
porcelianas chína, pórcelain
porcija pórtion; (*valgio*) hélping
poreikis need
porinis éven (*apie skaičių*)
poryt the day áfter tomórrow
pornografi|ja pornógraphy; **~nis** pornográphic
portfelis bag; bríefcase
portretas pórtrait
portugal|as, ~iškas Portuguése
poruoti(s) cóuple, pair
posakis expréssion; phrase
posėdis sítting; méeting
posėdžiauti sit*

poslinkis change for the bétter; impróvement
posūkis 1) túrn(ing); (*upės*) bend; 2) *perk*. túrning-point
posūnis stépson
pošk|ėti, ~inti crack, pop
poteriai *bažn*. prayers
potraukis inclinátion (for), bent (for)
potvarkis decrée; (*įstatymas*) órder
potvynis flood; inundátion
pavandeninis súbmarine
poveikis ínfluence (on)
poza pose; pósture, áttitude
pozicija posítion
požeminis únderground
požymis sign; féature
požiūris stándpoint; point of view
prabang|a lúxury; **~us** luxúrious
prabėg|omis in pássing, pássingly; **~ti** run* by
prabilti (begín* to) spéak*; útter
prabūti stay, remáin
pradar|as slíghtly ópen; **~yti** ópen slíghtly
pradedantysis begínner
pradeg|inti, ~ti burn* through
pradėti begín*, start
pradininkas inítiator
pradinis inítial; (*apie mokslą, mokyklą*) eleméntary
pradmuo órigin, rúdiment
pradurti pierce
pradž|ia begínning; iš **~ios** at first; **~iai** to begin with
pradžiūti get* (sómewhat) dry
praeitas *žr*. praėjęs
praei|ti 1) pass, go* by; 2) (*baigtis*) be óver; 3) (*įvykti*) go* off; **~tis** the past; **~vis** passerbȳ
praėj|ęs past; (*paskutinis*) last; **~imas** pássage; pass
pragaras hell
pragert|as drúnken; **~i** drink* awáy; spend* (squánder on drink)
pragyven|imas líving; **~ti** make* a líving
prailginti prolóng; exténd
prakait|as sweat, perspirátion; **~uoti** sweat, perspíre
prakeik|imas curse; **~tas** dámned, cursed; **~ti** curse, damn
prakišti 1) push/fórce through; 2) *šnek*. (*pralaimėti*) lose*
prakt|ika práctice; **~inis, ~iškas** práctical
pralaimė|jimas loss, deféat; **~ti** lose*
pralauž|imas bréach(ing), break; **~ti** break* (through)
praleidinėti *mok*. play trúant
praleisti 1) (*leisti praeiti*) let*

(*smb*) pass; 2) (*raidę, žodį*) omit, leave* out; 3) (*susirinkimą ir pan.*) miss; 4) (*terminą*) excéed the time límit; 5) (*laiką*) spend*
pralėkti 1) (*praskristi*) fly* (by, past, through); 2) (*apie laiką*) go*/fly* by
pralenkti 1) outstrip; (*bėgant*) outrún*; 2) (*būti pranašesniam*) surpáss
pralieti spill*; (*kraują, ašaras*) shed*
pralobti get*/becóme*/grow* rich
pralošti lose*
pramigti oversléep* (onesélf)
pramoga amúsement; pástime
pramon|ė índustry; **~inis** indústrial; ~inės prekės manufáctured goods
pramušti beat*, break* (through); pierce
pranašauti foretéll*, predíct
pranašumas advántage; superióríty
prancūz|as Frénchman*; **~iškas** French
praneš|ėjas spéaker; annóuncer; **~imas** repórt, informátion; nótice; **~ti** repórt, let* (*smb*) know (of), commúnicate (to); infórm; nótify
pranokti surpáss, excél
praplėsti extend; wíden
praplėšti rip/tear* ópen
prapliupti gush (out); break* (into)
prap|ulti 1) (*dingti*) disappéar; 2) (*pasimesti*) be lost; **~uolęs** 1) (*dingęs*) míssing; 2) (*pražuvęs*) lost, rúined
praraja précipice; abýss
prarasti lose*
praryti swállow; devóur
prasidėti begin*, start
prasilauž|imas bréaking-through; **~ti** bréak* through
prasimaitinti live (on), subsíst (on)
prasimany|mas invéntion; fib; **~ti** invént; fib
prasiskverbti pénetrate; make*/force one's way (through)
prasitarti let*/blurt it out
prasižengti transgréss
prasižioti ópen one's mouth
praskinti: ~ kelią *perk.* pave the way
praslinkti pass; elápse
prasmė sense; méaning
prastas 1) (paprastas) símple, cómmon, plain; 2) (*blogas*) bad*, poor
praš|ymas requést; **~yti** ask; ◊ labai ~au, ~om(e) please
pratarmė préface
pratęs|imas exténsion, pro-

longátion; ~**ti** prolóng; ~ **t i b i l i e t ą** exténd a ticket
pratybos prácticals, práctical work *sing*
pratimas éxercise
pratint|i train; ~**is** accústom onesélf (to)
pratrinti rub through; rub sore
pratrūkti break*; burst*
praturt|ėti get* rich; be enríched; ~**inti** enrích
praus|yklė wáshstand; ~**imas**(**is**) wáshing; ~**ti** wash; ~**tis** wash (onesélf)
pravalgyti spénd* on food
pravardė níckname
pravartus úseful; fit (for)
pravaž|iavimas pássage; ~**iuoti** pass (by, past); go* (by, past)
praversti come* in úseful, be of use
pravesti (*padėti praeiti*) take*, lead*, condúct
pravėža rut
praviras slíghtly ópen; jar
pražanga *sport.* foul
pražydėti come*/burst* ínto bloom/blóssom
pražilti turn grey
pražudyti rúin
pražūt|i pérish; be lost; ~**ingas** rúinous; disástrous; ~**is** rúin
prek|ė goods *pl*; wares *pl*; ~**iauti** deal (in); (*su*) trade (with); ~**iautojas** déaler
prekyb|a trade, cómmerce; ~**ininkas** tráder; mérchant; ~**inis** commércial, trade
prekinis goods *attr*, coomódity *attr*; ~ **t r a u k i n y s** goods train
preky|stalis cóunter; ~**vietė** márket
premij|a prémium; prize; ~**uoti** awárd a prize, give* a prémium
premjera first night
prenumer|ata subscríption; ~**atorius** subscríber; ~**uoti** subscríbe (to)
pres|as, ~**uoti** press
prestižas prestíge
pretend|entas preténder; cláimant; ~**uoti** claim; lay* claim (to)
pretenzija claim; (*nepagrįsta*) preténsion
prezervatyvas cóndom, sheath*
prezidentas président
prezidiumas presídium
priartėti *žr.* artėti
pribėgti run* up (to), cóme* rúnning up (to)
priblokšti (*smūgiu, žinia*) stun
pribrendęs ripe, matúre
pridėjimas addítion
pridengti cóver; screen

prideramas próper; becóming
pridėt|i add; **~inis** addítional
prie 1) (*arti*) at, by, near; 2) (*žymint kryptį*) to; 3) (*su*) with
prieangis porch
priebalsis cónsonant
prieblanda twílight
priedanga cóver; (*perk. t.p.*) cloak, screen
priedas 1) addítion; 2) (*žurnalo, knygos*) súpplement
prieglauda 1) asýlum; 2) *perk.* shélter
prieglobstis shélter, réfuge
prieinamas accéssible
prieiti 1) come* up (to), appróach; 2) (*pasiekti*) reach
priėjimas appróach, accéss
priekaba tráiler
priekabė cávil
priekaišt|as, ~auti repróach
priek|inis, ~is front; į ~į (*pirmyn*) fórward
prielinksnis *gram.* preposítion
priemaiša admíxture
priemiest|inis subúrban; **~is** súburb
priėmimas 1) (*pvz., svečių*) recéption; 2) (*į mokyklą ir pan.*) admíttance
priemon|ė 1) (*pvz., susisiekimo*) means; 2) méasure; griežtos ~ės drástic méasures
prieplauka lándingstage, pier; (*krovinių*) wharf*
priepuolis fit, attáck
priesaga *gram.* súffix
priesaika oath*
priesak|as précept; (*rinkėjų*) mándate
priespauda oppréssion
prieš 1) (*žymint vietą*) befóre, in front of; (*priešais*) ópposite; 2) (*žymint laiką*) befóre; (*praeityje t. p.*) agó; ~ pietus befóre dínner; ~ dvejus metus two years agó; 3) (*žymint priešingumą*) agáinst
priešak|inis front, fore(-); **~ys** front, fórepart; ~yje in front (of); at the head (of)
priešas énemy
priešdėlis *gram.* préfix
prieši̇ng|ai 1) the óther way (round); (*kam*) cóntrary (to); 2) (*įterpt. žodis*) on the cóntrary; **~as** 1) (*esantis prieš kitą*) ópposite; 2) contráry; **~ybė**, **~umas** cóntrast, opposítion
priešin|imasis resístance; **~inkas** oppónent; (*priešas*) énemy; **~tis** resíst; oppóse
priešiškas hóstile
prieškambaris hall
prieškarinis préwar
priešlaikinis prematúre, untímely
priešpaskutinis last but one

priešpiečiai lunch *sing*
priešrinkiminis preeléction *attr*
prieštar|auti contradíct; (*pasisakyti prieš*) objéct (to); **~avimas** contradíction; objéction; **~ingas** contradíctory, discrépant
prietaisas appáratus; devíce
prietaras superstítion; préjudice
prietema dusk
prievart|a compúlsion; **~auti** (*moterį*) rape, rávish; **~inis** fórcible, forced
prieveiksmis *gram*. ádverb
prievolė sérvice; dúty
priežastis cause, réason
priežiūra supervísion; care
priežodis próverb, sáying
prigimt|as ínbórn; **~is** náture
priglausti 1) clasp (to), press (to); 2) (*priglobti*) shélter
priimamasis recéptionroom
priimti 1) take*; 2) (*svečius*) recéive; 3) (*įtraukti, neatmesti*) admít, accépt; 4) (*patvirtinti*) pass; **~nas** accéptable
prijaukinti tame
prijungti 1) add, adjóin; 2) (*teritoriją*) annéx; 3) *el*. connéct
prijuostė ápron
prigerti 1) (*nuskęsti*) drown; 2) (*atsigerti*) drink* one's fill; (*pasigerti*) get* drunk
prigrūsti (*ko*) stuff (with); (*į*) cram (into)
prikaistuvis sáucepan, pan
prikaišioti (*kam ką*) repróach (with)
prikalbinti persuáde
prikalti nail (to)
prikibti 1) (*prilipti prie*) stick* (to), cling* (to); 2) (*apie ligą*) catch* a diséase; 3) *žr*. kibti
priklausyti 1) (*kam*) belóng to; 2) (*nuo ko*) depénd on
priklausom|as depéndant (on); subórdinate (to); **~ybė, ~umas** depéndence
prikrauti load; (*batarėją ir pan*.) charge
prilaistyti spill*
prileisti 1) (*prie ko*) admít (to); 2) (*ko*) let* in; fill (with)
primaišyti add, admix
primatuoti try on
primesti (*kam ką*) thrust* (*smth* on); press (*smth* on)
primiegoti have slept enóugh
primygtin|ai úrgently; **~is** úrgent, préssing
priminti remínd (of)
primokėti pay* in addítion
primokyti prompt, egg on, put* up (to)
primušti beat* up, give* a béating/thráshing
princip|as prínciple; iš ~o

on prínciple; ~**ingas,** ~**inis** of prínciple
prinok|ęs ripe; ~**ti** rípen
pripažin|imas acknówledgment; ~**ti** acknówledge, récognize
pripil|dyti fill, pour; ~**ti** fill
priprasti get* accústomed/used (to)
pripūsti blow*/puff up, infláte
pririnkti gáther, colléct
pririšti tie (to); fásten (to)
prisėlinti steal* up (to)
prisibėgoti have run abóut too much
prisiderinti adápt/adjúst onesélf; confórm (to)
prisidėti (*prisijungti*) join
prisiek|dinti swear* (*smb*) in; ~**ti** swear* (to)
prisigerti 1) (*prisisunkti*) be/becóme* sáturated/ímpregnated (with); 2) *žr.* prigerti
prisiglausti 1) (*meiliai*) snúggle/cúddle up (to); 2) (*rasti prieglaudą*) find* shélter
prisiimti (*ką*) take* (*smth*) upón onesélf, assúme (*smth*)
prisijungti join (in)
pasijuokti have had a good laugh
prisilakstyti have had enóugh of rúnning abóut
prisilie|sti, ~**timas** touch
prisiminti *žr.* atsiminti
prisipažin|imas conféssion; ~**ti** confèss, own
prisirinkti 1) (*sau*) gáther/colléct (for onesélf); 2) (*apie žmones*) gather, crowd
prisiriš|ęs *perk.* attáched; ~**imas** attáchment; ~**ti** attách; get* attáched (to)
prisisėdėti sit* long enóugh
prisiskaityti have read much/enóugh
prisitaikymas adaptátion, accomodátion
prisitaikyti (*prie*) adápt/adjúst onesélf (to)
prisiūti sew* (on)
priskir|ti (*savybes ir pan.*) ascríbe (to), attríbute (to); 2) (*prie*) réckon (amóng), númber (amóng); 3) (*organizacijai*) attách (to)
prislėgt|as depréssed; ~**a** n u o t a i k a depréssion
prispausti 1) press (to); 2) (*išnaudojant*) oppréss
prispjaudyti spit* all óver
pristaty|mas (*prekių ir pan.*) delívery, supplýing; ~**ti** 1) delíver; (*aprūpinti*) supplý (with); 2) (*supažindinti*) introdúce (to), presént (*smb*)
pristigti not have enóugh, lack
prisukti (*sraigtą*) screw on (to); (*laikrodį*) wind* up

pritaik|ymas 1) applicátion; 2) use; **~yti** 1) (*priderinti*) fit; adápt (to); accómodate (to); 2) (*panaudoti*) applý, use
pritar|imas appróval; **~ti** 1) appróve (of); 2) (*akompanuoti*) accómpany
priteisti adjúdge (to)
pritildyti sílence/hush a líttle
prityr|ęs expérienced; **~imas** expérience
pritraukti draw* (clóser), attráct
pritrenkti stun, shock
pritrūkti *žr.* pristigti
pritūpti squat
pritvirtinti fásten (to), attách (to)
prival|ėti must (+*inf*) (*esamaj. laike*); have (+to *inf*); **~omas** oblígatory; compúlsory
privat|inis, ~us prívate; **~izuoti** prívatize
privažiuoti (*prie*) drive* up (to)
priverčiamas(is) forced, compúlsory
priversti make*, compél, force
privesti bring* (to); lead* (to)
privežti bring* (to)
privilegija prívilege
prizas príze
prižadėti prómise
prižiūrėt|i look áfter; (*stebėti*) súpervise; **~ojas** óverseer
pro through; (*šalia*) by; ~ l a n g ą through the wíndow
problem|a próblem; **~inis, ~iškas** problemátic(al)
procentas per cent; percéntage
procesas prócess; (*teis. t. p.*) tríal
produkcija prodúction, óutput
produkt|as próduct; **~yvus** prodúctive
profes|ija proféssion, occupátion; **~inis** proféssional; ~ i n ė s ą j u n g a tráde únion
profesional|as, ~us proféssional
profesorius proféssor
proga occásion, chance; opportúnity
prognoz|ė prognósis; fórecast; **~uoti** fórecast
programa prógram(me)
progres|as prógress; **~yvus** progréssive
projekt|as prójeсt; (*dokumento*) draft; **~uoti** projéct, desígn
prokuroras públic prósecutor
propag|anda propagánda; **~uoti** propagándize
proporc|ija propórtion, rátion; **~ingas** propórtional

prosenel|ė great-grándmother; **~iai** áncestors, fórefathers; **~is** great-grándfather
prospektas (*gatvė*) ávenue
prostitutė próstitute
prošvaistė gleam
protarpis ínterval
prot|as mind; intélligence; íntellect; ◊ **eiti iš ~o** to go mad; **~auti** réason
protest|as prótest; **~uoti** protést (agáinst)
protėvis áncestor
protingas cléver, intélligent; réasonable
protinis méntal, intelléctual
protokolas mínutes *pl*
protrūkis óutburst, fit
provok|acija provocátion; **~uoti** provóke
proza prose
prožektorius séarchlight, projéctor
pseudonimas pseúdonym
psichas *šnek.* psýcko ['saikəu]
psich|inis, ~iškas psýchic(al), méntal
psichologija psychólogy
publika públic; (*žiūrovai*) áudience
pučiamasis: ~ instrumentas wind ínstrument
pūdymas *ž.ū.* fállow
pudr|a, ~uoti pówder
pūga snówstorm
puik|auti put* on airs; **~iai** spléndidly, fine; **~ybė** pride; **~us** 1) spléndid, magníficent; (*nuostabus*) wónderful; 2) (*išdidus*) proud
pūk|as down; **~uotas** dówny, flúffy
pūl|iai pus *sing*; mátter *sing*; **~iuoti** súppurate; féster
pulk|as flock; *kar.* régiment; **~ininkas** cólonel
puls|as pulse; **~uoti** pulsáte
pultas desk, stand
pulti 1) (*priešą*) attáck, assáult; 2) (*prie ko*) fall* upón; 3) (*žemyn*) fall*
pumpuoti pump
pumpuras *bot.* bud
punktas 1) point; 2) (*organizacinis centras*) státion; 3) (*paragrafas*) ítem
punktualus púnctual
puod|as pot; (*prikaistuvis*) sáucepan; **~ukas** cup
puokštė bunch of flówers, bóuquet ['bu:kei]
puol|ėjas 1) attácker; 2) *sport.* fórward; **~imas** 1) attáck, assáult; 2) (*kritimas*) fall
puoš|nus smart; **~ti(s)** 1) adórn, órnament; 2) (*rengti(s)*) dress up
puota feast, bánquet
pup|a bean; **~elės** háricot beans
purenti lóosen; (*kauptuku*)

hoe
purkšt|i sprínkle; spit; **~uvas** spráy(er), sprínkler
purtyti shake*
purv|as dirt; **~inas** dírty; **~ynas, ~ynė** mud
pusantro one and a half; ~ šimto húndred and fífty
pusbalsiu in an úndertone, in a low voice
pusbrolis cóusin
pus|ė half; ~ antros half past one; 2) (*šalis*) side; iš mano ~ės for my part; iš kitos ~ės on the óther hand
pusėtinas médiocre, míddling
pusfinalis *sport.* semifínal
pusiasalis península
pusiau in two, in half
pusiaujas *geogr.* equátor
pusiausvyra equilíbrium, bálance
puskojinė sock
puslapis page
pūslė 1) (*ant odos*) blíster; 2) (*burbulas*) búbble; 3) (*plaukiojamoji*) áirbladder
puslitris half lítre
pusmetis half a year
pusnis snówdrift
puspadis sole
pusryč|iai bréakfast *sing*; **~iauti** (have) bréakfast
pusrutulis hémisphere
pusseserė cóusin
pūsti blow*
pustrečio two and a half
pusvalandis half an hóur
pusvelčiui for a (mere) trífle; for a song *šnek.*
puš|ynas pínewood, pínefórest; **~is** píne (tree)
puta foam; (*verdant*) scum
pūti rot; decáy
putot|as fóamy; **~i** foam
puvėsiai rot *sing*, rótten stuff *sing*
puvimas rótting; decáy

R

racional|izacija rationalizátion; **~izatorius** rationalízer; **~us** rátional
radiacija radiátion
radiatorius *tech.* rádiator
radioaktyvus *fiz., chem.* radioáctive
radij|as rádio, wíreless; ~o mazgas bróadcasting céntre; ~o stotis wíreless státion; klausyti(s) ~o lísten in, lísten to rádio
radinys find
radistas wíreless óperator
rafinuotas refíned
ragana witch
ragas horn

ragauti taste
raginti incíte, urge; (*skatinti*) encóurage
raguočiai cáttle
raida devélopment, evolútion
raidė létter; d i d ž i o j i ~ cápital létter
raikyti slice, cut* into slíces
raistas marsh, bog, swamps
raišas lame, límping
raiškus 1) expréssive; 2) (*aiškus*) distínct
raištis band, bándage
rait|as on hórseback; **~elis** ríder, hórseman*
raityt|i roll; (*plaukus*) curl; **~is** coil; (*vingiuoti*) wind*
rajon|as, ~inis dístrict
raket|a, ~inis rócket; l e i s t i ~ ą let* off a rócket
raketė *sport*. rácket
rakinti lock
rakštis splínter
raktas key
ramentas crutch
ram|iai cálmly, péacefully, quíetly; **~ybė** calm, peace; tranquílity
raminti calm; (*guosti*) cómfort
ramstis (*ir perk.*) prop, suppórt
ramunė *bot*. cámomile
ramus quíet, calm; tránquil
randas scar
rangytis (*apie gyvates ir pan.*) coil, wríggle
ranka hand; (*nuo plaštakos iki peties*) arm
rankdarbis néedlework
rank|ena hándle; **~inė, ~inukas** hándbag; **~inis** hand(-); **~ogalis** cuff; **~ovė** sleeve
rankpinigiai éarnest (money) *sing*
rankraštis mánuscript
rankšluostis tówel
raportas repórt
rasa dew
ras|ė race; **~inis** race *attr*; **~istas** rácialist, rácist
rąstas log; (*sienojas*) tímber
rasti find*; (*atskleisti*) discóver
rašal|as ink; **~inė** ínkstand
raš|yba spélling; **~iklis** pen; **~ymas** wríting; **~inys** wrítten work; composítion; **~ysena** hándwriting
rašyt|i write*; **~ojas** wríter
raškyti pick
rašomasis I *bdv*. wríting; wrítten; ~ s t a l a s wrítingtable; desk
rašomasis II *dkt*. wrítten work; test páper
rašt|as 1) wríting; 2) (*kanceliarijos ir pan.*) létter; páper; 3) (~ a i) works; wrítings; 4) (*audinio*) páttern; **~elis** note
raštinė óffice

rašting|as líterate; **~umas** líteracy
rat|ai cart *sing*; **~as** wheel; 2) (*lankas*) círcle; 3) *sport*. lap; round
ratifikacija ratificátion
ratlankis rim; tíre
raudon|as red; **~uoti** 1) rédden; 2) *perk*. (*gėdytis*) blush
raudoti sob
raugėti belch, retch
rauginti make* sóur; (*daržoves*) píckle
raukytis frown
rauk|šlė wrínkle; (*drabužio*) crease; **~ti** wrínkle; ~ t i k a k t ą knit* one's brow
raumuo 1) múscle; 2) (*mėsa*) lean meat
raupai smállpox *sing*
rausti (*apie veidą*) blush
rausvas réddish, rúddy
rauti pull (up/out); tear* up
ravėti weed
razina ráisin
reaguoti 1) reáct (upón); 2) *perk*. respónd (to)
reakc|ija respónse; reáction; **~ingas, ~inis** reáctionary
reaktyvinis reáctive; ~ l ė k t u v a s jet (áircraft)
real|ybė reálity; ~ i z m a s réalism; **~izuoti** réalize; **~us** 1) real; 2) (*įvykdomas*) prácticable
recenz|ija, ~uoti revíew
receptas récipe; *med*. prescríption
redaguoti édit
redak|cija 1) editórial staff; (*patalpa*) editórial óffice; 2) (*apdorotas tekstas*) wórding, **~cinis** editórial; **~torius** éditor
referatas 1) súmmary, ábstract; 2) (*pranešimas*) páper, éssay
reform|a, ~uoti refórm
reg|ėjimas éyesight; **~ėti** see*; **~imasis** vísual; **~inys** sight, spéctacle; view
registr|atūra régistry; **~uoti** régister, recórd
reglamentas (*susirinkimo ir pan*.) tímelimit
regul|iarus régular; **~iuoti** régulate
reikal|as 1) affáir; búsiness; 2) (*tikslas, interesas*) cause; k u r i a m ~ u í for what púrposé; 3) (*dalykas*) mátter; k o k s ~ ? what is the mátter?; 4) (*reikalingumas*) need, necéssity
reikal|auti demánd, insíst (on); **~avimas** demánd; requést; **~ingas** nécessary
reik|ėti need, requíre; ~ i a it is nécessary; m a n ~ i a I must (+*inf*), I have (+to *inf*); j a m ~ i a š i m t o l i t ų he needs a húndred litas; ◊ k a i p ~ i a n t well, próperly

reiklus exácting; (*griežtas*) strict
reikmenys accéssories; r a š y m o ~ writing materials
reikšm|ė 1) méaning, sense; 2) (*svarba*) impórtance; **~ingas** signíficant; (*svarbus*) impórtant
reikšti 1) mean*; sígnify; 2) (*žodžiais*) expréss
reisas trip, run
reišk|imas expréssion; **~inys** phenómenon (*pl* –na)
reitingas ráting
rėkauti shout; (*labai garsiai*) bawl, yell
reklam|a advértisement; publícity; **~uoti** ádvertise
rekomend|acija recommendátion; **~uoti** recomménd
rekord|as, ~inis récord; p a s i e k t i ~ą set* up a récord
rėkti cry, shout; (*spiegiamai*) scream, yell
reliatyvus rélative
relig|ija relígion; **~ingas, ~inis** relígious
rėmai frame *sing*
rėmėjas suppórter; spónsor
remont|as repáir(s); **~uoti** repáir
remt|i suppórt; back; **~is** lean (up)ón; (*kuo nors*) refér (to)
rėmuo héartburn
rengti(s) 1) (*vilktis*) dress; 2) prepáre
renkamas(is) eléctive
rentabilus *ekon.* prófitable
rentgenas Xray
repečk|oti clámber; **~omis** on all fours
repertuaras *teatr.* répertoire
repeticija rehéarsal
replės tongs; píncers; p l o k š č i o s i o s ~ plíers
rėplioti crawl, creep*
report|ažas repórting; **~eris** repórter
represija represśion
reputacija reputátion
respublik|a repúblic; **~inis** repúblican
restoranas réstaurant
resursai resóurces
ret|ai séldom; **~as** 1) rare; 2) (*netankus*) thin; **~enybė** rárity
retkarčiais now and then, occásionally
reumatizmas rheúmatism
revanšas 1) revénge; 2) *sport.* retúrn match/game
reviz|ija inspéction; **~uoti** inspéct
revoliuc|ija revolútion; **~ingas, ~inis, ~ionierius** revolútionary
revolveris revólver
rezervas resérve
rezoliucija resolútion
rezultatas resúlt, óutcome

rėžiantis (*akį*) loud, flashy
režimas regíme
režisierius (artístic) diréctor; stágemanager; **~uoti** stage; diréct
rėžti 1) cut*; (*prarėžti*) slit*; 2) (*smogti*) strike*
riaumoti roar, béllow
riaušės distúrbances, ríots
riba límit; (*siena*) bóundary
ribot|as 1) límited; 2) (*apie žmogų*) nárrow(mínded); **~i** límit (to), restríct (in); **~is** bórder (upón)
ridenti roll
ridik|as, ~ėlis rádish
riebalai fat *sing*; grease *sing*
riebus 1) fat; 2) (*apie valgį*) rich
riedėti roll
riek|ė, ~ti slice
riestainis bágel, ríngshaped roll
riesti(s) bend*; turn up
riešas wrist
riešut|as nut; **~auti** gáther/pick nuts
rietis squábble, wrángle
rikiuot|ė *kar.* formátion; órder; **~i** line up, form
ryklys *zool.* shark
riksmas cry; (*spiegiantis*) scream
rykštė rod; (*beržinė*) the birch
rimas rhyme
rimt|ai sériously, éarnestly, in éarnest; **~as** sérious, éarnest; **~is** calm, peace
rink|a márket; ~ o s e k o n o m i k a márket ecónomy
rinkėjas 1) (*rinkimuose*) eléctor; 2) colléctor
rinkim|ai eléction *sing*; **~as** colléction; **~inis** eléctoral, eléction
rinkinys colléction; p i l n a s r a š t ų ~ compléte works
rinkt|i 1) gáther; colléct; 2) (*ieškoti tinkamo*) choose*; seléct; 3) (*balsuojant*) eléct; **~inė** *sport.* (*šalies*) nátional team; **~inis** seléct(ed), choice; **~is** 1) choose, seléct; 2) (*kur*) gáther; assémble
risčia *prv.* at a trot
ryšelis (*pvz., raktų*) bunch
ryš|iai 1) (*susisiekimas*) communicátion *sing*; 2) (*pažintys*) connéctions; **~ys** 1) tie, bond; 2) (*sąryšis*) connéction; relátion; **~ium**: ~ i u m s u t u o in this connéction
ryšk|umas distínctness; bríghtness; **~us** distínct; (*šviesus*) bright
rišti 1) bind*; tie (up); 2) (*sieti*) connéct
ryšulys pácket, búndle
ryt|ai the east *sing*; **~as** mórning; ~ ą in the mórning; **~diena** tomórrow

ritė spool; reel
riteris knight
ryti 1) swállow; 2) *perk.* devóur
rytietiškas Oriéntal
rytinis 1) éast(ern); 2) (*ryto*) mórning *attr*
ritin|ys, ~ti roll
ritm|as rhythm; **~ingas, ~inis** rhýthmic(al)
rytoj tomórrow
ritulys: l e d o ~ *sport.* hóckey
rizik|a risk; **~ingas** rísky; **~uoti** risk
ryžiai rice *sing*
ryžt|as resolútion; **~ingas** résolute, decíded; **~is** make* up one's mind, decíde
rod|yklė 1) (*laikrodžio*) hand; (*kompaso*) néedle; 2) (*strėlė*) árrow; **~iklis** índex
rodyt|i show* (to); índicate; point (at, to); **~is** seem
rodos (*įterpt. žodis)* it seems
rogės sledge *sing*; sleigh *sing*
rojalis (grand) piáno
rojus páradise
rolė *žr.* vaidmuo
romanas nóvel
romus géntle, meek
ropė túrnip
rop|lys *zool.* réptile; **~oti** creep*; crawl
rož|ė rose; **~inis** rósy; (*šviesiai*) pink
rūbai clothes
rubinas rúby
rūbin|ė clóakroom; **~inkas** clóakroom atténdant
rublis róuble
rūda ore
rudas brown; (*apie plaukus*) red
rudeninis áutumn *attr*
rūd|ys rust *sing*; **~yti** rust
rud|uo áutumn; fall *amer.*; ~ e n į in áutumn
rugiagėlė *bot.* córnflower
rug|iai, ~inis rye
rugiapjūtė hárvest(time)
rug|pjūtis Áugust; **~sėjis** Septémber
rūgšt|ynė *bot.* sórrel; **~ingumas** acídity; **~is** 1) (*rūgštumas*) sóurness; 2) *chem.* ácid; **~okas** sóurish; **~us** 1) sóur; 2) chem. ácid
rūgusis: ~ p i e n a s cúrdled milk; kéfir
rūkas mist; fog
rūk|antysis smóker; **~ymas** smóking; **~ytas** smoked; **~yti** smoke
rūkti smoke
rūmai 1) pálace *sing*; 2) (*įstaiga*) chámber *sing*
rumun|as, ~iškas Rumánian
rungtyn|ės cóntest *sing*; competítion *sing*; **~iauti** compéte (with in)

rungtis I contė́nd; compė́te
rungtis II *sport*. evė́nt
runkel|is beet; cukriniai ~iai súgar beet *sing*
ruoš|a (*namų*) hóusekeeping; **~imas(is)** preparátion; **~ti** (*paruošti*) prepáre; (*surengti*) arránge; **~tis** 1) prepáre (for); get* réady (for); 2) (*eiti namų ruošą*) keep* hóuses tidy up, do (the rooms)
ruožas stripe; strip
rūpestingas cáreful; thóughtful
rūp|estis care; (*susirūpinimas*) anxíety; be ~esčių cárefree; **~ėti** be ánxious (at)
rūpin|imasis care (of, for); **~tis** look áfter, take* care (of); (*nerimauti*) tróuble (abóut)
ruporas spéakingtrumpet
rupus coarse, rough
rupužė *zool*. toad
rus|as, ~iškas Rússian; ~ų kalba Rússian
rusenti smóulder
rūsys céllar
rūst|ybė wrath; **~us** wráthful
rūšis 1) sort, kind; (*kokybė*) quálity, grade; 2) *bot*. spécies; 3) *gram*. voice
rūšiuoti sort, assórt
rūškanas glóomy
rūta *bot*. rue
rutul|inis: ~ guolis *tech*. bállbearing; **~ys** 1) ball; 2) *sport*. shot

S

sag|a bútton; **~ė** brooch; **~tis** clasp, búckle
saik|as méasure; su ~u móderately; **~ingas** móderate
saistyti 1) bind*, oblíge; 2) (*sieti*) be tied (to)
saitas tie; (*šuniui*) leash, lead
sąjūdis móvement
sąjung|a únion; (*valstybių*) allíance; **~ininkas** álly; **~inis** állied
sakai résin *sing*
sakalas fálcon
sakinys séntence; pagrindinis ~ príncipal clause; prijungiamasis ~ cómplex séntence
sak|yti say*; tell*; (*kalbą ir pan.*) speak*; **~ytinis, ~omasis** óral
sakramentas *bažn*. sácrament
sala ísland
sald|ainis sweet; cándy *amer*.; **~inti** swéeten; **~umas** swéetness; **~umynai** sweet stuff *sing*;

sweets; ~us sweet
salė hall
sąlyg|a condítion; ~inis condítional; ~oti 1) condítion; 2) (*būti priežastimi*) cause
salotos 1) (*valgis*) sálad *sing*; 2) (*augalas*) léttuce *sing*
salvė vólley
saman|a, ~oti moss
sąmata éstimate
sambrūzdis fuss; adó
sambūvis coexístence
samd|ymas híre; ~ti híre; ~omas(is) híred
sąmyšis confúsion
sąmoj|ingas wítty; ~is wit
sąmoksl|as plot, conspíracy; ~ininkas conspírator
sąmon|ė cónsciousness; ~ingas cónscious; (*apgalvotas*) delíberate
samprot|auti réason; ~avimas réasoning
samtis ládle, scoop
sąnarys joint
sanatorija sanatórium
sandalai sándals; (*pliažiniai*) flípflops
sandara strúcture
sandarus hermétic, tight
sandėlis store; (*patalpa*) stóreroom
sand|ėris deal; bárgain, ~oris deal, transáction
sangrąžinis *gram*. refléxive
sanitar|as hóspital atténdant; ~ė nurse; ~inis sánitary
sankaba *tech*. clutch
sankaupa accumulátion
sankcijos sánctions
sankryža cróssroads *pl*, cróssing
santaika cóncord; hármony
santarvė accórd; cóncord
santaupos sávings
santechnikas plúmber
santyk|iauti 1) córrelate (with); 2) keep*/have íntercourse (with); ~iavimas correlátion; ~inis rélative; ~is relátion; íntercourse
santrauka súmmary
santrumpa abbreviátion
santuoka márriage
santūrus restráined, reséerved
santvarka sýstem
sapn|as dream; ~uoti(s) dream* (abóut, that)
sąrašas list
sarg|as wátchman*; ~yba guard, watch; ~ybinis séntry; séntinel
sąryšis connéction; relátionship
sąsiauris *geogr*. strait
sąsiuvinis éxercise book; (*užrašams*) nótebook
sąskait|a accóunt; (*už prekes*) bill, invoice; ~ininkas accóuntant
sąskambis *muz*. accórd
sąskrydis rálly

sąšauka línkup
sąšlavos swéepings
satyra satíre
sau for/to oneself
saug|ojimas kéeping; *perk.* protéction; **~oti** keep*; (*ginti*) protéct
saug|umas sáfety; secúrity; **~us** safe
sauja (*kiekis*) hándful
saulė sun
saulė|grąža *bot.* súnflower; **~lydis** súnset; **~tas** súnny; **~tekis** súnrise
sausainis bíscuit, crácker; (*saldus*) rusk
saus|as dry; **~inti** dry; (*laukus*) drain
sausis Jánuary
saus|ra drought; **~uma** (dry) land
savaime by himsélf/herséIf/ itsélf; ◊ ~ a i š k u of course
savaip in one's own way
savait|ė week; d v i ~ ė s fórtnight; **~galis** weekénd; **~inis** wéekly
savalaikis tímely; ópportune
savanaudiškas sélfish; mércenary
savanor|is voluntéer; **~iškas** vóluntary
savarankišk|as indepéndent; **~umas** indepéndence
sąvartynas dump
sąvaržėlė páper clip, (páper) fastener
savas one's own
save himsélf, herséIf, onesélf
sąveika interáction
savęs 1) *sing* mysélf; *pl* oursélves; 2) *sing* yoursélf; *pl* yoursélves; 3) *sing* himsélf, herséIf, itsélf; *pl* themsélves
savybė quálity; (*daiktų*) própertу
savieiga drift
savigyna selfdefénce
savijauta: k o k i a t a v o ~ ? how do you feel?
savyje in himsélf/herséIf/ itsélf
savikaina cost price
savikritika selfcríticism
savimeilė selflóve
savimi with/of, *etc.*, himsélf, herséIf, itsélf
savin|ininkas ówner; **~tis** apprópriate
savišalp|a mútual aid; ~ o s k a s a mútual insúrance fund
savitarpinis mútual
savitvarda selfcontról
saviveikla ámateur actívities/ perfórmances *pl*
savižudybė súicide
savo 1) *sing* my; *pl* our; 2) *sing pl* your; 3) *sing* his, her, its; *pl* their
sąvoka idéa; *filos.* concéption

savotiškas pecúliar
sąžin|ė cónscience; ~ė s g r a u ž i m a s remórse; **~ingas** hónest, consciéntious; **~ingumas** hónesty, consciéntiousness
scena 1) stage; 2) (*veiksmo dalis; įvykis*) scene
schema scheme
seansas (*kino*) show
sėd|ėjimas sítting; **~ėti** sit*; **~ynė** seat
segė fástener; (*kabliukas*) hook
segt|i do (up); (*sagomis t. p.*) bútton; (*segtuku*) pin; **~ukas** pin; fástener
seifas safe, stróngbox
seikėti méasure
seilė spíttle; salíva
sėj|a sówing; **~amoji** séeder
sekantis fóllowing, next
sekcija séction
sekėjas fóllower
sėkla seed
seklys detéctive
sekl|uma, ~us shállow
sekmadienis Súnday
sėkm|ė succéss; luck; **~ingas** succéssful
sekretorius sécretary
seks|as sex; **~ualinis** séxual
sek|ti 1) fóllow; 2) (*stebėti*) watch; **~tis** be lúcky; go* on well; (*pasisekti*) succéed (in); k a i p ~ a s i? how are you gétting on?
sekundė sécond
sėlinti steal*, slink*
sėmen|inis: ~ i n i s a l i e j u s línseed oil; **~ys** línseed *sing*
semti(s) draw*; (*samčiu*) scoop (up)
sen|ai old; **~amadis, ~amadiškas** óld-fáshioned
senas 1) old; 2) (*senovinis*) áncient
sen|atvė old age; **~elė** grándmother; **~elis** grándfather; **~iai** long agó; for a long time; **~iau** fórmerly, befóre; **~iena** antíquity; **~is** old man*; ◊ ~ i s b e s m e g e n i s snówman*
senyvas élderly; óld(ish)
senov|ė ólden times *pl*; antíquity; **~inis, ~iškas** áncient, antíque
sensacija sensátion
senti grow* old
sen|umas old age; óldness; **~utė** (líttle) old wóman*; **~utis** (líttle) old man*
septyn|eri, ~etas, ~i séven
septyniasdešimt séventy; **~as** séventieth
septyniolik|a séventéen; **~tas** séventéenth
septynmetis séven years
septintas séventh
seras sir
serbas Serb, Sérbian
serbentas cúrrant

serg|amumas síckness rate; morbídity; **~antis** ill, sick
serialas sérial
serija séries
servetėlė nápkin
servizas sérvice, set
sesija séssion
sėslus séttled
sėsti sit* down
sesuo síster; medicinos ~ trained nurse
sėti sow*
sezon|as séason; **~inis** séasonal
sfera sphere
siaub|as térror, hórror; **~ingas** térrible, hórrible
siaur|as nárrow; (*apie drabužį*) tight; **~ėti, ~inti** nárrow
siau|sti, ~tėti 1) rage, storm; 2) (*išdykauti*) romp
sidabr|as, ~inis sílver
siek|imas aspirátion (for); **~ti** 1) reach; 2) try to get; (*veržtis į ką*) strive* (for); aspíre (to)
siela soul, spírit
sielis raft
sielotis grieve, tormént onesélf
sielvartas grief; woe
sien|a 1) wall; 2) (*riba*) bórder; (*valstybės*) fróntier; **~inis** wall(-); ~inis laikrodis clock; ~ laikraštis wall néwspaper
siera *chem.* súlphur
sieti link, connéct; blind*
signal|as, ~izuoti sígnal
sija beam
sijonas skirt
sijoti sift, bolt
sykis *žr.* kartas
silkė hérring
silos|as, ~uoti *ž.ū.* sílo; sílage
silpnas weak; (*apie garsą, šviesą*) faint; (*ligotas*) délicate, féeble
silpn|ėti wéaken, grow* wéak(er); **~ybė** 1) (*trūkumas*) weak point; (*būdo*) fóible; 2) (*palinkimas į ką*) wéakness (for); **~inti** wéaken; **~umas** wéakness
silpti *žr.* silpnėti
simbol|is sýmbol; **~inis, ~iškas** symbólic(al)
simfon|ija sýmphony; **~inis** symphónic
simpat|ija 1) líking, sýmpathy; 2) *šnek.* loved one; **~iškas** nice, táking, attráctive
sinoptikas wéather fórecaster
sirg|alius *sport.* fan; **~ti** be ill (with); **~uliuoti** be unwéll
sirpti rípen
sistem|a sýstem; **~ingas** systemátic
situacija situátion
siūbuoti swing*, sway

siūlas thread
siūlyti óffer; (*apsvarstymui*) suggést; propóse
siunt|a dispátch; batch; **~ėjas** sénder; **~imas** sénding; dispátch; **~inys** párcel
siurb|lys pump; **~ti** suck (in)
siurprizas surpríse
siusti 1) (*apie žmogų*) rage, be fúrious; 2) (*apie gyvulį*) go* mad
siųsti send*; dispátch; ~ p a š t u post, mail; **~uvas** *rad*. transmítter
siūti sew*
siuv|amasis séwing; **~ėja** dréssmaker; **~ėjas** táilor; **~imas** séwing; néedlework; **~inėti** embróider
siužetas *lit*. súbject; (*romano*) plot
syvai juice *sing*
skaičiuoti count
skaičius númber
skaidrus límpid; clear
skaidula fíbre
skaistus 1) bright, fresh; 2) (*doras*) chaste
skaitykla réadingroom
skaitiklis (*elektros, dujų*) méter
skait|ymas réading; **~iniai** *mok*. réader *sing*; **~yti** 1) read*; ~ y t i p a s k a i t a s lécture; give* léctures; 2) (*skaičiuoti*) count; **~ytis** (*su*) réckon with; consíder; **~ytojas** réader
skaitmuo fígure
skaitvardis *gram*. númeral
skalauti rinse; (*gerklę*) gárgle
skalb|ėja láundress; **~ykla** láundry; **~iniai** wáshing *sing*, láundry *sing*; **~ti** wash
skalė scale
skaldyti split*; (*malkas*) chop
skalyti yelp
skamb|ėti sound; ring*; (*žvangėti*) jíngle; **~inti** ring*; (*telefonu*) ring* up; ~ i n t i p i a n i n u play the píano; **~us** ríngíng, sonórous; **~utis** bell
skandalas scándal, (*triukšmas*) row
skandint|i drown; (*laivą ir pan*.) sink*; **~is** drown onesélf
skan|ėstas dáinty, delícacy; **~us** delícious, tásty
skara shawl
skarda tin
skard|ėti resóund (with), ring* with; **~us** (*garsus*) sonórous, resóunding
skardinė can, tin
skarelė kérchief
skarmalas rag
skatin|imas stimulátion; **~ti** indúce, prompt

skaud|amas sore, bad; **~ėti** ache, hurt*; **~a** it is páinful; j a m ~ a g a l v ą he has a héadache; **~inti** hurt*; **~us** sore; (*perk. t.p.*) térrible; **~žiai** páinfully, sórely; bádly
skausm|as pain; ache; g a l v o s ~ héadache; **~ingas** páinful
skelb|imas annóuncement; (*iškabintas*) nótice; **~ti** annóunce; (*reklamuoti*) ádvertise
skeletas skéleton
skelti cleave*; split*
skendėti be submérged; *perk.* be steeped (in)
skepeta kérchief
skept|ikas scéptic; **~iškas** scéptical
skerd|ykla sláughterhouse; **~imas, ~ynės** sláughter
skėrys *zool.* lócust
skers|ai acróss; ~ i r i š i l g a i far and wide; **~gatvis** bȳstreet; lane; **~inis** *bdv.* cross, transvérsal
skersti sláughter, kill
skersvėjis draught
skęsti sink*
skėtis unbréIla; (*nuo saulės*) parasól
skeveldra splínter, frágment
skiauterė comb; crest
skiautė scrap, rag, shred
skydas shield
skiedinys 1) (*statyboje*) mórtar; 2) *chem.* solútion
skiedra chip
skiemuo sȳllable
skiep|as, ~ijimas *bot.* graft; *med.* inoculátion; (*nuo gripo, raupų*) vaccinátion; **~yti** 1) *bot.* graft; *med.* inóculate; (*nuo gripo, raupų*) váccinate; 2) *perk.* implánt (in), engráft (in)
skiesti dilúte
skylė hole
skil|imas split; disintegrátion; **~ti** cleave*; split*
skilvis stómach
skinti pick, pluck
skyryb|a *gram.* punctuátion; **~os** divórce *sing*
skyrium séparately
skyrius 1) depártment; séction; 2) (*knygos*) chápter
skirst|ymas distribútion; **~yti** distribúte; (*lėšas ir pan.*) állocate; **~ytis** dispérse; break* up
skirt|i 1) séparate; (*dalyti*) divíde; 2) (*daryti skirtumą*) distínguish; 3) (*į tarnybą*) appóint; 4) (*duoti*) allót; grant; ~ d i d e l ę r e i k š m ę attách great impórtance (to); **~ingas** 1) different; 2) (*įvairus*) divérse, várious; **~is** 1) díffer (from); 2) (*atsisveikinti*) part (with); **~umas** dífference
skyst|as líquid; (*vandeningas*)

wátery; **~is** líquid; flúid
sklaidyt|i dispérse; dispél; **~is** dispérse; (*apie dūmus, rūką*) clear awáy
sklandyt|i *av*. glíde; **~uvas** glíder
sklandus smooth; (*apie kalbą*) flúent
sklei|dimas spréad(ing); **~sti** spread*; (*mokslą, pažiūras t. p.*) disséminate
sklerozė *med*. sclerósis
skliaust|as, ~elis brácket
skliautas arch, vault
sklypas plot
sklisti spread*
skol|a debt; **~ingas** ówing; būti **~ingam** owe; **~ininkas** débtor
skolint|i lend*; **~is** bórrow
skon|ingas tásteful; **~is** taste
skorbutas *med*. scúrvy
skraidyti fly* (abóut)
skrandis stómach
skriauda offénce
skriausti harm; wrong
skrybėlė hat
skridimas flight
skridinys 1) (*skritulys*) disk; 2) *tech*. púlley
skriestuvas cómpasses *pl*
skrieti círcle; (*suktis*) revólve
skrynia chest, cóffer
skristi fly*
skritulys círcle
skro|dimas *med*. postmórtem; **~sti** disséct; *med*. make* a postmórtem (examinátion)
skruostas cheek
skruzd|ė, ~ėlė ant; **~(ė)lynas** ánthill
skub|ėjimas haste; **~ėti** 1) be in a húrry; make* haste; 2) (*apie laikrodį*) be fast; **~inti(s)** *žr*. skubėti; **~us** 1) (*neatidėliotinas*) úrgent; 2) (*greitas*) hásty
skuduras rag
skulpt|orius scúlptor; **~ūra** scúlpture
skundas compláint
skurd|as póverty; **~us** poor; (*menkas*) scánty
skursti live in póverty, be poor
skust|i 1) shave*; 2) (*lupti žievę*) peel; **~is** shave*; **~uvas** rázor
skųst|i make* a compláint; **~is** (*kam kuo*) compláin (to of)
skvarbus pénetrating, píercing
skverbtis pénetrate; (*skinti kelią*) make* one's way
skvernas skirt, lap
slankioti 1) (*dykinėti*) loaf; 2) *tech*. (*slidinėti*) slide
slap|čia, ~čiomis sécretly, in sécret; **~yvardis** pseúdonym;

~styti(s) hide*, concéal; **~ta** on the sly; **~tas** sécret; **~tažodis** pássword, paróle
slaug|ė nurse; **~a, ~ymas** núrsing, care; **~yti** nurse, tend
slėgimas préssure
slėgt|i 1) press; 2) *perk.* oppréss; **~uvas** press
slėnis válley
slenks|čiai (*upės*) rápids; **~tis** thréshold
slėpiningas mystérious
slėpt|i hide*; concéal; **~is** hide* (oneséłf); **~uvė** shélter
slid|ės ski(s); **~inėti** 1) slide*; 2) (*slidėmis*) ski; **~ininkas** skíer; **~us** slíppery
sliekas éarthworm
slinkti 1) move; (*sėlinti*) sneak, slink*; 2) (*apie laiką*) pass; slip; 3) (*apie plaukus*) fall*/come* out
slysti slide*; slip
slyva plum; (*medis*) plum tree
slog|a cold; **~uoti** have a cold
slopinti 1) (*garsą*) múffle; 2) *perk.* suppréss
slovakas Slóvak
slovėnas Slóvene
slūgti subsíde
sluoksnis láyer; strátum
smagus (*malonus*) pléasant; (*linksmas*) chéerful, jólly
smaigalys point, spike
smail|inti shárpen; **~us** sharp, póinted
smakras chin
smalkės fumes
smals|umas curiósity; **~us** cúrious, inquísitive
smark|iai héavily, hard; **~ėti** becóme* strónger, inténsify
smarkus strong; víolent; (*apie lietų, audrą, smūgį*) héavy
smarvė stink, stench
smaugti strángle, stífle
smegenys brain *sing*; d a n t ų ~ gum *sing*
smeigti stick* (ínto)
smeigtukas dráwing pin
smėl|ėtas, ~ingas sándy; **~is** sand
smerk|imas bláming, cénsure; **~ti** blame, cénsure
smilkinys *anat.* témple
smilkti smóulder
smirdėti stink* (of)
smogti strike*; deal* a blow
smūgis 1) blow, stroke; 2) *perk.* shock
smuik|as violín; **~ininkas** víolinist
smuk|dyti lead*/bring* (*smb*) to declíne; **~imas** declíne; **~ti** 1) (*kristi*) fall*/slip down; sink*; 2) (*menkėti*) declíne
smulkinti make* small/fine
smulkmen|a détail; (*maž-*

možis) trífle; **~iškas** pétty; (*detalus*) détailed
smulk|us small, fine; (*nežymus*) pétty; détailed; ~ u s i s c u k r u s gránulated súgar
smurtas víolence
snaigė snówflake
snapas beak; bill
snausti doze
sniegas snow
sniegena *zool.* búllfinch
snigti snow
snukis múzzle; snout
socialdemokratas sócial démocrat
socialinis sócial
socialist|as, ~inis sócialist
socializmas sócialism
sočiai to satíety; substántially
soda *chem.* sóda
sod|as gárden; **~ininkas** gárdener; **~ininkystė** gárdening
sodinti 1) seat; ~ į k a l ė j i m ą put* ínto príson; 2) (*augalus*) plant
sodžius víllage
sofa sófa
solidar|umas solidárity; **~us** sólidary
solistas sóloist
sora *bot.* míllet
sostas throne
sostinė cápital
sot|is, ~umas satíety; i k i ~ i e s to one's heart's contént; **~us** sátiated
spalis Octóber
spalv|a cólour; **~otas** cóloured; cólour *attr*; **~oti** paint; cólour
spanguolė cránberry
spardyti(s) kick
sparn|as wing; (*kar. t. p.*) flank; **~uotas** winged
spartus spéedy, quick
spąstai trap *sing*, snare *sing*
spaud|a 1) press; 2) (*spausdinimas*) print; i š e i t i i š ~ o s come* out, be públished
spaudimas préssure
spausdinti print; (*mašinėle*) type
spausti 1) press, squeeze; 2) (*apie batą*) pinch
spaustuvė príntinghouse*
special|ybė speciálity; **~istas** spécialist, éxpert; **~us** spécial
spėjimas guess; conjécture
spektaklis perfórmance
spekul|iacija profitéering, speculátion; **~iantas** spéculator, profitéer; **~iuoti** spéculate (in)
spėliojimas supposítion, guésswork
spenys nípple
spėti 1) guess; conjécture; 2) (*suskubti*) have time; be in time

spiečius swarm
spieg|iamas shrill; **~imas, ~ti** squeal, screech
spygl|ys néedle; **~iuotas** coníferous
spyna lock
spindė|jimas shine, rádiance; **~ti** shine*; beam
spindul|ys ray; beam; **~iuoti** rádiate
spinta cúpboard; d r a b u ž i ų ~ wárdrobe; k n y g ų ~ bóok case
spirg|ėti, ~inti fry; frízzle
spirit|as álcohol, spírit(s); **~inis** alcohólic
spirti (*koja*) kick
spyruoklė spring
spjau(dy)ti spit*
sport|as sport(s); **~ininkas** spórtsman*; **~inis** sports; spórting; **~iškas** spórtsmanlike; **~uoti** go* in for sports
spraga 1) breach, gap (*ir perk.*); 2) (*trūkumas*) gap, flaw
sprandas nape
spren|dimas 1) decísion; (*teismo*) júdgement; 2) (*uždavinio*) solútion; **~džiamasis** decísive
spręsti 1)judge; 2) (*uždavinį, klausimą*) solve
sprogdinti blow* up
sprog|imas explósion; *perk.* burst; **~menys** explósives; **~ti** 1) burst*; explóde; 2) (*apie augalus*) ópen
sprukti make* off
spuogas pímple, spot, blotch
spūstis crush
sraigė *zool.* snail
sraigt|as, ~inis screw; ~ i n - i a i l a i p t a i wínding stáircase *sing*
sraunus rápid, swift
srautas stream, tórrent
srit|inis régional; **~is** 1) région, dístrict; próvince (*ir perk.*); 2) (*veikimo*) sphere
sriuba soup
srovė cúrrent, stream; (*tekėjimas*) flow
stabd|ys 1) brake; 2) *perk.* híndrance; **~yti** 1) stop; (*stabdžiais*) brake; 2) *perk.* hámper, hínder
stabil|umas stabílity; **~us** stáble
stačias úpright; stándup
stačiokiškas rude
stačiom(is) stánding; upríght
stadija stage
stadionas stádium
staig|a súddenly; **~mena** surpríse; **~us** súdden
staklės machíne(tool) *sing*; (*audimo*) loom *sing*; (*tekinimo*) lathe *sing*
stal|as táble; p a d e n g t i ~ ą lay* the táble; **~čius** drawer
stalius jóiner

staltiesė táblecloth
stambus 1) large; big; 2) (*storas*) stout
standart|as, ~inis stándard
standus stiff
statyb|a buílding, constrúction; **~ininkas** buílder; **~inis** buílding *attr*
statykla: laivų ~ dóckyard
statinė bárrel
statyt|i 1) (*dėti*) put*; set*, place; 2) (*pastatą*) build*, constrúct; 3) (*spektaklį*) stage, prodúce; **~ojas** buílder
statula státue
status steep; ~is kampas right ángle
staug|imas, ~ti howl
stažas length of sérvice
stebė|jimas observátion; watch; **~ti**1) obsérve; 2) (*sekti*) watch; **~tis** wónder, be surprísed; **~tojas** obsérver
stebinti astónish, surpríse
stebukl|as míracle; wónder; **~ingas** miráculous, márvelous
steigti found; estáblish
stenė|jimas, ~ėti moan, groan
stengtis try; endéavour
stenograma shórthand récord
stepė steppe
sterblė lap
sterling|as stérling; svaras ~ų pound stérling
stich|ija the élements *pl*; *perk*. élement; **~inis, ~iškas** eleméntal; spontáneous
stiebas 1) *bot*. stem; 2) (*laivo*) mast
styg|a string; **~inis** stringed
stigti lack, not have enóugh
stiklainis (glass) jar
stikl|as, ~inė, ~inis glass
stil|istinis stylístic; **~ius** style
stimulas stímulus, incéntive
stipendija schólarship, grant
stipinas spoke
stipr|ėti stréngthen, becóme* strónger; **~ybė** strength; **~inti** 1) stréngthen; 2) *kar*. fórtify
stipr|umas strength; fírmness; **~us** strong; (*tvirtas*) firm; (*galingas*) pówerful; (*apie norą, jausmą*) inténse
stirna *zool*. roe
stirti becóme* stiff; grow* numb
stogas roof
stojamasis éntrance(-); ~ mokestis éntrance fee
stok|a lack (of), shortage (of); **~oti** lack; be short (of)
stomatolog|as stomatólogist; **~inis** stomatológical
stor|as 1) thick; 2) (*apie žmogų*) fat, córpulent; stout; **~ėti** grow* fat; **~ybė, ~umas** 1) thíckness 2) (*žmogaus*) cór-

pulence, stóutness
stotelė stop
stoti 1) stand*; 2) (*pvz., į organizaciją*) join, énter; ~ į partiją join the párty; 3) (*sustoti*) stop
stotis I státion (*ir glžk.*)
stotis II stand* up; (*keltis*) get up, rise*
stov|ėti 1) stand*; 2) (*būti kur*) be sítuated; 3) (*nejudėti*) stop; laikrodis ~i the watch has stopped
stovykl|a camp; **~auti** camp out
stovi|mas, ~intis stánding; stágnant; **~iuoti** stand* abóut/ aróund
straipsnis árticle
strategija strátegy
straublys *zool.* trunk
strazdas *zool.* thrush
streik|as strike; **~ininkas** stríker; **~uoti** strike*, go* on strike
strėlė árrow
strėnos loins
stresas stress
strypas club; cúdgel
striptizas stríptease
striuk|as short; **~ė** jácket
strop|umas díligence; **~us** díligent
struktūra strúcture
stuburas spine, báckbone
studentas stúdent
studij|a stúdio; **~os** stúdies; **~uoti** stúdy
stulbinti stun, stártle
stulpas post, pole, píllar
stumdyt|i push; **~is** jóstle
stumti push; shove
stverti snatch, grab
su with; and; ~ draugais with friends; ~ malonumu with pléasure; brolis ~ seserimi išėjo bróther and síster went awáy; ~ laiku in time; ~ sąlyga on condítion
suaktyvėti becóme* more áctive
suardyti (*pvz., planą*) frustráte, blast; *dar žr.* ardyti
suartinti bring* togéther
suaug|ęs ádult; grownúp; **~ti** grow* togéther; (*subręsti*) grow* up
subėgti come* rúnning; gáther
subyrėti go* to píeces
subrend|ęs matúre; ripe; **~imas** rípeness; matúrity
subtilus súbtle
subtropikai subtrópical zone *sing*
sudary|mas formátion; composítion; **~ti** 1) form, make*; 2) (*būti autoriumi*) compóse; 3) (*planą ir pan.*) draw* up; (*sutartį*) conclúde, contráct
sudeg|inti, ~ti burn* (down/

out)
sudėjimas (*kūno*) constitútion, build
suderėti make*/conclúde a bárgain, agrée (upón)
sudėti 1) put* togéther; (*sulenkti*) fold (up); 2) *mat.* add (up), sum up; 3) (*sukurti*) make* (up)
sudėtin|gas cómplicated; **~is** cómpound, cómposite
sudėtis 1) *mat.* addítion; 2) (*struktūra*) composítion; strúcture
sudėvėti wear* out
sudie!, sudiev! goodbýe!
sudirbti *šnek.* 1) (*sutepti*) sóil, dírty; 2) discrédit; (*sukritikuoti*) pull to píeces, run* down
sūdyt|as, ~i salt
sudominti excíte curiósity (of), ínterest (in)
sudrėk|ęs slíghtly wet, damp; **~ti** becóme* moist/damp
sudrožti (*suduoti*) strike*
suduoti strike*, hit*; (*kumščiu*) punch
sudurti put* togéther; ◊ ~ galą su galu make* both ends meet
sudurt|i join; put* togéther; **~inis** cómpound
sudūž|imas wreck; **~ti** break*; (*apie laivą*) be wrecked
sudžiūti dry up; get*/becóme* dry
sueiga gáthering, rálly
su|eiti 1) (*susirinkti*) gáther; 2) jam ~ėjo dešimt metų he is ten (years of age)
suėmimas arrést
suėsti eat* up
sufler|is prómpter; **~uoti** prompt
sugalvoti concéive, think* of
sugau|dyti, ~ti catch*
sugebė|jimas abílity, capabílity; **~ti** be áble
sugedęs spoiled, gone bad; (*apie produktus*) rótten
sugerti absórb; imbíbe
sugyvent|i (*sutarti*) get* on (with); **~inis** cohábitant
sugniaužti (*kumštį*) clench
suieškoti find*
suimti (*areštuoti*) arrést
suinteresuotas concérned (with)
suir|ti (*į dalis*) disíntegrate, fall* to píeces; (*žlugti*) go* to rúin; **~utė** rúin; disórder
sujaudinti move; excíte
sujaukti múddle/mix up
sujungimas jóining; combinátion
sukabinti (*vagonus*) cóuple; (*grandinę*) link
sukaitęs swéaty, swéating
sukak|ti: jai ~o dvidešimt metų she has turned twénty; greit jai ~s penkiolika metų she will soon

be fíftéen; **~tis, ~tuvės** annivérsary
sukalbamas complíant, tráctable
sukalti knock up/togéther
sukandžioti bite* bádly (all óver)
sukaustyti chain, fétter
sukč|iauti swíndle, cheat; **~ius** swíndler
sukelti 1) raise; 2) (*būti priežastimi*) rouse, cause, stir
sukil|ėlis rébel, insúrgent; **~imas** rísing, rebéllion, insurréction; **~ti** rise*, revólt, rebél
sukimasis revolútion, rotátion
sukiršinti set* agáinst
suklastojimas fórgery
suklestėjimas prospérity, héyday
suklijuoti paste/glue togéther
suklysti make* a mistáke, mistáke*
suknelė dress, gown
sukombinuoti *šnek.* wángle
sukrėsti shake* (up); (*perk. t.p.*) shock
sukryžiuoti cross
suktas sly, ártful
sukt|i 1) (*siūlus*) twist; 2) (*kreipti*) turn; 3) (*vynioti*) roll; ~ l i z d ą build* a nest; 4) (*apgaudinėti*) cheat; **~is** 1) turn; twist; 2) (*apie ašį*) revólve; **~umas** scréwdriver
sukūrimas creátion
sūkurys whírlpool; éddy; o r o ~ whírlwind
sukurti 1) : ~ u g n į make* up the fire; ~ l a u ž ą make* up a fire; 2) (*ką nors naujo*) creáte
sula sap
sulaikyti 1) (*sulaikyti*) hold* (back); (*užlaikyti*) deláy, detáin; 2) (*sustabdyti*) stop; withhold*
sulamdyti crúmple
sulaukti wait (till); (*išgyventi iki*) live (till).
sulauž|ymas (*pažado ir pan.*) breach; **~yti** break*; infrínge
sulėkti fly* togéther; come* flýing
suliepsnoti (*ir perk.*) flare up
sulig up to; the size of; ~ t a d i e n a since that day
sulinkęs bent; (*pakumpęs*) stooped
sulysti becóme thin/lean/ gaunt
sult|ingas júicy; rich; **~inys** broth; **~ys** juice *sing*
suluošinti crípple
suma sum
sumaišyti mix up; (*supainioti*) confúse
sumaištis confúsion

suman|ymas desígn; plan; (*mintis*) idéa; **~yti** plan; desígn; **~us** intélligent; cléver; (*nagingas*) skílful

sumaž|ėjimas décrease; **~inimas** diminútion; (*kainų, etatų*) redúction

sume|sti (*į krūvą*) pile, heap; ◊ ~ kaltę shift the blame (on)

sumetimas réason, considerátion

sumiš|imas confúsion; **~ti** becóme* confúsed

sumušt|i 1) hurt*; beat* up; 1) (*nugalėti*) deféat; 3) (*sudaužyti*) break*; **~inis** sándwich ['sænwɪdʒ]

sunaikin|imas destrúction; **~ti** destróy; (*priešą*) anníhilate, wipe out

sūnėnas néphew

sunerimęs unéasy, réstless; ánxious

sunešioti (*drabužius*) wear* out

suniekinti *šnek.* 1) (*subarti*) give* a scólding/drésing down; 2) (*atkalbėti*) tell* (*smb*) out of

sunykti (*nusilpti*) lánguish, pine awáy; (*nusmukti*) fall* into decáy

sunka juice

sunkenybė (*našta*) búrden

sunk|ėti grow* héavy; (*apie ligą*) becóme* worse; **~iai** héavily; with dífficulty; **~inti** búrden; cómplicate; ággravate

sunk|umas dífficulty; (*svoris*) weight; (*sunkus svoris*) héaviness; **~us** 1) (*daug sveriąs*) héavy; 2) (*daug pastangų reikalaująs*) hard, dífficult; 3) (*rimtas*) sérious, grave; 4) (*slegiąs*) páinful

sunkvežimis lórry; truck *amer.*

sūnus son

suodžiai soot *sing*

suolas bench

suom|is Finn; **~iškas** Fínnish

supakuoti pack (up)

supažindinti introdúce (to); acquáint (with)

supelėjęs móuldy, músty

supyk|dyti make* ángry, ánger; **~ęs** ángry; **~ti** get* ángry (with)

sūpynės swing *sing*

supjau|styti, ~ti cut* to píeces; cut* up

suplaukti (*apie žmones*) gáther

suplauti (*indus*) wash up

suplėšyti tear* up

suplyšęs rágged

suprakaitavęs in a sweéat, swéaty

suprantam|as intélligible;

clear; s a v a i m e ~a it goes withóut sáying
supra | sti understánd*; ~n t u !, ~t a u ! I see!
suprastinti símplify
supratimas understánding; nótion, idéa
supti 1) (*pvz., skara*) wrap; 2) (*miestą ir pan.*) surróund; 3) (*sūpuoti*) rock, swing*
sūpuoklės swing *sing*
supurvinti make* dírty, soil
supuvęs rótten
suraš | ymas (*gyventojų*) cénsus; ~**yti** write*/put*/take* down; (*sudaryti sąrašą*) draw* a list; (*pvz., aktą, protokolą*) draw* up
surengti arránge, órganize
surikti cry out, útter a scream
surinkti (*mašiną ir pan.*) assémble; *dar žr.* rinkti
sūris cheese
surūdijęs rústy
surūgti turn sóur
sūrus salt *attr*; sálty
susegti bútton up, fásten
susekti track; (*surasti*) find*, detéct
susėsti take* seats, sit* down
susibarti have a quárrel (with)
susidaryti form
susidėti 1) (*apie aplinkybes*) aríse; (*susidaryti iš*) consíst (of)
susidėvėti wear* out
susidomė | jimas ínterest; ~**ti** becóme* ínterested (in)
susidoroti (*pajėgti atlikti*) mánage, cope (with)
susidraugauti make* friends
susidūrimas collísion; clash
susidurti 1) (*susitrenkti*) collíde (with); clash (with); 2) (*užtikti*) come* acróss
susierzin | ęs írritated, annóyed; ~**imas** irritátion
susigėdęs ashámed
susiginčyti (*dėl*) (begín* to) árgue/quárrel (abóut)
susigriebti *šnek.* remémber súddenly
susijaudin | ęs excíted; ~**imas** excítement
susijung | imas jóining; júnction; ~**ti** uníte; conjóin; (*susilieti*) merge
susikaupti cóncentrate
susikirsti 1) cross; 2) (*per egzaminą*) fail
susikomplikuoti becóme*/get* cómplicated
susikryžiuoti cross
susilaik | ymas absténtion; ~**ti** abstáin (from)
susilie | jimas mérging; ~**ti** merge, blend
susilpn | ėti becóme* wéak(er); slácken; ~**inti** wéaken; (*su-*

mažinti įtempimą) reláx
susimąst|ęs thóughful, pénsive; **~yti** fall* to thińking, becóme* thóughtful
susimušti have a fight; come* to blows
susinervinti get*/becóme* nérvous
susipainioti 1) becóme* confúsed; 2) (*apie siūlus*) get* lángled
susipažin|ęs acquáinted; **~imas** acquáintance; **~ti** make* the acquáintance (of smb)
susipykti (*su*) fall* out with; split* with *šnek*.
susiraukti wrińkle (up); (*rūsčiai*) scowl
susirašinė|jimas correspóndence; **~ti** correspónd (with)
susirėmimas skírmish
susirg|imas diséase; **~ti** fall* ill (with)
susirink|imas méeting; **~ti** gather, méet*
susirūpin|ęs ánxious; **~imas** anxíety; **~ti** becóme* ánxious (abóut)
susisiek|imas communicátion; **~ti** 1) (*susižinoti*) get* in touch (with), commúnicate (with); 2) (*ribotis*) bórder (upón)
susiskaldyti split* up, be split up
susiskambinti (*telefonu*) get* in touch by phone; get* through *šnek*.
susitaik|ymas reconciliátion; **~yti** 1) (*po ginčo*) make* it up (with); 2) (*su padėtimi*) put* up (with); réconcile onesélf (to)
susitar|imas agréement; understánding; **~ti** (*dėl*) arránge (abóut), agrée (abóut, on)
susitelkti uníte, rálly (round)
susitik|imas méeting; **~ti** meet*; (*atsitiktinai*) come* acróss
susitraukti shrink*
susituokti (*su*) márry (*smb*); get* márried (to)
susiūti sew* togéther
susivaldymas restráint
susivėlęs dishévelled, mátted
susivien|ijimas unificátion; (*sąjunga*) únion; **~yti** uníte (with)
susižinoti *žr*. susisiekti 1)
susižvalgyti exchánge gláncces
suskaičiuoti count (up)
suspausti squeeze (togéther); (*ranka*) grip
sustabdyti stop
sustatyti set* (up); (*sutvarkyti*) arránge; (*kartu*) put* togéther
susting|ęs numb, tórpid;

~imas 1) torpídity; 2) *perk.* stagnátion; **~ti** 1) (*kietėti*) hárden; 2) (*nuo šalčio*) be/get* numb/stiff, be frózen up; 3) *perk.* stágnate
sustiprin|imas intensificátion; reinfórcement; **~ti** strénghten, reinfórce; inténsify
susto|jimas stop; **~ti** stop, come* to a stop
susukti, susupti wrap up
sušal|ęs frózen; **~ti** freeze*
sušaud|ymas execútion, kílling (by shóoting); **~yti** shoot dead; shoot* down
sušauk|imas cálling; convocátion; **~ti** call; convóke
sušukavimas 1) háirdressing; 2) *žr.* šukuosena
sušukti excláim
sutalpinti find* room (for); make* (*smth*) go in
sutap|imas coíncidence; **~ti** coincíde (with); (*atitikti*) tálly
sutar|imas agréement; accórdance; **~ti** agrée (with); arránge (with); **~tinis** convéntional
sutartis agréement; *teis.* cóntract; *polit.* tréaty
sutelkti 1) (*suburti*) rálly; cóncentrate; 2) (*darbininkus ir pan.*) take* on
sutemos twílight *sing*
sutepti soil; strain
sutik|imas 1) (*priėmimas*) recéption; 2) (*pritarimas*) consént; (*sutarimas*) accórd; **~ti** 1) (*ką*) meet*; (*priimti*) recéive; 2) (*su*) agrée (*to smth, with smb*)
sutinkamai in accórdance (with)
sutrauk|yti tear*; (*pančius*) burst*; **~ti** 1) contráct; (*suveržti*) tíghten; 2) (*pvz., kariuomenę*) draw* up; gáther
sutrenkimas *med.* concússion
sutrik|dyti 1) (*ramybę, tylą*) break*, distúrb; 2) (*darbą*) deránge; **~ti** be/get* distúrbed/ deránged; break* down
sutriuškin|imas smash, crush, rout; **~ti** smash
sutrumpinimas shórtening; (*žodžio*) abbreviátion; (*knygos ir pan.*) abrídgement
sutvark|ymas pútting in órder; (*reikalų*) arrángement; **~yti** put* in órder; (*reikalus ir pan.*) arránge
sutvėrimas (*padaras*) créature
sutvirtin|imas stréngthening; reinfórcement; (*valdžios, padėties*) consolidátion; **~ti** stréngthen, make* strónger; reinfórce; consólidate
suvaldyti contról; suppréss
suvalgyti eat* up

suvargęs tíred out, worn óut
suvarto|jimas consúmption; **~ti** consúme, use up
suvaž|iavimas cóngress; **~inėti** run* óver; **~iuoti** arríve; come* togéther
suvedžioti sedúce
suvelti (*plaukus*) tóusle, rúmple
suvenyras sóuvenir
suveren|itetas sóvereignty; **~us** sóvereign
suversti 1) (*į krūvą*) heap up; dump; 2) (*atsakomybę ir pan.*) shift
suvest|i bring* togéther; **~inė** súmmary
suvienyti uníte; únify
suvirinti *tech.* weld
suvokti percéive; grasp
sužadinti aróuse, awáken
sužeist|as wóunded; **~i** hurt*; wound
sužydėti blóssom out, burst* ínto blóssom; (*apie gėlę*) come* ínto bloom
sužiedėjęs stale
sužinoti learn*; (*išsiaiškinti*) find* out
sužlug|imas fáilure; **~ti** fail
sužvejoti catch* fish, fish up
svaičio|jimas delírium; **~ti** (*kliedėti*) be delírious, rave
svaigti get* intóxicated; (*nuo*) be dízzy (with)
svainis bróther-in-law
svajo|nė dream; **~ti** dream* (of)
svarus wéighty
svarb|iausias main, chief; **~umas** impórtance; **~us** impórtant; (*reikšmingas*) signíficant
svarstyklės scales, bálance *sing*
svarstymas discússion
svarstis weight
svarstyti consíder; discúss
sveč|ias guest, vísitor; e i t i į ~ i u s pay* a vísit; **~iuotis** be on a vísit (to)
sveik|as 1) héalthy; sound; (*naudingas*) whólesome; j i s ~ he is well; 2) (*neliestas*) intáct, safe; ~ p r o t a s cómmon sense; ◊ ~ i ! helló!; l i k ~ ! goodbýe!; ~ i s u l a u k ę N a u j ų j ų m e t ų ! a háppy New Year!
sveikat|a health; ~ o s a p s a u g a care of públic health; į j ū s ų ~ ą ! your health!
sveikin|imas gréeting; congratulátion; **~ti** greet; wélcome; (*kokia nors proga*) congrátulate (*smb* on); **~tis** greet; hail
sveikti get* bétter
sverdėti stágger, reel
svert|as lével; **~i** weigh
svetimas 1) (*priklausantis kitiems*) sómebody élse's; 2) (*ne*

savųjų tarpo) strange, fóreign; 3) (*tolimas savo pažiūromis ir pan.*) álien (to)
svetimšalis fóreigner
sviedinys 1) ball; 2) *kar.* shell
sviestas bútter
sviesti fling*, sling*, hurl
svyravimas 1) fluctuátion; 2) (*abejojimas*) hesitátion
svirnas gránary
svirplys *zool.* cricket
svirtis sweep (of a well)
svyruoti 1) (*linguoti*) sway, swing*; 2) (*abejoti*) hésitate, wáver; 3) (*pvz., apie kainas*) flúctuate
svogūnas ónion
svoris weight

Š

šablonas 1) páttern; (*forma*) mould; 2) *perk.* cómmonplace
šachas *šachm.* check
šachmat|ai chess *sing*; **~ininkas** chéssplayer
šacht|a mine, pit; **~ininkas** miner
šaipytis mock (at), scoff (at), jeer (at)
šaka branch; (*upės, kelio t.p.*) fork
šakės fork *sing*; pitchfork *sing*
šaknelė róotlet; (*kvito*) cóunterfoil
šakniavaisis root
šakn|is root; išrauti su ~imis tear* up by the roots; (*perk. t.p.*) upróot, root out; **~ytis** take* root
šakot|as bránchy; **~is** branch (awáy/out); (*apie kelią, upę t. p.*) fork
šakutė 1) (*medžio*) twig; 2) (*valgomoji*) fork
šalčiai fréezing/cold wéather
šaldiklis fréezer
šaldyt|i freeze*; (*vėsinti*) chill; **~uvas** fridge; refrigerator
šalia near, by
šaligatvis pávement; sídewalk *amer.*
šalikas scarf*
šalin awáy, off; down with; eik ~! go awáy!; be off!; ~ rankas! hands off!
šalininkas suppórter, adhérent; partisán
šalinti remóve
šal|is 1) side; į ~į asíde; pro ~į past by; 2) (*ginče*) párty; 3) (*kraštas*) cóuntry, land
šališkas pártial, bías(s)ed
šalmas hélmet
šalna frost
šaltakraujišk|as cool, com-

pósed; **~umas** cóolness, equanímity, compósure
šalt|as cold; (*vėsus*) cool; ~ **a** it is cold; **~i** freeze*
šaltinis 1) spring; 2) *perk.* source
šaltis frost; cold
šaltkalvis lócksmith
šaltumas cóldness; (*šaltas protas*) cóolness
šalutinis side(-); ~ s a k i n y s *gram.* subórdinate clause
šampanas champágne [ʃæm'pein]
šansas chance
šantaž|as, ~uoti bláckmail
šarka *zool.* mágpie
šarm|as lye; *chem.* álkali; **~ingas, ~inis** álkaline
šarv|ai, ~as ármour; **~uotas** ármoured; **~uotis** ármoured car
šaržas cartóon, cáricature
šaškės draughts; chéckers *amer.*
šaud|yti shoot* (at), fire (at); **~menys** ammunítion *sing*
šaukiamasis (*apie sakinį ir pan.*) exclámatory
šauk|imas call; (*į karinę tarnybą*) cállup; **~smas** call, shout, exclamátion
šaukštas spoon
šaukt|i cry, shout; (*kviesti*) call; (*į karinę tarnybą*) call up; (*į teismą*) súmmon; **~ukas** exclamátion mark
šaulys shot; *kar.* rífleman*
šaunamasis: ~ g i n k l a s fírearms *pl*
šaun|uolis fine pérson/féllow; ..., well done!; **~us** váliant; gállant
šaut|i shoot* (at), fire (at); **~uvas** rífle, gun
šedevras másterpiece
šef|as chief; **~avimas** pátronage; **~uoti** pátronize, be pátron (of)
šeim|a fámily; **~yninis** fámily(-)
šeiminink|as máster; boss; (*savininkas*) ówner, propríetor; (*nuomininko atžvilgiu*) lándlord; (*svečių atžvilgiu*) host; **~auti** keep* house, mánage a hóusehold; **~ė** místress, ówner; lándlady; hóstess (*plg.* šeimininkas); n a m ų ~ ė hóusewife*
šeimyniškas fámily(-)
šelpti aid
šėlti rage, rave
šen here
šepet|ėlis (*dantų*) tóothbrush; **~ys** brush
šerys brístle
šerkšnas hóarfrost
šert|i 1) (*gyvulius*) feed*; 2) (*kirsti*) strike*; (*botagu*) whip; **~is** 1) (*blukti*) fade; 2) (*apie gyvulius*) shed* one's hair

šešėlis shádow; (*pavėsis*) shade
šeš|eri, ~i six
šešiasdešimt sixty; **~as** sixtieth
šešiolik|a sixtéen; **~tas** sixtéenth
šeškas *zool.* pólecat, férret
šeštadienis Sáturday
šeštas sixth
šiaip 1) so; in this way; ~ s a u só-so; ~ t a i p sómehow; 2) (*be to*) else; óther; (*apskritai*) in géneral
šiąnakt tonight, this night
šiandien todáy; **~inis** todáy's
šiapus on this side (of)
šiaud|as, ~inis straw
šiaur|ė north; ~ė s r y t a i northéast *sing*; ~ė s v a k a r a i northwést *sing*; **~inis** nórth(ern)
šiaušt|i rúffle, dishével; **~is** brístle (up)
šiek tiek a líttle; sómewhat
šiemet this year
šien|apjovė mówer; **~apjūtė** háymaking; **~as** hay
šiferis slate
šifras cípher
šįkart this time
šikšnosparnis *zool.* bat
šykšt|uolis míser, níggard; **~us** stíngy
šild|ymas wárming; (*kūrenimas*) héating; **~yti** warm; heat; **~ytis** warm onesélf
šilk|as, ~inis silk
šilt|as warm; **~i** get* warm
šiltinė *med.* týphus
šilum|a 1) (*energija*) heat; 2) (*šiltas būvis; ir perk.*) warmth; **~inis** thérmal; heat
šimt|as húndred; **~asis** húndreth; **~inė** a húndred; **~metis** céntury
šiokiadienis I *dkt.* wéekday
šiokiadienis II *bdv.* (*kasdieninis*) éveryday
šyps|ena, ~otis smile
širdingas héarty, córdial
širdis heart
šįryt this mórning
širšė *zool.* hórnet
šis this; *pl* these; l i g i š i o s d i e n o s up till now; l i g i š i o s v i e t o s up till here; š i u o b ū d u in the fóllowing way
šit|aip so, like this; as fóllows; **~as** *žr.* šis
šitoks such, like this
šiukšl|ės swéepings; ~i ų d ė ž ė dústbin; **~inti** lítter
šiuolaikinis contémporary, módern
šiurkšt|umas róughness, cóarseness; **~us** rough, coarse (*ir perk.*); (*nemandagus*) rude
šiurp|as shúdder, shíver; **~us**

hórrible
šįvakar this évening
šlaitas slope
šlamė|jimas, ~ti rústle
šlamštas rúbbish, trash
šlap|ias wet; **~inti** wet; **~imas** úrine; **~intis** úrinate, make* wáter; **~ti** get* wet
šlaunis thigh; hip
šleikšt|ulys síckness, náusea; **~us** síckening, náuseating
šlepetė slípper
šliaužti creep*, crawl
šlifuoti pólish
šlykštus detéstable; disgústing
šliuzas lock, sluice
šlov|ė glóry; **~ingas** glórious; **~inti** glórify
šlub|as lame; **~is** lame man*; **~uoti** limp
šluostyti wipe; ~ dulkes dust
šluot|a broom; **~i** sweep*
šmaikštus (*sąmojingas*) wítty
šmeiž|ikiškas slánderous; **~tas** slánder, cálumny; (*spaudoje*) líbel; **~ti** slánder
šmėkla ghost, spéctre
šnabžd|ėjimas,~ėti whísper; **~omis** in a whísper
šnarėti rústle
šnek|a talk; chat; **~amasis** collóquial; **~ėti(s)** talk, speak*; **~us** tálkative
šnervės nóstril *sing*
šniokšti (*apie jūrą, audrą*) roar
šnip|as spy; **~inėjimas** éspionage; **~inėti** spy (on)
šnypšti (*apie gyvatę, žąsį*) hiss
šnirpšti blow* one's nose
šoferis cháuffeur, dríver
šok|iai, ~is dance
šokoladas chócolate
šokti 1) spring*; jump, leap*; 2) (*šokį*) dance
šon|as side; **~u** sídeways; **~inis** side, láteral
šonkaulis rib
šovinys cártridge
šovinizmas cháuvinism
špargalka *šnek.* crib
špyga fig
šratas (smáll) shot
šriftas print, type
štabas staff, héadquarters *pl*
štai here; ~ ir aš here I am; ~ kur this is where; ~ kaip like this; in the fóllowing way; (*nustebus*) you don't say!
štampas *tech.* stamp (*ir perk.*)
šturmanas *av., jūr.* návigator
šturm|as assáult, storm; **~uoti** storm, assáult (*ir perk.*)
šukė frágment; shíver
šūkis cátchword, slógan
šukos comb *sing*
šukuo|sena (*vyriška*) háircut;

(*moteriška*) coiffúre, háirdo; **~ti** do/comb hair; **~tis** do one's hair; (*kirpykloje*) have one's hair done
šulas píllar
šulinys well
šun|ybė dírty/mean trick; **~iškas** dog's, dog *attr*, dóglike
šuniukas pup, púppy
šuo dog
šuol|iais at a gállop; **~is** jump, leap; ~i s į a u k š t į *sport*. high jump; ~ i s į t o l į *sport*. broad jump
šurmulys *šnek*. din, rácket
šūv|is shot; p a l e i s t i ~ į fire a shot
švaistyti 1) (*pinigus ir pan*.) squánder, waste; 2) (*blaškyti*) scátter, throw* abóut
švar|a cléanliness; néatness; **~inti** clean
švarkas jácket, coat
švarus 1) clean; (*tvarkingas*) neat, tídy; 2) (*be priemaišų*) pure (*ir perk*.) ; clear
šved|as Swede; **~iškas** Swédish
šveicar|as, ~iškas Swiss
šveicorius pórter, dóorman*
šveisti scóur; scrub
šveln|inti sóften; **~umas** sóftness, ténderness; **~us** 1) soft, géntle; 2) (*meilus*) ténder, délicate
šventadienis hóliday
švent|as sácred; hóly; **~ė** hóliday, feast; **~inti** *bažn*. órdain (ínto), cónsecrate (ínto); **~ovė** témple
švepliuoti lisp
švęsti célebrate
švies|a light; **~ti** 1) shine*; 2) (*mokyti*) enlíghten; **~ulys** lúminary
šviesoforas tráfficlights *pl*
švies|umas bríghtness, cléarness; **~us** light, bright
švietimas enlíghtenment; educátion
šviežias fresh
švilp|imas, ~ynė, ~ukas whístle; **~ti** whístle; (*apie kulką, vėją t. p*.) sing
švin|as lead; **~inis** lead, léaden
švinkti go* bad
švirkšt|as *med*. sýringe; **~i** injéct
švystelėti flash
švisti (*aušti*) dawn; švintant at dawn
švytėti shine*; glow
švitr|as, ~inis émery
švytuoklė péndulum
švyturys líghthouse*, béacon
švokšti (*uždusus*) snort

T

tabakas tobácco
tabletė táblet
taburetė stool
tačiau howéver; but
tada then
tadžikas Tadjík
tai that; this; it; ◊ ~ y r a that is; ~... ~... now... now...; k a i p ~ g a l i m á how can yoú
taigi thus, so
taik|a peace; ~o s s u t a r t i s peace tréaty; ~**darys** péacemaker
taikingas péaceful; péace-loving
taikinys tárget
taikinti (*susiginčijusius*) réconcile (with)
taikyti 1) aim (at); 2) (*pabūklą*) point; 3) (*kam*) applý; emplóy, use; 4) (*priderinti*) fit (to), adápt (to)
taikl|umas márksmanship; ~**us** welláimed; (*perk. t. p.*) póinted; ~ u s š a u l y s good* shot
taikomasis applíed
taik|us péaceful; péaceable; ~ i u b ū d u péacefully
taip 1) yes; 2) so; thus, like this; ◊ ~ p a t álso; too; (*neigiamuose sakiniuose*) éither; i r ~ t o l i a u and so on/forth
taisykl|ė rule; ~**ės** *pl* regulátions; ~**ingas** régular
tais|ymas ménding, repáiring; (*klaidos*) corréction; ~**yti** (*gedimus, trūkumus*) mend, repáir; (*klaidą*) corréct
taikstytis (*prie*) réconcile onesélf (to); (*su*) put* up (with)
tak|as, ~elis path*; track
taksi táxi
taktas I *muz.* time
takt|as II tact; ~**ika** táctics; ~**inis** táctical; ~**iškas** táctful
talent|as tálent, gift; ~**ingas** gífted, tálented
talonas cóupon; check
talp|a capácity; ~**us** capácious; spácious
tam to that; ~ k a d ... so that...; in órder (+inf; that)
tampyti stretch; pull (at)
tampr|umas elastícity; resíliency; ~**us** elástic, resílient
tams|a dark, dárkness; ~**ėti** grow* dark; ~**inti** dárken
tamsta you
tamsus dark (*ir perk.*); dúsky
tankas tank
tank|mė thícket; ~**umas** thíckness; (*gyventojų*) dénsity; ~**us** 1) dénse, thick; 2) (*dažnas*) fréquent
tapat|ybė idéntity; ~**ingas** idéntical; ~**inti** idéntify
tap|yba painting; ~**yti** paint;

~ytojas páinter
tapšnoti tap, pat
tapti becóme*, get*, grow*
tarakonas *zool.* cóckroach
tard|ymas *teis.* ínquest; investigátion; **~yti** hold* an ínquest; **~ytojas** inquírer, invéstigator
tariamai as if, as though
tariamas imáginary
taryb|a cóuncil; M i n i s t r ų ~ a Cóuncil of Mínisters
tarimas pronunciátion
tarinys *gram.* prédicate
tark|a gráter; **~uoti** grate
tarm|ė, ~inis, ~iškas díalect
tarn|as sérvant; **~auti** serve; **~autojas** employée
tarnyb|a sérvice; work; job; **~inis** offícial
tarp (*tarp 2-jų*) betwéen; (*tarp daug*) amóng; ◊ ~ k i t a k o by the way
tarp|as ínterval, space; ◊ t u o ~ u méanwhile; t u o ~ u, k a i ... while...
tarpeklis (*kalnų*) gorge, ravíne; cányon
tarpin|inkas intermédiary; **~inkauti** médiate, go* (betwéen); **~is** intermédiate
tarp|miestinis interúrban; **~tautinis** internátional
tarpusavis mútual, recíprocal
taršk|ėti, ~inti clátter, ráttle
tarti 1) pronóunce; 2) (*pasakyti*) útter
tartis I consúlt, confér
tartís II pronunciátion
tartum as if; like
tas, ta that; ~ p a t s / p a t i the same
tąsyti pull, drag
taškas 1) point; (*virš raidės; dėmelė*) dot; 2) *gram.* full stop
taškyti splash; (*apie purvą*) spátter
tau you; t a i ~ it's for you; k a s ~ y r á what's the mátter with yoú
taukai fat *sing*, grease *sing*
taukšti chátter, pátter, táttle
taup|yti save; **~omasis** sávíng; **~umas** thríft; **~us** thrífty, ecónómical
taurė 1) cup, góblet; 2) *med.* cúppingglass
tausoti 1) (*save*) take* care (of); 2) (*jausmus*) consíder
taušk|ėti knock; clátter; **~inti** tap, knock
taut|a péople; nátion; **~ybė** nationálity; **~ietis** compátriot, cóuntryman*; **~inis, ~iškas** nátional
tavas, tavo your; yours
tave, tavęs, tavimi you; p a s tave atėjo draugai some

friends have come to see you; mes tavęs neprašėme we didn't ask you; aš su tavim you and me
teatras théatre
techn|ika enginéering; techníque; **~ikas** technícian; **~inis, ~iškas** téchnical
tegu(l) let (+*inf*); ~jis eina let him go
teigiamas affírmative; pósitive
teig|imas, ~ti *žr.* tvirtin|imas, ~ti
teikti 1) give*, rénder; 2) : ~ kam reikšmę attách impórtance to smth
teirautis ask (abóut); make* inquíries (abóut)
teisė right; (*mokslas*) law
teisėjas 1) judge; 2) *sport.* referée
teisėt|ai ríghtfully, láwfully; **~as** légal; legítimate
teisiamasis the accúsed
teisybė truth
teising|as just; fair; (*apie sprendimą*) corréct, right; **~umas** jústice
teisin|inkas láwyer; **~tis** jústify onesélf, make* excúses
teismas court (of law/jústice); (*procesas*) tríal
teisti try
teisus right
tekėti 1) (*apie skystį*) flow; 2) (*apie saulę*) rise*; 3) (*eiti už vyro*) márry
tekinas rúnning, at a run
tekintojas túrner
tekstas text; (*muzikai*) words *pl*
tekstilė téxtile
tek|ti 1) (*atitekti*) fall* (to, on); 2) : man [jam] ~o... I [he] had...
telefon|as, ~inis (téle) phone; **~ininkas** télephone óperator
telegrafas télegraph
telegrama télegram; wíre
telekomas *sutr.* télecome
televiz|ija televísion; *sutr.* TV; **~orius** televísion set; TV set
telkšoti lie* stágnant
telkt|i cóncentrate, gáther; **~is** uníte, rálly
tema súbject; tópic
temdyti dárken; (*perk. t. p.*) obscúre
tempas speed, pace; témpo
temperatūra témperature
tempti 1) stretch; 2) (*vilkti*) drag; (*traukti*) pull
temti get* dark
ten, tenai there
tenisas ténnis
tenkinti sátisfy; meet*
teor|etikas théorist; **~ija** théory; **~inis, ~iškas** theorétical
tepalas óintment; (*mašinų*) oil;

(*batų*) bláćking
teplioti (*tepti*) smear
tept|i 1) (*tepalu*) oil, lúbricate; 2) (*dėti sluoksnį*) spread*; **~ukas** brush
tėra there is/are ónly
terapi|ja *med.* therapeútics; **~nis** therapeútic(al)
teritor|ija térritory; **~inis** territórial
terlioti soil, dírty
terminas date; term
termometras thermómeter
terorist|as térrorist; **~inis** terroŕistic; térrorist *attr*
terš|alas pollútant; **~ti** 1) make* dírty; pollúte; 2) (*vardą*) soil
tesėti (*žodį, pažadą*) keep*
tęsinys continuátion; séquel
testamentas will
testas test
tęs|ti contínue; go* on; **~tis** 1) (*tįsoti*) stretch; 2) (*trukti*) last
tešla dough
teta aunt
tėtis dad, dáddy
tėv|ai párents; **~as** fáther
tėvyn|ė nátive land, mótherland; ~ė s m e i l ė love for one's nátive land
tėvišk|as fátherly, patérnal; **~ė** nátive place; home
tyč|ia, ~iomis 1) on púrpose; 2) (*juokais*) for fun
tyčio|jimasis móckery; **~tis** mock (at)
tiesiai straight, right
tiek so much; so mány; ~ (p a t) k i e k... as much/mány as...
tiek|imas supplý(ing); **~ti** supplý (with), províde (with)
ties by; (*virš*) óver
ties|a truth; t a i ~ a it is true; ◊ i š ~ ų indéed
tiesiog straight; **~inis** diréct
ties|ti (*kelią ir pan.*) build*; **~tis** (*tęstis*) stretch
tiesus 1) straight; 2) *perk.* straightfórward
tigr|as *zool.* tíger; **~ė** tígress
tik ónly, mérely; k ą ~ just (now); v o s ~, k a i as soon as; k a d / j e i ~ if ónly
tikė|jimas belíef; faith (*ir bažn.*); **~ti** belíeve; **~tis** hope
tikyba relígion, faith
tikinti try to convínce/persuáde (of)
tikintysis belíever
tykoti lie* in wait/ámbush; lurk
tikr|ai súre(ly), for cértain; **~as** 1) (*ne dirbtinis*) real; 1) (*nepramanytas*) true; i š ~ o, i š ~ ų j ų réally; e s u ~ a s I'm sure; t a m ~ a s cértain; (*specialus*) spécial; **~iausiai** most líkely, próbably

tikrin|imas chéckup, verificátion; **~ti** vérify, check
tikrovė reálity
tikrumas cónfidence (in); cértitude (in)
tikslas púrpose, aim, óbject
tikslingas expédient
tiksl|umas áccuracy; precísion; **~us** exáct, precíse
tiktai ónly
tikti (*būti kam tinkamam*) be fit (for); do (for); fit
tykus quíet; still
tyla quíet, sílence
tylė|jimas sílence; **~ti** be sílent
tylomis sílently
tilpti 1) (*apie žmones*) find* room; 2) (*apie daiktus*) go* in
tiltas bridge
tilti calm; (*apie triukšmą*) cease; (*apie vėją, audrą*) abáte
tylus 1) quíet; still; (*apie balsą*) low; 2) (*apie žmogų*) táciturn, sílent
tymai *med.* méasles
tingė|jimas láziness; **~ti** be lázy
tingin|iauti be ídle; **~ys** ídler, slúggard; lázybones *šnek.*
tingus lázy
tinkamas 1) (*geras*) good* (for), fit (for); 2) (*reikiamas*) próper, right, corréct
tinkas pláster
tinkl|as, ~elis net
tinklinis *sport.* vólleyball
tinkuot|i pláster; **~ojas** plásterer
tinti (*tvinkti*) swell*
tip|as type; **~inis** módel, stándard; **~iškas** týpical
tyras pure; clear
tiražas 1) (*knygos*) edítion; (*periodinio leidinio*) circulátion; 2) (*paskolos*) dráwing
tyrimas, tyrinė|jimas invéstigátion; reséarch; **~ti** *žr.* tirti
tirp|alas *chem.* solútion; **~dyti** 1) melt; 2) (*skystyje*) dissólve; **~ti** 1) melt; 2) (*apie sniegą, ledą*) thaw; 3) (*skystyje*) dissólve
tiršt|as thick, dense; **~ėti, ~inti** thícken
tirti invéstigate, reséarch; (*ligonį*) exámine; (*šalį ir pan.*) explóre
tyrumas púrity
tįsti stretch
titnagas flint
titulas títle
tyvuliuoti stretch, lie*
tižti be/becóme* sódden/sóggy
to *žr.* tas
tobul|as pérfect; **~ybė, ~inimas(is)** perféction; **~inti** perféct, impróve

todėl thérefore
toks such; ~ p a t the same
tol, tolei untíl, till
tol|esnis fúrther; **~i** far* (from); far off; in the dístance; i š ~ i from far awáy; from afár
toliaregis fársíghted
toliau fúrther; **~siai, ~sias** farthest, fúrthest
tol|imas far*, dístant, remóte; **~yn** fárther; **~ti** move awáy (from)
tolum|a(s) dístance; ž v e l g t i ~ o n look ínto the dístance
tomas vólume
tona ton
tonas tone
tortas cake
tostas toast
totorius Tátar
tradicija tradítion
trag|edija trágedy; **~iškas** trágic(al)
traiškyti crush, squash
traktor|ininkas tráctordriver; **~ius** tráctor
traktuoti treat
tramdyt|i tame; **~ojas** támer
tramvajus tram; (*vagonas*) stréetcar
transl|iacija, ~iuoti bróadcast; (*apie televiziją*) télecast
transportas tránsport
trapus 1) (*lūžus*) bríttle; 2) (*gležnas*) frágile, frail
trasa route, track
trąša fértilizer; manúre
trašk|ėjimas cráckling, cráck(le); **~ėti** cráck(le)
trauka 1) *fiz.* attráction; 2) tráction
traukinys train
trauk|ti 1) pull, draw*; drag; 2) (*į sąrašą*) énter (in the list); **~tis** 1) pull back; *kar.* retréat; 2) (*trumpėti*) shrink*
trečdalis one third
trečiadienis Wédnesday
trečias third
trej|etas, ~i three
trejop|ai in three ways; **~as** of three kinds/sorts
trėkšti swat; crush
tremt|i, ~inys, ~is éxile
treniruot|ė tráining; **~i** train
trenk|smas crash; **~ti** hit*; crash (*apie griaustinį t. p.*), strike*
trepsėti stamp (one's feet)
trestas *ekon.* trust
treškėti cráckle; crack
tręšti fértilize; (*mėšlu*) manúre
tribūna tríbune, plátform; (*žiūrovams*) stand
trigubas thréefold, tríple
trikampis I tríangle
trikampis II *bdv.* thréecórnered; triángular

trikotažas 1) (*audinys*) knítted fábric; 2) (*dirtiniai*) knítwear
trykšti spout; spurt (out)
trylik|a thírtéen; **~tas** thírtéenth
trimestras term
trimētis 1) thréeyear *attr*, of three years; 2) (*apie amžių*) threeyearóld
trimitas trúmpet; búgle
trynys yolk
trin|ti 1) rub; 2) (*smulkinti*) grate; **~tukas** rúbber; eráser
trypti (*žolę*) trámple; (*kojomis*) stamp
trys three
trisdešimt thírty; **~as** thírtieth
trise the three of (us/you/them)
tris|kart, ~syk three times, thrice
triukas trick
triukšm|adarys bráwler; rówdy; **~as** noise; úproar; **~auti** make* a noise; **~ingas** nóisy
triumfas tríumph
triūs|as, ~ti lábour, toil
triušis rábbit
triuškin|amas sháttering; crúshing; **~ti** crush, smash
trob|a cóttage, fármhouse*; **~esys** buílding
trofējus tróphy
trokšti 1) (*norėti gerti*) feel* thírsty; 2) (*dusti*) súffocate; 3) (*geisti*) desíre; thirst (for, áfter)
troleibusas trólley(bus)
trošk|imas desíre, lónging; **~ulys** thirst
trūkčioti twitch
trukd|ymas híndrance; **~yti** hínder, hámper, distúrb
trūkstamas míssing, lácking
truk|ti last; n e i l g a i **~us** befóre long; (*kiek vėliau*) a líttle láter
trūk|ti 1) (*stigti*) lack; 2) (*perplyšti*) break*
trūkumas 1) (*stoka*) lack (of), shórtage (of); 2) (*yda*) shórtcoming; deféct
trumparegis shórtsíghted
trump|as short; brief; **~inti** shórten; (*žodį*) abbréviate
trupė cómpany, troupe
trup|ėti crúmble; **~inys** crumb; **~inti** crúmble
trupmena *mat*. fráction
truput|is a líttle; some; (just) a bit *šnek*.; p o **~į** (*pamažu*) líttle by líttle
tu you
tualetas tóilet
tuberkuliozė *med*. tuberculósis
tučtuojau immédiately, at once
tuks|enti, ~ėti knock (*ne-*

smarkiai) tap
tūkstantis thóusand
tukti grow* fat, put* on flesh/ weight
tulpė *bot*. túlip
tulžis bile
tunelis túnnel
tuo that; ~ metu at that time; ~ pačiu laiku at the same time
tuoj(au) présently; immédiately, at once; ~! in a mínute!
tuokart, tuomet at that time; then
tuopa *bot*. póplar
tupėti 1) (*apie paukščius*) sit*, be perched; 2) (*apie žmogų*) squat
tūpti (*apie paukščius*) perch, alíght
turas round
turbina *tech*. túrbine
turbūt próbably, véry líkely
turėklai ráil(ing) *sing*; (*laiptų*) bánisters
turėti 1) have; (*valdyti*) posséss; 2) (*susidėti; laikyti*) have, hold*; 3) (*privalėti*) must (*esamaj. laike*); have (+*inf*)
turėtis 1) hold on (to); 2) (*nepasiduoti*) hold* out
turgus márket
turinys conténts *pl*
tūris vólume
turi|stas tóurist; **~zmas** tóurism
turk|as Turk; **~iškas** Túrkish
turkmėnas Túrkmen
turnyras tóurnament
turtas 1) ríches *pl*, wealth; 2) (*nuosavybė*) próperty
turting|as rich; wéalthy; **~umas** ríchnes
tušč|ias 1) émpty; 2) (*bergždžias*) vain, fútile; ~ia kalba ídle talk; 3) (*apie šovinį*) blank
tušinukas bállpoint (pen)
tušt|ėti émpty, becóme* émpty; **~ybė, ~umas** 1) émptiness; 2) (*niekybė*) vánity
tuzinas dózen
tvankus stúffy; (*kaitrus*) súltry
tvardytis restráin/contról/ check onesélf
tvark|a órder; **~araštis** tímetable; schédule
tvarking|as tídy, neat; **~umas** néatness, tídiness
tvarkyti put* in órder
tvarst|is bándage; **~yti** (*žaizdas*) bándage, dress
tvartas cáttleshed
tvenkinys pond
tverti *žr*. aptverti; griebti
tvykstelėti flash
tvink|čioti, ~sėti pulsate, throb
tvinkti (*apie votį*) gáther (a head)

tvinti swell*; flood
tvirkinti corrúpt, depráve
tvirt|as strong; firm; (*pastovus*) stáble; ~a valia strong will; ~a taika lásting peace; ~os kainos stáble príces; **~ėti** get*/grow* strónger
tvirtin|imas státement; affirmátion; **~ti** 1) (*teigti*) affírm, maintáin; 2) (*sankcionuoti*) appróve; confírm; ~ti parašą wítness a sígnature
tvirt|ovė 1) *kar.* fórtress; 2) *perk.* strónghold; **~umas** strength; fírmness; solídity
tvora fence

U, Ū

ugdyti bring* up; cúltivate; (*kadrus*) train
ūgis height
ugniages|ys fíreman*; ~ių komanda fire brigáde
ugnikalnis volcáno
ugningas fíery
ugnis fire
ūkana mist; fog
ūkinink|as fármer; **~auti** farm, be a fármer
ūkis 1) ecónomy; šalies ~ nátional ecónomy; žemės ~ ágriculture; namų ~ hóusekeeping; 2) *ž. ū.* farm
ukrainietis Ukráinian
ūm|iai súddenly; immédiately; **~us** (*apie žmogų*) quícktémpered
uniforma úniform
universal|inis, ~us univérsal
universitetas univérsity
uodas gnat, mosquíto
uodega tail
uog|a bérry; **~ienė** jam
uola rock; cliff
uol|umas zeal; díligence; **~us** zéalous; díligent
uosis *bot.* ash (tree)
uoslė sense of smell
uostas port, hárbour
uost|i smell*, scent; **~yti** smell*
uošv|ė móther-in-law; **~is** fáther-in-law
upė ríver, stream
uraganas húrricane
urgzti growl, snarl
urm|as crowd; **~u** in a crowd/bódy
urna 1) urn; 2) (*rinkimų*) bállotbox
urvas cave, cávern
ūsas moustáche; (*gyvulio*) whísker
usnis *bot.* thístle
utėlė louse*
uzbekas Úzbek
už 1) (*žymint vietą*) behínd,

beyónd; (*išorėje*) out of; (*apie atstumą*) at; ~ stalo at táble; ~ kampo round the córner; 2) (*kieno vardu, naudai; nurodant kainą*) for; 3) (*negu*) than; 4) (*žymint laiką*) in; 5) (*už rankos ir pan.*) by (the hand, *etc*)
užantis bósom ['buzəm]
užaugęs grownúp
užbaigti compléte, fínish (up); (*kalbą ir pan.*) conclúde (with)
užbėgti 1) *žr.* užeiti 1); 2) (*pvz., ant kalno*) run* up; ~ įvykiams už akių forestáll evénts
užberti (*duobę*) fill up (with); (*iš viršaus*) cóver (with)
užburti bewítch; charm
uždanga cúrtain; (*dūmų ir pan.*) screen
uždaras closed
uždarb|iauti earn; **~is** éarnings *pl*
uždaryti shut*, close
uždavinys próblem; (*tikslas*) task
uždegimas *med.* inflammátion
uždegti (*šviesą*) light* (up)
uždengti cóver (up)
uždėti put*/lay* (*smth*) on
uždirbti earn
užduoti (*kam ką*) set* (*smb, smth*); ~ klausimą ask a quéstion, put* a quéstion (to)
užeiti 1) (*pas ką*) call (on), drop in (at smb's place; on smb); 2) (*apie laiką*) come*; begín*; 3) (*ką*) come* acróss
ūžesys noise
užgaid|a whim; capríce; **~us** caprícious; whímsical
užgaišti (*kur nors*) stay too long; línger
užgaulus insúlting, abúsive
užgauti hurt*; (*įžeisti t. p.*) insúlt, offénd
Užgavėnės *bažn.* Shróvetide *sing*
užgavimas hurt; ínsult
užgy|dyti, ~ti heal
užgožti 1) grow* óver; choke; 2) (*apie garsus*) déaden; drown
užgriūti 1) (*ant*) túmble (óver), fall* (óver, on); 2) *šnek.* descénd (on)
užgrobti seize, cápture; (*teritoriją*) óccupy
užgroti begín* to play
užguitas dówntrodden
ūžimas noise; sound
užimti óccupy, take* (up)
užjausti sýmpathize (with)
užkaisti I put* (*smth*) on (to boil)
užkaisti II *žr.* kaisti
užkalbinti speak* (to); addréss

užkalti (*vinimis*) nail up/down; (*lentomis*) board up
užkampis nook, seclúded córner
užkandinė snack bar
užkandis snack
užkankinti tórture to death
užkar|iauti cónquer; **~iavimas** cónquest
užkasti búry; (*duobę*) fill up
užkąsti have a snack; ~ žuvies have a bit of fish
užkietėjęs 1) (*apie melagį, rūkalį*) hárdened, invéterate; 2) (*apie vidurius*) cónstipated
užkim|ęs hoarse; **~imas** hóarseness; **~ti** becóme* hoarse
užki(m)šti stop up (with); plug up; (*kamščiu*) cork (up)
užkirsti (*kelią*) stop; block up
užklijuoti paste on; (*voką, langą*) seal up
užkliūti catch* (on); (*įstrigti*) stick*
užkloti cóver (with); spread* óver (with)
užklupti catch*; surpríse
užkrauti 1) pile/heap up; 2) (*pvz., darbą*) load, búrden (with)
užkrečiamas inféctious, contágious; cátching *šnek.*
užkrė|sti (*liga*) inféct; **~timas** inféction
užkulisis (the place) behínd the scenes
užkulnis heel
užkurti set* fíre (to); (*krosnį*) make* the fíre (in a stove)
užleisti 1) (*langą*) cúrtain a wíndow; 2) (*nesirūpinti*) negléct
užlenkti (*aukštyn*) turn up; (*žemyn*) turn down
užlieti (*užtvindyti*) flood, overflów
užmauti put* on
užmegzti: ~ mazgą tie a knot; ~ ryšius énter ínto relátions (with)
užmerkti (*akis*) close
užmiegotas sléepy
užmiest|is cóuntry; ~yje out of town
užmigti fall* asléep
užminti (*koja*) tread* (on)
užmiršti forgét*
užmojis scope, range
užmok|estis pay; (*darbininkų*) wáges *pl*; **~ėti** pay*
užmušti kill
užniek in vain
užnugaris rear
užpakal|inis back; hínder; ~inės kojos hind legs; **~is** 1) back; 2) búttocks *pl*; backside *šnek.* ~yje behínd
užpernai the year befóre last
užpyk|dyti ánger, make* án-

gry; **~ti** get* ángry (with)
užpil|dyti fill in; **~ti** pour (óver, on); (*netyčia*) spill* (on)
užpulti attáck, assáult
užpuolimas attáck, assáult
užpūsti (*žiburį*) blow* out
užrait|yti, ~oti (*rankovę*) roll up
užrakinti lock (up/in)
užrakt|as lock; p o ~u únder lock and key
užraš|ai notes; ~ų knygelė nótebook; **~as** inscríption; **~yti** 1) write*/put*/take* down; 2) (*ant ko*) inscríbe
užsak|ymas, ~yti órder
užsegti do* up; (*sagomis t. p.*) bútton up
užsibūti (*svečiuose ir pan.*) stay too long; (*užtrukti*) línger
užsičiaup|ti compréss one's lips; ~k! shut up!
užsidaręs (*savyje*) resérved
užsideg|imas *perk.* árdour, enthúsiasm; **~ti** 1) light* (up); 2) take* fíre; 3) (*pvz., noru*) burn* (with), concéive
užsiėm|ęs búsy; **~imas** occupátion, búsiness
užsien|ietis fóreigner; **~inis** fóreign; **~is** fóreign cóuntries *pl*; ~io politika fóreign pólicy; ~io prekyba fóreign trade; į ~į, ~yje abróad
užsigalvojęs thóughtful
užsigauti be hurt; (*į ką*) hit* (on), strike* (agáinst)
užsigrūdin|imas hárdening; **~ti** be hárdened, grow* hard
užsimiegoti oversléep* (onesélf)
užsiim|inėti, ~ti be óccupied (with), be engáged (in)
užsinorėti feel* like (dóing smth); feel* a wish
užsikalbėti talk too long
užsikirsti 1) (*įstrigti*) stick*; 2) (*kalbant*) fálter; (*turint defektą*) stútter
užsiminti 1) (*paminėti*) méntion; 2) (*duoti suprasti*) hint (at)
užsimušti lose* one's life; be killed
užsirašyti put* onesélf, *ar* one's name, down; enróll; 2) *žr.* užrašyti 1)
užsiregistruoti get* régistered, régister one's name
užsispyr|ęs óbstinate, stúbborn; **~imas** óbstinacy, stúbbornness
užsispirti be óbstinate; jib
užsisvajojęs dréamy
užsitarnauti desérve, win*
užsiteršti 1) becóme* dírty; 2) (*apie vamzdžius ir pan.*) be/becóme* clogged; (*užsikišti*) becóme* obstrúcted

užsitęs|ęs prolónged, protrácted; língering; **~ti** last; (*nuobodžiai*) drag on
užsiūti sew* up
užsivilkti put* on
užskleisti (*knygą*) close
užsnigti snow on, cóver with snow
užspringti choke (óver, on)
užstatas depósit; pledge; (*piniginis*) secúrity
užstatyti (*užstatą*) pawn
užstoti (*ką*) intercéde (for), stand* up (for)
užsukti 1) (*pvz., čiaupą*) turn off; (*sraigtą, veržlę*) screw up; 2) (*laikrodį*) wind* up; 3) *žr.* užeiti 1)
užšal|dymas, ~imas fréezing; **~ti** freeze* (up)
užšokti jump (on)
užtais|as (*šovinio*) charge; **~yti** (*šautuvą*) load, charge
užtarnautas welldesérved, well-éarned
užtarti *žr.* užstoti
užtat (*todėl*) for that; thérefore; (*bet*) but
užtėkšti splash (on); (*purvo*) spátter (on)
užtekt|i *žr.* pakakti; **~inai** sufficiently, enóugh
užtem|dymas bláckout; **~imas** eclípse
užtepti 1) (*dažais*) paint óver/out; 2) (*sviestu*) spread* (on)
užterštas pollúted; (*nešvarus*) dírty, foul
ūžti (*apie jūrą, vėją*) roar; múrmur
užties|alas spread, cloth; **~ti** spread*
užtikrinti (*garantuoti*) secúre, ensúre
užtikti 1) (*rasti*) come* acróss, find*; 2) *žr.* užklupti
užtirpti grow*/becóme* numb; go* to sleep *šnek.*
užtrauktukas zip, zípper
užtrenkti (*duris*) slam
užtrypti tread*/trámple down/out, trámple underfóot
užtro|kšti choke, súffocate; **~škinti** súffocate
užtrukti 1) (*sugaišti*) be deláyed, línger; 2) (*nusitęsti*) last
užtvanka dam; dike
užtvara 1) fence, féncing; 2) (*kliūtis*) bárrier, obstrúction
užtverti (*tvora*) enclóse
užtvin|dyti flood, overflów; **~ti** be flóoded/drowned (in)
užuojauta sýmpathy
užuolaida cúrtain; (*kambariui užtamsinti*) blind
užuomarša forgétful pérson, forgétter
užuomazga (*kūrinio*) plot
užuomina hint
užuot instéad of
užvakar the day befóre yéster-

day
užvaldyti seize; take* posséssion (of)
užvalgyti have a bite/snack
užvalkalas píllowcase
užvažiuoti 1) (*apsilankyti*) call in, call on the way (on smb, at a place); 2) (*ant nejudamo daikto*) drive* (ínto), ride* (ínto)
užversti fill up (with); (*netvarkingai ant ko*) heap up (on); ~ knygą close a book
užvirinti boil (up)
užvirti begín* to boil
užvis (*labiausiai*) most of all
užžel|dinti plant with shrubs/búshes, *etc*; **~ti** be overgrówn (with)
užžiebti light* up

V

va (*ten*) there; (*čia*) here
vabalas béetle
vabzdys ínsect
vadas 1) léader; 2) *kar.* commánder; vyriausiasis ~ Commander-in-Chíef
vadelės reins
vadyb|a mánagement; **~ininkas** mánager
vadinas (*įterp. žodis*) so, then, well then
vadin|ti 1) (*vardu*) call; 2) (*kviesti*) invíte; **~tis** be called, be named
vadovas I chief, head; léader
vadovas II (*knyga*) guíd (book); (*žinynas*) réference book
vadov|aujamasis léading; **~auti** lead*, guide; **~avimas** léadership, guídance
vadovėlis téxtbook; hándbook
vaga 1) (*ariant*) fúrrow; 2) (*upės*) bed
vag|is thief*; **~ystė** theft
vagonas *glžk.* (*keleivinis*) cárriage; (*tramvajaus, t. p. amer. glžk.*) car
vaidai quárrel(s), díscord *sing*
vaidin|imas play, perfórmance; **~ti** play, act, perfórm
vaidmuo role, part
vaiduoklis ghost; spook *šnek.*
vaikaitis grándchild*
vaik|as 1) child*; 2) (*berniukas*) boy; ◊ ~ų namai chíldren's home *sing*; **~elis** tíny bába, tot
vaik|inas féllow, lad, chap; **~ystė** chíldhood; **~iškas** chíldish
vaikščio|jimas wálking; (*pramoga*) walk; stroll; **~ti** walk;

stroll; (*eiti*) go*
vaikštynės óutdoor fete *sing*
vainik|as 1) wreath*; 2) (*karaliaus*) crown; **~uoti** 1) wreathe; 2) crown
vair|as (*automobilio*) wheel; 1) (*laivo*) rúdder; 2) *perk.* helm; **~uoti** (*pvz., automobilį*) drive*; steer; **~uotojas** (*automobilio*) dríver
vaisingas frúitful
vais|ius fruit; **~medis** fruit tree; ~ medžių sodas órchard
vaist|as médicine, rémedy (*ir perk.*); **~ažolė** herb; **~inė** chémist's (shop); drúgstore *amer.*; **~ininkas** chémist; drúggist
vaiš|ės feast *sing*, entertáinment *sing*; **~ingas** hospítable; **~inti** treat (to)
vaitoti moan, groan
vaivorykštė ráinbow
vaizd|ajuostė vídeotape; **~as** (*reginys*) view; sight; **~avimas** representátion; **~inis** vísual; ~inės priemonės vísual aids
vaizduo|jamasis: ~ menas ímitative/fine arts *pl*; **~tė** imaginátion; **~ti** depíct; represént; **~tis** imágine; fáncy
vaizdus picturésque; gráphic
vakar yésterday; ~ ~e last night; **~ai** west *sing*; ~ų west, wéstern; **~as** évening; mokyklos ~as schóolparty
vakarien|ė súpper; **~iauti** have súpper
vakarietiškas wéstern
vakarinis 1) évening *attr*; 2) (*pvz., vėjas*) wést(ern)
vakarykštis yésterday's
valand|a 1) (*paros dalis*) hóur; 2) (*žymint laiką*) o'clóck; dvyliktą ~ą at twelve o'clóck; kelinta ~? what is the time?
valdyba board; administrátion
valdymas 1) contról; mánagement; (*šalies*) góvernment; 2) (*turėjimas nuosavybėje*) posséssion
valdingas impérious; másterful
valdininkas official
valdiškas state *attr*; offícial
valdyt|i 1) contról; góvern; 2) (*kaip nuosavybę*) own; posséss; **~is** (*tvardytis*) contról oneself; **~ojas** 1) mánager; 2) *žr.* savininkas
valdovas rúler, lord
valdžia pówer; authórity; (*viešpatavimas*) rule
valg|iaraštis ménu; **~ydinti** feed*; give* to eat
valgykla díningroom; (*mokyklos, gamyklos*) cantéen

valgis (*valgomas dalykas*) food; (*patiekalas*) dish
valg|yti eat*; **~omas** édible, éatable; **~omasis** (*kambarys*) díningroom
val|ia will; **~ingas** stróng; wílled; **~ingumas** wíllpower
valio! hurráh!
valyt|i 1) clean; (*šepečiu*) brush; 2) (*derlių*) hárvest; gáther in; **~oja** chárwoman*; **~ojas** cléaner; **~uvas** cléaner; s t i k l o ~ u v a s wíper
valiuta cúrrency
valkata tramp, vágrant
valkiot|i drag (abóut); **~is** loaf; hang* abóut
valstyb|ė, ~inis state
valstietija péasantry
valstiet|is, ~iškas péasant
valstija state
valtis boat
vamzdis pipe; (*vamzdelis*) tube
vanagas, ~iškas hawk(-)
vandenilis *chem*. hýdrogen
vanden|ynas ócean; **~ingas** (*pvz., apie upę*) deep; abóunding in wáter; (*pavandenijęs*) wátery; **~inis** wáter(-)
vandentiekis wáter supplý
vanduo wáter
vangus slúggish; (*tingus*) lázy
vapsva *zool*. wasp
vard|adienis námeday; **~an** in the name (of); for the sake (of)
vard|as name; k i e n o ~ u on behálf (of); g a r b ė s ~ hónorary títle; **~inės** námeday *sing*, celebrátion *sing*
vardininkas *gram*. nóminative (case)
vardyti name
varg|as 1) (*skurdas*) hárdship; mísery; 2) (*bėda*) tróuble; **~dienis** poor créature; **~inantis** wéarisome, tíresome; **~ingas** poor; **~inti** wéary, tíre
vargonai órgan *sing*
varg|šas poor man*; (*pasigailėtinas*) poor féllow; ~ š a i (*kuopine prasme*) the poor; **~ti** (*vargą kęsti*) live in póverty
vargu: ~ a r hárdly
variklis mótor; éngine
var|inis, ~is cópper
varyti 1) drive*; 2) (*pvz., propagandą*) cárry on
varlė *zool*. frog
varn|a crow; **~as** *zool*. ráven
varnėnas *zool*. stárling
varpa ear
varp|as, ~elis bell
varstyti 1) (*batus*) lace up; 1) (*duris, langus*) shut* and ópen repéatedly
varškė curds *pl*
vart|ai gate *sing*; **~ininkas** *sport*. góalkeeper.

vartyti 1) turn óver; 2) (*pvz., popierius*) look óver
vartojamas génerally used; cómmon
varto|jimas 1) use, úsage; 2) consúmption; **~sena** úsage; **~tas** used; sécondhand; **~ti** use; **~tojas** consúmer; úser
varv|ėti drip, dríbble, drop; **~inti** drip, let* tríckle
varžybos cóntest *sing*, competítion *sing*
varžytynės áuction *sing*
varžytis 1) (*drovėtis*) feel* shy; 2) (*rungtyniauti*) compéte (with in)
varžovas 1) ríval; 2) *sport*. compétitor
varžt|as 1) *tech*. bolt; 2) *perk*.: ~ a i grip *sing*
vasar|a, ~inis súmmer; ~ ą in súmmer
vasaris Fébruary
vasarnamis súmmerhouse, cóttage
vasarojus spring crops *pl*
vasaro|ti spend* the súmmer; **~tojas** hóliday máker
vaškas wax
vata (*žaizdoms tverti ir pan.*) cótton wool; (*neapdorota*) wádding
vaza vase
vazonas flówerpot
važi|avimas, ~nėjimas drive, dríving; **~nėtis** (*vežimu, automobiliu ir pan.*) go* for a drive; (*dviračiu*) cýcle, bícycle; **~uoti** go*; (*kuo nors*) go* by...; (*automobiliu t. p.*) ride*; (*keliauti*) trável
vedėjas mánager; (*viršininkas*) head
ved|ęs márried; **~ybos** márriage *sing*
vėd|inti air; véntilate; **~uoklė** fan
vedžioti lead*; show*; guide
veid|as face; ~ o b r u o ž a i féatures
veidmain|iauti play the hýpocrite; **~iavimas** hypócrisy; **~ys** hýpocrite; **~iškas** hypocrítical
veidrod|ėlis hándglass; **~is** lóokingglass; mírror
veik|alas work; **~ėjas** 1) wórker; v a l s t y b ė s ~ ė j a s státesman*; 2) *teatr., lit*. cháracter
veikl|a actívities *pl*; work; **~us** áctive, energétic
veiksmas áction, deed; *teatr*. act
veiksmažodis *gram*. verb
veiksmingas efféctive; effícient
veiksnys *gram*. súbject
veikti act; (*daryti*) do; (*dirbti*) work
veisim|as (*gyvulių*) bréeding; (*augalų*) cultivátion; **~asis** *biol*. reprodúction

veis|lė race, breed; **~ti** breed*; (*augalus*) cúltivate; **~tis** breed*, própagate
veja (*pievelė*) lawn, gráss(plot)
vė|jas wind; **~uotas** wíndy
vėl agáin
vėlai late
velėna turf
velenas *tech*. shaft
vėliau láter (on); ~sia at the látest
vėlesnis láter; súbsequent
vėliav|a bánner; flag; **~inin-kas** stándardbearer
Velykos *bažn*. Éaster *sing*
Vėlinės *bažn*. All Souls' Day
vėlyvas late
veln|ias dévil, deuce; **~iš-kas** 1) dévilish; 2) *šnek*. héllish, damned
veltiniai (*batai*) felt boots
veltui 1) in vain; 2) (*nemo-kamai*) for nóthing; free (of charge)
vėl|uoti be late; be óverdue; (*apie laikrodį*) be slow; **~us** late
vemti vómit; puke *šnek*.
vengr|as, ~iškas Hungárian
vengti avóid; shun; eváde
ventiliatorius véntilator; fan
veranda veránda(h)
verbuoti recrúit
verg|as slave; **~ija, ~ovė** slávery
vėrinys string of pearls, beads, *etc*
verksm|as wéeping; **~ingas** lámentable
verk|snys wéeper, crýbaby; **~šlenti** whímper, whine; **~ti** weep*, cry
verp|alas yarn; **~ti** spin*
verpetas whírlpool
versl|as trade; búsiness; **~ininkas** búsinessman*
versmė spring; *perk*. source
verst|i 1) turn down; 2) (*kuo*) turn (ínto); 3) (*į kitą kalbą*) transláte; (*žodžiu*) intérpret; 4) (*spirti*) make*, force; **~is** (*kuo*) earn one's líving (by)
verš|iena veal; **~is, ~iukas** calf*
vert|as desérving, wórthy (of); būti ~am desérve, mérit; be wórth; **~ė** válue
verteiva búsinessman*; smart déaler
vertėjas translátor; (*žodžiu*) intérpreter
vertėti be worth
verti 1): ~ siūlą į adatą thread a néedle; 2) (*pvz., karo-lius*) string*; 3) (*duris, langą*): (*atidaryti*) ópen; (*uždaryti*) shut*
vertyb|ė válue; **~inis** válu-able, of válue
vertikal|inis, ~us vértical
vertimas (*į kitą kalbą*) translá-

tion; (*žodžiu*) interpretátion
verting|as váluable; **~umas** válue
vertinti válue; appréciate
veržimasis (*į*) aspirátion (for)
veržlus vígorous; héadlong
veržt|i tíghten; **~is** 1) strain (áfter); 2) (*brautis*) force one's way through
vėsokas cóolish, chílly
vesti 1) lead*; condúct; ~ derybas negótiate (with); 2) (*imti žmoną*) márry
vėsti (*aušti*) get* cóld(er), cool
vestibiulis lóbby
vestuv|ės wédding *sing*; **~inis** wédding(-)
vėsus cool; chílly
vešlus (*apie augalus*) luxúriant
veteranas véteran
veterinaras véterinary súrgeon; vet *šnek*.
veto véto
vėtra storm
vėžė rut; track
vež|ėjas cárrier; dríver; **~ikas** cábman*; **~imas** (*ratai*) cart; vaikų ~imėlis pram; **~ioti** cárry; take*for a drive
vėžys 1) *zool*. cráyfish; 2) *med*. cáncer
vėžlys *zool*. tórtoise
vežti cárry, convéy; take*
vidinis insíde, ínner
viduj(e) insíde; (with)ín
vidu(r)dienis noon; mídday
vidur|iai *anat*. éntrails, intéstines; ~ių šiltinė týphoid (féver)
vidur|inis, ~ys míddle
vidurkis 1) míddle; 2) (*skaičius*) áverage, mean
vidu(r)naktis mídnight
vid|us intérior; ~uje insíde; (with)ín; į ~ų insíde; in
viela wire
vien ónly; mérely; ~ tik sólely
vienaukštis ónestoreyed
vienąkart once
vien(a)|laikis simultáneous; **~pusiškas** ónesíded; *perk*. bíased; **~rūšis** homogénous, úniform
vien|as one; (*priešpastatant vieną grupę antrai*) some; (*be kitų*) alóne; 2) (*kažkoks*) some; a (cértain); ~ kitas some; ~u laiku simultáneously; at the same time; ~u du in prívate
vienaskaita *gram*. síngular
vienašalis ónesíded
vienatvė sólitude
vienbals|iai unánimously; **~is, ~iškas** unánimous
vienetas 1) (*dydis*) únit; 2) (*skaitmuo*) one
viengungis síngle (man*),

báchelor
vien|ybė únity; **~ingas** uníted
vienintelis ónly
vienišas 1) lónely, alóne; 2) (*be šeimos*) síngle
vienyti(s) uníte
vienkiemis fárm(stead)
vien|metis: mudu su juo ~mečiai we are of the same age
vienod|as the same; (*be įvairumo*) monótonous; (*vienokios rūšies*) úniform; **~umas** monótony; unifórmity
vientisas sólid, compáct
vienuma sólitude, lóneliness
vienuolik|a eléven; **~tas** eléventh
vienuol|ynas ábbey; **~is** monk
vienur in one place; ~ kitur here and there
viesulas whírlwind
viešas públic
viešbutis hotél
viešėti be on a vísit
vieškelis high road
viešnia guest
viešpat|auti 1) (*turėti valdžią*) rule (óver); (*vyrauti*) preváil; 2) (*būti įsigalėjusiam*) reign; **~avimas** suprémacy; dominátion; **~s** *bažn.* God, the Lord
viet|a 1) place; (*kuo nors išskiriama*) spot; (*sodui įveisti, statybai ir pan.*) site; (*vietovė*) locálity; gyvenamoji ~ résidence; 2) (*pvz., teatre*) seat; 3) (*tuščia erdvė*) room; 4) (*tarnyba*) job, post; ◊ jūsų ~oje in your place; ne ~oje out of place
vietinis lócal; ~gyventojas inhábitant
vietoj (*ko*) instéad of
vieto|vaizdis view, lándscape; **~vė** locálity
vieversys *zool.* (skỹ)lark
vijimasis pursúit, chase
vijoklinis clĕmbing; ~augalas clĕmber
vykd|ymas (*pvz., darbo, įsakymo*) execútion; (*pvz., noro*) fulfílment; **~yti** cárry out, fulfíl, éxecute; **~ytojas** exécutor
vykęs succéssful; (*apie palyginimą ir pan.*) apt
vikr|umas nímbleness; agílity; **~us** nímble, ágile; quick
vikšr|as, ~inis cáterpillar
vykti 1) (*eiti*) go*; make* (for); be bound (for); 2) (*eiti veiksmui*) be góing on, go* on; take* place
vykusiai succéssfully; well
vilioti (al)lúre; entíce
vilkas wolf*
vilkėti wear*
vilkikas 1) (*laivas*) (túg)boat;

2) (*traktorius*) truck tráctor
vilkinti deláy
vilk|ti (*traukti*) drag, pull; (*sunkų daiktą*) lug, tug; **~tis** 1) (*apsirengti*) dress (onesélf); 2) (*pamažu eiti*) drag (onesélf) alóng
viln|a wool; **~onis** wóollen
viltis hope
vynas wine
ving|is bend, curve; **~iuotas** wínding; **~iuoti** wind*
vynioti wrap up
vinis nail
vynuog|ės grapes; **~ynas** víneyard
violetinis víolet
vyr|as man*; 2) (*sutuoktinis*) húsband; ~ e s i ! (*pagiriant*) well done!; **~auti** preváil, predóminate
virbalas 1) knítting néedle; 2) *tech.* pívot; 3) (*akėčių*) tooth*
virėj|as, ~a cook
vyresnysis 1) (*pagal metus*) élder; 2) (*pareigomis*) sénior
vyriausias(is) 1) head; chief; 2) (*amžiumi*) óldest, éldest
vyriausyb|ė, ~inis góvernment
viryklė cooker; range *amer.*; d u j i n ė ~ gáscooker
virinti boil
vyrišk|as 1) másculine; (*vyriškosios lyties*) male; (*vyrams*) man's, men's; 2) *perk.* mánly; **~is** man*, male; **~umas** mánliness, mánhood
virpė|jimas 1) trémbling; quívering; (*balso*) quáver; trémor; 2) *fiz.* oscillátion, vibrátion; **~ti** (*drebėti*) trémble; shake*
virpstas pole; post
virsti 1) (*griūti*) fall*; 2) (*kuo*) turn (ínto)
virš óver; abóve; (*viršijant*) beyónd; **~aus** in addítion
viršelis cóver; (*dangtelis*) lid
viršijimas (*plano ir pan.*) overfulfílment
viršininkas head, chief; supérior
viršyti (*greitį ir pan.*) excéed
virškin|imas digéstion; **~ti** digést
virš|uj, ~um abóve; (*ko*) óver; (*viršutiniame aukšte*) upstáirs
virš|ūnė (*kalno*) súmmit; (*medžio*) top; į ~ ų, ~u n up, úpward; (*laiptais*) upstáirs; 2) *žr.* viršelis; **~utinis** úpper
viršvalandžiai óvertime *sing*
virti boil; (*gaminti*) cook
virtuvė kítchen
virus|as *med.* vírus; **~inis** vírose, víral
virvė rope; (*plonesnė*) cord; (*plona*) string
vis álways; ~ d ė l t o still, ne-

VISOGERO

vertheléss; ~ tiek, ~ vien (it is) all the same
visad|a, ~os álways
visai quite, entírely, útterly; ~ ne tas nóthing of the kind; ~ ne not at all
vis(a)pusiškas thórough, all-róund
vis|as all; whole; ~am laikui for éver, for good; ~iems žinomas wellknówn; ~ų pirma first of all; ~ų didžiausias the gréatest; ◊ dėl ~a ko (just) in case
visata the úniverse
visgi still, nevertheléss
visišk|ai *žr.* visai; **~as** full; ábsolute
viskas éverything; all
vyskupas bíshop
visoks all kinds of
vysti wíther, fade
vyst|ymas(is) devélopment; **~yti** 1) devélop; 2) (*vaiką*) swáddle; **~ytis** devélop
visuma the whole
visuomen|ė socíety; **~ininkas** sócial/públic wórker; **~inis, ~iškas** públic, sócial; ~inis darbas sócial work
visuomet álways
visuotinis géneral, univérsal; ~ privalomas mokslas géneral compúlsory educátion
visur éverywhere
viščiukas chícken
vyšnia 1) chérry; 2) (*medis*) chérry tree
višt|a hen; (*kaip maistas*) chícken; **~iena** chícken
vitaminas vítamin
vytelė switch, thin twig
vyt|i 1) (*giñti*) drive*, chase; 2) (*pvz., virvę*) twist; **~is** pursúe, chase
vitrina (shóp)wíndow; (*įstiklinta dėžė*) shówcase
vyturys *zool.* (ský)lark
viza vísa ['vi:zə]
vizitas vísit; call
vizginti (*uodegą*) wag
vog|čia, ~čiomis by stealth, fúrtively; **~ti** steal*; (*apie smulkias vagystes*) pílfer
vokas 1) (*akies*) éyelid; 2) (*laiškui*) énvelope
voki|etis, ~škas Gérman
vonia bath*; (*kambarys*) báthroom
vor|as spíder; **~atinklis** cóbweb, spíder's web
vos hárdly; ~ tik as soon as
votis boil, ábscess
voverė squírrel
vulgar|iškas, ~us vúlgar
vulkanas volcáno

Z

zenitas zénith (*ir perk.*)
zylė *zool.* títmouse*
zirz(ė)ti 1) (*apie vabzdžius*) hum; buzz; drone; 2) (*verkšlenti*) whímper, snível
zon|a zone; **~inis** zónal, zone *attr*
zonduoti probe (*ir perk.*)
zoologij|a zoólogy; **~os sodas** Zoo, Zoológical gárdens *pl*
zuikis *zool.* hare
zvimbti *žr.* zirz(ė)ti

Ž

žabalas blind
žab|as (long) dry branch; **~ai** brúshwood *sing*
žaboti curb (*ir perk.*)
žadėti prómise
žadin ti wake*; awáke*; **~tuvas** alármclock
žagsėti híccup
žaib|as, ~iškas líghtning; **~uoti** flash
žaid|ėjas pláyer; **~imas** play; game
žaisl|as toy, pláything; **~inis** toy *attr*
žaismingas pláyful
žaisti play
žaizda wound
žala harm; dámage
žalias 1) green; 2) (*apie mėsą*) raw
žaliava raw matérial
žalingas hármful, bad*; (*sveikatai t. p.*) unhéalthy
žaliuoti grow*/turn green
žaloti ínjure, hurt*; (*luošinti*) crípple; maim, lame
žalsvas gréenish
žaltys *zool.* grass snake
žalum|a vérdure; **~ynai** (*daržovės*) greens
žalvaris brass
žand|as, ~ikaulis jaw
žanras génre ['ʒɔnrə]
žara glow
žargonas járgon, slang
žarijos live coals
žarn|a 1) *anat.* gut, intéstine; 2) (*vandeniui lieti*) hose; **~ynas** intestines *pl*, bówels *pl*
žarsteklis póker, rak
žąs|is goose*; **~iukas** gósling
žąslai bit *sing*
žav|esys charm; fascinátion; **~ėti** charm; fáscinate; **~ėtis** admíre, delíght; **~ingas, ~us** chárming, fáscinating; delíghtful; **~umas** *žr.* žavesys
žegnot|i *bažn.* cross; **~is** *bažn.* cross onesélf

želdinti grow*; (*krūmais, medžiais*) plant trees and búshes/shrubs; ~ mišką affórest
želmenys shoots
želti grow*; sprout
žem|ai low; belów; **~as** 1) low; ~o ūgio short; 2) (*niekšiškas*) base, mean
žemdirb|ys fármer; **~ystė** ágriculture
žem|ė 1) earth; ~ės rutulys the globe; 2) (*sausuma, kraštas*) land; ~ės sklypas plot of land; 3) (*paviršiaus sluoksnis*) soil
žemėlapis map
žemiau lówer; (*ko*) belów; **~sias** the lówest; lówermost
žemyn dówn(wards); (*laiptais*) downstáirs
žemynas máinland, cóntinent
žeminti (*niekinti*) húmble, humíliate
žemiškas éarthly
žemkasys návvy
žemuma *geogr.* lówland
žemuogė *bot.* (wild) stráwberry
žemutinis lówer
žemvaldys lándowner
žengti step; stride*
ženkl|as sign; mark; pašto ~ stamp; **~inti** mark (with); **~iukas** badge
žentas sóninlaw
žėrėti spárkle; glítter
žetonas tóken, métal disc; (*lošimo*) chip
žiaur|umas crúelty; **~us** crúel
žibalas (*páraffin*) oil; kérosene
žybčioti flash
žibėti shine*, spárkle
žibint|as léntern; **~uvėlis** fláshlight
žibuoklė *bot.* víolet
žiburys light
žyd|as Jew; **~ė** Jéwess
žydėti flówer, blóssom
židinys hearth; fíreplace
žydiškas Jéwish
žydras skyblúe
žiebti (*šviesą*) light*
žiedas I *bot.* blóssom
žiedas II ring
žiem|a, ~inis wínter
žiem|kenčiai (*javai*) wínter crops; **~oti** spend* the wínter
žievė (*medžių*) bark; (*vaisių*) peel
žiežirba spark
žygdarbis éxploit, feat; deed
žyg|is 1) march; pėsčiųjų ~ wálking tour, hike; (*prieš*) campáign (agáinst); 2) (*priemonė*) méasure, arrángement; imtis ~ių take* méasures
žygiuoti march

žil|as grey; **~ti** turn grey
žilvitis *bot.* ósier; wíllow
žym|ė mark; sign; **~ėti** mark (with)
žymiai márkedly, consíderably, gréatly
žymus 1) consíderable; 2) (*puikus*) remárkable, distínguished; (*apie žmogų*) éminent; 3) (*matomas*) nóticeable
žind|yti súckle, nurse; **~uolis** *zool.* mámmal
žingsn|is step; stride; **~iuoti** pace; (*dideliais ~iais*) stride*
žin|ia news; (*pranešimas*) infomátion; **~ios** (*mokėjimas*) knówledge *sing*
žin|iaraštis régister; **~yba** depártment
žinojimas knówledge
žinom|a cértainly, to be sure; (*be abejo*) of course; **~as** wellknówn
žinoti know*
žinovas éxpert
žinutė méssage; mémo
žiogas *zool.* grásshopper
žiop|lys gawk; **~soti** gape (at, abóut)
žiotys mouth* *sing*
žiov|auti, ~ulys yawn
žirgas horse
žirklės scíssors
žirnis pea
žįsti suck
žiupsn|elis, ~is pinch
žiūrėti look; (*ko*) look áfter
žiuri júry; júdges *pl*
žiūrinėti exámine, look (at)
žiurkė *zool.* rat
žiūronai a pair of glásses; (*kariniai*) fíeldglasses
žiūrovas spectátor, ónlooker
žliumbti *šnek.* whímper
žlug|dyti rúin; (*planą*) frustráte; (*darbą*) disórganize; **~imas** rúin; dównfall; fáilure; **~ti** fail, fall* through; be rúined
žmog|iškas húman; **~us** man*; pérson
žmogžud|ys múrderer; **~ystė** múrder
žmona wife*
žmon|ės péople; **~ija** humánity; mankínd; **~iškas** humáne
žn|aibyti, ~ybti pinch, tweak
žnyplės píncers, nípers, tongs
žodynas 1) díctionary; 2) (*žodžių atsarga*) vocábulary
žod|is 1) word; 2) (*kalba susirinkime*) speech; p r a š y t i ~ ž i o ask for the floor
žol|ė grass; **~ininkas** hérbalist; **~inis** grass *attr*, grássy
žud|ynės sláughter *sing*, mássacre *sing*; **~yti** kill; múrder

žurnal|as 1) magazíne; jóurnal; 2) (*knyga įrašams*) régister; **~istas** jóurnalist, préssman*; **~istika** jóurnalism
žūtbūt at ány price, at all costs
žūti 1) (*pvz., mūšyje*) be killed, pérish; 2) (*dingti*) be lost
žuvaut|i fish; **~ojas** físher, físherman*
žuvėdra tern
žuvimas 1) rúin; death; 2) (*dingimas*) loss
žuv|is fish; **~ies taukai** códliver oil *sing*
žvaigžd|ė star, **~ėtas** stárry; **~ynas** constellátion
žvair|as squint; **~om(is)** askánce, asquint; **~uoti** look askánce
žvak|ė cándle; **~idė** cándlestick
žvalg|as *kar.* scout; **~yba** *polit.* sécret/intélligence sérvice; *kar.* recónnaissance; **~ymas** 1) *kar.* (*vietovės*) recónnaissance; 2) *geol.* prospécting; **~yti** 1) *kar.* reconnóitre; 2) *geol.* prospéct (for); **~ytis** (*aplinkui*) look round
žval|umas chéerfulness; **~us** chéerful; brisk
žvangėti tínkle; jíngle
žvarbus sharp, bíting
žvej|yba físhery; **~ys** físherman*; **~oti** fish; (*meškere*) ángle
žvelgti look (at), cast* a glance (at, on)
žvengti neigh
žvėrynas menágerie; zoo
žvėr|is beast; **~iškas** brútal; **~iškumas** brutálity; atrócity
žviegti squeal
žvilgčioti glance (on, at); cast looks (on)
žvilg|snis look; (*įsmeigtas*) gaze; (*greitas*) glance; **~telėti** have a look (at), cast* a glance (at)
žvynai scales
žvyr|as grável; **~uotas** grávelled
žvirblis *zool.* spárrow
žvitrus brisk, smart

ANGLŲ KALBOS ABĖCĖLĖ

A a [əɪ]
B b [bi:]
C c [si:]
D d [di:]
E e [i:]
F f [ef]
G g [dʒi:]
H h [eɪtʃ]
I i [aɪ]
J j [dʒeɪ]
K k [keɪ]
L l [el]
M m [em]
N n [en]
O o [əu]
P p [pi:]
Q q [kju:]
R r [ɑ:]
S s [es]
T t [ti:]
U u [ju:]
V v [vi:]
W w ['dʌblju:]
X x [eks]
Y y [waɪ]
Z z [zed]

A

a, an [ə, ən] *nežymimasis artikelis*; 1) vienas: a (cup of) tea, please prašom vieną (puodelį) kavos; 2) kiekvieną: twice a day dukart per dieną; 3) už kiekvieną: 50 p a litre 50 pensų už litrą
abandon [ə'bændən] *v* 1) palikti, pamesti (*šeimą, laivą*); 2) nustoti (*ką daryti*)
abashed [ə'bæʃt] *a* sugėdintas
abate [ə'beıt] *v* 1) sumažėti; sumažinti; 2) nuleisti (*kainą*)
abbey ['æbi] *n* abatija, vienuolynas
abbreviate [ə'bri:vi'eit] *v* sutraukti, sutrumpinti; **~ion** [ə'bri:vi'eiʃn] *n* sutrumpinimas; santrumpa
ABC ['eibi:'si:] *n* 1) abėcėlė; 2) pagrindai; the ABC book elementorius
abduct [əb'dʌkt] *v* pagrobti
abet [ə'bet] *v* kurstyti, raginti
abhor [əb'hɔ:(r)] *v* bjaurėtis
ability [ə'biləti] *n* (su)gebėjimas
abject [əb'dʒekt] *a* 1) apgailėtinas; 2) nusižeminęs
ablaze [ə'bleiz] *a* degantis, liepsnojantis
able ['eibl] *a* galintis; gabus; be ~ galėti; **~d** *a* įgalus
aboard [ə' bɔ:d] *prep*: ~ a ship (a train) laive, į laivą (traukinyje, į traukinį)
abolish [ə'bɔliʃ] *v* panaikinti
A-bomb ['eibɔm] *n* atominė bomba
abound [ə'baund] *v* būti pertekus/gausu
about [ə'baut] 1) *prep* apie, po; 2) *adv* maždaug; aplink; apie
above [ə'bʌv] *prep* ant, virš
abrade [ə'breid] *v* nutrinti (*odą*)
abreast [ə'brest] *adv* greta, šalia
abridge [ə'bridʒ] *v* trumpinti, (su)traukti
abroad [ə'brɔ:d] *adv* užsienyje, į užsienį
abrupt [əb'rʌpt] *a* 1) staigus, ūmus; 2) atžarus; **~ly** *adv* staigiai
abscess ['æbses] *med.* abscesas, pūlinys
absence ['æbsəns] *n* nebuvimas
absent ['æbsənt] *a* nesantis; be ~ nedalyvauti; **~minded** ['æbsənt'maindid] *a* išsiblaškęs
absolute ['æbsəlu:t] *a* visiškas; absoliutus; **~ly** *adv* visiškai
absolve [əb'zɔlv] *v* atleisti (*nuo bausmės ir pan.*); išteisinti
absorb [əb'zɔ:b] *v* sugerti

abstain [əb'steın] *v* susilaikyti
abstract ['æbstrækt] 1) *a* abstraktus; 2) *n* santrauka; reziumė
abstruse [əb'stru:s] *a* absurdiškas; kvailas
abundant [ə'bʌndənt] *a* gausus, apstus
abus|e [ə'bju:z] *v* (iš)plūsti, koneveikti; **~ive** plūstamas, užgaulus
academic ['ækə'demık] *a* akademiškas, akademinis; **~ian** [ə'kædə'mıʃn] *n* akademikas
academy [ə'kædəmı] *n* akademija
accelerate [ək'seləreıt] *v* (pa)greitinti
accent ['æksənt] *n* 1) akcentas; 2) kirtis
accept [ək'sept] *v* priimti; **~able**, **~ed** priimtinas
accident ['æksıdənt] *n* atsitikimas; avarija; by ~ atsitiktinai; **~al** ['æksı'dentl] *a* atsitiktinis
accommodate [ə'kɔmədeıt] *v* (*laikinai*) apgyvendinti
accommodation [ə'kɔmə'deıʃn] *n* (*laikinas*) apgyvendinimas
accompany [ə'kʌmpənı] *v* 1) *muz.* lydėti
accordance [ə'kɔ:dəns] *n*: in ~ with pagal, sutinkamai su
according [ə'kɔ:dıŋ] (to) *prep* pagal; **~ly** *adv* atitinkamai
accordion [ə'kɔ:dıən] *n* akordeonas
account [ə'kaunt] *n* 1) ataskaita; 2) sąskaita (*banke*); *v*: to ~ for paaiškinti (*ką kuo*); ◊to take smth into ~ atsižvelgti (*į ką*); **~able** [ə'kauntəbl] *a* 1) atsakingas; 2) atskaitingas
accountant [ə'kauntənt] *n* buhalteris
accumulate [ə'kju:mjuleıt] *v* kaupti(s), (su)kaupti
accura|cy ['ækjurəsı] *n* tikslumas; **~te** ['ækjurət] *a* tikslus
accuse [ə'kju:z] *v* kaltinti
accustomed [ə'kʌstəmd] *a* įpratęs
ache [eık] *n* skausmas; *v* skaudėti
achieve [ə'tʃi:v] *v* pasiekti; **~ment** *n* pasiekimas, laimėjimas
acid ['æsıd] *n* rūgštis
acknowledge [ək'nɔlıdʒ] *v* 1) pripažinti; 2) patvirtinti (*ką gavus*); **~ment** *n* 1) pripažinimas; 2) patvirtinimas
acorn [ə'kɔ:n] *n* (*ąžuolo*) gilė
acoustic [ə'ku:stık] *a* garso, akustinis
acquaint [ə'kweınt] *v*: be ~ed with būti pažįstamam; get ~ed susipažinti

acquaintance [ə'kweɪntəns] *n* 1) pažįstamas; 2) pažintis
acquire [ə'kwaɪə] *v* į(si)gyti
acre ['eɪkə(r)] *n* akras
acrobat ['ækrəbæt] *n* akrobatas
across [ə'krɔs] *prep* per: a bridge ~ the river tiltas per upę; ~ the river kitoje upės pusėje; *adv* skersai: three meters across trys metrai skersai
act [ækt] *n* veiksmas, aktas; poelgis; *v* veikti; elgtis
acting ['æktɪŋ] *n* vaidyba; *a* 1) veikiantis; 2) (*laikinai*) einantis pareigas
action ['ækʃn] *n* 1) veiksmas ; 2) *polit*. akcija
activ|e ['æktɪv] *a* aktyvus; **~ity** *n* 1) aktyvumas; 2) *pl* veikla
actor ['æktə] *n* aktorius
actress ['æktrɪs] *n* aktorė
actual ['æktʃuəl] *a* faktiškas; **~ly** *adv* faktiškai; iš tiesų
A. D. ['ei'di:] (*lot*. **Anno Domini**) *sutr*. po Kristaus gimimo
ad [æd] *n sutr*. skelbimas (*iš* **advertisement**)
adapt [ə'dæpt] *v* pritaikyti (*to*); adaptuoti
add [æd] *v* pridėti; ~ up sudėti; **~ition** [ə'dɪʃn] *n* sudėtis; ◊ in ~ition to be to; dar
adder ['ædə] *n* 1) gyvatė; 2) *amer*. žaltys
address [ə'dres] *n* adresas; *v* adresuoti; kreiptis; **~ee** ['ædre'si:] *n* adresatas
adequate ['ædɪkwət] *a* tinkamas, adekvatus
adherent [əd'hɪərənt] *n* šalininkas, sekėjas
adjective ['ædʒɪktɪv] *n* būdvardis
administer [əd'mɪnɪstə] *v* valdyti; tvarkyti (*reikalus*); 2) vykdyti (*teisingumą*)
administration [əd'mɪnɪ'streɪʃn] *n* administracija
admiral ['ædmərəl] *n* admirolas
admiration ['ædmə'reɪʃn] *n* žavėjimasis
admire [əd'maɪə] *v* žavėtis, grožėtis
admission [əd'mɪʃn] *n* 1) įleidimas; įėjimas; 2) *pl* priėmimas, stojimas (*į mokyklą ir pan*.)
admit [əd'mɪt] *v* leisti, priimti; **~tance** *n* leidimas įeiti
adolescent ['ædə'lesnt] *n* paauglys
adopt [ə'dɔpt] *v* 1) įvaikinti; 2) paskolinti (*žodį*); priimti
adorable [ə'dɔ:rəbl] *a* žavus
adore [ə'dɔ:] *v* garbinti
adorn [ə'dɔ:n] *v* (pa)puošti; pagražinti
adult ['ædʌlt] *n, a* suaugęs
advance [əd'va:ns] *n* pažanga; *v* eiti į priekį; daryti pažangą;

~d *a* pažangus
advantage [əd'va:ntɪdʒ] *n* pranašumas; to take ~ of smth pasinaudoti kuo
adventure [əd'ventʃə] *n* nuotykis; ~ story nuotykių romanas
adventurous [əd'ventʃərəs] *a* nuotykingas
adverb ['ædvə:b] *n* prieveiksmis
advertise ['ædvətaɪz] *v* 1) skelbti; 2) reklamuoti; **~ment** [əd'və:tɪsmənt] *n* 1) skelbimas; 2) reklama
advice [əd'vaɪs] *n* patarimas (*t.p.* a piece of ~)
advis|e [əd'vaɪz] *v* patarti; **~er** *n* patarėjas, konsultantas
aerial ['ɛərɪəl] *n* antena
aerobics [ɛə'rəubɪks] *n* aerobika
aerodrome ['ɛərədrəum] *n* aerouostas
aeroplane ['ɛərəpleɪn] *n* lėktuvas
affair [ə'fɛə] *n* reikalas, dalykas
affect [ə'fekt] *v* paveikti, (su) jaudinti
affection [ə'fekʃn] *n* meilė; **~ate** [ə'fekʃənət] *a* meilus; yours affectionately (*laiško pabaigoje*) Jus mylintis
afford [ə'fɔ:d] *v* leisti sau, (iš)galėti
afloat [ə'fləut] *a* plaukiantis, plūduriuojantis
afraid [ə'freɪd] *a* išgąsdintas; be ~ (of) bijoti
Africa ['æfrɪkə] *n* Afrika; **~n** *n* afrikietis; *a* Afrikos, afrikiečių
after ['a:ftə] *prep* 1) po; 2) pagal, po to, kai; ◊ ~ all vėliau, pagaliau
afternoon ['a:ftə'nu:n] *n* popietė; good ~! Labą dieną!
afterwards ['a:ftəwədz] *adv* po to; vėliau
again [ə'gen] *adv* vėl; once ~ dar kartą
against [ə'genst] *prep* prieš
age [eɪdʒ] *n* amžius; for ~s labai seniai, "šimtas metų"
aged [eɪdʒd] *a* sulaukęs (*kokio*) amžiaus: I met her son ~ 10 sutikau jos dešimtmetį sūnų
agency ['eɪdʒənsɪ] *n* agentūra; travel ~ kelionių biuras
agent ['eɪdʒənt] *n* 1) agentas; 2) veiksnys
agitate ['ægɪteɪt] *v* 1) agituoti; 2) jaudinti; 3) (su)plakti
aggressive [ə'gresɪv] *a* agresyvus
ago [ə'gəu] *adv* prieš (tai); long ~ seniai
agony ['ægənɪ] *n* agonija
agree [ə'gri:] *v* sutikti, sutarti;

~able *a* malonus; **~ment** n 1) sutartis; 2) sutikimas
agricultural ['ægrɪ'kʌltʃərəl] *a* žemės ūkio
agriculture ['ægrɪkʌltʃə] *n* žemės ūkis
aground [ə'graund] *adv* ant seklumos
ahead [ə'hed] *adv* priešakyje; pirmyn
aid [eɪd] *n* pagalba; *v* padėti; first ~ pirmoji pagalba
aim [eɪm] *n* tikslas; *v* taikyti (į); **~less** betikslis
air [ɛə(r)] *n* oras; by ~ lėktuvu; *v* vėdinti
air-conditioner ['ɛəkən'dɪʃnə] *n* oro kondicionierius
aircraft ['ɛəkra:ft] *n* lėktuvai; aviacija; **~carrier** *n* lėktuvnešis
airfield ['ɛəfi:ld] *n* aerodromas
airforce ['ɛəfɔ:s] *n* karinės oro pajėgos
air-hostess ['ɛəhəustis] *n* stiuardesė
airlin|e ['ɛəlaɪn] *n* oro linija; **~er** reisinis lėktuvas
airmail ['ɛəmeɪl] *n* oro paštas
airman ['ɛəmən] *n* (*pl* **airmen**) lakūnas
airplane ['ɛəpleɪn] *n* *amer.* lėktuvas
airport ['ɛəpɔ:t] *n* oro uostas
airways ['ɛəweɪz] *n* *pl* oro linijos
aisle [aɪl] *n* tarpas tarp suolų eilių
ajar [ə'dʒa:] *a* praviras
alarm [ə'la:m] *n* aliarmas; *v* skelbti aliarmą; **~-clock** [-klɔk] *n* žadintuvas; **~ed** *a* išsigandęs, sunerimęs
alas [ə'læs] *int* deja!
Albanian [əl'eɪnɪə] *n* Albanija; **~n** *a* albanietis, -ė
album ['ælbəm] *n* albumas
alcohol ['ælkəhɔl] *n* alkoholis
ale [eɪl] *n* (*šviesus*) alus
alert [ə'lə:t] *a* budrus
algebra ['ældʒɪbrə] *n* algebra
alibi ['ælɪbaɪ] *n* alibi
alien ['eɪlɪən] *n* svetimšalis
alight [ə'laɪt] *a* degantis; šviečiantis; *v* nulipti, išlipti
alike [ə'laɪk] *a* panašus; *adv* taip pat, panašiai
alive [ə'laɪv] *a* gyvas
all [ɔ:l] *pron* visas, visi; ~ along visą laiką; ◊ above ~ svarbiausia
allergy ['ælədʒɪ] *n* alergija
alley ['ælɪ] *n* siaura gatvelė; alėja (*parke*)
alliance [ə'laɪəns] *n* sąjunga
allied ['ælaɪd] *a* artimas, susijęs (*to*)
alligator ['ælɪgeɪtə(r)] *n* aligatorius

allot [ə'lɔt] *v* skirti, duoti
allow [ə'lau] *v* leisti; sutikti
allowance [ə'lauəns] *n* pašalpa, pinigai išlaikymui
all-right ['ɔ:l'raɪt] *a* geras; *adv* gerai, puikiai
all-round ['ɔ:lraund] *a* visapusiškas; universalus
ally ['ælaɪ] *n* sąjungininkas; *v* [ə'laɪ] jungtis; sudaryti sąjungą
almost ['ɔ:lməust] *adv* beveik
alone [ə'ləun] *a* vienas, vienišas; leave ~ ['li:v ə'ləun] palikti ramybėje; *adv* 1) tik; 2) vienam
along [ə'lɔŋ] *prep* išilgai; *adv* kartu; come ~ eime drauge; ◊ all ~ visą laiką; ~side *prep* greta, šalia
aloof [ə'lu:f] *a* esantis toliau/nuošaliau
aloud [ə'laud] *adv* garsiai; balsiai
alphabet ['ælfəbet] *n* abėcėlė
already [ɔ:l'redɪ] *adv* jau
also ['ɔ:lsəu] *adv* taip pat; irgi
altar ['ɔ:ltə(r)] *n* 1) altorius; 2) *perk*. aukuras
alter ['ɔ:ltə] *v* keisti(s); **~ation** *n* pokytis
alternate [ɔ:l'tə:nət] *a* besikeičiantis (*paeiliui*), kintamas
alternative [ɔ:l'tə:nətɪv] *a* alternatyvus; *n* alternatyva
although [ɔ:l'ðəu] *conj* nors
altogether ['ɔ:ltə'geðə] *adv* iš viso; visai
always ['ɔ:lwəz] *adv* visada
am [æm, əm] esu; *vksmž*. **be** *esamojo laiko vnsk. 1 asmuo*
a.m. ['ei'em] *sutr*. priešpiet
amalgamat|ed [ə'mælgəmeɪtɪd] *a* jungtinis; **~ion** [ə'mælgə'meɪʃn] *n* su(si)jungimas
amateur ['æmətə] *n* mėgėjas, neprofesionalas
amass [ə'mæs] *v* rinkti, kaupti
amaz|e [ə'meɪz] *v* (nu)stebinti; **~ing** *a* stebinantis
ambassador [æm'bæsədə] *n* ambasadorius
amber ['æmbə] *n* gintaras
ambiguous [æm'bɪgjuəs] *a* dviprasmiškas
ambition [æm'bɪʃn] *n* (*garbės ir pan.*) troškimas; siekimas
ambulance ['æmbjuləns] *n* greitosios pagalbos automobilis
ambush ['æmbuʃ] *n* pasala
America [ə'merɪkə] *n* Amerika; **~n** [-n] *n* amerikietis, -ė; *a* Amerikos; amerikiečių
among [ə'mʌŋ], **amongst** [ə'mʌŋst] *prep* tarp (*dauge-*

lio)
amount [ə'maunt] *n* kiekis; suma
ample ['æmpl] *a* 1) erdvus; 2) gausus
amplifier ['æmplıfaıə] *n* stiprintuvas (*garso*)
amuse [ə'mju:z] *v* linksminti; **~ing** *a* linksmas; **~ment** *n* pasilinksminimas
an [ən] *nežymimasis artikelis*; *žr*. **A**
anaesthetic ['ænıs'θetık] *n* nuskausminantis vaistas, anestetikas
analys|e ['ænəlaız] *v* analizuoti, nagrinėti; **~is** [ə'nælısıs] *n* (*pl*~yses[-əsi:z]) analizė
analogy [ə'nælədʒı] *n* analogija
ancestor ['ænsəstə] *n* protėvis, senolis
anchor ['æŋkə(r)] *n* inkaras
ancient ['eınʃənt] *a* senovinis
and [ənd] *cj* ir; o; ~ so on ir taip toliau
angel ['eındʒəl] *n* angelas
anger ['æŋgə] *n* pyktis
angle I ['æŋgl] *n* kampas
angle II ['æŋgl] *v* meškerioti
angry ['æŋgrı] *a* piktas, supykęs; be ~ pykti; get ~ supykti
animal ['ænıml] *n* 1) gyvulys; 2) gyvas padaras; gyvūnas
ankle ['æŋkl] *n* kulkšnis
anniversary ['ænı'və:sərı] *n* metinės, jubiliejus
announce [ə'nauns] *v* paskelbti; **~r** diktorius
annoy [ə'nɔı] *v* (su)pykinti, suerzinti
annual ['ænjuəl] *a* metinis
another [ə'nʌðə] *a* kitas; dar (*vienas*)
answer ['a:nsə] *v* atsakyti; *n* atsakymas
ant [ænt] *n* skruzdėlė
antarctic [æn'ta:ktık] *a* Pietų ašigalio, antarktinis
antilope ['æntıləup] *n* antilopė
anthem ['ænθəm] *n* himnas
anticipate [æn'tısıpeıt] *v* tikėtis, laukti
antique [æn'ti:k] *a* senovinis; *n* (*vertinga*) seniena
anxiety [æŋ'zaıətı] *n* susirūpinimas, nerimas
anxious ['æŋkʃəs] *a* susirūpinęs (*for, about*)
any ['enı] *pron* kas nors; koks nors; bet kuris; Have you ~ bread? – No, I have not any bread. Ar turi duonos? – Ne, neturiu duonos.
anybody ['enıbɔdı] *pron* (*apie asmenį*) kas nors, bet kas
anyhow ['enıhau] *adv* šiaip ar taip; vis tiek
anyone ['enıwʌn] *pron* (*apie asmenį*) kas nors, bet kas

anything ['enɪθɪŋ] *pron* (*apie daiktą*) kas nors; bet kas
anyway ['enɪweɪ] *adv žr.* **anyhow**
anywhere ['enɪwɛə] *adv* kur nors; bet kur
apart [ə'pa:t] *adv* atskirai; pavieniui; s e t ~ išskirti (*from*); atskirti
apartment [ə'pa:tmənt] *n* (*ypač amer.*) butas
ape [eɪp] *n* beždžionė
apolog|ize [ə'pɔlədʒaɪz] *v* atsiprašyti; **~y** *n* atsiprašymas
apostrophe [ə'pɔstrəfɪ] *n* apostrofas
apparent [ə'pærənt] *a* aiškus, matomas; **~ly** aiškiai; matyt
appeal [ə'pi:l] *n* kreipimasis; *v* kreiptis
appear [ə'pɪə] *v* pasirodyti, rodytis; **~ance** [-rəns] *n* pasirodymas; išvaizda
appendicitis [ə'pendɪ'saɪtɪs] *n med.* apendicitas
appetite ['æpɪtaɪt] *n* apetitas
appetiz|er ['æpɪtaɪzə(r)] *n* šaltas užkandis (*apetitui sužadinti*); **~ing** sukeliantis apetitą, skanus
applaud [ə'plɔ:d] *v* ploti (*delnais*)
applause [ə'plɔ:z] *n sg* plojimai
apple ['æpl] *n* obuolys
appliance [ə'plaɪəns] *n* prietaisas
applicant ['æplɪkənt] *n* prašytojas, pretendentas
application ['æplɪ'keɪʃn] *n* 1) (pri)taikymas; 2) prašymas
apply [ə'plaɪ] *v* 1)(pri)taikyti; 2) kreiptis su prašymu, prašyti
appoint [ə'pɔɪnt] *v* (pa)skirti (kuo); **~ment** *n* 1) paskyrimas (*į tarnybą*); 2) pasimatymas
appreciate [ə'pri:ʃɪeɪt] *v* 1) vertinti; suprasti (*vertę*); 2) skirti
appreciation [ə'pri:ʃɪ'eɪʃn] *n* įvertinimas, pripažinimas
apprentice [ə'prentɪs] *n* amatininko mokinys
approach [ə'prəutʃ] *v* artėti, prisiartinti; *n* 1) artėjimas; 2) požiūris, būdas
appropriate [ə'prəuprɪət] *a* tinkamas; *v* [-eɪt] savintis
approval [ə'pru:vl] *n* pritarimas
approve [ə'pru:v] *v* 1) pritarti; 2) patvirtinti
approximate [ə'prɔksɪmət] *a* apytikris
apricot ['eɪprɪkɔt] *n* abrikosas
April ['eɪprəl] *n* balandis
apron ['eɪprən] *n* 1) prijuostė; 2) avanscena
apt [æpt] *a* 1) linkęs; 2) gabus; 3) tinkamas, vykęs; **~itude**

['æptɪtju:d], **~ness** 1) polinkis; 2) gabumas
Arab ['ærəb] *n* arabas; **~ic** [ə'ræbɪk] *a* arabų, arabiškas
arable ['ærəbl] *a* ariamas; *n* arimas
arc [a:k] *n* 1) arka, skliautas; 2) *geom.* lankas
arch [a:tʃ] *n* arka; lankas
archaic [ɑ:'keɪɪk] *a* pasenęs; archaiškas
archbishop ['a:tʃ'bɪʃəp] *n* archivyskupas
archeology ['a:kɪ'ɔlədʒɪ] *n* archeologija
architect ['a:kɪtekt] *n* architektas
architecture ['a:kɪtektʃə] *n* architektūra
Arctic ['a:ktɪk] *n* Arktika
ardent ['ɑ:dənt] *a* aistringas, karštas
are [a:] esame, esate, yra (*vksmž.* **be** *esamojo laiko dgsk.*)
area ['ɛərɪə] *n* plotas; rajonas
aren't [a:nt] = **are not**
Argentin|a [ɑ:dʒənti:nə] *n* Argentina; **~ian** *n* argentinietis
argue ['a:gju:] *v* ginčytis
argument ['a:gjumənt] *n* 1) argumentas; 2) ginčas
arise [ə'raɪz] *v* **arose** [ə'rəuz]; **arisen** [ə'rɪzn]) kilti, išplaukti
aristocracy ['ærɪ'stɔkrəsɪ] *n* aristokratija
aristocrat ['ærɪstɔkræt] *n* aristokratas
arithmetic [ə'rɪθmətɪk] *n* aritmetika
arm [a:m] *n* 1) ranka (*nuo plaštakos iki peties*); 2) ginklai; *v* ginkluotis; **~-chair** [-tʃɛə] *n* fotelis; **~ed** *a* ginkluotas
Armenia [ɑ:mi:nɪə] *a* Armėnija; **~n** armėnų, armėniškas; *n* 1) armėnas, -ė, 2) armėnų kalba
armful [ɑ:mful] *n* glėbys (of - *ko*)
armistice ['ɑ:mɪstɪs] *n* paliaubos
armpit ['ɑ:mpɪt] *n* pažastis
armour ['a:mə(r)] *n* šarvai
army ['a:mɪ] *n* kariuomenė
arose *žr.* **arise**
around [ə'raund] *prep* aplink, apie; *adv* aplink; a l l ~ visur
arouse [ə'rauz] *v* sukelti, sužadinti
arrange [ə'reɪndʒ] *v* rengti, organizuoti; tvarkyti; **~ment** *n* 1) susitarimas; 2) rengimas (*koncerto ir pan.*); *pl* rengimasis
arrest [ə'rest] *n* areštas; *v* 1) areštuoti; 2) patraukti (*dėmesį*)
arrival [ə'raɪvl] *n* atvykimas
arrive [ə'raɪv] *v* atvykti, atvažiuoti (at), ateiti

arrogant ['ærəgənt] *a* arogantiškas, išdidus
arrow ['ærəu] *n* strėlė
art [a:t] *n* menas
artful ['ɑ:tfəl] *a* gudrus, apgaulingas
artifact ['a:tıfækt] *n* primityvaus žmogaus pagamintas daiktas
article ['a:tıkl] *n* 1) artikelis; 2) straipsnis; 3) daiktas, prekė
artificial ['a:tı'fıʃl] *a* dirbtinis
artisan ['a:tı'zæn] *n* amatininkas
artist ['a:tıst] *n* menininkas; tapytojas; **~ic** [a:'tıstık] *a* artistiškas
as [əz, æz] *cj* kaip; kai; kadangi; ~... ~ taip pat ... kaip ir ...; ~ well taip pat; ~ if/ though lyg, tarytum; *adv* kaip, kaip antai
ascend [ə'send] *v* kilti (*į viršų*)
ascent [ə'sent] *n* kilimas (*aukštyn*); kopimas
ash [æʃ] *n* pelenai
ashamed [ə'ʃeımd] *a* susigėdęs
ashore [ə'ʃɔ:] *adv* ant kranto, į krantą
ash-tray ['æʃtreı] *n* peleninė
Asia ['eıʃə] *n* Azija; **~n** ['eıʃn] *a* Azijos; azijiečių; *n* azijietis
aside [ə'saıd] *adv* į šalį
ask [a:sk] *v* 1) klausti; 2) (*for*) prašyti (*ko*)
asleep [ə'sli:p] *a* miegantis; be ~ miegoti; fall ~ užmigti
aspect ['æspekt] *n* atžvilgis, aspektas
aspirin ['æspərın] *n* aspirinas
ass [æs] *šnek.* asilas, kvailys
assassin [ə'sæsın] *n* samdytas žudikas; **~ate** [-eıt] *v* nužudyti; **~ation** [ə'sæsı'neıʃn] *n* nužudymas
assault [ə'sɔ:lt] *n* užpuolimas; *v* užpulti
assemble [ə'sembl] *v* 1) su(si)rinkti, sušaukti; 2) montuoti
assembly [ə'semblı] *n* susirinkimas, asamblėja
assert [ə'sə:t] *v* tvirtinti, pareikšti
assist [ə'sıst] *v* padėti (*kam*); **~ance** *n* pagalba; **~ant** [-ənt] *n* pagalbininkas, padėjėjas
associat|e [ə'səuʃıeıt] *v* 1) bendrauti; 2) sieti(s); **~ion** [ə'səuʃı'eıʃn] *n* asociacija
assorted [ə'sɔ:tıd] *a* įvairiarūšis
assortment [ə'sɔ:tmənt] *n* asortimentas
assume [ə'sju:m] *v* 1) prisiimti (*atsakomybę*); 2) manyti, tarti
assurance [ə'ʃuərəns] *n* 1) tikrumas; 2) draudimas; 3) patikinimas

assure [ə'ʃuə(r)] *v* patikinti
astonish [ə'stɔnɪʃ] *v* stebinti; **~ment** *n* nustebimas
astound [ə'staund] *v* apstulbinti
astride [ə'straɪd] *a, adv* raitomis
astrological ['æstrə'lɔdʒɪkl] *a* astrologinis
astronaut ['æstrənɔ:t] *n* astronautas
astronomer [ə'strɔnəmə] *n* astronomas
astronomy [ə'strɔnəmɪ] *n* astronomija
at [ət; æt] *prep* 1) (*nurodant vietą*) prie: ~ the door prie durų; 2) *žymint laiką*: ~ 5 o'clock 5 valandą; ~ Christmas per Kalėdas
ate *žr.* **eat**
athlete ['æθli:t] *n* atletas, sportininkas
athletic [æθ'letɪk] *a* atletiškas; **~s** *n* lengvoji atletika
Atlantic [ət'læntɪk] *a* Atlanto; *n* (the ~) Atlanto vandenynas
atlas ['ætləs] *n* atlasas
atmosphere ['ætməsfɪə] *n* atmosfera
atom ['ætəm] *n* atomas; **~ic** [ə'tɔmɪk] *a* atominis
attach [ə'tætʃ] *v* 1) prijungti; pridėti; 2) priskirti; **~ment** *n* 1) prisirišimas (*to*); 2) pri(si)jungimas, pri(si)dėjimas
attack [ə'tæk] *n* puolimas; *v* pulti; **~er** *n* užpuolėjas
attempt [ə'tempt] *v* bandyti; mėginti; *n* bandymas
attend [ə'tend] *v* lankyti; dalyvauti; **~ant** [-ənt] *n* 1) patarnautojas; 2) palydovas
attention [ə'tenʃn] *n* dėmesys; pay ~ (to) kreipti dėmesį
attentive [ə'tentɪv] *a* dėmesingas, atidus
attic ['ætɪk] *n* mansarda
attitude ['ætɪtju:d] *n* nuostata, pažiūra, požiūris
attract [ə'trækt] *v* patraukti; pritraukti; **~ion** *n* 1) traukimas; potraukis (*to*); 2) patrauklumas; **~ive** *a* patrauklus
auction ['ɔ:kʃn] *n* varžytinės, aukcionas
audible ['ɔ:dɪbl] *a* girdimas
audience ['ɔ:dɪəns] *n* auditorija, publika, klausytojai
August ['ɔ:gəst] *n* rugpjūtis
aunt [a:nt] *n* teta
aurally ['ɔ:rəlɪ] *adv* iš klausos
austere [ɔ:'stɪə] *a* griežtas, rūstus
Australia [ɔ'streɪlɪə] *n* Australija; **~n** *a* Australijos, australų; *n* australas, -ė
Austria [ɔstrɪə] *n* Austrija; **~n** *a* austrų, austriškas; *n*

austras, -ė
author ['ɔ:θə(r)] *n* autorius; rašytojas
authority [ɔ:'θɔrətɪ] 1) autoritetas; 2) valdžia; *pl* (**authorities**) valdžios įstaigos/organai
autobiography ['ɔ:təbaɪ'ɔgrəfɪ] *n* autobiografija
autograph ['ɔ:təgra:f] *n* autografas
automat|ic ['ɔ:tə'mætɪk] *a* automatinis; **~ion** ['ɔ:tə'meɪʃn] *n* automatika
autumn ['ɔ:təm] *n* ruduo
auxitiary [ɔ:g'zɪlɪərɪ] *a* pagalbinis (*ir gram.*)
available [ə'veɪləbl] *a* turimas, esamas; gaunamas
avenue ['ævənju:] *n* prospektas; alėja
average ['ævərɪdʒ] *a* vidutinis; *n* vidurkis; o n a n ~ vidutiniškai
avert [ə'və:t] *v* 1) nukreipti; 2) išvengti
aviation ['eɪvɪ'eɪʃn] *n* aviacija
avoid [ə'vɔɪd] *v* vengti; išsisukinėti
await [ə'weɪt] *v* laukti
awake [ə'weɪk] *v* (**awoke** [ə'weuk]; **awoken**) 1) (pa) žadinti; 2) pabusti
awaken [ə'weɪkən] *v* = **awake**; **~ing** *n* pabudimas; (*perk. t. p.*) praregėjimas
award [ə'wɔ:d] *n* apdovanojimas, premija; *v* apdovanoti, premijuoti
aware [ə'wɛə] *a* žinantis
away [ə'weɪ] *adv* šalin, į šalį
awe [ɔ:] *n* (*pagarbi*) baimė
awful ['ɔ:fəl] *a* baisus
awkward ['ɔ:kwəd] *a* 1) nepatogus, nejaukus; 2) nerangus
awl [ɔ:l] *n* yla
awoke, awoken *žr.* **awake**
ax, axe [æks] *n* kirvis
axiom ['æksɪəm] *n* aksioma
axis ['æksɪs] *n* ašis (*pl* axes [-si:z])
axle ['æksl] *n* *tech*. ašis
ay [aɪ] balsas "už"; *šnek*. taip
Azerbaijan ['ærəbaɪ'dʒɑ:n] *n* Azerbaidžianas; **~i** [-ɪ] *n* azerbaidžianietis
azure ['æʒə] *a* žydras; *n* žydruma

B

B, b [bi:] *n* *muz*. nata "si"
baa [ba:] *n* avių bliovimas; *v* bliauti (*apie avis*)
baby ['beɪbɪ] *n* (*pl* **babies**) kūdikis
babysit ['beɪbɪsɪt] *v* (**babysat** [-sæt]) prižiūrėti kūdikį (*kai tėvai išvykę*)

bachelor ['bætʃələ] *n* 1) viengungis; 2) bakalauras (*mokslinis laipsnis*)
bacilli [bə'sılaı] *n pl* bakterijos (*sg* **bacillus** [bə'sıləs])
back [bæk] *n* nugara; *a, attr* užpakalinis; *adv* atgal; come ~ sugrįžti
backbone ['bækbəun] *n* 1) stuburas; 2) *perk.* atrama, pagrindas
background ['bækgraund] *n* 1) fonas; antrasis planas; 2) kilmė, išsilavinimas
backward ['bækwəd] *a* atsilikęs; **~s** *adv* atgal; atbulomis
bacon ['beıkən] *n* bekonas
bad [bæd] *a* (**worse** [wə:s]; **the worst** [...wə:st]) blogas, prastas; *adv* blogai, prastai
badge [bædʒ] *n* 1) ženklelis; 2) ženklas, požymis (of - *ko*)
bag [bæg] *n* maišas; krepšys; portfelis
baggage ['bægıdʒ] *amer.* bagažas (*ir perk.*)
baggy ['bægı] *a* kabantis (*apie drabužį*)
bagpipes ['bægpaıps] *n pl* dūdmaišis
bail [beıl] *n* užstatas, laidas
bait [beıt] *n* masalas, jaukas
bake [beık] *v* kepti; **~r** *n* kepėjas; **~ry** [-ərı] *n* kepykla
balance ['bæləns] *n* pusiausvyra; balansas; *v* balansuoti, išlaikyti pusiausvyrą
balcony ['bælkənı] *n* balkonas
bald [bɔ:ld] *a* plikas
bale I [beıl] *n* ryšulys
bale II *v*: ~ out iššokti su parašiutu
ball I [bɔ:l] *n* kamuolys
ball II *n* puota, balius
ballerina ['bælə'ri:nə] *n* balerina
ballet ['bæleı] *n* baletas
balloon [bə'lu:n] *n* balionas
ballot ['bælət] *n* 1) slaptas balsavimas; 2) biuletenis
ballot-box ['bælətbɔks] *n* balsadėžė
ballpoint ['bɔ:lpɔınt] *n* šratinukas
Baltic ['bɔ:ltık] *a*: the ~ (Sea) Baltijos jūra
ban [bæn] *v* uždrausti
banana [bə'na:nə] *n* bananas
band [bænd] *n* 1) raištis, kaspinas; juosta; 2) orkestras
bandage ['bændıdʒ] *n* tvarstis; *v* aptvarstyti
bandit ['bændıt] *n* banditas
bang [bæŋ] *n* trenksmas; *int.* bumpt! *v* trenkti
bangle ['bæŋgl] *n* apyrankė
banish ['bænıʃ] *v* ištremti iš šalies
banisters ['bænıstəz] *n pl*

laiptų turėklai
banjo ['bændʒəu] *n* bandža (*muzikos instrumentas*)
bank I [bæŋk] *n* (*upės*) krantas
bank II *n* bankas; **~er** bankininkas; **~note** [-nəut] *n* banknotas; **~rupt** [-rʌpt] *a* bankrutavęs; *n* subankrutavęs asmuo; **~ruptcy** [-rʌpsɪ] *n* bankrotas
banner ['bænə(r)] *n* transparantas
banquet ['bæŋkwɪt] *n* banketas
bar I [ba:] *n* 1) gabalas (*muilo*); plytelė (*šokolado*); 2) kliūtis; *sport*. kartelė; 3) *muz*. taktas; 4) ;(the ~s) advokato profesija; *v* užtverti
bar II *n* baras, užkandinė
barbed [ba:bd] *a* spygliuotas; **~wire** *n* spygliuota viela
barber ['ba:bə] *n* (*vyrų*) kirpėjas
bare [bɛə] *a* nuogas, plikas; **~foot** [-fut] *n* basas
bargain ['ba:gɪn] *v* derėtis; *n* sandoris, derybos
barge [ba:dʒ] *n* barža
bark I [ba:k] *n* žievė; *v* nulupti žievę
bark II *v* loti
barley ['ba:lɪ] *n* miežiai
barely ['bɛəlɪ] *adv* vos
barn [ba:n] *n* klojimas, daržinė
barometer [bə'rɔmɪtə] *n* barometras
barracks ['bærəks] *n* barakai; kareivinės
barrel ['bærəl] *n* 1) statinė; 2) (*šautuvo*) vamzdis; 3) barelis
barren ['bæren] *n* nederlingas; tuščias
barricade ['bærɪ'keɪd] *n* barikada
barrier ['bærɪə] *n* barjeras, užkarda
barrow ['bærəu] *n* karutis, vežimėlis
base [beɪs] *n* bazė, pagrindas; *v* pagrįsti (on, upon)
baseball ['beɪsbɔ:l] *n* beisbolas
basement ['beɪsmənt] *n* pusrūsis, rūsys
bash [bæʃ] *v* smogti
bashful ['bæʃfəl] *a* nedrąsus, drovus
basic ['beɪsɪk] *a* pagrindinis; **~ally** [-ɪklɪ] *adv* iš esmės
basin ['beɪsn] *n* 1) dubuo; 2) baseinas
basis ['beɪsɪs] *n* (*pl* **bases** ['beɪsi:z]) pagrindas
bask [ba:sk] *v* šildytis saulėje
basket ['ba:skɪt] *n* pintinė, krepšys; **~ball** [-bɔ:l] *n* krepšinis
bass [beɪs] *muz*. *a* bosinis; *n* bosas

bat [bæt] *n* 1) lazda, kuoka; 2) raketė
batch [bætʃ] *n* partija (*pvz., duonos, bandelių*)
bath [ba:θ] *n* 1) vonia; 2) maudymasis (*vonioje*); **~e** [beɪð] *n* maudymasis; *v* maudyti(s); **~ing-suit** ['beɪðɪŋsu:t] *n* maudymosi kostiumas; **~room** [-rum] *n* vonia (*kambarys*)
batter ['bætə] *v* plakti, mušti
battery ['bætərɪ] *n el., kar.* baterija
battle ['bætl] *n* mūšis, kova; *v* kautis
bawl [bɔ:l] *v* rėkti, rėkauti
bay I [beɪ] *n* įlanka, įlankėlė; užutėkis
bay II *v* loti; *n* lojimas
bay III *n* 1) niša; 2) *archit.* švieslangis
bay IV *a* bėras; *n* bėris
bazaar [bə'za:] *n* turgus
B.C. ['bi:'si:] (*sutr. iš* **before Christ**) prieš Kristaus gimimą
be [bi:] *v* (**was** [wəz, wɔz], **were** [wə:]; **been** [bi:n]) 1) būti; 2) *pagalb. veiksmažodis sudarant neveik. rūšies ir Continuous laikus*
beach [bi:tʃ] *n* paplūdimys, pliažas
beacon ['bi:kən] *n* švyturys (*ir perk.*)
bead [bi:d] *n* karoliukas (*vėrinio*); **~ed** *a* papuoštas karoliais
beak [bi:k] *n* (*paukščio*) snapas
beam [bi:m] *n* 1) rąstas; 2) spindulys; 3) maloni šypsena; *v* džiugiai šypsotis, spindėti
bean [bi:n] *n* pupa
bear I [bɛə] *n* 1) meška, lokys; 2) the Great (Little) B. Didieji (Mažieji) Grįžulo Ratai; 3) biržos spekuliantas
bear II *v* (**bore** [bɔ:]; **born** [bɔ:n]) 1) išlaikyti; pakęsti; gimdyti; 2) nešioti; be born gimti
beard [bɪəd] *n* barzda
beast [bi:st] *n* žvėris
beat [bi:t] *v* (**beat, beaten** ['bi:tn]) 1) mušti, daužyti; 2) plakti; 3) nugalėti
beautiful ['bju:tɪfəl] *a* gražus; puikus
beauty ['bju:tɪ] *n* 1) grožis; 2) gražuolė
became *žr.* **become**
because [bɪ'kɔz] *cj* kadangi; todėl, kadə; *prep* (~ of) dėl
beckon ['bekən] *v* pamoti, kviesti
become [bɪ'kʌm] *v* (**became** [bɪ'keɪm]; **become**) tapti
becoming [bɪ'kʌmɪŋ] *a* tinkamas, deramas
bed [bed] *n* lova; **~-clothes** [-kləuðz] *n* lovos baltiniai;

~room [-rum] *n* miegamasis (*kambarys*)
bee [bi:] *n* bitė; **~hive** [-haɪv] *n* avilys; **~keeper** [-ki:pə] *n* bitininkas
beef [bi:f] *n* jautiena; **~steak** [-steɪk] *n* bifšteksas
been *žr.* **be**
beer [bɪə] *n* alus
beet [bi:t] *n* burokas; runkelis; **~root** [-ru:t] *n* burokėlis
beetle ['bi:tl] *n* vabalas
before [bɪ'fɔ:] *prep* prieš, priešais; *adv* anksčiau; **~hand** [-hænd] *adv* iš anksto
beg [beg] *v* 1) prašyti, maldauti; 2) elgetauti
began *žr.* **begin**
begin [bɪ'gɪn] *v* (**began** [bɪ'gæn], **begun** [bɪ'gʌn]) pradėti; **~er** *n* pradedantysis; naujokas
beggar ['begə] *n* elgeta
beginning [bɪ'gɪnɪŋ] *n* pradžia
begun *žr.* **begin**
behalf [bɪ'ha:f] *n*: in ~ of (*kieno*) naudai; on ~ of (*kieno*) vardu
behav|e [bɪ'heɪv] *v* elgtis; **~iour** [bɪ'heɪvɪə] *n* elgesys, elgsena
behind [bɪ'haɪnd] *prep* 1) už; 2) paskui; *adv* užpakaly; fall ~ atsilikti
being ['bi:ɪŋ] *n* 1) buvimas; 2) būtybė
Belarus ['bjələ'rus] *n* Baltarusija
belief [bɪ'li:f] *n* įsitikinimas; tikėjimas
believe [bɪ'li:v] *v* 1) tikėti; ~ in God Dievą tikėti; 2) manyti
Belgi|an ['beldʒən] *a* belgiškas, belgų; *n* belgas; **~um** [-əm] *n* Belgija
bell [bel] *n* 1) varpelis, varpas; 2) skambutis
bellow ['beləu] *v* baubti, staugti, bliauti
bellows ['beləuz] *n pl* dumplės
belly ['belɪ] *n* pilvas; skradis
belong [bɪ'lɔŋ] *v* priklausyti (to - *kam*)
Belorussian ['beəu'rʌʃn] *a* baltarusiškas, baltarusių; *n* baltarusis
below [bɪ'ləu] *prep* žemiau; po; *adv* apačioj, žemiau
belt [belt] *n* diržas; juosta
bench [bentʃ] *n* suolas
bend [bend] *v* (**bent** [bent]) 1) lenkti, riesti, linkti; 2) nukreipti; krypti
beneath [bɪ'ni:θ] *prep* po; *adv* apačioje; žemiau
benefit ['benɪfɪt] *v* naudotis, gauti; *n* 1) nauda; 2) pašalpa
bent [bent] *a* sulinkęs; palinkęs; sulenktas
berry ['berɪ] *n* uoga
berth [bə:θ] *n* 1) miegamoji

vieta (*traukinyje*); 2) gultas (*laive*)
beside [bɪ'saɪd] *prep* šalia, prie; **~s** *adv* be to
besiege [be'si:dʒ] *v* apgulti, apsiausti
best [best] *a* geriausias; *adv* geriausiai (*aukšč. laipsnis iš* **good, well**); ◊ ~ m a n *n* vyriausiasis pajaunys
best-known ['best'nəun] *a* žinomiausias
best-seller ['best'selə] *n* bestseleris
bet [bet] *v* eiti lažybų; *n* lažybos
betray [bɪ'treɪ] *v* išduoti (*pvz., tėvynę*); **~al** *n* išdavystė
better ['betə] *a* geresnis; *adv* geriau (*aukštesn. laipsnis iš* **good, well**)
between [bɪ'twi:n] *prep* tarp (*dviejų*)
beware [bɪ'wɛə] *v* ~ o f saugokis (*ko*)
beyond [bɪ'jɔnd] *prep, adv* už, anapus; ~ c o n t r o l nesuvaldomas
bias(s)ed ['baɪəst] *a* šališkas
bib [bɪb] *n* seilinukas
Bible ['baɪbl] *n* biblija
bicycle ['baɪsɪkl] *n* dviratis
big [bɪg] *a* didelis; B i g B e n Didysis Benas (*laikrodis*)
bike [baɪk] *n šnek.* dviratis; motociklas
bill [bɪl] *n* 1) įstatymo projektas; 2) sąskaita
bilingual [baɪ'lɪŋgwəl] *a* dvikalbis
billion ['bɪljən] *num* milijardas
bin [bɪn] *n* 1) dėžė; 2) šiukšlių dėžė
bind [baɪnd] *v* (**bound** [baund]) surišti; įrišti (*knygą*)
binoculars [bɪ'nɔkjuləz] *n* žiūronai
biography [baɪ'ɔgrəfɪ] *n* biografija
biology [baɪ'ɔlədʒɪ] *n* biologija
birch [bə:tʃ] *n* beržas
bird [bə:d] *n* paukštis
birth [bə:θ] *n* gimimas (*ir perk.*); g i v e ~ (pa)gimdyti
birthday ['bə:θdeɪ] *n* gimimo diena; h a p p y ~! su gimtadieniu!
biscuit ['bɪskɪt] *n* sausainis
bishop ['bɪʃəp] *n* vyskupas
bit [bɪt] *n* truputį, nedaug; 2) gabalėlis; kąsnelis; *v žr.* **bite**
bitch [bɪtʃ] *n* kalė
bite [baɪt] *v* (**bit** [bɪt]; **bitten** ['bɪtn]) kąsti
bitten *žr.* **bite**
bitter ['bɪtə] *a* kartus
black [blæk] *a* juodas; **~berry** [-bərɪ] *n* gervuogė; **~bird** [-bə:d] *n* strazdas; **~board** [-bɔ:d] *n* (*klasės*) lenta

blacken ['blækən] *v* juodinti
blackmail ['blækmeɪl] *n* šantažas
blacksmith ['blæksmɪθ] *n* kalvis
bladder ['blædə] *n* 1) (*sviedinio*) kamera; 2) *anat*. (*šlapimo*) pūslė
blade [bleɪd] *n* 1) ašmenys; 2) peiliukas barzdai skusti
blame [bleɪm] *v* kaltinti, laikyti kaltu; *n* kaltė
blank [blæŋk] *a* tuščias, neprirašytas
blanket ['blæŋkɪt] *n* (*vilnonė*) antklodė
blast [bla:st] *v* sprogdinti; *n* 1) vėjo šuoras/gūsis; 2) sprogimas
blaze [bleɪz] *n* ryški šviesa; *v* ryškiai šviesti, liepsnoti
blazer ['bleɪzə] *n* sportinis švarkas
bleat [bli:t] *v* bliauti (*apie avis, ožkas*); *n* bliovimas
bleed [bli:d] *v* (**bled** [bled]) kraujuoti
bless [bles] *v* laiminti; **~ed** ['blesɪd] *a* šventas(is); **~ing** *n* 1) palaima; 2) (pa)laiminimas
blew *žr.* **blow**
blind [blaɪnd] *a* aklas; *n* (t h e ~) aklieji; **~fold** [-fəuld] *n* raištis ant akių
blink [blɪŋk] *v* mirksėti
blister ['blɪstə] *n* pūslė (*nuo trynimo*)
blizzard ['blɪzəd] *n* pūga
block [blɔk] *v* užtverti (*t.p.* ~ u p); **~ade** [-'keɪd] *n* blokada
blond [blɔnd] *a* šviesiaplaukis; *n* blondinas; **~e** [blɔnd] *n* blondinė
blood [blʌd] *n* kraujas
bloodshed ['blʌdʃed] *n* kraujo praliejimas
bloodthirsty ['blʌdθə:stɪ] *a* trokštantis kraujo
bloody ['blʌdɪ] *a* 1) kraujuotas; 2) *vulg*. prakeiktas
bloom [blu:m] *n* žiedas, žydėjimas; *v* (su)žydėti
blossom ['blɔsəm] *n* žydėjimas; *v* (su)žydėti
blot [blɔt] *n* dėmė; *v* 1) sutepti; 2) teršti
blouse [blauz] *n* palaidinukė
blow [bləu] *v* (**blew** [blu:]; **blown** [bləun]) 1) pūsti; t o ~ a p i p e groti birbyne; 2) (su)sprogti, (su)sprogdinti (*t.p.* ~ u p); *n* smūgis
blue [blu:] *a* mėlynas; *n* mėlynė (*dangaus*)
bluff I [blʌf] *a* status
bluff II *n* apgavystė
blunt [blʌnt] *a* atšipęs
blush [blʌʃ] *v* parausti; *n* paraudimas
boar [bɔ:] *n* šernas

board [bɔ:d] *n* 1) lenta; 2) taryba, valdyba; 3) o n ~ laive; lėktuve; *v* 1) apkalti lentomis; 2) sėsti (*į lėktuvą, laivą*)
boarding-school ['bɔ:dıŋsku:l] *n* internatinė mokykla
boast [bəust] *v* girtis; **~ful** *a* pagyrūniškas
boat [bəut] *n* valtis; laivas
bob [bɔb] *n* tūpčiojimas; pritūpimas (*šokant*); *v* 1) tūptelėti, pritūpti; 2) trumpai pakirpti plaukus
body ['bɔdı] *n* 1) kūnas; 2) korpusas; **~guard** [-ga:d] *n* asmens sargybinis
bog [bɔg] *n* pelkė
boil I [bɔıl] *v* virti, virinti; **~er** *n* garo katilas; boileris
boil II *n* šunvotė, skaudulys
bold [bəuld] *a* drąsus
bolt [bəult] *n* 1) sklindė, varžtas; 2) žaibas
bomb [bɔm] *n* bomba; *v* bombarduoti; **~er** [-ə] *n* bombonešis
bond [bɔnd]*n* ryšys (*ir perk.*)
bone [bəun] *n* kaulas
bonfire ['bɔnfaıə] *n* laužas
bonnet ['bɔnıt] *n* 1) vaikiška kepurytė; 2) *aut*. gaubtas
bony ['bəunı] *a* kaulėtas
bookaholic ['bukə'hɔlık] *n šnek*. knygius
book [buk] *n* knyga; *v* užsakyti (*iš anksto*)
bookcase ['bukkeıs] *n* knygų spinta
booking-office ['bukıŋ'ɔfıs] *n* (*stoties, teatro*) bilietų kasa
book-keeper ['buk'ki:pə] *n* buhalteris
booklet ['buklıt] *n* knygutė, brošiūra, lankstinys
boom [bu:m] *n* 1) dundesys; 2) bumas
boot [bu:t] *n* (*aulinis*) batas
border ['bɔ:də] *n* siena; riba
bore I [bɔ:] *žr*. **bear II**
bore II *v* 1) įgristi, įkyrėti; 2) gręžti; **~d** *a*: I'm ~ man nuobodu; **~dom** *n* nuobodulys
boring ['bɔ:rıŋ] *a* neįdomus, nuobodus, įkyrus
born [bɔ:n] *a* gimęs; įgimtas
Bosnian ['bɔsnıən] *n* bosnis; *a* bosnių
borrow ['bɔrəu] *v* skolintis (f r o m - *iš ko*)
boss [bɔs] *n* viršininkas, bosas; **~y** *a* valdingas, mėgstantis įsakinėti
botany ['bɔtənı] *n* botanika
both [bəuθ] *pron* abu, abi; ~ ... a n d *cj* tiek ... kiek
bother ['bɔðə] *v* 1) trukdyti; 2) rūpėti
bottle ['bɔtl] *n* butelis
bottom ['bɔtəm] *n* dugnas; apačia
bough [bau] *n* stambi medžio šaka

bought *žr.* **buy**
boulder ['bəuldə] *n* didelis akmuo, riedulys
bounce [bauns] *v* 1) šokinėti; 2) atšokti
bound I [baund] *a*: ~ for vykstantis į; (~ to) pasiryžęs (*ką padaryti*); ~ up susijęs
bound II *n* šuolis; *pl* ribos
bound *žr.* **bind**
boundary ['baundərı] *n* siena, riba (*tarp valstybių*)
bouquet [bu'keı] *n* puokštė
bow I [bau] *v* nusilenkti
bow II [bəu] *n* laivo priekis
bow III *n* 1) smuiko griežiklis; 2) kaspinas; 3) lankas (*šaudyti strėlėmis*)
bowels ['bauəls] *n pl* žarnos, viduriai
bowl [bəul] *n* 1) dubuo (*pvz., vaisiams*); 2) vaza; 3) rutulys
box [bɔks] *n* 1) dėžė; 2) ložė; **~office** [-ɔfıs] *n* (*teatro, kino, koncertų*) bilietų kasa
boxing ['bɔksıŋ] *n sport*. boksas
boy [bɔı] *n* berniukas
bra [bra:] *n* liemenėlė
bracelet ['breıslıt] *n* apyrankė
braces [breısiz] *n pl* petnešos
bracket ['brækıt] *n* skliaustas
braggart ['brægət] *n* pagyrūnas
braid [breıd] *n* juostelė; galionas
brain [breın] *n* smegenys; protas
brake [breık] *n* stabdys; *v* stabdyti
branch [bra:ntʃ] *n* 1) šaka; 2) skyrius, filialas
brand [brænd] *n* 1) firmos ženklas; rūšis; 2) nuodegulys; *v* ženklinti, įspauduoti; **~-new** [-'nju:] *a* visiškai naujas
brandy ['brændı] *n* brendis, konjakas
brass [bra:s] *n* žalvaris
brave [breıv] *a* drąsus; narsus; **~ry** [-rı] *n* drąsa, narsumas
Brazil [brə'zıl] *n* Brazilija; **~ian** *n* brazilas; *n* brazilų
bread [bred] *n* duona
breadth [bredθ] *n* plotis
break [breık] *v* (**broke** [brəuk]; **broken** ['brəukən]) 1) laužti; 2) dužti; 3) prašvisti; *n* 1) pertrauka; 2)(nu)trūkimas
breakdown ['breıkdaun] *n* 1) visiškas išsekimas; 2) avarija, sugedimas
breakfast ['brekfəst] *n* pusryčiai; to have ~ pusryčiauti
breast [brest] *n* krūtinė; krūtis
breaststroke ['breststrəuk] *n sport*. plaukimas (*krūtine*)
breath [breθ] *n* kvėpavimas, kvapas; **~less** *a* be kvapo, uždusęs

bred *žr.* **breed**
breed [bri:d] *v* (**bred** [bred]) 1) veisti; 2) auklėti; auginti; *n* veislė
breeding ['bri:dɪŋ] *n* išauklėjimas
breeze [bri:z] *n* švelnus vėjelis
breezy ['bri:zɪ] *a* vėjuotas; vėsus
brew [bru:] *v* 1) užpilti (*arbatą*); 2) daryti alų; 3) telktis; bręsti; **~ery** [-ərɪ] *n* alaus darykla
bribe [braɪb] *n* kyšis; *v* papirkti, duoti kyšį; **~ry** [-rɪ] *n* kyšininkavimas
brick [brɪk] *n* plyta
bride [braɪd] *n* nuotaka; **~groom** ['braɪdgrum] *n* jaunikis; **~smaid** ['braɪdzmeɪd] *n* pamergė
bridge [brɪdʒ] *n* tiltas
bridle ['braɪdl] *n* apynasris
brief [bri:f] *a* trumpas
briefcase ['bri:fkeɪs] *n* lagaminėlis (*dokumentams*)
bright [braɪt] *a* 1) ryškus; šviesus; 2) sumanus; **~en** *v* nušvisti; pagyvėti
brilliant ['brɪlɪənt] *a* puikus; blizgantis
brim [brɪm] *n* kraštas; atbraila; **~ful** *a* sklidinas
bring [brɪŋ] *v* (**brought** [brɔ:t]) atnešti, atgabenti; ~ back grąžinti
brisk [brɪsk] *a* judrus, greitas, smarkus
bristl|e ['brɪsl] *n* šeriai; **~y** *a* šeriuotas, duriantis
Britain ['brɪtn] *n* Britanija; Great ~ Didžioji Britanija
British ['brɪtɪʃ] *a* britų; *n* (the ~) britai
Briton ['brɪtn] *n* britas
brittle ['brɪtl] *a* trapus, dūžus
broad [brɔ:d] *a* platus; **~en** *v* platinti, praplėsti
broadcast ['brɔ:dkɑ:st] *v* (**broadcast**) transliuoti
broiler ['brɔɪlə] *n* broileris, mėsinis viščiukas
broke, broken *žr.* **break**
broker ['brəukə] *a* tarpininkas, makleris
bronze [brɔnz] *n* bronza
brooch [brəutʃ] *n* sagė
brook [bruk] *n* upokšnis
broom [bru:m] *n* šluota; šepetys
broth [brɛθ] *n* sultinys (*sriuba*)
brother ['brʌðə] *n* brolis; **~ly** *a* broliškas
brother-in-law ['brʌðərɪnlɔ:] *n* 1) svainis; 2) dieveris
brought *žr.* **bring**
brow [brau] *n* antakis; kakta
brown [braun] *a* rudas
bruise [bru:z] *n* mėlynė, sumušimas

brush [brʌʃ] *n* šepetys; *v* valyti (*šepečiu*)
brutal ['bru:tl] *a* brutalus
brute [bru:t] *n* 1) gyvulys; 2) žiaurus žmogus
bubble ['bʌbl] *n* burbulas
buck [bʌk] *n* (*elnio, kiškio*) patinas
bucket ['bʌkɪt] *n* kibiras
buckle ['bʌkl] *n* sagtis; *v* užsegti (*sagtimi*)
bud [bʌd] *n* pumpuras
budge [bʌdʒ] *v* pajudinti; pajudėti
budget ['bʌdʒɪt] *n* biudžetas; *v* sudaryti biudžetą
bug [bʌg] *n* 1) blakė; 2) slaptas klausymosi aparatas
bugle ['bju:gl] *n* trimitas
build [bɪld] *v* (**built** [bɪlt]) statyti; **~er** *n* statybininkas; **~ing** *n* pastatas
built *žr.* **build**
bulb [bʌlb] *n* 1) svogūnėlis; 2) elektros lemputė
Bulgary [bʌl'gɛərɪə] *n* Bulgarija; **~n** *n* 1) bulgaras; 2) bulgarų kalba; *a* bulgarų, bulgariškas
bulg|e [bʌldʒ] *v* išsipūsti; **~ing** *a* išsipūtęs
bulk [bʌlk] *n* 1) didelis kiekis; 2) didmenos; **~y** *a* stambus; griozdiškas
bull [bul] *n* bulius; **~dozer** [-dəuzə] *n* buldozeris
bullet ['bulɪt] *n* kulka; **~proof** [-pru:f] *a* neperšaunamas
bully ['bulɪ] *v* priekabiauti; *n* chuliganas
bump [bʌmp] *v* atsitrenkti (*į*); *n* 1) guzas; 2) duobė (*kelyje*); **~er** *n* buferis; **~y** *a* nelygus, duobėtas
bun [bʌn] *n* bandelė
bunch [bʌntʃ] *n* 1) puokštė; 2) ryšelis
bundle ['bʌndl] *n* ryšulys
bunk I [bʌŋk] *n* gultas
bunk II *n šnek.* niekai, nesąmonė
buoy [bɔɪ] *n* plūduras, baketas
burden ['bə:dn] *n* našta, sunkenybė
burglar ['bə:glə] *n* įsilaužėlis
burial ['berɪəl] *n* laidotuvės
burn [bə:n] *v* degti; deginti; **~t-out** *a* 1) perdegęs (*apie elektros lemputę*); 2) sugedęs
burrow ['bʌrəu] *n* urvas
burst [bə:st] *v* (**burst**) 1) sprogti, plyšti; 2) veržtis (*into*)
bury ['berɪ] *v* 1) (pa)laidoti; 2) užkasti; 3) (pa)slėpti
bus [bʌs] *n* autobusas
bush [buʃ] *n* krūmas
business ['bɪznɪs] *n* 1) reikalas, dalykas; 2) verslas; **~man** [-mən] *n* verslininkas
bust [bʌst] *n* biustas
busy ['bɪzɪ] *a* užimtas; užsiėmęs

but [bʌt] *cj* bet; tačiau; *adv* tik, vos; *prep* išskyrus, be
butcher ['butʃə] *n* mėsininkas
butter ['bʌtə] *n* sviestas
butterfly ['bʌtəflaɪ] *n* peteliškė
buttocks ['bʌtəks] *n pl* sėdmenys, sėdynė
button ['bʌtn] *n* 1) saga; 2) mygtukas; to push the ~ paspausti mygtuką; *v* užsisegti; **~hole** [-həul] *n* sagos kilpa
buy [baɪ] *v* (**bought** [bɔ:t]) pirkti
buzz [bʌz] *v* zvimbti, birbti; ūžti; *n* zvimbimas, ūžimas; gaudesys
by [baɪ] *adv, prep* 1) prie, greta; 2): ~ plane lėktuvu; ~ bus autobusu; 3): ~ Shakespeare Šekspyro (*parašytas*)
bye-bye ['baɪ'baɪ] *int* viso (labo)!
bygone ['baɪgɔn] *a* praėjęs; *n pl* praeitis

C

cab [kæb] *n* 1) taksi; 2) (*vairuotojo*) kabina
cabbage ['kæbɪdʒ] *n* kopūstas; ~ soup kopūstų sriuba
cabin ['kæbɪn] *n* 1) trobelė; 2) kajutė, kabina; **~et** [-ɪt] *n* 1) spintelė; 2) (**the Cabinet**) ministrų kabinetas
cable ['keɪbl] *n* kabelis; ~ (television) kabelinė televizija
cacao [kə'keu] *n* kakava
cactus ['kæktəs] *n* kaktusas
cadet [kə'det] *n* 1) kadetas; 2) *sport.* jaunutis
café ['kæfeɪ] *n* kavinė
cage [keɪdʒ] *n* narvas, narvelis
cake [keɪk] *n* pyragaitis, pyragas; tortas
calculate ['kælkjuleɪt] *v* 1) (ap)skaičiuoti; 2) numatyti
calculation ['kælkju'leɪʃn] *n* (ap)skaičiavimas
calculator ['kælkjuleɪtə] *n* kalkuliatorius; skaičiuoklis
calendar ['kælɪndə] *n* kalendorius
calf [ka:f] *n* (*pl* **calves** [ka:vz]) 1) veršiukas, veršis; 2) blauzda
call [kɔ:l] *v* 1) (pa)šaukti; iššaukti; 2) vadinti (*ką kuo*); iškviesti (*t.p.* ~ in); 3) aplankyti (on smth); *n* 1) (iš)kvietimas; 2) (iš)šaukimas; **~-box** [-bɔks] *n* telefono būdelė; **~er** *n* 1) svečias; 2) skambintojas (*telefonu*)

calm [ka:m] *a* ramus
came *žr.* **come**
camel ['kæml] *n* kupranugaris
camera ['kæmərə] *n* 1) televizijos/kino kamera; 2) fotoaparatas; **~-man** [-mən] *n* (*pl* **~men** [-mən]) *kin., tel.* operatorius
camomile ['kæməmaıl] *n* ramunėlė; ~ tea ramunėlių arbata
camouflage ['kæməfla:ʒ] *v* maskuoti(s); *n* maskuotė
camp [kæmp] *n* stovykla; *v* stovyklauti
campaign [kæm'peın] *n* žygis, kampanija
camphor ['kæmfə] *n* kamparas
campus ['kæmpəs] *n* universiteto miestelis
can I [kæn] *n* skardinė
can II [kən, kæn] *v* (**could** [kəd, kud]) galiu, moku; gali, moki *ir t.t.* (*esam.l. forma*); **could** galėjau, mokėjau; galėjai, mokėjai *ir t. t.* (*būt. l. forma*)
Canada [kænədə] *n* Kanada; **~ian** *a* kanadietiškas, kanadiečių; *n* kanadietis
canal [kə'næl] *n* kanalas
canary [kə'nɛərı] *n* kanarėlė
cancel ['kænsl] *v* panaikinti, atšaukti
cancer ['kænsə] *n* vėžys (*liga*)
candidat|e ['kændıdət] *n* kandidatas; **~ure** [-tʃə] *n* kandidatūra
candle ['kændl] *n* žvakė
candy ['kændı] *n sg amer.* saldainiai; a piece of ~ saldainis
cane [keın] *n* nendrė; (*nendrinė*) lazda; *v* mušti lazda
canned [kænd] *a* konservuotas; ~ meat mėsos konservai
cannibal ['kænıbl] *n* žmogėdra
cannon ['kænən] *n* patranka
cannot ['kænɔt] *v* (*sutr.* **can't** [ka:nt]) *neig. esam. l. forma iš* **can**
canoe [kə'nu:] *n* baidarė, kanoja
canteen [kæn'ti:n] *n* bufetas, valgykla
canvas ['kænvəs] *n* 1) stora drobė; 2) brezentas; burė; 3) (*tapytas*) paveikslas
canvass ['kænvəs] *n* rinkimų kampanija
cap [kæp] *n* kepurė
capable ['keıpəbl] *a* 1) gabus; 2) galintis, sugebantis
capacity [kə'pæsətı] *n* 1) talpa; 2) (su)gebėjimas
cape [keıp] *n* apsiaustas (*be rankovių*)
capital I ['kæpıtl] *n* kapitalas
capital II *n* 1) sostinė; 2)

didžioji raidė
capsize [kæp'saɪz] *v* apvirsti, ap(si)versti (*vandenyje*)
captain ['kæptɪn] *n* 1) kapitonas; 2) *av., jūr.* vadas; *v* vadovauti
captive ['kæptɪv] *n* belaisvis
captivity [kæp'tɪvətɪ] *n* nelaisvė
capture ['kæptʃə] *v* (už)grobti; sugauti; *n* užgrobimas; trofėjus
car [ka:] *n* 1) automobilis; 2) vagonas *amer.*
caravan ['kærəvæn] *n* 1) karavanas; 2) autopriekaba-namelis; furgonas
carbon ['ka:bən] *n chem.* anglis
card [ka:d] *n* 1) korta; 2) bilietas; 3) atvirukas; **~board** [-bɔ:d] *n* kartonas
cardholder ['ka:dhəuldə] *n* kreditinės kortelės turėtojas
cardigan ['ka:dɪgən] *n* megztinis, megzta palaidinė
care [kɛə] *n* rūpestis; globa; priežiūra; t a k e ~ rūpintis (o f); **~free** [-fri:] *a* be rūpesčių; **~ful** *a* rūpestingas; atidus; atsargus; **~less** *a* nerūpestingas; neatsargus
career [kə'rɪə] *n* karjera
caretaker ['kɛəteɪkə] *n* (*namo*) sargas, prižiūrėtojas
cargo ['ka:gəu] *n* (*laivo, lėktuvo*) krovinys
carnival ['ka:nɪvl] *n* karnavalas
carol ['kærəl] *n* Kalėdų giesmė
car-park ['ka:pa:k] *n* automobilių stovėjimo aikštelė
carpenter ['ka:pəntə] *n* dailidė
carpet ['ka:pɪt] *n* kilimas
carriage ['kærɪdʒ] *n* 1) vežimas; 2) vagonas
carrier ['kærɪə] *n* 1) (*dviračio*) bagažinė; 2) nešikas, vežėjas
carrot ['kærət] *n* morka
carry ['kærɪ] *v* nešti; vežti; ~ o n tęsti; toliau vykdyti; ~ o u t įvykdyti, atlikti
cart [ka:t] *n* vežimas, ratai
carton ['ka:tn] *n* kartoninė dėžutė
cartoon [ka:'tu:n] *n* karikatūra
cartridge ['ka:trɪdʒ] *n* šovinys, patronas
carve [ka:v] *v* 1) pjaustyti (*pvz., mėsą*); 2) drožinėti (*iš medžio*)
case [keɪs] *n* 1) atvejis; 2) (*teismo*) byla; 3) pacientas; klientas; i n ~... tokiu atveju, jei...; i n a n y ~ bet kokiu atveju
cash [kæʃ] *n* gryni pinigai; ~ d e s k *n* kasa (*parduotuvėje*); **~-register** [-redʒɪstə] *n* kasos aparatas; *v* gauti pinigus pa-

gal čekį
cashier ['kæ'ʃɪə] *n* kasininkas
cassette [kə'set] *n* kasetė
cast [ka:st] *v* (**cast**) mesti, mėtyti; *n* 1) liejimo forma; 2) (*aktorių*) sudėtis
castle ['ka:sl] *n* pilis
casual ['kæʒuəl] *a* 1) atsitiktinis; 2) kasdienis; **~ty** [-tɪ] *n* (*avarijos*) auka, nukentėjelis
cat [kæt] *n* katė
catapillar ['kætəpilə] *n* vikšras
catapult ['kætəpʌlt] *n* laidynė; katapulta
catastrophe [kə'tæstrəfɪ] *n* katastrofa
catch [kætʃ] *v* (**caught** [kɔ:t]) 1) pagauti; 2) suprasti; 3) užsikrėsti, susirgti: ~ cold peršalti; 4) suspėti: ~ the train (su)spėti į traukinį
catching ['kætʃɪŋ] *a* užkrečiamas (*ir perk.*)
cathedral [kə'θi:drəl] *n* katedra
Catholic ['kæθəlɪk] *n* katalikas (*t.p.* Roman ~)
cattle ['kætl] *n* galvijai
Caucasian [kɔ:'keɪzɪən] *a* Kaukazo, kaukaziečių, kaukazietiškas; *n* kaukazietis,-ė
caught *žr.* **catch**
cauldron ['kɔ:ldrən] *n* katilas
cauliflower ['kɔlɪ'flauə] *n* žiedinis kopūstas
cause [kɔ:z] *n* 1) priežastis; 2) reikalas; *v* 1) būti priežastimi, sukelti; 2) priversti
caution ['kɔ:ʃn] *n* 1) atsargumas; 2) įspėjimas
cautious ['kɔ:ʃəs] *a* atsargus
cave [keɪv] *n* urvas, ola
cavern ['kævən] *n* didelis urvas
caviar(e) ['kævɪa:] *n* ikrai
cease [si:s] *v* nustoti, baigti
cease-fire ['si:sfaɪə] *n kar.* ugnies nutraukimas
ceaseless ['si:sləs] *a* nepertraukiamas, nepaliaujamas
cedar ['si:də] *n* kedras
ceiling ['si:lɪŋ] *n sg* lubos
celebrate ['seləbreɪt] *v* švęsti, iškilmingai paminėti
celebration ['selə'breɪʃn] *n* šventimas, minėjimas
celery ['selərɪ] *n bot.* salieras
cell [sel] *n* ląstelė
cellar ['selə] *n* rūsys
cello ['tʃeləu] *n* violančelė
cement [sɪ'ment] *n* cementas; *v* cementuoti
cemetery ['semətrɪ] *n* kapinės
censure ['senʃə] *v* smerkti
cent [sent] *n* centas
centimetre (*amer.* **centimeter**) ['sentɪ'mi:tə] *n* centimetras
central ['sentrəl] *a* centrinis
centre ['sentə] *n* centras
century ['sentʃərɪ] *n* šimtme-

tis, amžius
cereal ['sɪərɪəl] (*miltų, kruopų*) košė
ceremony ['serəmənɪ] *n* ceremonija, apeigos
certain ['sə:tn] *a* (*tam*) tikras; be ~ būti įsitikinusiam; **~ly** *adv* žinoma (*be abejo*); **~ty** *n* tikrumas
certificate [sə'tɪfɪkət] *n* pažymėjimas; pažyma
certify ['sə:tɪfaɪ] *v* 1) paliudyti, pažymėti; 2) laiduoti, garantuoti
chain [tʃeɪn] *n* grandinė
chair [tʃɛə] *n* kėdė
chairman ['tʃɛəmən] *n* pirmininkas
chalk [tʃɔ:k] *n* kreida
challenge ['tʃælɪndʒ] *v* mesti iššūkį; kviesti (*lenktyniauti ir pan.*); *n* iššūkis
chamber ['tʃæmbə] *n* 1) rūmai; 2) kamera
champion ['tʃæmpɪən] *n* 1) čempionas; 2) šalininkas; **~ship** *n* čempionatas
chance [tʃa:ns] *n* proga, šansas; atsitiktinumas; by ~ atsitiktinai; take a ~ rizikuoti; *a* atsitiktinis
change [tʃeɪndʒ] *v* keisti(s); mainyti(s); *n* 1) pasikeitimas; 2) grąža (*smulkiais pinigais*); **~able** [-əbl] *a* kintamas, nepastovus
channel ['tʃænl] *n* kanalas; griovys
chaos ['keɪɔs] *n* chaosas
chaotic [keɪ'ɔtɪk] *n* chaotiškas
chap [tʃæp] *n šnek.* vaikinas, vyrukas
chapel ['tʃæpl] *n* koplyčia
chapped [tʃæpt] *a* suskeldėjęs
chapter ['tʃæptə] *n* (*knygos*) skyrius
character ['kærəktə] *n* 1) personažas; 2) charakteris; 3) žmogus; 4) rašmuo
characterize ['kærəktəraɪz] *v* charakterizuoti, apibūdinti (as)
charge [tʃa:dʒ] *n* 1) pareiga; 2) mokestis, rinkliava; 3) kaltinimas; 4) *el.* krūvis; *v* 1) pavesti; 2) apkaltinti; 3) nustatyti kainą; 4) pulti; 5) įkrauti (*bateriją*)
charit|able ['tʃærɪtəbl] *a* labdaringas; **~y** *n* labdara
charm [tʃa:m] *n* žavesys; *pl* kerai; *v* žavėti, kerėti; **~ing** *a* žavus, žavingas
chart [tʃa:t] *n* 1) jūrlapis; žvaigždėlapis; 2) diagrama
charter ['tʃa:tə] *n* chartija; *v* frachtuoti
charwoman ['tʃa:'wumən] *n* padienė darbininkė, valytoja
chase [tʃeɪs] *v* vytis, perse-

kioti
chat [tʃæt] *n* pasikalbėjimas; *v* šnekučiuotis, kalbėtis
chatter ['tʃætə] *n* (*t.p.* chatterbox, chatterer ['tʃætərə]) plepys
chatty ['tʃætɪ] *a* plepus, šnekus
chauffeur ['ʃəufə] *n* samdytas vairuotojas
cheap [tʃɪ:p] *a* pigus
cheat [tʃi:t] *v* apgauti; sukčiauti
check [tʃek] *v* (pa)tikrinti; *n* 1) (pa)tikrinimas; 2) *amer.* čekis; **~out** *n* savitarnos parduotuvės kasa
checkup ['tʃekʌp] *n* medicininis patikrinimas
cheek [tʃi:k] *n* skruostas
cheeky ['tʃi:kɪ] *a* įžūlus
cheer [tʃɪə] *v* džiūgauti; ~ u p pralinksmėti; *n pl* šauksmai "valio", aplodismentai
cheerful ['tʃɪəfəl] *a* linksmas, gyvas
cheese [tʃi:z] *n* sūris
chemical ['kemɪkl] *a* cheminis
chemist ['kemɪst] *n* chemikas
chemistry ['kemɪstrɪ] *n* chemija
cheque [tʃek] *n* čekis (*amer.* **check**)
cherish ['tʃerɪʃ] *v* puoselėti; branginti (*atminimą*)
cherry ['tʃerɪ] *n* vyšnia
chess [tʃes] *n* šachmatai
chest [tʃest] *n* 1) krūtinė; 2) medinė dėžė; ~ o f d r a w e r s komoda
chestnut ['tʃesnʌt] *n* kaštonas
chew [tʃu:] *v* kramtyti
chewing-gum ['tʃu:ɪŋgʌm] *n* kramtomoji guma
chick [tʃɪk] *n* paukščiukas
chicken ['tʃɪkɪn] *n* 1) viščiukas; višta; 2) vištiena
chief [tʃi:f] *n* viršininkas; *a* vyriausiasis, svarbiausias; **~ly** *adv* svarbiausia
Chil|e ['tʃɪlɪ] *n* Čili; **~ian** *n* čilietis
child [tʃaɪld] *n* (*pl* **~ren** ['tʃɪldrən]) vaikas; **~hood** *n* vaikystė; **~ish** *a* vaikiškas
chilled [tʃɪld] *a* atvėsęs; sušalęs
chilly ['tʃɪlɪ] *a* šaltokas
chime [tʃaɪm] *v* skambinti varpais; *n* (*varpų*) skambėjimas
chimney ['tʃɪmnɪ] *n* kaminas
chimpanzee ['tʃɪmpən'zi:] *n* šimpanzė
chin [tʃɪn] *n* smakras
China ['tʃaɪnə] *n* 1) Kinija; 2) (**china**) porcelianas
Chinese ['tʃaɪ'ni:z] *a* kiniškas; *n* 1) kinas; 2) kinų kalba

chip [tʃɪp] *n* 1) skiedra; 2) *komp.* mikroschema; *v* suskaldyti
chirp [tʃə:p] *n* čiulbėjimas; *v* čiulbėti
chocolate [ˈtʃɔklət] *n* šokoladas
choice [tʃɔɪs] *n* pasirinkimas; *a* rinktinis, geriausias
choir [ˈkwaɪə] *n* choras
choke [tʃəuk] *v* paspringti; (už)dusti
choose [tʃu:z] *v* (**chose** [tʃəuz]; **chosen** [tʃəuzn]) (pasi)rinkti; rinktis
chop [tʃɔp] *n* pjausnys; *v* kapoti; pjaustyti
choppy [ˈtʃɔpɪ] *a* banguotas
chose, chosen *žr.* **choose**
christen [ˈkrɪsn] *v* krikštyti; **~ing** *n* krikštas; krikštijimas
Christ [kraɪst] *n* Kristus
Christian [ˈkrɪstʃən] *n* krikščionis; *a* krikščioniškas
Christmas [ˈkrɪsməs] *n* Kalėdos
chuckle [ˈtʃʌkl] *n* kikenimas; *v* kikenti
chum [tʃʌm] *n šnek.* draugužis
chunk [tʃʌŋk] *n* didelis gabalas
church [tʃə:tʃ] *n* bažnyčia
churn [tʃə:n] *n* bidonas (*pienui*)
ciao [tʃau] *int šnek.*čiau!, iki!
cider [ˈsaɪdə] *n* sidras
cigar [sɪˈga:] *n* cigaras
cigarette [ˈsɪgəˈret] *n* cigaretė
cinder [ˈsɪndə] *n* pelenai
cine-camera [ˈsɪnɪˈkæmərə] *n* kino kamera
cinema [ˈsɪnɪmə] *n* kinas
circle [ˈsə:kl] *n* 1) apskritimas; ratas; 2) (*draugų ir pan.*) būrelis
circuit [ˈsə:kɪt] *n* 1) apvažiavimas; 2) elektros grandinė
circular [ˈsə:kjulə] *a* apskritas, apvalus
circulat | e [ˈsə:kjuleɪt] *v* cirkuliuoti; **~ion** *n* 1) apyvarta; 2) apytaka
circumstances [ˈsə:kəmstənsiz] *n pl* aplinkybės
circus [ˈsə:kəs] *n* cirkas
cite [saɪt] *v* cituoti; remtis
citizen [ˈsɪtɪzn] *n* pilietis
city [sɪtɪ] *n* miestas (*didmiestis, sostinė*)
civic [ˈsɪvɪk] *a* miesto
civil [ˈsɪvl] *a* pilietis; **~ian** [sɪˈvɪlɪən] *n* civilis
civilization [ˈsɪvɪlaɪˈzeɪʃn] *n* civilizacija
claim [kleɪm] *n* 1) reikalavimas; 2) teisė, pretenzija; *v* 1) reikalauti; 2) tvirtinti
clamber [ˈklæmbə] *v* karstytis (*į medį*)
clan [klæn] *n* klanas, gentis
clang [klæŋ] *n* skambėjimas,

žvangėjimas
clap [klæp] *n* (*rankų*) plojimas; *v* ploti
clarify ['klærıfaı] *v* išaiškinti
clash [klæʃ] *n* susidūrimas; konfliktas; *v* susidurti; susiremti
class [kla:s] *n* klasė; **~room** [-rum] *n* klasė (*patalpa*)
classic ['klæsık] *a* klasikinis; *n* klasikas
classification ['klæsıfı'keıʃn] *n* klasifikavimas; klasifikacija
classify ['klæsıfaı] *v* 1) klasifikuoti; 2) įslaptinti
clatter ['klætə] *v* tarškėti, bildėti; *n* kaukšėjimas; tarškesys
clause [klɔ:z] *n* sakinys (*pagrindinis ar šalutinis*)
claw [klɔ:] *n* 1) letena (*su nagais*); 2) žnyplės; 3) *tech*. letena, replės
clay [kleı] *n* molis
clean [kleın] *a* švarus; *v* valyti
cleaner's ['kli:nəz] *n* cheminė valykla
clear [klıə] *a* giedras, aiškus; **~ly** *adv* aiškiai; ryškiai
clergy ['klə:dʒı] *n* dvasininkija; **~man** *n* dvasininkas
clerk [kla:k] *n* tarnautojas; klerkas; valdininkas
clever ['klevə] *a* protingas; gudrus
click [klık] *v* spragtelėti, trakštelėti; *n* spragtelėjimas (*mechanizmo*)
client ['klaıənt] *n* klientas
cliff [klıf] *n* stati uola
climate ['klaımıt] *n* klimatas
climb [klaım] *v* (į)lipti, (į)kopti; **~er** *n* alpinistas
cling [klıŋ] (**clung** [klʌŋ]) *v* prilipti; priglusti
clinic ['klınık] *n* klinika; poliklinika
clip [klıp] *n* segtukas (*popieriams, skalbiniams*); *v* susegti; **~ping** *n* (*laikraščio*) iškarpa
cloak [kləuk] *n* apsiaustas; **~-room** [-rum] *n* 1) bagažo saugykla (stotyje); 2) drabužinė; 3) tualeto kambarys
clock [klɔk] *n* laikrodis (*sieninis, stalinis*)
close [kləuz] *v* uždaryti; *a* [kləus] artimas; *adv* [kləus] arti; *n* [kləuz] pabaiga
clot [klɔt] *n* 1) gumulėlis; 2) (*kraujo*) krešulys
cloth [klɔθ] *n* 1) audeklas; 2) skuduras; staltiesė; **~es** [kləuðz] *n pl* drabužiai
clothing ['kləuðıŋ] *n* apranga
cloud [klaud] *n* debesis; **~y** *a* debesuotas
clown [klaun] *n* klounas; juokdarys
club [klʌb] *n* 1) klubas; 2) vėzdas; 3) *pl* (*kortų*) kryžiai

cluck [klʌk] *n* kvaksėjimas; *v* kudakuoti, kvaksėti
clue [klu:] *n* raktas (*problemai išspręsti*)
clump [klʌmp] *n* (*medžių ir pan.*) grupė
clumsy ['klʌmzı] *n* nerangus
clung *žr.* **cling**
cluster ['klʌstə] *n* 1) grupė, būrelis; 2) kekė
clutch [klʌtʃ] *v* stipriai sugriebti, supausti
co- [kəu-] *prefix* kartu; bendra-; **co-author** [kəu'ɔ:θə] *n* bendraautoris
coach I [kəutʃ] *n* treneris
coach II *n* 1) turistinis tarpmiestinis autobusas; 2) keleivinis vagonas; 3) karieta
coal [kɔul] *n* (*akmens*) anglys
coast [kəust] *n* pajūris; pakrantė
coastguard ['kəustga:d] *n* pakrantės apsauga
coarse [kɔ:s] *a* šiurkštus, grubus
coat [kəut] *n* apsiaustas; švarkas; *v* padengti (*pvz., metalu*)
coax [kəuks] *v* įkalbinėti, įtikinti
cobweb ['kɔbweb] *n* voratinklis
cock [kɔk] *n* gaidys; **~pit** *n* lakūno kabina
cocktail ['kɔkteıl] *n* kokteilis
cocoa ['kəukəu] *n* kakava
coconut ['kəukənʌt] *n* kokoso riešutas
cod [kɔd] *n* menkė
code [kəud] *n* 1) kodas; 2) kodeksas
coffee ['kɔfı] *n* kava; **~-grinder** [-graındə]*n* kavamalė; **~-pot** [-pɔt] *n* kavinukas
coffin ['kɔfın] *n* karstas
cog [kɔg] *n* 1) (*rato*) krumplys; 2) *perk.* sraigtelis
coil [kɔıl] *n* 1) spiralė; 2) *el.* ritė; 3) virvė (*susukta į ritinį*)
coin [kɔın] *n* moneta
coincid|e ['kəuın'saıd] *v* sutapti; **~ence** [kəu'ınsıdəns] *n* sutapimas
cold [kəuld] *n* šaltis; *a* šaltas
collapse [kə'læps] *v* (su)griūti; *n* (su)griuvimas
collar ['kɔlə] *n* apykaklė
colleague ['kɔli:g] *n* kolega
collect [kə'lekt] *v* rinkti; **~ion** [kə'lekʃn] *n* kolekcija
collective [kə'lektıv] *a* kolektyvinis
college ['kɔlıdʒ] *n* koledžas; kolegija
colli|de [kə'laıd] *v* susidurti; **~sion** [kə'lıʒn]*n* susidūrimas
colon ['kəulən] *n* dvitaškis
colonel ['kə:nl] *n* pulkininkas
colonial [kə'ləunıəl] *a* kolo-

nijinis
colony ['kɔlənɪ] *n* kolonija
colossal [kə'lɔsl] *a* kolosalus
colour ['kʌlə] *n* (*amer*. **color**) spalva
colo(u)red ['kʌləd] *a* 1) nuspalvintas; 2) spalvotas; 3) spalvotasis (*apie rasę*)
colo(u)rful ['kʌləfəl] *a* spalvingas; ryškus
column ['kɔləm] *n* 1) kolona; 2) stulpas, stulpelis; 3) skiltis (*laikraštyje*)
commission [kə'mɪʃn] *n* 1) įgaliojimas; 2) komisija
comb [kəum] *n* šukos; *v* šukuotis
combat ['kɔmbæt] *v* kovoti (*su*)
combine [kəm'baɪn] *v* (su)jungti; ['kɔmbaɪn] *n ž.ū.* kombainas (*t.p.* ~ harvester)
come [kʌm] *v* (**came** [keɪm]; **come**) 1) ateiti, atvykti; 2) (*atsitiktinai*) susitikti; užtikti (across); ~ about atsitikti; ~ back sugrįžti; ~ in įeiti
comedian [kə'mi:dɪən] *n* komikas (*aktorius*)
comedy ['kɔmədɪ] *n* komedija
comfort ['kʌmfət] *n* patogumas, komfortas
comic ['kɔmɪk] *n* 1) komikas; 2) komiksas; *a* komiškas
comical *a* = **comic** *a*
comma ['kɔmə] *n* kablelis
command [kə'ma:nd] *n* 1) komanda; 2): a good ~ (of) geras (*ko*) mokėjimas
commence [kə'mens] *v* pra(si)dėti
comment [kə'ment] *v* komentuoti; *n* komentaras; **~ary** ['kɔməntərɪ] *n* komentaras; running ~ary *rad., tel.* reportažas **~ator** ['kɔmənteɪtə] *n* komentatorius
commerce ['kɔmə:s] *n* prekyba; komercija
commercial [kə'mə:ʃl] *a* prekybinis, komercinis
commit [kə'mɪt] *v* padaryti, įvykdyti (*ką bloga*)
committee [kə'mɪtɪ] *n* 1) komisija; 2) komitetas
common ['kɔmən] *a* 1) bendras; 2) paprastas; *n* bendra valda (*žemės*); in ~ bendrai, kartu; **~place** [-pleɪs] *n* banalybė
commonwealth ['kɔmənwelθ] *n* federacija, sandrauga
communicate [kə'mju:nɪkeɪt] *v* 1) bendrauti, turėti ryšį; 2) perduoti, pranešti
communication [kə'mju:nɪ'keɪʃn] *n* 1) bendravimas; 2) *pl* ryšiai; susisiekimas
communist ['kɔmjunɪst] *n* komunistas; *a* komunistinis

community [kə'mju:nətɪ] *n* bendruomenė; visuomenė
commute [kə'mju:t] *v* reguliariai važinėti; **~r** *n* asmuo, reguliariai važinėjantis (*į darbą ir atgal*)
companion [kəm'pænjən] *n* 1) bendrakeleivis; 2) draugas
company ['kʌmpənɪ] *n* 1) kompanija, bendrovė; 2) draugija; 3) svečiai
comparative [kəm'pærətɪv] *a* lyginamasis; **~ly** *adv* palyginti
compare [kəm'pεə] *v* (pa)lyginti (*su*); a s ~ d w i t h palyginti su
comparison [kəm'pærɪsn] *n* 1) lyginimas; 2) *gram.* laipsniavimas
compartment [kəm'pa:tmənt] *n* 1) kupė; 2) skyrius, kamera
compass ['kʌmpəs] *n* 1) kompasas; 2) *pl* skriestuvas
compassion [kəm'pæʃn] *n* gailestis, užuojauta; **~ate** [-ət] *a* užjaučiantis
compel [kəm'pel] *v* priversti (*ką daryti*)
compensat|e ['kɔmpenseɪt] *v* kompensuoti; **~ion** *n* kompensacija; (*žalos*) atlyginimas
compete [kəm'pi:t] *v* varžytis, konkuruoti, rungtyniauti
competition ['kɔmpə'tɪʃn] *n* varžybos; konkursas
competitor [kəm'petɪtə] *n* varžovas
complain [kəm'pleɪn] *v* skųstis (*about*); **~t** *n* 1) nusiskundimas; 2) *teis.* skundas
complement *n* ['kɔmplɪmənt] papildymas; *v* [-ment] papildyti
complete [kəm'pli:t] *v* užbaigti; *a* pilnas, visiškas; **~ly** *adv* visiškai
complex ['kɔmpleks] *a* sudėtingas; **~ity** [kəm'pleksətɪ] *n* sudėtingumas
complicated ['kɔmplɪkeɪtɪd] *a* sudėtingas
compliment ['kɔmplɪmənt] *n* komplimentas; t o p a y ~ s sakyti komplimentus
complimentary ['kɔmplɪ'mentərɪ] *a* (pa)giriamasis; duodamas nemokamai
compos|e [kəm'pəuz] *v* komponuoti; sudaryti; sukurti; **~er** *n* kompozitorius
composition ['kɔmpə'zɪʃn] *n* 1) kompozicija; 2) (*mokinio*) rašinys; 3) sudėtis, struktūra
compound ['kɔmpaund] *n* (*cheminis*) mišinys, junginys; *a* sudėtinis
comprehen|d ['kɔmprɪ'hend] *v* suvokti, suprasti; **~sive** *a*: ~ s i v e s c h o o l (*valstybinė*) vidurinė mokykla

compress [kəm'pres] *v* su(si) spausti; su(si)slėgti; sutrumpinti (straipsnius ir *pan.*)
comprise [kəm'praɪz] *v* susidėti (*iš*); su(si)daryti
compuls|ion [kəm'pʌlʃn] *n* prievarta; **~ory** *a* priverstinis; privalomas
comput|e [kəm'pju:t] *v* skaičiuoti; **~er** *n* elektroninė skaičiavimo mašina, kompiuteris
comrade ['kɔmreɪd] *n* draugas
concave ['kɔnkeɪv] *a* įgaubtas
conceal [kən'si:l] *v* (pa)slėpti
conceited [kən'si:tɪd] *a* pasipūtęs, išpuikęs
concentrate ['kɔnsəntreɪt] *v* susikaupti, koncentruoti
conception [kən'sepʃn] *n* koncepcija; sąvoka
concern [kən'sə:n] *v* liesti, turėti ryšį; dominti; *n* rūpestis
concerned [kən'sə:nd] *a* 1) susirūpinęs; 2) susijęs (with - *su*)
concerning [kən'sə:nɪŋ] *prep* apie, dėl
concert ['kɔnsət] *n* koncertas
concession [kən'seʃn] *n* nuolaida; lengvata
conclude [kən'klu:d] *v* 1) baigti; 2) daryti išvadą; 3) sudaryti (*sutartį ir pan.*)
conclu|sion [kən'klu:ʒn] *n* išvada; pabaiga; **~sive** [-sɪv] *a* galutinis, baigiamasis
concrete I ['kɔŋkri:t] *n* betonas; *a* betono, betoninis
concrete II ['kɔŋkri:t] *a* konkretus, realus; *n* kas nors konkretus/realus; in the ~ konkrečiai, realiai
condemn [kən'dem] *v* smerkti
condition [kən'dɪʃn] *n* 1) sąlyga; 2) būklė
conduct [kən'dʌkt] *v* elgtis; vadovauti; ['kɔndʌkt] *n* poelgis; **~or** *n* 1) konduktorius; 2) dirigentas; 3) *el.* laidininkas
cone [kəun] *n* 1) konkorėžis; 2) kūgis (*geometrijoje*)
confectionary [kən'fekʃənərɪ] *n* konditerija
conference ['kɔnfərəns] *n* konferencija; pasitarimas
confess [kən'fes] *v* 1) išpažinti (*nuodėmes*); 2) prisipažinti
confide [kən'faɪd] *v* 1) pasitikėti (in); 2) išsipasakoti
confidence ['kɔnfɪdəns] *n* pa(si)tikėjimas
confident ['kɔnfɪdənt] *a* tikras, įsitikinęs; pasitikintis
confirm [kən'fə:m] *v* patvirtinti
conflict ['kɔnflɪkt] *n* konfliktas; **~ing** [kən'flɪktɪŋ] *a* prieštaraujantis, prieštaringas
confuse [kən'fju:z] *v* 1) sumaišyti, supainioti; 2) kelti

sąmyšį; **~ed** [kən'fu:zd] *a* supainiotas; susipainioję̃s
congratulate [kən'grætʃuleɪt] *v* sveikinti
congratulations [kən'grætʃu'leɪʃns] *n pl* sveikinimai
congress ['kɔŋgres] *n* suvažiavimas
conifer ['kɔnɪfə] *n bot.* spygliuotis
conjunction [kən'dʒʌŋkʃn] *n* 1) *gram.* jungtukas; 2): in ~ with bendrai, kartu su
conjure ['kʌndʒə] *v* daryti fokusus
conjuror ['kʌndʒərə] *n* fokusininkas
connect [kə'nekt] *v* sujungti; *a* susiję̃s; **~ion** *n* ryšys, sąryšis
conquer ['kɔɪkə] *v* 1) užkariauti; 2) nugalėti; **~or** *n* užkariautojas
conquest ['kɔŋkwest] *n* 1) užkariavimas; 2) pergalė
conscience ['kɔnʃəns] *n* sąžinė
conscious ['kɔnʃəs] *a* 1) suprantantis; 2) sąmoningas; **~ness** *n* 1) sąmonė; 2) sąmoningumas
conscript ['kɔnskrɪpt] *n* šauktinis (*į karo tarnybą*)
consecrate ['kɔnsɪkreɪt] *v* pašventinti; įšventinti
consent [kən'sent] *v* sutikti, pritarti, patvirtinti; *n* sutikimas, pritarimas, patvirtinimas
conserv | ative [kən'sə:vətɪv] *a* konservatyvus; the C. Party konservatorių partija; *n* konsevatorius; **~e** *v* 1) išsaugoti, išlaikyti; 2) tausoti
consequence ['kɔnsɪkwəns] *n* pasekmė
consequently ['kɔnsɪkwəntlɪ] *adv* todėl, vadinasi
consider [kən'sɪdə] *v* 1) manyti, laikyti; 2) svarstyti, (ap)galvoti; **~able** [-rəbl] *a* žymus, didelis
considerate [kən'sɪdərət] *a* atidus, taktiškas
consideration [kən'sɪdə'reɪʃn] *n* 1) (ap)svarstymas; apgalvojimas; 2) (*žmonių*) tausojimas, dėmesys
consist [kən'sɪst] *v* susidėti (of -*iš*)
consolation ['kɔnsə'leɪʃn] *n* paguoda
console [kən'səul] *v* (pa)guosti
consonant ['kɔnsənənt] *n* priebalsis
conspictuous [kən'spɪkjuəs] *a* žymus, ryškus; krintantis į akį
conspiracy [kən'spɪrəsɪ] *n* 1) sąmokslas; 2) konspiracija
conspirator [kən'spɪrətə] *n* sąmokslininkas

conspire [kən'spaɪə] *v* rengti sąmokslą
constable ['kʌnstəbl] *n* policininkas
constant ['kɔnstənt] *a* pastovus; **~ly** *adv* nuolat
constituency [kən'stɪtjuənsɪ] *n* rinkimų apygarda
constitute ['kɔnstɪtju:t] *v* 1) įsteigti; 2) sudaryti
constitution ['kɔnstɪ'tju:ʃn] *n* konstitucija
constrict [kən'stɪkt] *v* (su)varžyti; (su)veržti
construct [kən'strʌkt] *v* statyti; konstruoti; **~ion** [-kʃn] *n* 1) statyba; konstravimas; 2) pastatas
consul ['kɔnsəl] *n* konsulas
consulate ['kɔnsjulət] *n* konsulatas
consult [kən'sʌlt] *v* konsultuoti(s); **~ation** ['kɔnsəl'teɪʃn] *n* konsultacija
consum|e [kən'sju:m] *v* 1) (su)vartoti; **~er** *n* vartotojas; ~ e r g o o d s plataus vartojimo prekės
contact ['kɔntækt] *n* sąlytis; kontaktas; *v* susisiekti (su)
contain [kən'teɪn] *v* 1) turėti savyje; 2) tilpti; **~er** *n* konteineris
contaminate [kən'tæmɪneɪt] *v* užkrėsti
contempt [kən'tempt] *n* panieka; **~ible** *a* niekingas
contemporary [kən'tempərərɪ] *n* amžininkas; *a* šiuolaikinis
content [kən'tent] *a* patenkintas
contents ['kɔntents] *n pl* turinys
contest *n* ['kɔntest] varžybos; konkursas; *v* [kən'test] varžytis
contestant [kən'testənt] *v* varžybų dalyvis
context ['kɔntekst] *n* kontekstas
continent ['kɔntɪnənt] *n* žemynas, kontinentas
continual [kən'tɪnjuəl] *a* nepaliaujamas
continue [kən'tɪnju:] *v* tęsti; t o b e ~d bus daugiau, nuolatinis
continuous [kən'tɪnjuəs] *a* nenutrūkstamas, ištisinis; nuolatinis
contra- [kɔntrə-] kontr(a)-; *cóntráband* kontrabanda
contract ['kɔntrækt] *n* sutartis, sandoris
contrary ['kɔntrərɪ] *a* priešingas; *n*: o n t h e ~ priešingai
contrast ['kɔntra:st] *n* skirtumas; *v* [kən'tra:st] 1) supriešinti, (su)gretinti; 2) skirtis
contribute [kən'trɪbju:t] *v* 1) prisidėti; 2) daryti įnašą; 3) bendradarbiauti

contribution ['kɔntrɪ'bju:ʃn] *n* 1) įnašas; 2) bendradarbiavimas (*spaudoje*)
control [kən'trəul] *n* 1) kontrolė; 2) valdymas; be in ~ of vadovauti; **~s** *pl* mašinos valdymo prietaisai/svirtys; *v* 1) tikrinti; 2) valdyti
convenien|ce [kən'vi:nɪəns] *n* patogumas; **~t** *a* patogus, tinkamas
convent ['kɔnvənt] *n* moterų vienuolynas
conventional [kən'venʃnəl] *a* sutartinis; įprastinis; tradicinis
conversation ['kɔnvə'seɪʃn] *n* pokalbis
conversion [kən'və:ʃn] *n* 1) (pa)vertimas; (pa)virtimas; 2) at(si)vertimas; 3) perskaičiavimas (*kitais vienetais*)
convex ['kɔnveks] *a* išgaubtas
convey [kən'veɪ] *v* 1) perduoti; pateikti; 2) pergabenti; **~er, -or** *n* konvejeris
convict ['kɔnvɪkt] *n* kalinys; *v* pripažinti kaltu, nuteisti
conviction [kən'vɪkʃn] *n* 1) į(si)tikinimas; 2) nuteisimas
convince [kən'vɪns] *v* įtikinti
cook [kuk] *v* virti; gaminti (*valgį*); *n* virėjas; **~er** *n* viryklė
cookery ['kukərɪ]*n* kulinarija
cool [ku:l] *a* 1) vėsus; 2) ramus
co-operate [kəu'ɔpəreɪt] *v* bendradarbiauti, padėti
co-operation [kəu'ɔpə'reɪʃn] *n* bendradarbiavimas
co-operative [kəu'ɔpərətɪv] *a* linkęs bendradarbiauti
coordinate [kəu'ɔ:dɪneit] *v* koordinuoti, derinti
cop [kɔp] *n* policininkas
cope [kəup] *v* 1) susidoroti (*with*); 2) to have to ~ (with) susidurti, pakęsti
copper ['kɔpə] *n* varis
copy ['kɔpɪ] *v* 1) nurašyti; 2) kopijuoti; *n* 1) kopija; 2) egzempliorius
cord [kɔ:d] *n* plona virvė, špagatas
cordial ['kɔ:dɪəl] *a* širdingas, draugiškas
core [kɔ:] *n* 1) šerdis; 2) *prk.* esmė
cork [kɔ:k] *n* kamštis; **~screw** [-skru:] *n* kamščiatraukis; *v* užkimšti (*kamščiu*)
corn [kɔ:n] *n* 1) grūdai; 2) javai; 2) *amer.* kukurūzai
corner ['kɔ:nə] *n* 1) kampas; 2) *sport.* kampinis
cornflakes ['kɔ:nfleɪks] *n pl* kukurūzų dribsniai
coronation ['kɔrə'neɪʃn] *n* karūnavimas
corporation ['kɔ:pə'reɪʃn] *n* korporacija

corpse [kɔ:ps] *n* lavonas
corpulent ['kɔ:pjulənt] *s* storas, apkūnus
correct [kə'rekt] *v* taisyti; koreguoti; *a* teisingas; **~ion** [kə'rekʃn] *n* (iš)taisymas
correspond ['kɔrɪ'spɔnd] *v* 1) atitikti (*to, with*); 2) susirašinėti (*with*); **~ence** [-əns] *n* korespondencija; **~ent** [-ənt] *n* korespondentas
corridor ['kɔrɪdɔ:] *n* koridorius
cosmetic [kɔz'metɪk] *a* kosmetinis; **~s** *n pl* kosmetinės priemonės
cosmic ['kɔzmɪk] *a* kosminis
cosmonaut ['kɔzmənɔ:t] *n* kosmonautas
cost [kɔst] *v* (**cost**) kainuoti; **~ly** *a* brangus
costume ['kɔstju:m] *n* 1) kostiumas; 2) drabužiai (*pvz., tautiniai*)
cosy ['kəuzɪ] *a* jaukus
cot [kɔt] *n* vaikiška lovytė
cottage ['kɔtɪdʒ] *n* vasarnamis, užmiesčio namelis
cotton ['kɔtn] *n* 1) medvilnė; 2) vata; *a, attr* medvilninis; **~-wool** ['kɔtn'wul] *n* vata
couch [kautʃ] *n* sofa; kušetė
cough [kɔf] *v* kosėti; *n* kosulys
could *žr.* **can**
couldn't = could not
council ['kaunsl] *n* taryba; city/town ~ municipalitetas, miesto taryba
count [kaunt] *v* skaičiuoti; **~less** *a* nesuskaičiuojamas
counter I ['kauntə] *n* 1) prekystalis; 2) langelis (*banko*)
counter II : ~ to *prep* prieš
counteract ['kauntə'ækt] *v* veikti prieš; neutralizuoti
country ['kʌntrɪ] *n* 1) šalis; 2) tėvynė; 3) kaimas, užmiestis (*papr.* the ~)
county ['kauntɪ] *n* grafystė (*rajonas*)
couple ['kʌpl] *n* pora
coupon ['ku:pɔn] *n* kuponas
courage ['kʌrɪdʒ] *n* drąsa; **~ous** [kə'reɪdʒəs] *a* drąsus
course [kɔ:s] *n* 1) kursas; 2) eiga; 3) patiekalas; in the ~ of per, metu; in the ~ of time laikui bėgant; of ~ žinoma, be abejo
court [kɔ:t] *n* 1) teismas; 2) kiemas; 3) (*žaidimų*) aikštelė, kortas; **~eous** ['kɔ:tɪəs] *a* mandagus
courtship ['kɔ:tʃɪp] *n* piršimasis
courtyard ['kɔ:tja:d] *n* kiemas (*tarp pastatų*)
cousin ['kʌzn] *n* pusbrolis; pusseserė
cove [kəuv] *n* įlankėlė
cover ['kʌvə] *v* 1) uždengti; 2)

aprėpti, apimti; *n* 1) dangtis; 2) (*knygos*) viršelis; **~ing** [-rɪŋ] *n* apdengimas; danga
cow [kau] *n* karvė
coward ['kauəd] *n* bailys
cowboy ['kaubɔɪ] *n* kaubojus
crab [kræb] *n* krabas
crack [kræk] *n* plyšys; *v* įtrūkti
cracker ['krækə] *n* 1) traškutis (*sausainis*); 2) fejerverkas; 3) *pl* spaustukai (*riešutams*)
crackle ['krækl] *v* traškėti (*apie degantį*)
cradle ['kreɪdl] *n* lopšys
craft [kra:ft] *n* 1) amatas; 2) gudrybė; 3) *pl* laivai, lėktuvai
craftsman ['kra:ftsmən] *n* meistras, amatininkas
crafty ['kra:ftɪ] *a* gudrus, klastingas
crag [kræg] *n* stati uola
cram [kræm] *n* kamšatis, grūstis; **~med** *a* sausakimšas
cranberry ['krænbərɪ] *n* spanguolė
crane [kreɪn] *n* 1) gervė; 2) keliamasis kranas
crash [kræʃ] *n* 1) trenksmas; 2) krachas; avarija; *v* nukristi, sudužti; **~helmet** [-helmɪt] *n* (*apsaugos*) šalmas
crater ['kreɪtə] *n* krateris
crawl [krɔ:l] *v* šliaužti; *n* kraulis (*plaukimo būdas*)
craze [kreɪz] *n* mada, susižavėjimas
crazy ['kreɪzɪ] *a* 1) išprotėjęs, pamišęs; 2) susižavėjęs (*about*)
creak [kri:k] *v* girgždėti
cream [kri:m] *n* 1) kremas; 2) grietinėlė; **~y** *a* 1) kreminis; 2) su grietinėle; grietininis
crease [kri:s] *v* raukšlėti; *n* raukšlė
create [kri'eɪt] *v* 1) kurti; 2) sukelti
creat|ion [krɪ'eɪʃn] *n* (su)kūrimas; kūryba; **~ive** *a* kūrybingas; kūrybinis
creator [krɪ'eɪtə] *n* kūrėjas
creature ['kri:tʃə] *n* būtybė; padaras
credit ['kredɪt] *n* 1) pasitikėjimas; 2) geras vardas; 3) paskola, kreditas
creep [kri:p] *v* (**crept** [krept]) 1) šliaužti; 2) slinkti, sėlinti; **~er** *n* vijoklis
crescent ['kresnt] *n* pusmėnulis
crest [kres] *n* 1) viršūnė, ketera; 2) skiauterė, kuodas
crew [kru:] *n* 1) (*laivo, lėktuvo*) įgula; ekipažas; brigada
cricket I ['krɪkɪt] *n* *sport.* kriketas
cricket II *n* svirplys
cries [kraɪz] *n* verksmas; šauksmai

crime [kraɪm] *n* nusikaltimas
criminal ['krɪmɪnl] *n* nusikaltėlis; *a* 1) kriminalinis; 2) nusikalstamas
crimson ['krɪmzn] *a* tamsiai raudonas
cripple ['krɪpl] *v* suluošinti; *n* luošys, invalidas
crisis ['kraɪsɪs] *n* (*pl* **crises** ['kraɪsi:z]) krizė
crisps [krɪsps] *a* traškus; *n pl* (*bulvių*) traškučiai
critical ['krɪtɪkl] *a* 1) kritiškas; pavojingas (*pvz., susirgimas*); 2) kritinis
criticism ['krɪtɪsɪzm] *n* kritika
criticize ['krɪtɪsaɪz] *v* kritikuoti
croak [krəuk] *n* krankimas; kurkimas; *v* krankti, kvarkti, kurkti
Croat ['krəuət] *n* kroatiškas; **~ia** [krəu'eɪʃə] *n* Kroatija; **~ian** *n* kroatų
crockery ['krɔkərɪ] *n* (*moliniai, porceliano*) indai
crocodile ['krɔkədaɪl] *n* krokodilas
crook [kruk] *n* 1) lazda; 2) *šnek*. sukčius; 3) sulenkimas; *v* sulenkti
crooked ['krukɪd] *a* 1) sulenktas, kreivas; 2) suktas
crop [krɔp] *n* 1) derlius; 2) *pl* pasėliai, javai
cross [krɔs] *n* kryžius; *v* 1) pereiti (*skersai*); 2) žegnoti(s); ~ o f f / o u t išbraukti; *a* piktas
cross-examination ['krɔsɪgzæmɪ'neɪʃn] *n teis*. kryžminė apklausa
cross-examine ['krɔsɪg'zæmɪn] *v teis*. kryžmiškai apklausti
crossing ['krɔsɪŋ] *n* 1) perėja; 2) kryžkelė
crossrouds ['krɔsrəud] *n* kryžkelė, sankryža
crossword ['krɔswə:d] *n* kryžiažodis
crouch [krautʃ] *v* 1) susigūžti; 2) pasilenkti; pritūpti
crow [krəu] *n* varna
crowd [kraud] *n* minia; **~ed** *a* perpildytas; pilnutėlis
crown [kraun] *n* karūna; *v* karūnuoti
crucifix ['kru:sɪfɪks] *n* nukryžiuotasis
crucify ['kru:sɪfaɪ] *v* nukryžiuoti
cruel [kruəl] *a* žiaurus; **~ty** *n* žiaurumas
cruise [kru:z] *n* kelionė jūra; **~r** *n* kreiseris
crumb [krʌm] *n* gabalėlis, trupinėlis (*duonos*)
crumble ['krʌmbl]*v* trupinti; trupėti
crumple ['krʌmpl] *v* glamžyti(s)

crunch [krʌntʃ] *v* 1) triuškinti; 2) traškėti, girgždėti (*po kojomis*)
crush [krʌʃ] *n* grūstis, spūstis; *v* 1) (su)traiškyti; 2) (su)-triuškinti
crust [krʌst] *n* pluta
crutch [krʌtʃ] *n* ramentas
cry [kraɪ] *v* 1) rėkti; 2) verkti; **~-baby** [-beɪbɪ] *n* verksnys
cub [kʌb] *n* (*žvėries*) jauniklis
Cuba [kju:bə] *n* Kuba; **~n** *n* kubietis, -ė; *a* kubiečių
cube [kju:b] *n* kubas; *v mat.* pakelti kubu
cubic ['kju:bɪk] *a* kubinis
cuckoo ['kuku:] *n* gegutė
cucumber ['kju:kʌmbə] *n* agurkas
cuddle ['kʌdl] *v* priglausti, apkabinti
cuff [kʌf] *n* rankogalis
culpable ['kʌlpəbl] *a* kaltas; baustinas
culprit ['kʌlprɪt]*n* kaltininkas
cultivate ['kʌltɪveɪt] *v* (ap)dirbti (*žemę*); kultivuoti
cultural ['kʌltʃərəl] *a* kultūrinis
culture ['kʌltʃə] *n* kultūra; **~d** *a* kultūringas
cunning ['kʌnɪŋ] *a* 1) gudrus; suktas; 2) sumanus; 3) *amer.* pikantiškas; *n* 1) gudrybė, suktybė; 2) sumanumas
cup [kʌp] *n* 1) puodukas; 2) taurė
cupboard ['kʌbəd] *n* bufetas, spintelė
curate ['kjuərət] *n* pastoriaus/klebono padėjėjas; vikaras
curb [kə:b] *n amer.* šaligatvio kraštas
curd(s) [kə:d(z)] *n* varškė
cure [kjuə] *v* (iš)gydyti
curiosity ['kjuərɪ'ɔsətɪ] *n* žingeidumas
curious ['kjuərɪəs] *a* 1) smalsus; 2) keistas, neįprastas
curl [kə:l] *n* garbana; *v* garbanoti (*plaukus*); **~er** *n* suktukas (*plaukams garbanoti*); **~y** *a* garbanotas
currant ['kʌrənt] *n* serbentai
currency ['kʌrənsɪ] *n* valiuta; h a r d ~ tvirtoji valiuta
current ['kʌrənt] *n* srovė; *a* einamas, dabartinis
curry ['kʌrɪ] *n* aštrus ragu; karis
curse [kə:s] *v* 1) keikti(s); 2) (pra)keikti
curtail [kə:'teɪl] *v* 1) sutrumpinti; 2) (su)mažinti, (ap)riboti (*išlaidas ir pan.*)
curtain ['kə:tn] *n* 1) uždanga; 2) užuolaida
curtsey ['kə:tsɪ] *n* reveransas; *v* daryti reveransą
curve [kə:v] *n* 1) kreivė; 2) vingis, išlinkis
curved [kə:vd] *a* kreivas, iš-

lenktas
cushion ['kuʃn] *n* pagalvėlė
custard ['kʌstəd] *n* saldus padažas/kremas
custody ['kʌstədɪ] *n* 1) globa; 2) saugojimas; 3) suėmimas
custom ['kʌstəm] *n* paprotys
customer ['kʌstəmə] *n* klientas, pirkėjas
customs ['kʌstəmz] *n pl* muitas; muitinė
cut [kʌt] (**cut**) *v* pjauti; ~ d o w n 1) iškirsti (*medžius*); 2) (ap)kirpti; (ap)karpyti; 3) sumažinti (*išlaidas ir pan.*)
cutlery ['kʌtlərɪ] *n* stalo įrankiai
cutlet ['kʌtlɪt] *n* pjausnys; kotletas
cutting ['kʌtɪŋ] *a* 1) aštrus; kandus; 2) šaizus, žvarbus
cycle I ['saɪkl] *n* dviratis; *v* važiuoti dviračiu
cycle II *n* ciklas
cycl|ing ['saɪklɪŋ] *n* dviračių sportas; **~ist** *n* dviratininkas
cyclone ['saɪkləun] *n* ciklonas
Czech [tʃek] *n* 1) čekas, -ė; 2) čekų kalba; *a* čekiškas; ~ R e p u b l i c Čekija

D

dab [dæb] *v* 1) liestelėti; palytėti; 2) tepetelėti
dad [dæd], **daddy** ['dædɪ] *n šnek.* tėtis, tėvelis
daffodil ['dæfədɪl] *n* gelsvasis narcizas
daft [da:ft] *a šnek.* kvailokas
dagger ['dægə] *n* durklas
dahlia ['deɪlɪə] *n bot.* jurginas
daily ['deɪlɪ] *a* kasdieninis; *n* dienraštis
dainty ['deɪntɪ] *a* dailus, žavus; *n* skanėstas
dairy ['dɛərɪ] *n* pieninė
daisy ['deɪzɪ] *n bot.* saulutė
dam [dæm] *n* užtvanka
damage ['dæmɪdʒ] *n* žala, nuostolis; *v* 1) padaryti nuostolių/žalos; pakenkti; 2) (su)gadinti
damn(ed) [dæm(d)] *a* prakeiktas; bjaurus
damp [dæmp] *a* drėgnas
dance [da:ns] *v* šokti; *n* šokis
dandelion ['dændɪlaɪən] *n bot.* kiaulpienė
dandruff ['dændrəf] *n* pleiskanos
dandy ['dændɪ] *n* dabita
Dan|e [deɪn] *n* danas; **~ish** *a* danų, daniškas; *n* danų kalba

danger ['deɪndʒə] *n* pavojus; **~ous** ['deɪndʒərəs] *a* pavojingas
dare [dɛə] *v* drįsti; **~devil** ['dɛə'devl] *n* drąsuolis
daring ['dɛərɪŋ] *a* drąsus, bebaimis
dark [da:k] *a* tamsus; **~ness** *n* tamsa
darling ['da:lɪŋ] *n, a* brangus(is); mylimas(is)
darn [da:n] *v* adyti
dart [da:t] *n* 1) strėlė; 2) *pl* smiginis, strėlių mėtymas (*žaidimas*); *v* mesti(s), lėkti
dash [dæʃ] *v* 1) mestis; pulti; 2) tėkšti; 3) atskiesti, atmiešti; *n* brūšnys, brūkšnelis
data ['deɪtə] *n pl* duomenys (*sg* **datum**)
date [deɪt] *n* 1) data; 2) *šnek.* pasimatymas; *v* datuoti; **~d** [-ɪd] *a* pasenęs
daughter ['dɔ:tə] *n* duktė; **~-in-law** [-ɪnlɔ:] *n* marti
dawdle ['dɔ:dl] *v* dykinėti; gaišti
dawn [dɔ:n] *n* aušra
day [deɪ] *n* diena; the ~ before yesterday užvakar; the ~ after tomorrow poryt; one of these ~s artimiausiomis dienomis; some ~ kada nors
daytime ['deɪtaɪm] *n* dienos metas; in the ~ dieną
daze [deɪz] *v* apstulbinti; *n*: in a ~ apsvaigęs, pritrenktas
dazzle ['dæzl] *v* apakinti (*šviesa*); *n* akinantis blizgesys; apakinimas
dead [ded] *a* miręs, negyvas; *n* (the ~) mirusieji; **~ly** *a* mirtinas
deaf [def] *a* kurčias; **~en** ['defn] *v* apkurtinti
deal [di:l] *n* 1) sandoris; kiekis; a great/good ~ of daug (*ko; su sg*)
deal [di:l] *v* (**dealt** [delt]) 1) išdalyti; 2) užsiimti, tvarkyti reikalą (with); 3) prekiauti (in); 4) nagrinėti, spręsti (with); **~er** *n* 1) prekiautojas, pirklys; 2) (*kortų*) dalintojas
dean [di:n] *n* dekanas
dear [dɪə] *a* brangus; brangus(is) (*laiške*); Dear Sir gerbiamas pone; **~ly** *adv* labai, švelniai
death [deθ] *n* mirtis; **~ly** *adv* mirtinai; **~rate** [-reɪt] *n* mirtingumas (*rodiklis*)
debate [dɪ'beɪt] *v* diskutuoti; *n* debatas, diskusija
debt [det] *n* skola; to be in ~ būti skolingam
decay [dɪ'keɪ] *v* 1) pūti, gesti; 2) irti; smukti; *n* 1) puvimas; 2) irimas, smukimas, žlugimas
decant [dɪ'kænt] *v* filtruoti
deceitful [dɪ'si:tfəl] *n* apgau-

lingas
deceive [dɪ'si:v] *v* apgauti
December [dɪ'sembə] *n* gruodis
decent ['di:snt] *a* 1) padorus; 2) malonus, šaunus
deception [dɪ'sepʃn] *n* apgavystė, apgaulė
decide [dɪ'saɪd] *v* 1) nuspręsti; 2) ryžtis
decid|ed [dɪ'saɪdɪd] *a* 1) aiškus; 2) ryžtingas; **~ing** *a* lemiamas
decipher [dɪ'saɪʒə] *v* iššifruoti
decision [dɪ'sɪʒn] *n* nutarimas, sprendimas
decisive [dɪ'saɪsɪv] *a* lemiamas
deck [dek] *n* denis; **~chair** ['dektʃɛə] *n* šezlongas
declare [dɪ'klɛə] *v* pareikšti; paskelbti
declassify [di:'klæsɪfaɪ] *v* išslaptinti
decline [dɪ'klaɪn] *n* smukimas, nuosmukis; *v* 1) smukti, nykti; 2) nepriimti, atmesti
decompose [di:kəm'pəuz] *v* irti, pūti
decorate ['dekəreɪt] *v* puošti
decoration ['dekə'reɪʃn] *n* 1) puošimas; 2) apdaila, dekoravimas; 3) ordinas, apdovanojimas
dedication ['dedɪ'keɪʃn] *n* paskyrimas, dedikacija
deed [di:d] *n* poelgis; žygdarbis
deep [di:p] *a* gilus; *adv* giliai (*t.p.* **deeply**); **~-freeze** ['di:pfri:z] *n* šaldyklė; **~en** *v* gilinti
deer [dɪə] *n* (*pl* **deer**) elnias
defeat [dɪ'fi:t] *n* pralaimėjimas; *v* nugalėti, sumušti
defective [dɪ'fektɪv] *a* su defektais; sugedęs
defence [dɪ'fens] *n* gynyba
defend [dɪ'fend] *v* ginti(s), saugoti(s); **~er** *n* gynėjas
defiant [dɪ'faɪənt] *a* nepaklūstantis; įžūlus
define [dɪ'faɪn] *v* apibrėžti, apibūdinti; nustatyti
definite ['defɪnɪt] *a* apibrėžtas; **~ly** *adv* tikrai; žinoma
definition ['defɪ'nɪʃn] *n* apibrėžimas
defrost ['di:'frɔst] *v* atšildyti, atitirpdyti
deft [deft] *a* miklus, mitrus
defy [dɪ'faɪ] *v* 1) nepaklusti, ignoruoti; 2) mesti iššūkį
degree [dɪ'gri:] *n* laipsnis
dejected [dɪ'dʒektɪd] *a* nusiminęs, nuliūdęs
delay [dɪ'leɪ] *v* 1) delsti, gaišti; 2) atidėlioti; *n* delsimas; gaišimas
delegate *n* ['delɪgət] delegatas; *v* ['delɪgeɪt] deleguoti

delegation ['delɪ'geɪʃn] *n* delegacija
deliberate [dɪ'lɪbərət] *a* 1) tyčinis, apgalvotas; 2) atsargus, lėtas
delicate ['delɪkət] *a* 1) subtilus; 2) gležnas, trapus; 3) keblus
delicious [dɪ'lɪʃəs] *a* skanus, puikus
delight [dɪ'laɪt] *n* 1) džiaugsmas; 2) malonumas; t o t a k e ~ i n patirti malonumą (*dėl*); *v* džiuginti; žavėti; **~ed** *a* susižavėjęs; **~ful** *a* žavingas
deliver [dɪ'lɪvə] *v* 1) (at)gabenti; pristatyti; 2) įteikti
demand [dɪ'ma:nd] *n* (pa)reikalavimas; *v* (pa)reikalauti
democr|acy [dɪ'mɔkrəsɪ] *n* demokratija; **~at** ['deməkræt] *n* demokratas; **~atic** ['demə'krætɪk] *a* demokratinis
demolish [dɪ'mɔlɪʃ] *v* išgriauti
demonstrate ['demənstreɪt] *v* demonstruoti
demonstration ['demən'streɪʃn] *n* 1) demonstracija; 2) demonstravimas
den [den] *n* 1) urvas; 2) (*plėšikų*) landynė
denial [dɪ'naɪəl] *n* paneigimas
Denmark ['denma:k] *n* Danija
denote [dɪ'nəut] *v* pažymėti
dense [dens] *a* tankus; tirštas
dent [dent] *n* įlenkimas
dentist ['dentɪst] *n* dantų gydytojas
deny [dɪ'naɪ] *v* neigti
depart [dɪ'pa:t] *v* išvykti
department [dɪ'pa:tmənt] *n* 1) skyrius; 2) fakultetas; katedra
departure [dɪ'pa:tʃə] *n* išvykimas
depend [dɪ'pend] *v* priklausyti (on/upon- *nuo*); **~able** *a* patikimas; **~ence** *n* priklausomybė; **~ent** *a* priklausomas
deposit [dɪ'pɔzɪt] *n* 1) indėlis; 2) nuosėdos; *v* padėti (*kur nors*); deponuoti
depot ['depəu] *n* 1) sandėlis; 2) depas; parkas
depress [dɪ'pres] *v* liūdinti; **~ed** *a* prislėgtas, nuliūdęs
depth [depθ] *n* gylis
deputy ['depjutɪ] *n* deputatas
derivative [dɪ'rɪvətɪv] *n* vedinys, išvestinis žodis
descend [dɪ'send] *v* 1) (nusi)leisti, leistis žemyn; 2) kilti (*iš ko*); **~ant** [-ənt] *n* palikuonis
descent [dɪ'sent] *n* 1) nusileidimas; 2) nuokalnė; 3) staigus užpuolimas; 4) kilmė
describe [dɪ'skraɪb] *v* aprašyti
description [dɪ'skrɪpʃn] *n* aprašymas

desert I [dɪ'zə:t] *v* apleisti, palikti; **~ed** *a* apleistas
desert II ['dezət] *n* dykuma
deserve [dɪ'zə:v] *v* būti vertam, nusipelnyti
design [dɪ'zaɪn] *v* 1) projektuoti; 2) sukurti (*modelį*); *n* 1) projektas; 2) eskizas; 3) ketinimas; **~er** *n* 1) projektuotojas; 2) modeliuotojas; dizaineris
desirable [dɪ'zaɪərəbl] *a* pageidaujamas, norimas
desire [dɪ'zaɪə] *n* troškimas; noras; *v* labai norėti, trokšti
desk [desk] *n* 1) rašomasis stalas; 2) mokyklinis suolas
desolate ['desələt] *a* apleistas
despair [dɪ'spɛə] *n* neviltis
despatch, dispatch [dɪ'spætʃ] *v* pasiųsti; *n* pranešimas, žinia
desperate ['despərət] *a* 1) beviltiškas; 2) žūtbūtinis; smarkus
desperation ['despə'reɪʃn] *n* neviltis
despise [dɪ'spaɪz] *v* niekinti, neapkęsti
despite [dɪ'spaɪt] *prep* nepaisant
dessert [dɪ'zə:t] *n* saldusis patiekalas, desertas
destination ['destɪ'neɪʃn] *n* 1) paskirtis; 2) tikslas
destroy [dɪ'strɔɪ] *v* griauti, naikinti
destruc|ion [dɪ'strʌkʃn] *n* (su)griovimas, (su)naikinimas; **~ive** *a* griaunamasis, naikinamasis
detach [dɪ'tætʃ] *v* atskirti, atkabinti
detail ['di:teɪl] *n* smulkmena, detalė; in ~ detaliai; **~ed** *a* detalus
detain [dɪ'teɪn] *v* 1) sulaikyti; 2) užlaikyti, sutrukdyti
detect [dɪ'tekt] *v* susekti, atskleisti; **~ive** *n* detektyvas
detergent [dɪ'tə:dʒənt] *n* valymo/dezinfekavimo priemonė
determination [dɪ'tə:mɪ'neɪʃn] *n* 1) apibrėžimas; 2) ryžtingumas
determine [dɪ'tə:mɪn] *v* 1) apibrėžti; 2) nuspręsti; pasiryžti; **~ed** *a* ryžtingas
detest [dɪ'test] *v* neapkęsti
detour ['di:tuə] *n* aplinkelis, lankstas
devastate ['devəsteɪt] *v* nusiaubti, nuniokoti
develop [dɪ'veləp] *v* 1) plėtoti(s), (išsi)vystyti; 2) išaiškinti; 3) *fot.* išryškinti
device [dɪ'vaɪs] *n* 1) būdas; 2) prietaisas
devil ['devl] *n* 1) velnias, nelabasis; 2) *šnek.* žmogus, vyrukas
devoid [dɪ'vɔɪd] *a* neturintis,

be (of)
devote [dɪ'vəut] *v* 1) atsidėti; 2) skirti (to-*kam*); **~d** [-ɪd] *a* ištikimas
devour [dɪ'vauə] *v* (pra)ryti; **~ingly** *adv* godžiai
dew [dju:] *n* rasa; **~y** *a* rasotas
diagram ['daɪəgræm] *n* diagrama; grafikas; schema
dial [daɪ:əl] *v* surinkti telefono numerį
dialogue ['daɪəlɔg] *n* dialogas
diamond ['daɪəmənd] *n* deimantas
diary ['daɪərɪ] *n* dienoraštis; to keep a ~ rašyti dienoraštį
dice [daɪs] *n* (*pl* ~) žaidimas kauliukais
dictate [dɪk'teɪt] *v* diktuoti
dictation [dɪk'teɪʃn] *n* diktantas
dictator [dɪk'teɪtə] *n* diktatorius
dictionary ['dɪkʃənərɪ] *n* žodynas
did *žr.* **do**
didn't ['dɪdnt] = **did not**
die [daɪ] *v* mirti (for-*už;* of-*nuo*)
diesel ['di:zl] *n*: ~ fuel dyzelinis kuras; ~ engine dyzelinis variklis
diet ['daɪət] *n* dieta
differ ['dɪfə] *v* 1) skirtis (*apie nuomones*); nesutikti, nesutarti
difference ['dɪfrəns] *n* 1) skirtumas; 2) nesutarimas
different ['dɪfrənt] *a* skirtingas; kitoks, kitas; **~ly** *adv* skirtingai; kitaip
difficult ['dɪfɪkəlt] *a* sunkus, sudėtingas; **~y** *n* 1) sunkumas; 2) kliūtis
dig [dɪg] *v* (**dug** [dʌg]) kasti; ~ up iškasti, atkasti
digest [dɪ'dʒest] *v* virškinti; *n* ['daɪdʒest] santrauka, reziumė
dignity ['dɪgnətɪ] *n* orumas, kilnumas
digress [daɪ'gres] *v* nukrypti, nutolti (*nuo*)
dike [daɪk] *n* pylimas, užtvanka
dim [dɪm] *a* blausus, neaiškus, miglotas
diminish [dɪ'mɪnɪʃ] *v* (su)mažinti
din [dɪn] *n* ūžesys, gausmas
dine [daɪn] *v* pietauti
dining-room ['daɪnɪŋrum] *n* valgomasis (*kambarys*)
dinner ['dɪnə] *n* pietūs; to have ~ pietauti
dinosour ['daɪnəsɔ:] *n* dinozauras
dip [dɪp] *v* panardinti, įmerkti
direct ['dɪrekt] *a* tiesioginis; *v*

1) vadovauti; 2) diriguoti; 3) nukreipti; **~ion** [-kʃn] *n* kryptis; **~ly** *adv* tiesiogiai; **~or** *n* 1) direktorius; 2) dirigentas; 3) režisierius; **~ory** [-ərɪ] *n* adresų/telefonų knyga

dirt [də:t] *n* nešvarumai; purvas

dirty ['də:tɪ] *a* nešvarus, purvinas

dis- *prefix teikia neigiamą reikšmę ne-*, dislike – nemėgti

disadvantage ['dɪsəd'va:ntɪdʒ] *n* 1) nepatogumas, nenauda; 2) nepalankumas

disagree ['dɪsə'gri:] *v* nesutikti; **~able** [-əbl] *a* nemalonus; **~ment** *n* nesutikimas, nesantaika

disappear ['dɪsə'pɪə] *v* (pra) dingti, išnykti

disappoint ['dɪsə'pɔɪnt] *v* 1) apvilti; 2) apgauti; **~ed** *a* nusivylęs; **~ment** *n* nusivylimas

disapprove ['dɪsə'pru:v] *v* nepritarti

disarmament [dɪs'a:məmənt] *n* nusiginklavimas

disaster [dɪ'za:stə] *n* nelaimė

disastrous [dɪ'za:strəs] *a* pragaištingas; pražūtingas

disc (*amer*. **disk**) [dɪsk] *n* 1) diskas; 2) (*gramofono*) plokštelė

discharge [dɪs'tʃɑ:dʒ] *v* 1) paleisti; 2) atleisti (*iš darbo*); 3) (su)mokėti (*skolas, sąskaitas*)

discipline ['dɪsɪplɪn] *v* drausminti; *n* drausmė

disc-jockey ['dɪsk'dʒɔkɪ] *n* muzikos laidų vedėjas; žokėjas

discontented ['dɪskən'tentɪd] *a* nepatenkintas

disco ['dɪskəu] *šnek*., **discotheque** ['dɪskətek] *n* diskoteka

discount ['dɪskaunt] *n* nuolaida; diskontas; *v* diskontuoti; daryti nuolaidą

discourage [dɪs'kʌrɪdʒ] *v* atimti drąsą

discover [dɪs'kʌvə] *v* atrasti; atskleisti; **~y** *n* atradimas; atskleidimas

discuss [dɪ'skʌs] *v* svarstyti, diskutuoti; **~ion** [dɪ'skʌʃn] *n* svarstymas; diskusija

disease [dɪ'zi:z] *n* liga

disembark ['dɪsɪm'ba:k] *v* išlipti (*iš laivo, lėktuvo, autobuso*)

disgrace [dɪs'greɪs] *n* negarbė; *v* žeminti, daryti gėdą; **~ful** *a* negarbingas, gėdingas

disguise [dɪs'gaɪz] *v* maskuoti(s); *n* maskavimas(is)

disgust [dɪs'gʌst] *n* pasibjaurėjimas; *v* sukelti pasibjaurėjimą; **~ing** *a* bjaurus, šlykštus

dish ['dɪʃ] *n* patiekalas; **~es**

n pl indai
dishonest [dɪs'ɔnɪst] *a* nedoras, nesąžiningas
dishonour [dɪs'ɔnə] *n* negarbė, gėda; *v* nuplėšti garbę
dishwasher [dɪʃwɔʃə] 1) indaplovė; 2) indų plovėjas
disinfectant ['dɪsɪn'fektənt] *n* dizinfekavimo priemonė
disinterested [dɪs'ɪntrɪstɪd] *a* nesuinteresuotas; nesavanaudiškas
diskette [dɪs'ket] *n* diskelis
dislike [dɪs'laɪk] *v* nemėgti (*ko*); I ~ him aš jo nemėgstu
disloyal [dɪs'lɔɪəl] *a* nelojalus
dismal ['dɪzməl] *a* niūrus
dismay [dɪs'meɪ] *n* 1) nusiminimas; 2) baimė, nerimas; *v* nuliūdinti
dismiss [dɪs'mɪs] *v* 1) atleisti (*iš darbo*) 2) paleisti
dismount [dɪs'məunt] *v* nulipti (*nuo arklio, dviračio*)
disobedien|ce ['dɪsə'bi:dɪəns] *n* neklusnumas; **~t** *a* nepaklusnus
disobey ['dɪsə'beɪ] *v* neklausyti, nepaklusti
disorder [dɪs'ɔ:də] *n* netvarka; **~ly** *a* nesutvarkytas
disorganize ['dɪs'ɔ:gənaɪz] *v* dezorganizuoti, (su)ardyti, (su)trikdyti
display [dɪ'spleɪ] *n* paroda; *v* parodyti
displease [dɪs'pli:z] *v* nepatikti; **~d** *a* nepatenkintas, supykęs
displeasure [dɪs'pleʒə] *n* nepasitenkinimas
dispose [dɪs'pəuz] *v* 1) atsikratyti, išmest; 2) disponuoti
disposition ['dɪspə'zɪʃn] *n* 1) būdas, charakteris; 2) polinkis (to – *į, apie*)
dispute [dɪ'spju:t] *v* diskutuoti; *n* disputas; ginčas
dissatisfied [dɪ'sætɪsfaɪd] *a* nepatenkintas
dissolve [dɪ'zɔlv] *v* 1) (su)tirpti; (iš)tirpti; 2) skaidyti(s)
distance ['dɪstəns] *n* atstumas; in the ~ tolumoje; **~t** 1) skirtingas, atskiras; 2) *a* tolimas
distinct [dɪ'stɪŋkt] *a* ryškus, aiškus; **~ion** *n* skirtumas, gebėjimas skirti; **~ive** *a* savitas
distinguish [dɪ'stɪŋgwɪʃ] *v* (at)skirti, išskirti; **~ed** *a* (į)žymus
distort [dɪ'stɔ:t] *v* iškraipyti, iškreipti
distress [dɪ'stres] *v* atnešti vargą, kančias; sukelti sielvartą
distribute ['dɪstrɪbju:t] *v* išdalinti (among); paskirstyti
district ['dɪstrɪkt] *n* rajonas, apylinkė, apygarda
distrust [dɪs'trʌst] *n* nepasitikėjimas; *v* nepasitikėti

disturb [dɪ'stə:b] *v* 1) (su)trukdyti; 2) (su)drumsti (*ramybę*); **~ance** *n* 1) drumstimas, (su)ardymas; 2) bruzdėjimas, neramumai; **~ing** *a* keliantis nerimą, neramus
disused [dɪs'ju:zd] *a* nebenaudojamas
ditch [dɪtʃ] *n* 1) griovys; 2) tranšėja
dive ['daɪv] *v* (pa)sinerti, nardyti; **~r** *n* naras
divert [daɪ'və:t] *v* nukreipti, atitraukti (dėmesį)
divide [dɪ'vaɪd] *v* dalyti
divine [dɪ'vaɪn] *a* dieviškas
division [dɪ'vɪʒn] *n* 1) dalyba, dalijimasis; 2) matematika; 3) skyrius; 4) divizija
divisor [dɪ'vaɪzə] *n mat.* daliklis
divorse [dɪ'vɔ:s] *n* 1) skyrybos, išskirti (*apie sutuoktinius*); 2) atskirti; **~e** [dɪ'vɔ:'si:] *n* išsiskyrėlis, -ė
divulge [daɪ'vʌldʒ] *v* atskleis-ti (paslaptį)
dixie ['dɪksɪ] *n kar.* (*žygio*) katiliukas
D.I.Y. ['di:aɪ'waɪ] *sutr.* pasidaryk pats (do it yourself)
dizziness ['dɪzɪnɪs] *n* galvos sukimasis, svaigulys
dizzy ['dɪzɪ] *a* apsvaigęs, svaiginimas; I am/feel ~ man sukasi galva; *v* (ap)svaiginti
do [du:] *v* (**did** [dɪd], **done** [dʌn]) 1) daryti, veikti; 2) ruošti; ~ away atsikratyti, panaikinti; ~ without? apseiti (*be ko*); that will ~ užteks, gana
dock [dɔk] *n* dokas, **~er** *n* dokininkas
doctor ['dɔktə] *n* 1) daktaras (*gydytojas*); 2) (*mokslų*) daktaras
document ['dɔkjumənt] *n* dokumentas; **~ary** [-ərɪ] *n* dokumentinis filmas
dodge [dɔdʒe] *v* išvengti
does [dʌz, dəz] *v veiksmažodžio* do *esam. l. 3-ojo asmens* (he, she, it) *forma*
doesn't [dʌznt] = **do not**
doer ['du:ə] *n* atlikėjas
dog [dɔg] *n* 1) šuo ; 2) *šnek.* šuniokis
do-it-yourself ['du:ɪtjə'self] *a* pasidaryk pats
dole [dəul] *n* bedarbio pašalpa
doll [dɔl] *n* lėlė
dollar ['dɔlə] *n* doleris ($)
dolt [dəult] *n* kvailys, bukaprotis
dome [dəum] *n* 1) kupolas; 2) (*dangaus*) skliautas
domestic [də'mestɪk] *a* 1) naminis, namų; 2) vidaus
dominate ['dɔmɪneɪt] *v* 1) vyrauti, dominuoti; 2) valdy-

ti
done *žr.* **do**
donkey ['dɔŋkɪ] *n* asilas
don't [dəunt] = **do not**
door ['dɔ:] *n* durys; **~bell** [-bel] *n* durų skambutis; **~way** [-weɪ] *n* tarpduris
dormitory ['dɔ:mɪtrɪ] *n* 1) didelis miegamasis kambarys (*pensiono*); 2) *amer.* studentų bendrabutis
dose [dəus] *n* dozė; *v* dozuoti
dot [dɔt] *n* taškas (*pvz., ant* i)
dotage ['dəutɪdʒ] *n* suvaikėjimas (*senatvėje*)
double ['dʌbl] *a* dvigubas; **~room** dvivietis kambarys; *v* dvigubinti; *n* antrininkas
double-dealing ['dʌbl'di:lɪŋ] *n* dviveidiškumas; veidmainiavimas
double-decker ['dʌbl'dəkə] *n* dviaukštis autobusas
double-talk ['dʌbltɔ:k] *n* dviprasmybės
doubt [daut] *v* abejoti; *n* abejonė; **~less** neabejotinai
dough [dəu] *n* tešla
down ['daun] *prep, adv* žemyn; **~hearted** [-'hɑ:tɪd] *a* liūnas, nusiminęs; **~hill** ['daun'hɪl] *adv* žemyn (*nuo kalnelio*) **~pour** ['daunpɔ:] *n* liūtis; **~stairs** ['daun'stɛəz] *adv* laiptais žemyn; **~ward(s)** *adv* žemėjantis; *a* žemyn
doze [dəuz] *n* snaudulys; *v* snausti
dozen ['dʌzn] *n* tuzinas
draft [drɑ:ft] *n* 1) matmenys, planas; 2) *amer.* skervėjis
drag [dræg] *v* 1) temti, vilkti; 2) vilktis, slinktis; ~ o n lėtai slinkti
dragon ['drægɔn] *n* drakonas, slibinas
drain [dreɪn] *v* sausinti; *n* nutekamasis vamzdis
draining-board ['dreɪnɪŋbɔ:d] *n* (*indų*) džiovykla
drama ['drɑ:mə] *n* drama; **~tic** [drə'mætɪk] *a* dramatiškas; dramos; **~tist** [-tɪst] *n* dramaturgas
drank *žr.* **drink**
drap|e [dreɪp] *n* užuolaida, drapiruotė; apmušalas; **~ery** 1) tekstilės gaminiai, audiniai; 2) *pl* (*sunkios*) užuolaidos
drastic ['dræstɪk] *a* griežtas, drastiškas; radikalus
draught [drɑ:ft] *n* 1) maukas, gurkšnis; 2) skersvėjis, trauka, traukimas; 3) planas; 4) *pl.* šaškės; **~y** *a* skersvėjais
draw I [drɔ:] *v* (**drew** [dru:]; **drawn** [drɔ:n]) 1) traukti, vilkti; 2) piešti, braižyti; ~ u p a p l a n sudaryti planą, sąrašą
draw II [drɔ:] *n* sportinės lygiosios

drawer [drɔ:ə] *n* stalčius
drawing ['drɔ:ɪŋ] *n* 1) piešinys, brėžinys; 2) (*burtų*) traukimas; **~pin** [-pɪn] *n* smeigtukas; **~room** [-rum] *n* svetainė
dreatful ['dredfl] *a* baisus; **~ly** *adv* baisiai, labai
dream [dri:m] *v* 1) sapnuoti, *n* sapnas; 2) *v* svajoti, *n* svajonė; svajingas, užsisvajojęs
dreary ['drɪərɪ] *a* nuobodus, nykus
drench [drentʃ] *v* kiaurai permerkti
dress [dres] *n* 1) suknelė; 2) drabužis; *v* rengti, ap(si)-rengti
dressing ['dresɪŋ] *n* 1) tvarstis 2) padažas, įdaras
dressing-gown ['dresɪŋgaun] *n* chalatas
dressing-room ['dresɪŋrum] *n* persirengimo kambarys
dressing-table ['dresɪŋteɪbl] *n* tualetinis staliukas
drew *žr.* **draw**
drier ['draɪə] *n* džiovintuvas
drift [drɪft] *n* 1) dreifas; 2) (nu) tekėjimas, migracija; 3) pusnis; *v* 1) dreifuoti; 2) sunešti, supustyti
drill I [drɪl] *v* 1) gręžti; *n* grąžtas
drill II *v* treniruoti; *n* treniruotė
drink [drɪŋk] *v* (**drank** [dræŋk]; **drunk** [drʌŋk]) gerti; *n* gėrimas; **~able** *a* geriamas; **~ing** *n* girtavimas
drip [drɪp] *v* lašėti
drive ['draɪv] *v* (**drove** [drə uv]; **driven** ['drɪvn]) 1) varyti; 2) važiuoti; 3) vairuoti (*automobilį ir pan.*) **~ing** *n* vairavimas; *a* vairuotojo, vairavimo; **~er** *n* vairuotojas
drizzle [drɪzl] *v* lynoti, dulkti; *n* dulksna
drop [drɔp] *n* lašas, lašelis; *v* išmesti (*netyčia*); kristi
drought [draut] *n* sausra
drove *žr.* **drive**
drown [draun] *v* 1) (nu)skęsti; 2) (pa)skandinti
drug ['drʌg] *n* vaistas; narkotikas; ~ a d d i c t i o n narkomanija; **~store** [-stɔ:] *n amer.* vaistinė
drum ['drʌm] *n* būgnas; t o b e a t t h e ~ mušti būgną; **~mer** būgnininkas
drunk 1) *žr.* drink; 2) (*ir* **drunken**) [drʌŋkən] *a* (*visiškai*) girtas
drunkard ['drʌŋkəd] *n* girtuoklis
dry [draɪ] *a* sausas; *n* **~-cleaning** ['draɪ'kli:nɪŋ] cheminis valymas
dryer ['draɪə] *n* džiovintuvas
dual [dju:əl] *a* dvejopas, dvigubas, dvilypis

dubious ['dju:bıəs] *a* abejotinas, įtartinas
duchess ['dʌtʃıs] *n* hercogienė
duck [dʌk] *n* antis
duel ['dju:əl] *n* dvikova
duel [dju:'et] *n* duetas
due to ['dju: tu] *prep* dėl, ryšium su
dug *žr.* **dig**
duke [dju:k] *n* hercogas, kunigaikštis
dull [dʌl] *a* 1) nuobodus 2) bukas; 3) atbukęs
duly ['dju:lı] *adv* 1) tinkamu laiku; 2) deramas
dumb [dʌm] *a* nebylus
dumb-founded [dʌm'faundıd] *a* apstulbęs
dump [dʌmp] *n* sąvartynas; (su)versti, (su)mesti
dune [dju:n] *n* kopa
dung [dʌŋ] *n* mėšlas; trąša
dupe [dju:p] *n* apgautasis; naivuolis
durable ['djurəbl] *a* patvarus, tvirtas
duration [dju'reıʃn] *n* trukmė
during ['djuərıŋ] *prep* metu, per
dusk [dʌsk] *n* sutema
dust ['dʌst] *n sg* dulkės; *v* dulkinti; **~bin** [-bın] *n* šiukšlių dėžė; **~er** dulkių šluostas; **~man** [-mən] *n* šiukšlininkas; **~pan** [-pæn] *n* šiukšlių semtuvėlis
Dutch [dʌtʃ] *a* olandų; **~man** [-mən] *n* olandas
duty ['dju:tı] *n* 1) pareiga; 2) budėjimas; on ~ budintis; **~free** ['dju:tı'fri:] *a* neapmuitinamas
dwarf [dwɔ:f] *n* nykštukas, neūžauga; *v* trukdyti, stabdyti (*augimą*)
dwell [dwel] *v* (**dwelt** [dwelt]) gyventi; **~er** *n* gyventojas
dye [daı] *v* dažyti; *n* dažai
dying ['daııŋ] *n* mirtis, mirimas; *a* mirštantis
dynamite ['daınəmaıt] *n* dinamitas

E

each [i:tʃ] *pron* kiekvienas; ~ other vienas kitą (*papr. apie du*)
eager ['i:gə] *a*: to be ~ trokšti, stengtis, nekantriai laukti
eagle ['i:gl] *n* erelis, klausa
ear [ıə] *n* ausis; **~phones** ['ıəfəunz] *n pl* (*radijo*) ausinės; **~ring** ['ıərıŋ] *n* auskaras
earl [ə:l] *n* grafas
early ['ə:lı] *a* ankstyvas; *adv*

anksti
earn [ə:n] *v* 1) uždirbti; 2) nusipelnyti
earnest ['ə:nɪst] *a* rimtas, uolus; **~ness** *n* rimtumas
earnings ['ə:nɪŋz] *n pl* uždarbis
earth ['ə:θ] *n* žemė; **~quake** [-kweɪk] *n* žemės drebėjimas; **~worm** [wə:m] *n* sliekas
ease ['i:z] *n* ramybė; a t ~ laisvai, patogiai
easel ['i:zl] *n* molbertas
easily ['i:zəlɪ] *adv* lengvai; laisvai
east ['i:st] *n sg* rytai; **~ern** [-ən] *a* rytinis; **~ward**(s) [-wəd(z)] *a*, *adv* rytų, į rytus
easy ['i:zɪ] *a* 1) lengvas; 2) laisvas, patogus; *adv* lengvai
eat [i:t] *v* (**ate** [et]; **eaten** ['i:tn]) 1)valgyti; 2) ėsti; **~able** valgomas
eau-de-Cologne ['əudəkə'ləun] *n* odekolonas
ebb [eb] *n* atoslūgis
eccentric [ɪk'sentrɪk] *a* ekscentriškas, keistas
echo ['əkəu] *n* aidas; *v* aidėti
ecological ['ekə'lɔdʒɪkl] *a* ekologinis; ~ balance ekologinė pusiausvyra
ecology [ɪ'kɔlədʒɪ] *n* ekologija
economic ['kə'nɔmɪk] *a* ekonominis; **~al** *a* ekonomiškas, taupus; **~s** *n* ekonomika (mokslas)
economist [ɪ'kɔnəmɪst] *n* ekonomistas
economy [ɪ'kɔnəmɪ] *n* ekonomika; ūkis
edge [edʒ] *n* kraštas, pakraštys
edible ['edɪbl] *a* valgomas
edit ['edɪt] *v* redaguoti
edition [ɪ'dɪʃn] *n* leidimas (knygos)
editor ['edɪtə] *n* redaktorius
editor–in–chief ['edɪtərɪn'tʃi:f] *n* vyriausias redaktorius
educate ['edʒukeɪt] *v* auklėti; **~ed** *a* apsišvietęs, išsilavinęs
education ['edʒu'keɪʃn] *n* auklėjimas; švietimas; **~al** *a* švietimo; ~al institution švietimo įstaiga
eel [i:l] *n* ungurys
E-free [i:'fri:] *a* be konservantų, be priedų
effect [ɪ'fekt] *n* poveikis, veikimas; efektas; *v* (į)vykdyti, atlikti; **~ive** veiksmingas, efektyvus
efficiency [ɪ'fʃnsɪ] *n* efektyvumas
efficient [ɪ'fɪʃnt] *a* efektyvus; **~ly** *adv* efektyviai
effort ['efət] *n* 1) pastanga; 2) mėginimas
e.g. ['i:dʒi:] *sutr*. pavyzdžiui
egg ['eg] *n* kiaušinis; **~-cup** [kʌp]

n taurelė kiaušiniui įstatyti
Egypt [i:dʒɪpt] *n* Egiptas; **~ian** [ɪ'dʒɪpʃn] *a* egiptiečių
eiderdown ['aɪdədaun] *n* pūkinė antklodė
eight ['eɪt] *num* aštuoni; **~een** [eɪ'ti:n] *num* aštuoniolika; **~y** [-ɪ] *num* aštuoniasdešimt; **~h** [-ð] *num* aštuntas; **~eenth** ['eɪti:nθ] *num* aštuonioliktas; **~ieth** ['eɪtɪɪθ] *num* aštuoniasdešimtas
either ['aɪðə(r)] *a, pron* tas ar kitas; bet kuris, abu; *adv* taip pat (ne), irgi (ne) (*neigiamuose sakiniuose*); ~ ... or arba ... arba
eject [ɪ'dʒekt] *v* išmesti
elaborate [ɪ'læbərət] *a* įmantrus, sudėtingas; detalizuotas
elastic [ɪ'læstɪk] *a* tamprus, lankstus (*ir perk.*)
elbow ['elbəu] *n* alkūnė
elder ['eldə] *n* vyresnysis (*šeimoje*); **~ly** *a* senyvas, pagyvenęs
eldest ['eldɪst] *a* vyriausias (*šeimoje*)
elect [ɪ'lekt] *v* rinkti; *a* išrinktasis; **~ion** [-kʃn] *n* rinkimai; general ~ion visuotiniai rinkimai; **~ive** *a* 1) renkamas; *v* 2) rinkimas
electric [ɪ'lektrɪk] *a* elektrinis; elektros
electicity [ɪ'lek'trɪsətɪ] *n* elektra
electronic [ɪ'lek'trɔnɪk] *a* elektroninis; **~s** *n* elektronika
elegant ['elɪgənt] *a* elegantiškas, gražus; **~ly** *adv* elegantiškai
element ['elɪmənt] *n* elementas
elementary ['elɪ'mentərɪ] *a* elementarus
elephant ['elɪfənt] *n* dramblys
elevator ['elɪveɪtə] *n amer.* liftas
eleven [ɪ'levn] *num* vienuolika; **~th** *num* vienuoliktas
else [els] *adv* dar; somebody ~ dar kas nors; **~where** ['els'wə] *adv* kitur
embark [ɪm'bɑ:k] *v* 1) sėsti (*į laivą*); 2) imtis, griebtis
embarrass [ɪm'bærəs] *v* trikdyti, varžyti; **~ed** sutrikęs, sumišęs; **~ing** *a* nepatogus; **~ment** nepatogumas, varžymasis
embassy ['embəsɪ] *n* ambasada
embezzle [ɪm'bezl] *v* savintis, grobstyti, (iš)eikvoti
embody [ɪm'bɔdɪ] *v* įkūnyti, įgyvendinti
embrace [ɪm'breɪs] *v* ap(si)kabinti
embroider [ɪm'brɔɪdə] *v* siuvinėti; **~y** *n* siuvinėjimas
emerald ['emərəld] *n* smarag-

das; *a* smaragdo
emerge [ɪ'mə:dʒ] *v* iškilti, pasirodyti; **~ency** *n* nenumatytas, blogiausias
emigrante ['emɪgreɪt] *v* emigruoti
emotion [ɪ'məuʃn] *n* jausmas, emocija; **~al** *a* 1) emocinis; 2) emocingas
emperor ['empərə] *n* imperatorius
emphasize ['emfəsaɪz] *v* pabrėžti
employ [ɪm'plɔɪ] *v* 1) samdyti, įdarbinti; 2) panaudoti; **~ee** ['emplɔɪ'i:] *n* darbuotojas, tarnautojas; **~er** *n* darbdavys; **~ment** *n* darbas; užimtumas
empty ['emptɪ] *a* tuščias; *v* ištuštinti
enable [ɪ'neɪbl] *v* leisti, įgalinti
enamel [ɪ'næml] *n* emalis; *v* emaliuotas
enchant [ɪn'tʃɑ:nt] *v* sužavėti; užburti; **~ing** *a* žavus
enclose [ɪn'kləuz] *v* 1) aptverti; 2) įdėti (*į laišką*)
enclosure [ɪn'kləuʒə] *n* 1) aptvaras; 2) įdėklas (*dokumento priedas*)
encourage [ɪn'kʌrɪdʒ] *v* (pa)drąsinti, (pa)raginti; **~ment** *n* padrąsinimas; paskatinimas
encyclop(a)edia [en'saɪkləu'pi:dɪə] *n* enciklopedija
end [end] *n* pabaiga; galas; *v* (pa)baigti; baigtis; **~ing** *n* pabaiga; **~less** *a* begalinis
endure [ɪn'djuə] *v* pakęsti
enemy ['enɪmɪ] *n* priešas
energetic ['enə'dʒetɪk] *a* energingas
energy ['enədʒɪ] *n* energija
engage [ɪn'geɪdʒ] *v* 1) samdyti; sukabinti; **~ed** *a* 1) susižadėjęs; 2) užimtas; **~ing** *a* patrauklus; **~ment** *n* 1) samdymas; 2) susižiedavimas; 3) susitarimas
engine ['endʒɪn] *n* variklis; garvežys; **~-driver** [-draɪvə] *n* mašinistas
engineer ['endʒɪ'nɪə] *n* 1) inžinierius; mechanikas; 2) *amer.* mašinistas; **~ing** *n* technika; inžinerija
England [ɪŋglənd] *n* Anglija
English ['ɪŋglɪʃ] *a* angliškas; *n* (the) ~ (language) anglų kalba; **~man** [-mən] *n* anglas; **~woman** [-wumən] *n* anglė
enjoy [ɪn'dʒɔɪ] *v* 1) gėrėtis; 2) naudotis (*teisėmis*); 3) patikti, mėgti; **~able** *a* teikiantis malonumą
enjoyment [ɪn'dʒɔɪmənt] *n* malonumas; pasigėrėjimas
enlarge [ɪn'lɑ:dʒ] *v* padidinti; **~ment** *n* (pa)didinimas; didėjimas

enlightened [ɪn'laɪtnd] *a* apsišvietęs
enliven [ɪn'laɪvn] *v* pagyvinti, išjudinti
enormous [ɪ'nɔ:məs] *a* milžiniškas
enough [ɪ'nʌf] *adv* gana, pakankamai
enraged [ɪn'reɪdʒd] *a* įsiutęs, įniršęs
enquire, enquiry *žr.* **inquire, inquiry**
ensure [ɪn'ʃuə] *v* užtikrinti
enter ['entə] *v* 1) įeiti, 2) įstoti
enterprise ['entəpraɪz] *n* įmonė; **~ing** *a* veržlus, iniciatyvus
entertain ['entə'teɪn] *v* 1) vaišinti; 2) linksminti; **~ing** *a* įdomus, linksmas; **~ment** *n* 1) pobūvis; 2) pasilinksminimas
enthusiasm [ɪn'θju:zɪæzm] *n* entuziazmas
entire [ɪn'taɪə] *a* visas, visiškas; **~ly** *adv* 1) visiškai; 2) vien tik, tiktai
entrance ['entrəns] *n* įėjimas; **~ fee** *n* stojamasis mokestis
entry ['entr] *n* 1) įėjimas; 2) įstojimas
envelope ['envələup] *n* vokas
envious ['envɪəs] *a* pavydus
environment [ɪn'vaɪərənmənt] *n* aplinka
envy ['envɪ] *v* pavydėti; *n* pavydas
epidemic ['epɪ'demɪk] *n* epidemija; *a* epideminis
equal ['i:kwəl] *a* lygus, vienodas
equality ['i:kwɔlətɪ] *n* lygybė
equator [ɪ'kweɪtə(r)] *n* pusiaujas, ekvatorius; **~ial** ['ekwə'tɔ:rɪəl] *a* pusiaujo, ekvatoriaus
equip [ɪ'kwɪp] *v* aprūpinti, įrengti; **~ment** *n* įranga; aprūpinimas
era ['ɪərə] *n* era
erase [ɪ'reɪz] *v* ištrinti
erect [ɪ'rekt] *a* tiesus, stačias; *v* statyti; **~ion** *n* pastatas
enrich [ɪn'rɪtʃ] *v* praturtinti
enroll [ɪn'rəul] *v* įtraukti į sąrašą; už(si)registruoti
err [ə:] *v* (su)klysti
errand ['erənd] *n* pasiuntimas, pasiuntinys
error ['erə(r)] *n* klaida
eruption [ɪ'rʌpʃn] *n* išsiveržimas
escape [ɪ'skeɪp] *v* 1) pabėgti *n* pabėgimas; *v* 2) išvengti; *n* išvengimas; 3) išsiveržti
escort *n* ['eskɔ:t] palyda; *v* [ɪs'kɔ:t] (pa)lydėti
especially [ɪ'speʃəlɪ] *adv* ypač
Estonia [e'stəunɪə] *n* Estija; **~n** *n* 1) estas, -ė; 2) estų kalba; *a* estų, estiškas

essay ['eseɪ] *n* rašinys; esė
essential [ɪ'senʃl] *a* esminis; **~ly** *adv* iš tikrųjų
establish [ɪ'stæblɪʃ] *v* 1) nustatyti; 2) įkurti; **~ment** *n* 1) įkūrimas; 2) nustatymas; 3) įstaiga
estate [ɪ'steɪt] *n* 1) dvaras; 2) teisinis turtas
estimate ['estɪmɪt] *n* apskaičiavimas, įvertinimas; *v* apskaičiuoti, įvertinti
estuary ['estʃuərɪ] (upės) žiotys
etc [et'setrə] *sutr.* ir t.t.
eternal [ɪ'tə:nl] *a* amžinas
eternity [ɪ'tə:nətɪ] *n* amžinybė
Europe ['juərəp] *n* Europa; **~an** ['juərə'pɪən] *a* europinis, Europos
evacuate [ɪ'vækjueɪt] *v* evakuoti
evaluate [ɪ'væljueɪt]*v* įvertinti, įkainuoti
evasion [ɪ'veɪʒn] *n* (iš)vengimas; išsisukinėjimas
eve [i:v] *n* išvakarės; on the ~ išvakarėse
even ['i:vn] *adv* net; *a* lygus, vienodas
evening ['i:vnɪŋ] *n* vakaras; good ~ labas vakaras
event [ɪ'vent] *n* įvykis; **~ually** [-tʃuəlɪ] *adv* pagaliau
ever ['evə] *adv* kada nors; **~green** [-gri:n] *a* amžinai žaliuojantis/žalias
every ['evrɪ] *a* kiekvienas ~ other day (week, year) kas antrą dieną (savaitę, kas antri metai); **~body**, **~one** *pron* kiekvienas (*asmuo*); **~thing** *pron* viskas ; **~where** [-wɛə] *adv* visur; **~day** [-deɪ] kasdieninis
evidence ['evɪdəns] *n* įrodymas
evident ['evɪdənt] *a* aiškus, akivaizdus; **~ly** *adv* matyti (*įterpt.*)
evil ['i:vl] *n* 1) blogybė; 2) bėda, plogas, piktas
evolve [ɪ'vɔlv] *v* vystytis, plėtotis
exact [ɪg'zækt] *a* tikslus; **~ing** *a* reiklus; **~ly** *adv* tiksliai; kaip tik
exaggerate [ɪg'zædʒəreɪt] *v* perdėti
exam [ɪg'zæm] *n* egzaminas
examination [ɪg'zæmɪ'neɪʃn] *n* 1) egzaminas; 2) tyrimas
examine [ɪg'zæmɪn] *v* 1) apžiūrėti, egzaminuoti
example [ɪg'zɑ:mpl] *n* pavyzdys; for ~ pavyzdžiui
exasperation [ɪg'zæspə'reɪʃn] *n* su(si)erzinimas
exasperate [ɪg'zæspəreɪt] *v* suerzinti, supykdyti; **~d** *a* įpykęs, susierzinęs

excavate ['ekskəveɪt] *v* iškasti
exceed [ɪk'si:d] *v* viršyti
excel [ɪk'sel] *v* pralenkti, pranokti
excellence ['eksələns] *n* meistriškumas, tobulumas
Excellency ['eksələnsɪ] *n* ekselencija (*titulas*)
excellent ['eksələnt] *a* puikus, aukštos kokybės
except [ɪk'sept], **excepting** [ɪk'septɪŋ] *prep* išskyrus
exception [ɪk'sepʃn] *n* išimtis; **~al** *a* išimtinis; **~ally** *adv* nepaprastai, ypač
exchange [ɪks'tʃeɪndʒ] *v* apsikeisti, pasikeisti (*kuo*)
excite [ɪk'saɪt] *v* 1) sukelti; 2) jaudinti; **~d** *a* susijaudinęs
exciting *a* jaudinantis, įdomus
exclaim [ɪk'skleɪm] *v* sušukti
exclamation ['eksklə'meɪʃn] *n* sušukimas; ~ m a r k šauktukas
exclud|e [ɪk'sklu:d] *v* pašalinti; **~ing** *prep* išskyrus, be
excursion [ɪk'skə:ʃn] *n* ekskursija, išvyka
excuse *v* [ɪks'kju:z] atsiprašyti; *n* [ɪks'kju:s] pasiteisinimas, atsiprašymas
execute ['eksɪkju:t] *v* įvykdyti mirties bausmę
exercise ['eksəsaɪz] *n* pratimas, *pl* mankšta; *v* daryti mankštą;
~-book [-buk] *n* sąsiuvinis
exhausted [ɪg'zɔ:stɪd] *a* išvargęs; išsekęs
exhibit [ɪg'zɪbɪt] *n* eksponatas; *v* 1) eksponuoti; 2) (pa)rodyti; **~ion** [eksɪ'bɪʃn] *n* paroda
exile ['eksaɪl] *n* tremtis; *v* ištremti
exist [ɪg'zɪst] *v* gyventi; egzistuoti; **~ence** *n* gyvenimas; egzistavimas
exit ['eksɪt] *n* išėjimas
expand [ɪkspænd] *v* iš(si)plėsti
expect [ɪk'spekt] *v* 1) laukti; 2) tikėtis; **~ation** ['ekspek'teɪʃn] *n* 1) tikėjimas; 2) *pl* viltis
expedition ['ekspɪ'dɪʃn] *n* ekspedicija
expel [ɪk'spel] *v* išvaryti, išmesti
expens|ive [ɪk'spensɪv] *a* brangus; **~es** *n pl* išlaidos
experience [ɪk'spɪərɪəns] *n* patirtis; **~d** *a* prityręs, įgudęs
experiment *n* [ɪk'sperɪmə nt] eksperimentas; *v* [ɪk'sperɪment] eksperimentuoti; **~al** [ɪk'sperɪ'mentl] *a* eksperimentinis
expert ['ekspə:t] *n* specialistas, ekspertas
expire [ɪk'spaɪə] *v* baigtis (*apie terminą*)
explanation [eksplə'neɪʃn] *n* paaiškinimas

explain [ɪk'spleɪn] *v* (pa)aiškinti (*smth to smb*)
explicit [ɪk'splɪsɪt] *a* aiškus, tikslus
explode [ɪk'spləud] *v* sprogti
exploit [ɪks'plɔɪt] *v* išnaudoti; ekspotuoti
exploration ['eksplɔ:'reɪʃn] *n* tyrinėjimas
explore [ɪk'splɔ:] *v* ištirti, tyrinėti, žvalgyti
explorer [ɪk'splɔ:rə] *n* tyrinėtojas, tyrėjas
explosive [ɪk'spləusɪv] *n* sprogmenys; *a* sprogstamasis
explosion [ɪk'spləuʒn] *n* sprogimas
export ['ekspɔ:t] *n* eksportas; *v* [ɪk'spɔ:t] eksportuoti
exposition [ekspə'zɪʃn] *n* 1) ekspozicija; 2) išdėstymas
express I [ɪk'spres] *n* ekspresas; greitasis traukinys
express II [ɪk'spres] *v* išreikšti; **~ion** [-eʃn] *n* 1) posakis; 2) išraiška
exquisite ['ekskwɪzɪt] *a* nuostabus, rafinuotas
extend [ɪk'stend] *v* iš(si)plėsti; tęstis; **~ed** *a* nusitęsęs, pratęstas, išplėstas
extention [ɪk'stenʃn] *n* iš(si)plėtimas
extent [ɪk'stent] *n* apimtis, dydis, mastas
exterior [ɪk'stɪərɪə] *n* išorė, *a* išorinis
external [ɪk'stə:nl] *a* išorinis
extinct [ɪk'stɪŋkt] *a* 1) užgesęs; 2) (iš)miręs; išnykęs
extinguish [ɪk'stɪŋgwɪʃ] *v* užgesinti; **~er** *n* gesintuvas
extort [ɪk'stɔ:t] *v* išplėšti, prievarta išgauti
extra ['ekstrə] *a* papildomas; *adv* 1) papildomai; 2) ypač, nepaprastai
extract [ɪk'strækt] *v* ištraukti; *n* ['ekstrækt] ištrauka
extraordinary [ɪk'strɔ:dnrɪ] *a* nepaprastas, ypatingas
extravagant [ɪk'strævəgənt] *a* išlaidus; **~ly** *adv* ekstravagantiškai
extreme [ɪk'stri:m] *a* 1) nepaprastas, ypatingas; 2) kraštutinis; **~ly** *adv* nepaprastai, ypač
eye ['aɪ] *n* akis; **~brow** [-brau] *n* antakis; **~lash** [-læʃ] *n* blakstiena; **~lid** [-lɪd] *n* akies vokas; **~-shadow** [ʃædəu] *n* šešėliai (akių vokams dažyti); **~sight** [-saɪt] *n* regėjimas; **~-witness** [-wɪtnɪs] *n* įvykį matęs liudininkas

F

fable [ˈfeɪbl] *n* 1) pasakėčia; 2) mitas; 3) melas
fabric [ˈfæbrɪk] *n* audeklas
fabricate [ˈfæbrɪkeɪt] *v* išgalvoti, suklastoti, (su)fabrikuoti
face [feɪs] *v* veidas; ~ to ~ akis į akį; *v* 1) būti atsisukus (į); išeiti (į, *apie langą*); 2) drąsiai sutikti; **~cloth** [-klɔð] *n* frotinis skudurėlis (veidui prausti)
fact [fækt] *n* faktas; in ~ faktiškai, iš tikrųjų
factory [ˈfæktərɪ] *n* fabrikas
faculty [ˈfækltɪ] *n* 1) sugebėjimas, gabumas; 2) fakultetas
fade [feɪd] *n* 1) (iš)blankti; 2) (nu)vysti; 3) pamažu išnykti, dingti
fail [feɪl] *n* nesėkmė, neišlaikyti (egzamino); *v* 1) nepavykti; 2) silpnėti
failure [ˈfeɪljə] *n* nepasitenkinimas, nesėkmė
faint [feɪnt] *a* silpnas, blankus; *v* alpti
fair I [fɛə] *a* gražus; **~ly** *adv* gana, pakankamai
fair II *n* mugė
fairy [fɛərɪ] *n* fėja
fairy-tale [fɛərɪteɪl] *n* pasaka
faith [feɪθ] *n* tikėjimas; **~ful** *a* patikimas; Yours faithfully (*laiško pabaigoje*) Jūsų...
fake [feɪk] *n* klastotė; *v* 1) klastoti; 2) apsimetinėti
fall I [fɔ:l] *n amer.* ruduo
fall II [fɔ:l] *v* (**fell** [fel]; **fallen** [ˈfɔ:ln]) kristi; to ~ asleep užmigti; to ~ ill susirgti
false [fɔ:ls] *a* 1) klaidingas; 2) netikras, dirbtinis, apsimestinis
fame [feɪm] *n* garbė, garsus
familiar [fəˈmɪlɪə] *a* 1) susipažinęs; 2) pažįstamas, žinomas; **~ize** *v* (with) supažindinti (*su nauju dalyku*)
family [ˈfæmɪlɪ] *n* šeima
fam|ine [ˈfæmɪn] *n* badas, badmetis; **~ish** *v* kentėti badą, badauti
famous [ˈfeɪməs] *a* garsus
fan I [fæn] *n* vėduoklė, ventiliatorius
fan II *n* aistruolis, sirgalius
fanatic [fəˈnætɪk] *a* fanatiškas; *n* fanatikas
fancy [ˈfænsɪ] *v* įsivaizduoti; ~ dress maskaradinis kostiumas
fantastic [fænˈtæstɪk] *a* neįtikėtinas
far [fɑ:] (**farther** [ˈfɑ:ðə], **further** [ˈfə:ðə]; **farthest** [ˈfɑ:ðɪst], **furthest** [ˈfə:ðɪst]) *a* 1) tolimas; 2) kitas, tolimesnis; *adv* toli; ~ away labai toli; ◊ ~ from (it) toli gražu ne; so ~ kol kas

far-off [ˈfɑ:rˈɔf] *a attr* tolimas, nutolęs
fare [fɛə] *n* bilieto kaina (*už važiavimą*)
farewell [ˈfɛəˈwel] *a* atsisveikinimas; *int* lik sveikas! sudie!
farm [fɑ:m] *n* ferma; ūkis; *v* ūkininkauti; **~er** *n* fermeris; **~hand** [-hænd] *n* fermos darbininkas; **~-yard** [-jɑ:d] *n* sodybos kiemas
farther [ˈfɑ:ðə] *adv* toliau (apie atstumą); *a* tol(im)esnis, anas
fascinate [ˈfæsineɪt] *v* (su)žavėti
fashion [ˈfæʃn] *n* mada; **~able** *a* madingas
fast I [fɑ:st] *a* greitas; *adv* greitai
fast II [fɑ:st] *v* pasninkauti; *n* pasninkas
fasten [fɑ:sn] *v* 1) tvirtinti; 2) susegti, su(si)rišti
fat [fæt] *a* riebus, storas; *n* riebalai, taukai
fatal [ˈfeɪtl] lemtingas; **~ly** *adv* 1) lemtingai; 2) mirtinai
fate [feɪt] *n* likimas
father [ˈfɑ:ðə] *n* tėvas; **father-in-law** [ˈfɑ:ðərɪnlɔ:] *n* uošvis
fault [fɔ:lt] *n* 1) klaida; 2) kaltė; **~less** *a* be klaidų; **~y** *a* sugedęs
fauna [ˈfɔ:nə] *n* fauna
favo(u)r [ˈfeɪvə] *n* 1) paslauga; 2) palankumas; **~able** *a* 1) palankus; 2) tinkamas; **~ite** [-rɪt] *a* mylimas, mėgstamas; *n* favoritas
fear [fɪə] *n* baimė; *v* bijoti; **~ful** *a* bijantis, baugštus
feast [fi:st] *n* puota; *v* puotauti
feat [fi:t] *n* žygis
feather [ˈfeðə] *n* (*paukščio*) plunksna
feature [ˈfi:tʃə] *n* 1) bruožas, savybė; 2) *pl* veido bruožai; ~ film vaidybinis filmas
February [ˈfebruərɪ] *n* vasaris
fed *žr.* **feed**
federal [ˈfedərəl] *a* federalinis, federacinis
fee [fi:] *n* 1) honoraras, mokestis; 2) arbatpinigiai
feeble [ˈfi:bl] *a* silpnas, paliegęs
feed [fi:d] *v* (**fed** [fed]) maitinti; šerti
feel [fi:l] *v* (**felt** [felt]) 1) jausti(s); 2) (pa)čiupinėti; ~ like norėti
feeling [ˈfi:lɪŋ] *n* jausmas
feet *žr.* **foot**
feign [feɪn] *v* apsimesti, dėtis
fell I [fel] *v* kirsti (*medžius*)
fell II *žr.* **fall II**
fellow [ˈfeləu] *n* 1) *šnek.* vyrukas, vaikinas; 2) bendradarbis

felt *žr.* **feel**
female ['fi:meɪl] *n* 1) moteris; 2) patelė
feminine ['femɪnɪn] *a* moteriškas, moterų
feminism ['femɪnɪzm] *n* feminizmas
feminist ['femɪnɪst] *n* feministas
fence [fens] *n* tvora; *v* (ap)tverti; fechtuotis
fern [fə:n] *n* papartis
ferociuos [fə'rəuʃəs] *a* žiaurus
ferret ['ferɪt] *n* šeškas
ferry ['ferɪ] *n* keltas; *v* per(si)kelti
fertile ['fə:taɪl] *a* derlingas
fertilize ['fə:tɪlaɪz] *v* tręšti; **~r** *n* trąša
fervour ['fə:və] *n* užsidegimas, aistra
festival ['festɪvl] *n* 1) šventė; 2) festivalis
festive ['festɪv] *a* šventikas
fetch [fetʃ] *v* (*nueiti ir*) atnešti
feud [fju:d] *n* nesantaika
feudal ['fju:dl] *a* feodalinis
fever ['fi:və] *n* karštis, karščiavimas; **~ish** *a* 1) karštligiškas; 2) karščiuojantis
few [fju:] *a* nedaug, nedaugelis; a ~ keletas
fiance [fi'ɔnseɪ] *n* sužadėtinis; **~e** *n* sužadėtinė
fib [fɪb] *n* prasimanymas; *v* prasimanyti; **~ber** *n* (*smulkus*) melagis
fibre ['faɪbə] *n* skaidula; pluoštas
fiction ['fɪkʃn] *n* 1) fikcija; 2) beletristika; grožinė literatūra
fictitious [fɪk'tɪʃəs] *a* fiktyvus, netikras
fiddle ['fɪdl] *n* *šnek.* smuikas
fidget ['fɪdʒɪt] *v* nenustygti vietoje, nerimti
field [fi:ld] *n* 1) laukas; 2) (*veiklos*) sritis
fierce [fɪəs] *a* nuožmus, įnirtingas
fifteen ['fɪf'ti:n] *num* penkiolika; **~th** [-θ] *num* penkioliktas
fifty-fifty ['fɪftɪ'fɪftɪ] *adv* lygiomis, pusiau
fith [fɪfθ] *num* penktas
fiftieth ['fɪftɪɪθ] *num* penkiasdešimtas
fifty ['fɪftɪ] *num* penkiasdešimt
fig [fɪg] *n* figa
fight [faɪt] *v* (**fougnt** [fɔ:t]) kovoti, kautis; *n* kova
fight|er ['faɪtə] *n* 1) kovotojas; 2) naikintuvas (*lėktuvas*); **~ing** ['faɪtɪŋ] *n* kova; muštynės
figure ['fɪgə(r)] *n* 1) figūra; 2) skaitmuo
file I [faɪl] *n* 1) segtuvas; aplan-

kas; 2) byla; 3) kompiuterio rinkmena
file II [faıl] *n* dildė, *v* dildyti
file III [faıl] *n* vora, eilė
fill [fıl] *v* pripildyti; ~ing station ['steıʃn] degalinė
fillet ['fılıt] *n* 1) kaspinas (*plaukams*); 2) filė
film [fılm] *n* filmas; **~star** kino žvaigždė; *v* filmuoti
filter ['fıltə] *n* filtras, koštuvas; *v* filtruoti, košti
filthy ['fılθı] *a* labai nešvarus
fin [fın] *n* pelėkas
final ['faınl] *a* paskutinis, galutinis, baigiamasis; *n* finalas; **~ly** [-nəlı] *adv* pagaliau, galų gale
finance ['faınæns] *n* finansai; *pl* lėšos; *v* finansuoti
financial [faı'nænʃl] *a* finansinis
find [faınd] *v* (**found** [faund]) (su)rasti; ~ out sužinoti
fine I [faın] *a* 1) puikus, geras; 2) švelnus
fine II [faın] *n* (pa)bauda
finger ['fıŋgə] *n* pirštas (*rankos*); **~print** [-prınt] *n* piršto anspaudas
finish ['fınıʃ] *v* baigti(s); *n* 1) galas, pabaiga; 2) apdaila; 3) finišas
Finland ['fınlənd] *n* Suomija
Finn [fın] *n* suomis; **~ish** *a* suomiškas; *n* suomių kalba
fir [fə:] *n* eglė (*t.p.* **~tree**)
fire ['faıə] *n* 1) ugnis; 2) laužas; 3) gaisras; to catch ~ užsidegti; be on ~ degti; set ~ padegti; *v* šauti, šaudyti; **~alarm** [-lɑ:m] *n* gaisro signalizacija; **~brigade** [-brıgeıd] *n* ugniagesių komanda; **~-engine** [-endʒın] *n* gaisrinės automobilis; **~escape** [-ıskeıp] *n* atsarginis išėjimas, gaisrinės kopėčios; **~-extinguisher** [-ıkstıŋgwıʃə] *n* gesintuvas; **~man** [-mən] *n* gaisrininkas; **~place** [-pleıs] *n* 1) židinys; 2) ugniavietė; **~side** [-saıd] vieta prie židinio
firework(s) ['faıəwə:k] *n* fejerverkas
firm I [fə:m] *a* tvirtas
firm II [fə:m] *n* firma
first [fə:st] *num* pirmas; *adv* pirma; ~ of all *n* pradžia, visų pirma; at ~ iš pradžių
first-aid ['fə:st'eıd] *n* pirmoji pagalba
first-night ['fə:st'naıt] *n* premjera
first-rate ['fə:st'reıt] *a* pirmarūšis
fish [fıʃ] *n* žuvis; *pl* **~men** [-mən] žvejas
fishmonger ['fıʃmʌŋgə] *n* žuvų pardavėjas
fist [fıst] *n* kumštis
fit [fıt] *a* tinkamas; *v* 1) tikti; 2)

pritaikyti (to); 3) tilpti (into)
fitful ['fɪtfl] *a* 1) nereguliarus, neritmingas; 2) trūkčiojamas
fitness ['fɪtnɪs] *n* 1) tinkamumas; gera fizinė būklė; 2) *sport*. fitnesas
five [faɪv] *num* penki
fix [fɪks] *v* 1) pritvirtinti; 2) nustatyti, paskirti, sutvarkyti; 3) sutaisyti; **~ed** *a* nustatytas
fizz [fɪz] *v* putoti; **~y** putojantis
flag [flæg] *n* vėliava; **~pole** [-pəul] vėliavos kotas
flake [fleɪk] *n* gabalėlis, dribsnis
flame [fleɪm] *n* liepsna, *v* liepsnoti
flannel ['flænl] *n* flanelė
flap [flæp] *n* nukaręs daiktas; *v* 1) plasnoti; 2) plaikstyti(s)
flare [flɛə] *n* ryški, nelygi šviesa; *v* 1) blykčioti, tviskėti; 2) įsiliepsnoti
flash [flæʃ] *v* tvykstelėti; *n* blyksnis
flask ['flɑ:sk] *n* 1) gertuvė; 2) termosas
flat I [flæt] *a* plokščias
flat II [flæt] *n* butas; b l o c k o f ~ s daugiabutis namas
flatten ['flætn] *v* iš(si)lyginti, padaryti plokščią
flatter ['flætə] *v* meilikauti; *n* meilikavimas
flavour ['fleɪvə] *n* skonis; **~less** *a* be skonio
flax [flæks] *n* linas; linai
flea [fli:] *n* blusa
flee [fli:] (**fled** [fled]) pabėgti (*nuo*)
fleet [fli:t] *n* laivynas
flesh [fleʃ] *n* 1) mėsa; 2) minkštimas
flew *žr*. **fly**
flex [fleks] *n* lankstusis laidas
flick [flɪk] *n* staigus judesys; *v* pliaukštelėti; **~er** *v* blikčioti, švystelėti
flight I [flaɪt] *n* skridimas; reisas
flight II n bėgimas
fling [flɪŋ] *v* (**flung** [flʌŋ]) mesti; (par)blokšti
flirt [flə:t] *v* flirtuoti
float [fləut] *v* plūduriuoti
flock [flɔk] *n* banda; būrys; *v* būriuotis
flog [flɔg] *v* plakti, perti
flood [flʌd] *n* potvynis
floor [flɔ:] *n* 1) grindys; 2) aukštas
flop [flɔp] *v* dribti; pliumptelėti
flora ['flɔ:rə] *n* flora
florist ['flɔ:rɪst] *n* gėlių pardavėjas
flour ['flauə(r)] *n* (*tik sg*) miltai
flourish ['flʌrɪʃ] *v* klestėti
flow [fləu] *n* tekėjimas; srovė;

v tekėti
flower ['flauə] *n* gėlė
flown *žr.* **fly**
flu [flu:] *n* gripas
fluctuate ['flʌktʃueɪt] *v* svyruoti, kisti
fluent ['flu:ənt] *a* sklandus; **~ly** *adv* sklandžiai
fluid ['flu:ɪd] *n* skystis; *a* skystas
flush [flʌʃ] *v* 1) parausti; 2) nuplauti vandens srove; nuleisti vandenį (*tualete*)
flute [flu:t] *n* fleita
flutter ['flʌtə] *v* plasnoti; *n* 1) plazdesys; 2) jaudinimasis
fly I [flaɪ] *v* (**flew** [flu:]; **flown** [fləun]) skristi; **~ing** *a* skraidantis; ◊ ~ i n g s a u c e r skraidančioji lėkštė
fly II *n* musė
flyover ['flaɪəuvə] *n* viadukas
foal [fəul] *n* kumeliukas
foam [fəum] *n* putos; *v* putoti
focus ['fəukəs] *v* centruoti; *n* centras; židinys
foe [fəu] *n* priešas
fog [fɔg] *n* rūkas
fold [fəuld] *n* klostė, raukšlė; *v* sulankstyti, suvynioti; **~er** *n* aplankas
folk [fəuk] *n* liaudis, žmonės
follow ['fɔləu] *v* sekti; eiti iš paskos; **~ing** seka; 1) kitas; 2) šitas
fond [fɔnd] *a* mylintis; meilus; b e ~ (o f) mylėti
fondle ['fɔndl] *v* glostyti, glamonėti
food ['fu:d] *n* maistas; **~stuffs** [-stʌfs] *n pl* maisto produktai
fool ['fu:l] *n* kvailys; *v* kvailinti; **~ish** *a* kvailas
foot [fut] (*pl* **feet** [fi:t]) *n* 1) koja, pėda; 2) pėda (ilgio matas = 30,48 cm); ◊ o n ~ pėsčiomis
football ['futbɔ:l] *n* futbolas; ~ p l a y e r futbolininkas
footpath ['futpɑ:θ] *n* takas
footprint ['futprɪnt] *n* pėdsakas
footstep ['futstep] *n* (*girdimas*) žingsnis
for [fə, fɔ:] *prep džn. verčiamas naudininku*; dėl; per; už; į; t h i s i s ~ y o u ['ðɪs ɪz fə 'ju:] tai jums; ~ a w e e k savaitei, savaitę; j u s t ~ f u n dėl juoko; ~ K a u n a s į Kauną; t o b e ~ būti „už"; *cj* nes
forbear [fɔ:'bɛə] *v* (**forbode** [fɔ:'bɔ:]; **forborne** [fɔ:'bɔ:n]) susilaikyti
forbid [fə'bɪd] *v* (**forbade** [fə'beɪd]; **forbidden** [fə'bɪdn]) uždrausti
forecast ['fɔ:kɑ:st] *v* pranašauti; *n* pranašavimas, prognozė
foresee [fɔ:'si:] *v* (**foresaw** [fɔ:'sɔ:], **foreseen**) numatyti

force [fɔ:s] *n* galia, jėga, by ~ priverstinai; *v* priversti
foreground [ˈfɔ:graund] *n* priekinis planas
forehead [ˈfɔ:rɪd, ˈfɔ:hed] *n* kakta
foreign [ˈfɔrən] *a* 1) užsienio; 2) svetimas; **~er** *n* užsienietis
foreman [ˈfɔ:mən] *n* meistras
forest [ˈfɔ:rɪst] *n* miškas, giria
forever [fəˈrevə] *adv* amžinai, visiems laikams
foreword [ˈfɔ:wə:d] *n* pratarmė
forgave *žr.* **forgive**
forge I [fɔ:dʒ] *n* 1) kalvė; 2) žaizdras
forg|e II [fɔ:dʒ] *v* klastoti; *n* klastotė; **~y** [-ə] *n* klastojimas
forget [fəˈget] *v* (**forgot** [-ˈgɔt]; **forgotten** [-ˈgɔtn]) užmiršti
forgive [fəˈgɪv] *v* (**forgave** [fəˈgeɪv]; **forgiven** [fəˈgɪvɪn]) dovanoti, atleisti
fork [fɔ:k] *n* 1) šakutė; 2) šakės
forlorn [fəˈlɔ:n] *a* apleistas, vienišas
form [fɔ:m] *n* 1) forma; 2) klasė (mokinių); *v* formuoti; **~al** *a* formalus; **~ation** [fɔ:ˈmeɪʃn] *n* formavimas(is)
former [ˈfɔ:mə(r)] *a* buvęs, ankstesnis; **~ly** adv anksčiau
formula [ˈfɔ:mjulə] *n* formulė
fort [fɔ:t] *n* fortas
forth [fɔ:θ] *adv* pirmyn; ◊ and so ~ ir t.t.
fortieth [ˈfɔ:tɪəθ] *num* keturiasdešimtas
fortification [ˈfɔ:tɪfɪˈkeɪʃn] *n* 1) sutvirtinimas; 2) *pl kar* įtvirtinimas
fortify [ˈfɔ:tɪfaɪ] *v* (su)tvirtinti, stiprinti
fortnight [ˈfɔ:tnaɪt] *n* dvi savaitės
fortress [ˈfɔ:trɪs] *n* tvirtovė
fortunate [ˈfɔ:tʃənət] *a* laimingas; **~ly** *mod* laimei
fortune [ˈfɔ:tʃn] *n* 1) laimė, turtas; 2) likimas, dalia
forty [ˈfɔ:tɪ] *num* keturiasdešimt
forward [ˈfɔ:wəd] *adv* į priekį, pirmyn; *a* priekinis; *n* (*sporte*) puolėjas; *v* 1) persiųsti; 2) paspartinti, prisidėti; **~s** *adv* pirmyn
fossil [ˈfɔsl] *n* iškasena
fought *žr.* **fight**
foul [faul] *a* 1) bjaurus, nešvarus; 2) nešvankus, nepadorus; *v* prasižengti; *n* pražanga
found I žr. **find**
Found II [faund] *v* įkurti, įsteigti; **~ation** *n* 1) pamatas; 2) įkūrimas, įsteigimas
foundry [ˈfaundrɪ] *n* liejykla

fountain ['fauntɪn] *n* fontanas; šaltinis; **~-pen** [-pen] *n* parkeris, automatinis plunksnakotis
four ['fɔ:] *num* keturi; **~th** [-θ] ketvirtas; **~teen** [-ti:n] keturiolika; **~teenth** [ti:nθ] keturioliktas
fowl [faul] *n* naminis paukštis
fox [fɔks] *n* lapė
fraction ['frækʃn] *n* 1) trupmena; 2) dalelė
fractur ['fræktʃə] *n* lūžis; *v* lūžis
fragile ['frædʒaɪl] *a* trapus
fragment ['frægmənt] *n* 1) nuolauža, šukė; 2) fragmentas
frail [freɪl] *a* silpnas, netvirtas
frame [freɪm] *n* rėmas; *v* įrėminti
France [frɑ:ns] *n* Prancūzija
frank [fræŋk] *a* atviras; nuoširdus
frantic ['fræntɪk] *a* paklaikęs, įsiutęs
fraternal [frə'tə:nl] *a* broliškas
fraud [frɔ:d] *n* 1) sukčiavimas; 2) sukčius
frayed [freɪd] *a* atspuręs, apibrizgęs
freckle ['frekl] *n* strazdana, šlakas
free [fri:] *a* 1) laisvas; 2) nemokamas; 3) dosnus; *v* išlaisvinti; **~dom** *n* laisvė
freez|e [fri:z] *v* (**froze** [frəuz]; **frozen** ['frəuzn]) (už)šalti; **~er** 1) šaldykla; 2) *amer.* šaldymo kamera; **~ing-point** [fri:zɪŋpɔɪnt] *n* užšalimo taškas
freight [freɪt] *n* krovinys
French [frentʃ] *a* prancūzų, prancūziškas; *n* 1) the ~ prancūzai; 2) prancūzų kalba
fretful ['fretfl] *a* irzlus, neramus
frequency ['fri:kwənsɪ] *n* dažnis, dažnumas
frequent *a* ['fri:kwənt] dažnas; *v* [frɪ'kwent] dažnai lankytis
fresh [freʃ] *a* šviežias
friable ['fraɪəbl] *a* purus; trapus
Friday ['fraɪdɪ] *n* penktadienis
friend ['frend] *n* bičiulis, draugas; **~ly** *a* draugiškai; **~ship** draugystė
fright [fraɪt] *n* baimė; **~en** ['fraɪtn] *v* gąsdinti, bauginti; **~ful** *a* 1) baikštus, baimingas; 2) *šnek.* baisus; bjaurus
frigid ['frɪdʒɪd] *a* šaltas (*ir perk.*)
fringle [frɪndʒ] *n* 1) kutas; 2) kirpčiukai
frizzle ['frɪzl] *n* garbanoti

plaukai
fro [frəu:] *adv*: to and ~ ten ir atgal
frock [frɔk] *n* suknelė
frog [frɔg] *n* varlė
from [frɔm, frəm] *prep* iš; nuo; ◊ ~ time to time kartais, retkarčiais
front [frʌnt] *n* 1) priekis; 2) fasadas; in ~ (of) priešakyje, priešais; **~tier** ['trʌntɪə] *n* siena; riba
frost [frɔst] *n* šaltis; šalna
froth [frɔθ] *n* puta; *v* putoti
frown [fraun] *v* 1) susiraukti; 2) šnairuoti, nepritariamai žiūrėti; *n* susiraukimas; nepritarimas
froze *žr.* **freeze**
fruit [fru:t] *n* vaisiai; **~ful** *a* vaisingas; **~less** *a* nevaisingas
fry [fraɪ] *v* kepti, čirškinti; *n* kepsnys
frying-pan ['fraɪɪŋpæn] *n* keptuvė
ft. *žr. iš* **feet**
fuel ['fju:əl] *n* kuras
fulfil(l) [ful'fɪl] *v* atlikti, įvykdyti
full [ful] *a* 1) pilnas; 2) visas, visiškas; *n*: to the ~ ligi galo, pilnutinai; **~y** ['fulɪ] *adv* 1) visiškai; 2) pilnai
full-time ['fultaɪm] *a* turintis visą etatą
fumble ['fʌmbl] *v* grabalioti
fumes [fju:mz] *n pl* garai, šutas; dūmai
fun [fʌn] *n* juokas; pokštas
function ['fʌŋkʃn] *n* funkcija; *v* funkcionuoti, veikti
fund [fʌnd] *n* 1) fondas; 2) *pl* lėšos
funeral ['fju:nərəl] *n* laidotuvės
funnel ['fʌnl] *n* kaminas
funny ['fʌnɪ] *a* juokingas, keistas
fur [fə:(r)] *n* kailis, kailiniai
furiuos ['fjuərɪəs] *a* įsiutęs
furnace ['fə:nɪs] *n* krosnis, židinys
furnish ['fə:nɪʃ] *v* 1) apstatyti baldais; 2) aprūpinti
furniture ['fə:nɪtʃə] *n* baldai; apstatymas
furrow ['fʌrəu] *n* 1) (*veido*) gili raukšlė; 2) vaga; proveža
further ['fə:ðə] *a*, *adv* toliau (*apie atstumą, laiką, eilę*); *žr.* **far**
fury ['fjuərɪ] *n* 1) siautimas; įtūžis; 2) šėlimas
fus|e [fju:z] *v* išlydyti; *n el* saugiklis; **~ion** *n* 1) su(si)lydimas; 2) susiliejimas
fuss [fʌs] *n* sambrūzdis; **~y** *a* neramus, nervingas
future ['fju:tʃə] *n* ateitis; *a* būsimas(is)

G

gabble ['gæbl] *v* taukšti, klegėti; *n* klegesys
gadget ['gædʒɪt] *n šnek.* (*naujas*) įtaisas/prietaisas
gad-fly ['gædflaɪ] *n* gylys
gag ['gæg] *n* kamšalas; *v* užkimšti (*burną*)
gaiety ['geɪətɪ] *n* 1) linksmumas; 2) *pl* linksmybės
gaily ['geɪlɪ] *adv* linksmai
gain [geɪn] *v* 1) uždirbti; 2) *v* įgyti, gauti; 3) laimėti
gala ['gɑ:lə] *n* šventė; iškilmė; *a* šventinis
gallant ['gælənt] *a* puikus, narsus
gallery ['gælərɪ] *n* galerija; (*teatre*) balkonas
gallon ['gælən] *n* galonas (*saikas; anglų 4,54 l; JAV 3,78 l*)
gallop ['gæləp] *v* šuoliuoti
gallows ['gæləuz] *n* kartuvės
galosh [gæ'lɔʃ] *n* kaliošas
gambl|e ['gæmbl] *v* lošti; *n* rizika; **~er** *n* lošėjas (*azartiškas*); **~ing** *n* lošimas (*iš pinigų*)
game I [geɪm] *n* žaidimas; partija (žaidimo); O l i m p i c ~ s Olimpinės žaidynės
game II [geɪm] *n* medžioklės laimikis
gang [gæŋ] *n* būrys; gauja; *v* organizuoti gaują/būrį; suburti; **~ster** [-stə] *n* gangsteris
gangway ['gæŋweɪ] *n* 1) trapas (*laive*); 2) perėjimas (*tarp eilių*)
gap ['gæp] *n* tarpas; plyšys
gape [geɪp] *v* 1) spoksoti; 2) žiovauti
gaping ['geɪpɪŋ] *n* žiojėjantis
garage ['gærɑ:ʒ] *n* garažas
garbage ['gɑ:bɪdʒ] *n* šiukšlės, atliekos, atmatos
garden ['gɑ:dn] *n* sodas; **~er** *n* sodininkas; **~ing** *n* sodininkystė
garlic ['gɑ:lɪk] *n* česnakas
garment ['gɑ:mənt] *n* apdaras, drabužis
garnish ['gɑ:nɪʃ] *n* 1) papuošalas; 2) garnyras
garret ['gærɪt] *n* palėpė, mansarda
garrison ['gærɪsn] *n kar.* įgula
garrulous ['gærələs] *a* šnekus, plepus
gas [gæs] *n* 1) dujos; 2) *amer.* benzinas; **~bag** [-bæg] *n* dujų balionas; **~burner** [-'bə:nə] *n* dujų degiklis
gash [gæʃ] *n* gili žaizda; *v* su(si)žeisti
gasp I [gɑ:sp] *v* žioptelėti; *n* žioptelėjimas
gasp II [gɑ:sp] *v* dusti, sunkiai kvėpuoti
gassy ['gæsɪ] *a* dujinis, pil-

nas dujų
gate [geɪt] *n* vartai; varteliai; **~way** [-weɪ] *n* įėjimas, išėjimas; vartai
gather ['gæðə] *v* rinkti(s); **~ing** *n* susirinkimas; sambūris
gaudy ['gɔ:dɪ] *a* neskoningas; rėžiantis akį
gauge [geɪdʒ] *n* matuoklis; manometras; *v* išmatuoti
gave *žr.* **give**
gay [geɪ] *a* linksmas
gaze [geɪz] *v* įdėmiai žiūrėti; įbesti žvilgsnį
gazoline ['gæsəli:n] *n amer.* benzinas
gear [gɪə] *n* 1) tech. pavara; krumpliaratis; 2) apranga, apdaras
geese *žr.* **goose**
gem [dʒem] *n* brangakmenis
gender ['dʒendə] *n* gramatinė giminė
general I ['dʒenrəl] *a* 1) bendras; 2) nespecializuotas, paprastas; 3) vyriausiasis; **~ize** *v* apibendrinti; **~ly** *adv* 1) apskritai; 2) paprastai
general II ['dʒenrəl] *n* generolas
generation ['dʒenə'reɪʃn] *n* karta; t h e y o u n g e r ~ jaunoji karta
generosity ['dʒenə'rɔsətɪ] *n* dosnumas
generous ['dʒenərəs] *a* 1) dosnus; 2) kilnus
genial ['dʒi:nɪəl] *a* 1) švelnus (*apie klimatą*); linksmas ir draugiškas
genius ['dʒi:nɪəs] *n* genijus
gentle ['dʒentl] *a* švelnus
gentelman ['dʒentlmən] *a* (*pl* **gentlemen**) džentelmenas; ponas
genuine ['dʒenjuɪn] *a* 1) tikras; 2) nuoširdus
geography [dʒɪ'ɔgrəfɪ] *n* geografija
geological [dʒɪə'lɔdʒɪkl] *a* geologinis
geologist [dʒɪ'ɔlədʒɪst] *n* geologas
geology [dʒɪ'ɔlədʒɪ] *n* geologija
geometry [dʒɪ'mətrɪ] *n* geometrija
geophysical ['dʒi:ə'fɪzɪkl] *a* geofizinis
Georgia ['dʒɔ:dʒɪə] *n* Gruzija; **~n** *a* gruzinų, gruziniškas; *n* 1) gruzinas, -ė; 2) gruzinų kalba
germ [dʒə:m] *n* bakterija
German ['dʒə:mən] *a* vokiečių, vokiškas; *n* 1) vokietis, -ė; 2) vokiečių kalba; **~y** *n* Vokietija
gesture ['dʒestʃə] *n* gestas, mostas
get [get] *v* (**got** [gɔt]; **got**, *amer.* **gotten** ['gɔtn]) 1) gauti; *v* į(si)-

gyti; 2)atvykti, pasiekti (to); 3) priversti, įtikinti; 4) tapti; 5) imtis (darbo ir panašiai; to ~ in 1) įeiti; 2) nuimti (derlių); **~up** atsikelti
ghastly ['gɑ:stlɪ] *a* 1) baisus, šiupus; 2) **~ly** *a* išbalęs kaip drobė; vaiduokliškas, šmėkliškas
ghost [gəust] *n* dvasia
giant ['dʒaɪənt] *n* milžinas; *a* milžiniškas
giddy ['gɪdɪ] *a* apsvaigęs
gift [gɪft] *n* dovana; **~ed** *a* gabus, talentingas
gigantic ['dʒaɪ'gæntɪk] *a* gigantiškas
giggle ['gɪgl] *v* kikenti; *n* kikenimas
gild [gɪld] *v* paauksuoti
gilt [gɪlt] *n* paauksinimas; *a* paauksuotas
ginger ['dʒɪndʒə] *a* rusvaplaukis; *n* imbieras; **~bread** [-bred] imbierinis meduolis
gipsy ['dʒɪpsɪ] *n* čigonas, -ė
giraffe [dʒɪ'rɑ:f] *n* žirafa
girl [gə:l] *n* mergaitė; **~ish** *a* mergiškas, mergaičių
give [gɪv] *v* (**gave** [geɪv]; **given** ['gɪvn]) 1) duoti; 2) (pa)dovanoti; ~ back grąžinti; ~ in pasiduoti; ~ up mesti (*pvz., rūkyti*)
glacier ['glæsɪə] *n* ledynas
glad [glæd] *a* patenkintas; linksmas; be ~ džiaugtis; **~ly** *adv* mielai, mielu noru; su džiaugsmu
glance [glɑ:ns] *n* žvilgsnis; *v* žvilgtelėti
glare [glɛə] *v* akinamai spindėti; *n* blizgesys, spindesys
glass [glɑ:s] *n* 1) stiklas; 2) stiklinė; **~es** [-ɪz] *pl* akiniai
gleam [gli:m] *v* švytėti
glide [glaɪd] *v* slysti; **~r** *n* sklandytuvas
glimmer ['glɪmə(r)] *v* mirgėti, spindėti
glimpse [glɪmps] *n* blykstelėjimas; švystelėjimas
glisten ['glɪsn] *v* blizgėti
glitter ['glɪtə] *v* žibėti, žėrėti
global ['gləubl] *a* globalinis
globe [gləub] *n* 1) žemės rutulys; 2) gaublys
gloomy ['glu:mɪ] *a* 1) tamsus; 2) nuliūdęs
gloriuos ['glɔ:rɪəs] *a* šlovingas
glory ['glɔ:rɪ] *n* garbė, šlovė
glossy ['glɔsɪ] *a* žvilgantis
glove [glʌv] *n* pirštinė
glow [gləu] *v* švytėti, žėrėti; *n* žėrėjimas
glue [glu:] *n* klijai; *v* klijuoti
glum [glʌm] *a* apniukęs, nusiminęs
gnarled [nɑ:ld] *a* gumbuotas
gnaw [nɔ:] *v* graužti
go [gəu] *v* (**went** [went]; **gone**

[gɔn]) 1) eiti, vaikščioti; 2) važiuoti, vykti; ~ o n a t r i p vykti į kelionę; (b e ~ i n g t o d o s m t h) ruoštis, ketinti ką daryti (reiškiant būsimąjį laiką); ~ b y praeiti pro šalį; ~ w i t h o u t išsiversti be ko; ~ o n tęsti(s)
goal ['gəul] *n* 1) tikslas; 2) įvartis; **~keeper** [-ki:pə] *n* (*sporte*) vartininkas
goat [gəut] *n* ožys, ožka
go-between ['gəubɪ'twi:n] *n* tarpininkas
god [gɔd] *n* 1) (**G.**) Dievas; 2) stabas; **~ess** *n* deivė
goggles ['gɔglz] *n pl* apsauginiai akiniai
going ['gəuɪŋ] *n* 1) išnykimas; 2) ėjimas; važiavimas; *a* 1) einantis, veikiantis; 2) esamas
gold [guəld] *n* auksas; **~en** *a* auksinis; **~fish** [-fɪʃ] *n* auksinis karosas
golf [gɔlf] *n* golfas
gone *žr.* **go**
gong [gɔŋ] *n* gongas
good [gud] *a* (**better** ['betə]); **best** [best]) geras; gražus; *n* gėris
goodbye ['gud'baɪ] *int* viso labo!; sudie!
good-looking ['gud'lukɪŋ] *a* gražiai atrodantis, gražus
good-natured ['gud'neɪtʃed] *a* gero būdo, geraširdi(ška)s
goodness ['gudnɪs] *n* gerumas; ~ m e ! vaje!; m y ~ ! Viešpatie!; ~ k n o w s ! galas žino!
good night ['gud'naɪt] *int* labanakt!
good-tempered ['gud'tempəd] *a* gero būdo
good-for-nothing ['gudfə n'ʌðɪŋ] *a attr* niekam tikęs/vertas
goods [gudz] *n pl* prekės
goose [gu:s] (*pl* **geese** [gi:s]) *n* žąsis; **~berry** ['gu:zbrɪ] *n* agrastas
gorgeous ['gɔ:dʒəs] *a* 1) puikus; 2) puošnus, spalvingas
gorilla [gə'rɪlə] *n* gorila
gosh [gɔʃ] *int* na! negali būti!
gossip ['gɔsɪp] *v* liežuvauti; *n* paskalos
got *žr.* **get**
govern ['gʌvn] *v* valdyti; **~ess** *n* guvernantė; **~ment** *n* 1) valdžia, vyriausybė; 2) valdymas; **~or** ['gʌvənə] *n* gubernatorius
gown [gaun] *n* 1) ilga suknelė; 2) mantija
grab [græb] *v* (pa)griebti; *n* (pa)griebimas
grace [greɪs] *n* grakštumas; **~ful** *a* grakštus
graciuos ['greɪʃəs] *a* maloningas; gailestingas
grade ['greɪd] *n* 1) laipsnis; 2)

klasė (mokykloje); ~-**school** *amer*. pradinė mokykla
gradual ['grædʒuəl] *a* laipsniškas
graduate ['grædʒueɪt] *v* baigti mokyklą (from)
graduation ['grædʒu'eɪʃn] *n* baigimas (mokyklos)
graft [gra:ft] *n bot*. skiepas; skiepijimas; *v* skiepyti
grain [greɪn] *n* 1) grūdas, grūdai; 2) kruopelė, smiltelė
grammar ['græmə] *n* gramatika
gram(me) [græm] *n* gramas
gramophone ['græməfəun] *n* patefonas
granary ['grænərɪ] *n* svirnas, klėtis
grand ['grænd] *a* 1) svarbiausias, pagrindinis; 2) grandiozinis, įspūdingas, didingas; ~**child** ['græntʃaɪld] *n* anūkas; ~(**d**)**ad** [-æd]*n* šnek. senelis; ~**daughter** [-ɔ:tə] *n* anūkė; ~**father** [-fɑ:ðə] *n* senelis; ~**ma**, ~**mother** [grænmɑ:, grænmʌðə] *n* senelė; ~**parents** [grænpɛərənts] *n* seneliai; ~**son** [grænsʌn] *n* anūkas
grandstand ['grændstænd] *n* centrinė tribūna (stadione)
granny, **grannie** ['grænɪ] *n* *šnek*. senelė, močiutė
grant [grɑ:nt] *n* subsidija, dotacija; *v* 1) suteikti; 2) (pa)dovanoti
grapefruit ['greɪpfru:t] *n* greipfrutas
grapes [greɪps] *n* vynuogės
grasp [grɑ:sp] *v* 1) sugriebti; 2) suvokti; ~**ing** a 1) grabus; 2) gobšus
grass ['grɑ:s] *n* žolė; veja; ganykla
grasshopper ['grɑ:shɔpə] *n* žiogas
grass-snake ['grɑ:sneɪk] *n* žaltys
grate I [greɪt] *n* (*krosnies*) grotelės
grate II [greɪt] *v* trinti; tarkuoti
grateful ['greɪtfl] *a* dėkingas
gratitude ['grætɪtju:d] *n* dėkingumas
grave I ['greɪv] *n* kapas; ~**yard** [-jɑ:d] *n* kapinės
grave II ['greɪv] *v* raižyti, graviruoti; *a* rimtas
gravel ['grævl] *n* žvyras
gravity ['grævətɪ] *n* 1) rimtumas; orumas; 2) (*ligos ir pan*.) sunkumas 3) *fiz*. svorio jėga; c e n t r e o f ~ svorio centras
gravy ['greɪvɪ] *n* (*riebus*) padažas
gray [greɪ] *a amer*. *žr*. **grey**
graze [greɪz] *v* ganytis (apie galvijus)
greas|e [gri:s] *v* patepti; *n* 1)

taukai, riebalai; 2) tepalas; **~y** *a* 1) taukuotas, riebaluotas; 2) glitus (*apie kelią*)
great ['greɪt] *a* 1) didis; didysis; a ~ man didis vyras; **~ly** *adv* žymiai, labai; 2) didelis; **~ness** *n* didumas; didybė
Greece [gri:s] *n* Graikija
greedy ['gri:dɪ] *a* godus
Greek [gri:k] *n* 1) graikas, -ė; 2) graikų kalba; *a* graikiškas, graikų
green ['gri:n] *a* žalias; **~house** [-haus] *n* šiltnamis
greet ['gri:t] *v* sveikinti; **~ing** *n* sveikinimas
grenade [grə'neɪd] *n* granata
grew *žr.* **grow**
grey [greɪ] *a* 1) pilkas; 2) žilas; **~ish** *a* 1) pilkšvas; 2) žilstelėjęs
grid [grɪd] *n* 1) grotelės; 2) tinklelis
grief [gri:f] *n* sielvartas
grieve [gri:v] *v* sielvartauti, sielotis
grill [grɪl] *n* 1) kepta mėsa; 2) grotelės (*mėsai kepti*); *v* kepti (*mėsą*)
grim [grɪm] *a* niūrus, nykus
grin [grɪn] *n* šypsnis; *v* šaipytis
grind [graɪnd] *v* (**ground** [graund]) 1) malti; 2) trinti(s), griežti (dantimis); 3) galąsti
grindstone ['graɪndstəun] *n* tekėlas
grip [grɪp] *v* sugriebti; suspausti
grit [grɪt] *n* (*rupus*) smėlis
grits [grɪts] *n pl* kruopos, košė
groan [grəun] *v* dejuoti; *n* dejonė
grocer ['grəusə(r)] *n* bakalėjininkas; **~y** *n* bakalėja; ~y store bakalėjos parduotuvė
groom [gru:m] *n* 1) arklininkas; 2) jaunikis
groove [gru:v] *n* griovelis
gross [grəus] *a* 1) šiurkštus, storžieviškas; 2) didžiulis, aiškus; 3) bruto
grope [grəup] *v* eiti apgraibomis
ground I *žr.* **grind**.
ground II [graund] *n* 1) žemė; 2) gruntas; 3) pagrindas; 4) atstumas; *v* (pa)grįsti
group [gru:p] *n* grupė; *v* grupuoti
grove [grəuv] *n* giraitė, miškelis
grovel ['grəuvl] *v* keliaklupsčiauti, šliaužioti
grow [grəun] *v* (**grew** [gru:]; **grown** [grəun]) 1) augti; *v* auginti; 2) tapti, darytis; ~ up augti (*apie žmones*)
grower ['grəuə] *n* augintojas; sodininkas, daržininkas

growl [grəul] *v* urzgti; *n* urzgimas
grown-up ['grəunʌp] *a* suaugęs, subrendęs; *n pl* suaugusieji
growth ['grəuθ] *n* 1) augimas; didėjimas; 2) auglys
grubby ['grʌbɪ] *a* purvinas
grudge [grʌdʒ] *n* pagieža, pavydas; t o b e a r a ~ griežti dantį
grumble ['grʌmbl] *v* niurnėti; **~r** *n* bambeklis
grumpy [grʌmpɪ] *a* irzlus, niurzgus
grunt [grʌnt] *v* 1) kriuksėti; 2) niurnėti
guarantee ['gærən'ti:] *v* garantuoti; *n* garantija
guard [gɑ:d] *n* 1) sargybinis; 2) sargyba; 2) *pl* gvardija; **~ian** [-ɪən] *n* teisinis globėjas; **~ianship** [-ɪənʃɪp] *n* teisinė globa
guerilla [gə'rɪlə] *n* partizanas
guess [ges] *v* 1)(at)spėti; spėlioti; 2) *šnek. amer.* manyti; *n* 1) (at)spėjimas; 2) manymas, nuomonė
guest [gest] *n* svečias
guidance ['gaɪdəns] *n* 1) vadovavimas; 2) pamokymas, patarimas
guide [gaɪd] *v* vadovauti, vesti; *n* 1) vadovas, gidas; 2) (**G.**) skautė (*t.p.* **Girl G.**)
guilty [gɪlt] *n* kaltė, kaltumas
guilty ['gɪltɪ] *a* kaltas
guinea-pig ['gɪnɪpɪg] *n* jūrų kiaulytė
guitar [gɪ'tɑ:] *n* gitara
gulf [gʌlf] *n* įlanka
gullible ['gʌlɪbl] *a* patiklus, lengvatikis
gulp [gʌlp] *v* godžiai ryti; *n* gurkšnis, maukas
gum [gʌm] *n* 1) klijai; 2) sakai; 3) guma; *v* suklijuoti
gums [gʌmz] *n pl* dantenos
gun [gʌn] *n* šaunamasis ginklas; šautuvas; patranka; revolveris; **~powder** [-paudə(r)] *n* parakas
gush [gʌʃ] *n* stipri srovė; *v* siūbtelėti (*srove*)
gust [gʌst] *n* 1) gūsis; 2) (*jausmų*) protrūkis; **~y** *a* 1) šoruotas, vėjuotas; 2) audringas; smarkus
gutter [gʌtə(r)] *n* 1) latakas; 2) *perk.* (visuomenės) padugnės
guy [gaɪ] *n šnek.* vyrukas; vaikinas
gym [dʒɪm] *sutr.* = **gymnasium** ir **gymnastics**
gymnasium [dʒɪm'neɪzɪəm] *n* gimnastikos salė
gymnastics [dʒɪm'næstɪks] *n* gimnastika
gyps(um) ['dʒɪps(əm)] *n* gipsas
gypsy ['dʒɪpsɪ] *n* čigonas, -ė

H

ha! *int* o!
haberdashery ['hæbədæʃərı] *n* galanterija
habit ['hæbıt] *n* įprotis; **~ual** [hə'bıtʃuel] *a* įprastinis;**~ally** *adv* įprastai, nuolat
hack I [hæk] *v* 1) sukapoti į gabalus; įkirsti; įpjauti; 2) įsibrauti į kito kompiuterio sistemą; *n* 1) įkirtis, įpjova; pjautinė žaizda; 2) kirstukas, kaplys
hack II [hæk] *n* 1) samdomas rašeiva; 2) nuomojamas arklys; 3) pasijodinėjimas 4) *amer. šnek.* taksis, taksistas; *a* 1) nuomojamas, 2) nuvalkiotas, banalus; *v* 1) nuomoti; 2) pasijodinėti; 3) nuvalkioti, subanalinti
hackneyed ['hæknıd] *a* nuvalkiotas, banalus
had *žr.* **have**
haddock ['hædək] *n* juodadėmė menkė
hail ['heıl] *n* kruša, ledai; *v* lyti ledais; **~stone** [-stəun] krušos gabalėlis
hair ['hɛə(r)] *n* plaukai; plaukas; **~cut** [-kʌt] *n* apkirpimas; **~do** [-du:] *n* (*moterų*) šukuosena; **~dresser** [-dresə] *n* (*moterų*) kirpėjas, -a; **~pin** *n* plaukų smeigtukas; **~y** *a* plaukuotas
half [hɑ:f] *n* (*pl* **halves** [hɑ:vz]) pusė; *a* pusinis, pusės; **~hour** ['auə] *n* pusvalandis
haft [hɑ:ft] *n* kotas, rankena
half-term ['hɑ:ftə:m] *n* (*mokykloje*) trumposios atostogos
halt-time ['hɑ:ftaım] *n* pertrauka tarp kėlinių
half-way ['hɑ:fweı] *n* pusiaukelė
halloo [ə'lu:] *int* 1) pui! 2) ei! (*dėmesiui patraukti*)
halt [hɔ:lt] *v* sustoti; *n* sustojimas
halve [hɑ:v] *v* dalyti pusiau
ham [hæm] *n* 1) kumpis; 2) *pl* sėdmenys
hamburger ['hæmbə:gə] *n* 1) mėsainis; 2) *amer.* malta jautiena
hammer ['hæmə] *n* plaktukas
hammock ['hæmək] *n* hamakas
hand ['hænd] *n* ranka (plaštaka); t o s h a k e ~ s pasisveikinti (paspaudžiant ranką); *v* įteikti (t.p. ~ in); **~bag** ['bəg] *n* rankinė; **~book** [-buk] *n* vadovėlis; **~cuffs** [-kʌfs] *n pl* antrankiai; **~ful** *n* sauja; **~-grenade** [-grəneıd] *n* rankinė granata; **~icap** [-ıkæp] *n* 1) kliūtis; 2) sport. handikapas;

~kerchief ['kæɪkətʃɪf] nosinė, skepetaitė
handle ['hændl] *n* rankena; *v* 1) elgtis; traktuoti; 2) valdyti, reguliuoti; **~bar** [-bɑ:] *n* (*dviračio, motociklo*) vairo rankena; vairas
hand-made ['hænd'meɪd] *a* rankų darbo
handsome ['hændsəm] *a* gražus
handwriting ['hændraɪtɪŋ] *n* rašysena, braižas
handy ['hændɪ] *a* parankus, patogus; nagingas
hang ['hæŋ] *v* (**hung** [hʌŋ]; *reikšmė „pakarti"* **hanged**) 1) kabinti; 2) karti
hangar ['hæŋə(r)] *n* angaras
hanger ['hæŋə] *n* pakaba; **~-on** ['hæŋər'ɔn] *n* pakalikas
hankie, hankey ['hæŋkɪ] *šnek.* = **handkerchief**
happen ['hæpən] *v* atsitikti, įvykti; **~ing** *n* atsitikimas
happiness ['hæpɪnɪs] *n* laimė
happy ['hæpɪ] *a* laimingas
happy-go-lucky ['hæpɪgəu'lʌkɪ] *a* nerūpestingas
harbor ['hɑ:bə(r)] *n* 1) uostas; 2) prieglobstis
hard ['hɑ:d] *a* 1) sunkus (pvz., *darbas*) 2) kietas; *adv* sunkiai; **~-hearted** ['hɑ:tɪd] *a* žiaurus; **~ly** *adv* 1) vos; 2) vargu ar
hard-working ['hɑ:dwə:kɪŋ] *a* darbštus, sunkiai/daug dirbantis
hardy ['hɑ:dɪ] *a* ištvermingas
hare ['hɛə] *n* kiškis
harm ['hɑ:m] *n* žala; *v* kenkti; **~ful** *a* žalingas, kenksmingas
harness ['hɑ:nɪs] *n* pakinktai; *v* kinkyti
harp [hɑ:p] *n* arfa
harrow ['hærəu] *n* akėčios; *v* akėti
harsh [hɑ:ʃ] *a* 1) šiurkštus, grubus; 2) griežtas, žiaurus
harvest ['hɑ:vɪst] *n* derlius; pjūtis
has [hæz, həz] *v esam. l. 3 asm. forma iš* **have**
hasn't ['hæznt] = **has not**
haste [heɪst] *n* skubėjimas; m a k e ~ skubėti
hasten ['heɪsn] *v* skubėti, skubinti
hasty ['heɪstɪ] *a* skubotas
hat [hæt] *n* skrybėlė
hatch [hætʃ] *v* išsiristi, prasikalti (*apie paukštį*); (iš)perėti
hate [heɪt] *n* neapykanta; *v* neapkęsti
hatred ['hætrɪd] *n* neapykanta
hatter ['hætə(r)] *n* skrybėlininkas
haughty ['hɔ:tɪ] *a* išdidus
haul [hɔ:l] *v* tempti, vilkti; *n* 1) tempimas; 2) grobis, laimikis

haunt [hɔ:nt] *v* persekioti, neduoti ramybės (*apie mintis*); dažnai lankytis; *n* mėgstama vieta
haunted ['hɔ:ntɪd] *a* kuriame vaidenasi (*apie namą*)
have [hæv] *v* (**had** [hæd] 1) turėti; 2) privalėti (+ *to inf*); 3) *pagalbinis vksmž. Perfect laikams sudaryti*
have-nots ['hæv'nɔts] *n* (the ~) beturčiai
haven't [hævnt] = **have not**
hawk [hɔ:k] *n* vanagas
hay ['heɪ] *n* šienas; **~stack** [-stæk] šieno kūgis
hazard ['hæzəd] *n* rizika
hazel ['heɪzl] *n* lazdynas
H-bomb ['eɪtʃbɔm] *n* vandenilinė bomba
he [hi:] *pron* jis
head ['hed] *n* 1) galva; 2) viršininkas, vedėjas; *a* vyresnysis, vyriausiasis; centrinis; *v* vesti, vadovauti; būti priekyje; **~waiter** vyresnysis padavėjas; **~phones** [-feunz] *n pl* ausinės
heady ['hedɪ] *a* svaiginantis; apsvaigęs
headquarters ['hedkwɔ:təz] *n* (*karinis*) štabas, būstinė
heal ['hi:l] *v* (už)gyti; gydyti; **~er** *n* hileris
health ['helθ] *n* sveikata; ~ centre poliklinika, **~y** [-ɪ] *a* sveikas
heap [hi:p] *n* krūva; **~s** *šnek.* daugybė (of - *ko*)
hear [hɪə(r)] *v* (**heard** [hə:d]) girdėti; išgirsti; ~ ! ~ ! *int* teisingai! taip, taip! (*pritariant*)
hearing ['hɪərɪŋ] *n* 1) klausa; 2) girdimumas; girdėjimas; 3) (*bylos*) svarstymas
heart ['hɑ:t] *n* 1) širdis; siela; ~ attack širdies priepuolis; 2) jausmai; 3) centras; vidurys; 4) (*kortų*) čirvai; ◊ by ~ atmintinai; to have your ~ in your mouth širdis apmirė; to lose ~ prarasti drąsą; to take ~ įsidrąsinti
heart-broken ['hɑ:tbrəukən] *a* susisielojęs, sielvartingas
heart-to-heart ['hɑ:tə'hɑ:t] *n* intymus, nuoširdus
hearth [hɑ:θ] *n* židinys
heartless ['hɑ:tlɪs] *a* beširdis, negailestingas
hearty ['hɑ:tɪ] *a* 1) širdingas, draugiškas; 2) energingas; 3) gausus
heat [hi:t] *n* 1) karštis; 2) šiluma; 3) *pl prk.* didelis susijaudinimas; *v* įkaitinti (*ir perk.*); kaisti
heater ['hi:tə] *n* šildytuvas
heating ['hi:tɪŋ] *n* (ap)šildymas; central ~ centrinis šildymas
heave [hi:v] *v* 1) kilnoti, (pa)-

kelti; (**hove** [həuv], **heaved**) *jūr.* traukti (*lyną, inkarą*)
heaven ['hevn] *n bažn.* dangus; good ~s! Dieve mano!
heavy ['hevɪ] *a* 1) sunkus (apie svorį); 2) didelis; smarkus
hectare ['hektɑ:] *n* hektaras
hedge ['hedʒ] *n* gyvatvorė
hedgehog ['hedʒhɔg] *n* ežys
heel [hi:l] *n* kulnas
height [haɪt] *n* aukštis
heir [ɛə] *n* paveldėtojas; **~ess** ['ɛərɪs] *n* paveldėtoja
held *žr.* **hold**
helicopter ['helɪkɔptə] *n* malūnsparnis
hell [hel] *n* pragaras
he'll [hi:l] = **he will**
hello [hə'ləu] *int* 1) alio; 2) sveikas!
helmet ['helmɪt] *n* šalmas
help ['help] *n* pagalba; *v* padėti; **~ful** *a* naudingas; **~ing** *n* 1) pagalba; 2) (*valgio*) porcija; **~less** *a* bejėgis
hem [hem] *n* siūlė, apsiuvas
hemisphere ['hemɪsfɪə] *n* pusrutulis
hemp [hemp] *n* kanapės
hen [hen] *n* višta
her [hə:] *pron* jos; ją; jai
herald ['herəld] *n* šauklys, pranašas; *v* paskelbti
herb [hə:b] *n* vaistažolė
herd [hə:d] *n* (gyvulių) banda
here ['hɪə] *adv* 1) čia; 2) štai; ~ you are! prašau! (*paduodant*)
heritage ['herɪtɪdʒ] *n* palikimas
hermit ['hə:mɪt] *n* atsiskyrėlis
hero ['hɪərəu] *n* didvyris; **~ic** [hɪ'rəuɪk] *a* didvyriškas; **~ine** ['herəuɪn] *n* didvyrė
herring ['herŋ] *n* silkė
hers [hə:z] jos (*be dktv.*)
herself [hə:'self] *pron* 1) (ji) pati; 2) save *atitinka sangrąžos dalelytę* **–si**
hesitate ['hezɪteɪt] *v* svyruoti, nesiryžti; **~ion** *n* svyravimas, neryžtingumas
hiccup, hiccough ['hɪkʌp] *v* žagsėjimas; *n* žagsėti
hide [haɪd] *v* (**hid** [hɪd]; **hidden** ['hɪdn]) slėpti(s); **~-and-seek** [-ənd'si:k] slėpynės
hideous ['hɪdɪəs] *a* šlykštus; bjaurus
hiding ['haɪdɪŋ] *n* slapstymasis
hi-fi ['haɪfaɪ] *n* aukštos kokybės grotuvas; stereo aparatūra
high ['haɪ] *a* aukštas; ~ school *amer.* vidurinė mokykla; **~ly** *adv* labai, didžiai, aukštai
highlands ['haɪlændz] *n pl* aukštumos; kalvotas kraštas
Highness ['haɪnɪs] *n* 1) aukštumas; 2) didenybė (*titulas*)

highway ['haɪweɪ] *n* plentas, vieškelis, magistralė; **~man** [-mən] *n* plėšikas
hijack ['haɪdʒæk] *v* užgrobti, pagrobti (*lėktuvą, automobilį*); **~er** *n* (*lėktuvo, automobilio*) pagrobėjas, plėšikas
hik|e [haɪk] *n* žygis/išvyka pėsčiomis; *v* keliauti pėsčiomis; **~er** *n* (*pėsčias*) turistas
hill [hɪl] *n* kalva; **~y** *a* kalvotas
him [hɪm] *pron* jį, jam; **~self** [hɪm'self] pron 1) (*jis*) pats; 2) save, savimi *atitinka sangrąžos dalelytę* **-si**
hind I [haɪnd] *n* užpakalinis
hind II [haɪnd] *n* stirna
hinder ['hɪndə] *v* trukdyti
hindrance ['hɪndrəns] *n* trukdymas, kliūtis
hint [hɪnt] *n* užuomina; aliuzija; *v* užsiminti, (pa)daryti aliuziją
hip [hɪp] *n* šlaunis (*iki juosmens*); klubas
hippopotamus[hɪpə'pɔtəməs] *n* hipopotamas
hire ['haɪə(r)] *v* 1) samdyti; 2) nuomoti; *n* 1) nuoma; 2) samda
his [hɪz] *pron* 1) jo 2) savo
hiss [hɪs] *v* šnypšti; *n* šnypštimas
historic [hɪ'stɔrɪk] *a* istorinis
history ['hɪstərɪ] *n* istorija
hit [hɪt] *v* (**hit**) 1) smogti; 2) pataikyti; 3) trenktis
hitch-hike ['hɪtʃhaɪk], *šnek.*
hitch [hɪtʃ] *v* keliauti autostopu
hitherto ['hɪðə'tu:] *adv* ligi šiol(ei)
hive [haɪv] *n* avilys
hoard [hɔ:d] *n* (*slaptos*) atsargos; *v* (su)kaupti
hoarfrost ['hɔ:frəst] *n* šerkšnas
hoarse [hɔ:s] *a* užkimęs
hoax [həuks] *n* nemalonus pokštas; *v* pasityčioti; pagauti
hobble ['hɔbl] *v* šlubuoti
hobby ['hɔbɪ] *n* mėgstamas darbas, hobis
hockey ['hɔkɪ] *n* ledo ritulys (*t.p.* i c e **~**)
hoe [həu] *n* kauptukas; *v* kaupti
hog [hɔg] *n* meitėlis; kiaulė
hoist [hɔɪst] *v* (iš)kelti (*į viršų*)
hold ['həuld] *v* (**held** [held]) 1) laikyti(s); 2) tilpti, talpinti; **~all** *n* kelioninis krepšys; **~er** *n* 1) savininkas; 2) kotelis; rankena
hole [həul] *n* 1) skylė; 2) urvas
holiday ['hɔlədɪ] *n* 1) šventė; 2) *pl* atostogos
Holland ['hɔlənd] *n* Olandija

hollow ['hɔləu] *a* tuščiavidu-ris, tuščias
holly ['hɔlı] *n bot.* bugienis
holy ['həulı] *a* šventas
home ['həum] *n* namai; *a* namų; naminis; at ~ namie; **~less** *a* benamis; **~-made** [-meıd] *a* namų darbo; **~sick** [-sık] *a* išsiilgęs namų; **~work** [-wə:k] *n* namų darbas
honest ['ɔnıst] *a* doras, sąžiningas; atviras; **~y** *n* sąžiningumas, dora
honey ['hʌnı] *n* medus; **~moon** [-mu:n] *n* medaus mėnuo
honorary ['ɔnərərı] *a* garbės (*apie narį, vardą*)
honour ['ɔnə] *n* garbė; **~able** *a* garbingas
hood [hud] *n* 1) gobtuvas; 2) dangtis
hoof [hu:f] *n* (*pl* **hooves**) kanopa
hook [huk] *n* kablys, kabliukas; *v* užsagstyti/susegti kabliukais
hoop [hu:p] *n* lankas; metalinis žiedas
hoot [hu:t] *n* 1) (*automobilio*) signalas; 2) ūbavimas (*pelėdos*); *v* 1) kaukti; duoti signalą; 2) ūbauti
hop I [hɔp] *v* šokinėti, šokuoti
hop II [hɔp] *n* apynys
hope ['həup] *v* tikėti, viltis; *n* viltis; **~less** *a* beviltiškas
horn [hɔ:n] *n* ragas; **~y** raguotas; raginis
horrible [hɔrəbl] *a* baisus; bjaurus
horrid ['hɔrıd] *a* = **horrible**
horrify ['hɔrıfaı] *v* sukelti siaubą
horror ['hɔrə] *n* siaubas; pasibaisėjimas
horse ['hɔ:s] *n* arklys, žirgas; **~shoe** [-ʃu:] *n* pasaga
hose [həuz] *n* žarna (laistyti, gaisrui gesinti)
hospitable ['hɔspıtəbl] *a* svetingas, vaišingas
hospital ['hspıtl] *n* ligoninė
host I [həust] *n* šeimininkas
host II [həust] *n* daugybė
hostage ['həustıdʒ] *n* įkaitas
hostel ['hɔstl] *n* bendrabutis
hostess ['həstıs] *n* šeimininkė
hostile ['hɔstaıl] *a* priešiškas
hot [hɔt] *a* karštas; it is ~ karšta; **~bed** [-bed] *n* inspektas; **~house** [-haus] *n* šiltnamis
hotel [həu'tel] *n* viešbutis
hound [haund] *n* skalikas
hour ['auə] *n* valanda; **~ly** *adv* kas valandą
house [haus] *n* namas (*pl* **houses** ['hauzız]); House of Commons (of Lords) atstovų (lordų) rūmai; **~hold**

[-həuld] *n* namiškiai, šeimyna; namų ūkis
housing ['hauzɪŋ] *n* butų fondas; aprūpinimas butais
house|keeper ['hauski:pə], **~wife** [-waɪf] *n* (*pl* **~wives** [-waɪvz] namų šeiminė
hover ['hɔvə(r)] *v* 1) plazdenti, pakilti (*ore*) 2) sukinėtis, slankioti; 3) abejoti, svyruoti
hovercraft ['hɔvəkrɑ:ft] *n* transporto priemonė su oro pagalve
how [hau] *adv* kaip; ◊ ~ a r e y o u ? kaip jaučiatės?, kaip gyvuojate? ~ d o y o u d o ? sveiki! (*papr. susipažįstant*); ~ m a n y ? , ~ m u c h ? kiek?
however [hau'evə] *adv* kaip ne; kiek ne; kad ir kaip; *cj* tačiau
howl ['haul] *n* staugimas; *v* staugti
huckleberry ['hʌklbərɪ] *n amer.* mėlynė (*uoga*)
huddle ['hʌdl] *n* (*netvarkingai*) suversta krūva; *v* 1) suversti į krūvą; 2) spūstis
hue [hju:] *n* atspalvis; spalva
hug [hʌg] *v* apkabinti; apkabinimas
huge [hju:dʒ] *a* milžiniškas, didžiulis
hullo [hə'ləu] *int* = **hello**
hum [hʌm] *v* ūžti; *n* ūžimas
human ['hju:mən] *a* žmogiškas, žmogaus; **~being** žmogus; **~e** [hju:'meɪn] *a* humaniškas
humanity [hju:'mænətɪ] *n* žmonija
humble ['hʌmbl] *a* 1) kuklus, nuolankus; 2) paprastas
humbug ['hʌmbʌg] *n* 1) apgavystė; 2) apgavikas; apsimetėlis
humid ['hju:mɪd] *a* drėgnas; **~ity** *n* drėgnumas, drėgmė; r e l a t i v e ~ santykinis oro drėgnumas
humiliate [hju:'mɪleɪt] *v* pažeminti
humorous ['hju:mərəs] *a* juokingas, humoristinis
humour ['hju:mə] *n* humoras
hump [hʌmp], **hunch** [hʌtʃ] *n* kupra
hundred ['hʌndrəd] *num* šimtas; **~th** [-θ] *num* šimtasis
hung *žr.* **hang**
Hungar|ian [hʌŋ'gɛrɪən] *n* 1) vengras; 2) vengrų kalba; *a* vengrų, vengriškas; **~y** *n* Vengrija
hunger ['hʌŋgə] *n* alkis
hungry ['hʌŋgrɪ] *a* alkanas
hunt [hʌnt] *v* medžioti; *n* medžioklė; **~er** *n* medžiotojas
hurl [hə:l] *v* sviesti; *n* staigus metimas
hurrah [hu'rɑ:], **hurray** [hu'reɪ] *int* valio!
hurricane ['hʌrɪkən] *n* ura-

ganas
hurry ['hʌrɪ] *v* skubėti; *n* skubėjimas; be in a ~ skubėti
hurt [hə:t] *v* (**hurt**) su(si)žeisti; skaudėti; ~ oneself užsigauti, susižeisti; *n* sužalojimas
husband ['hʌzbənd] *n* vyras (*sutuoktinis*)
hush [hʌʃ] *int* ša!, cit!
hut [hʌt] *n* trobelė; lūšnelė
hydrogen ['haɪdrədʒən] *n* vandenilis
hydroelectric ['haɪdrəu'ɪlektrɪk] *n* hidroelektrinis; ~ power-station hidroelektrinė
hyena, hyaena [haɪ'i:nə] *n* hiena
hygiene ['haɪdʒi:n] *n* higiena
hymn [hɪm] *n* himnas
hyphen ['haɪfn] *n* brūkšnelis (*rašyboje*)
hypnotize ['hɪpnətaɪz] *v* hipnotizuoti
hypothesis [haɪ'pɔθɪsɪs] *n* (*pl* **hypotheses** [-θəsi:z]) hipotezė
hysterics [hɪ'sterɪk] *n* isterijos priepuolis, isterija

I

I [aɪ] *pron* aš
ibidem ['ɪbɪdem] *adv lot.* ten pat
ice ['aɪs] *n* ledas; **~berg** [-bə:g] *n* ledkalnis; **~-breaker** [-breɪkə] *n* ledlaužis; **~-cream** [-kri:m] *n sg* (*valgomieji*) ledai
Iceland ['aɪslənd] *n* Islandija; **~er** *n* islandas,-ė; **~ic** ['aɪs'lændɪk] *a* islandiškas; *n* islandų kalba
icicle ['aɪsɪkl] *n* (*ledo*) varveklis
icing ['aɪsɪŋ] *n* 1) *kul.* glajus; 2) *av.* apledėjimas
icy ['aɪsɪ] *a* ledinis, šaltas
I'd [aɪd] 1) = I **had**; 2) = I **would**; I **should**
idea [aɪ'dɪə] *n* idėja, mintis
ideal [aɪ'dɪəl] *n* idealas; *a* idealus
identical [aɪ'dentɪkl] *a* toks pats, identiškas
identification [aɪ'dentɪfɪ'keɪʃn] *n* tapatybės nustatymas
identify [aɪ'dentɪfaɪ] *v* nustatyti tapatybę; identifikuoti
identity [aɪ'dentɪtɪ] *n* 1) tapatumas; 2) *teis.* asmenybės tapatybė; ~ card asmens liudijimas
idiom ['ɪdɪəm] *n* idioma; **~ic** ['ɪdɪə'mætɪk] *a* idiomatinis

idiot ['ɪdɪət] *n* idiotas; **~ic** [ɪdɪ'ɔtɪk] *a* idiotiškas
idle ['aɪdl] *a* tuščias, nenaudingas; be darbo; *v* tinginiauti, dykinėti
idol ['aɪdl] *n* stabas
i.e. ['aɪ'i:] *sutr*. tai yra *(t.y)*
if [ɪf] *cj* 1) jei(gu); 2) ar; 3) kad (ir); nors ir
ignorance ['ɪgnərəns] *n* nemokšiškumas; nežinojimas
ignorant ['ɪgnərənt] *a* nemokšiškas; nežinantis
ignore [ɪg'nɔ:] *v* ignoruoti
I'll [aɪl] = **I shall; I will**
ill [ɪl] *a* 1) sergantis, nesveikas; 2) blogas, prastas
ill-bred ['ɪl'bred] *a* neišauklėtas
illegal [ɪ'li:gl] *a* neteisėtas
illegible [ɪ'ledʒəbl] *a* neįskaitomas
illiterate [ɪ'lɪtərət] *n* beraštis; *a* neraštingas
ill-treat ['ɪl'tri:t] *v* blogai elgtis (*su kuo*); **~ment** *n* blogas elgesys
illuminate [ɪlu:mɪnɪt] *v* apšviesti
ill-will ['ɪl'wɪl] *n* pikta valia; nepalankumas
I'm [aɪm] = **I am**
image ['ɪmɪdʒ] *n* 1) paveikslas; vaizdas; 2) įvaizdis
imaginary [ɪ'mædʒɪnərɪ] *a* įsivaizduotas; įsivaizduojamas
imagination [ɪ'mædʒɪ'neɪʃn] *n* vaizduotė
imaginative [ɪ'mædʒɪnətɪv] *a* vaizdingas; lakios vaizduotės
imagine [ɪ'mædʒɪn] *v* įsivaizduoti; manyti
imitation ['ɪmɪ'teɪʃn] *n* pamėgdžiojimas; imitacija
immediate [ɪ'mi:dɪət] *a* 1) neatidėliojamas; 2) tiesioginis; **~y** *adv* 1) tiesiogiai; 2) tuojau pat
immense [ɪ'mens] *n* didžiulis; **~ly** *adv* be galo, nepaprastai
immigrant ['ɪmɪgrənt] *n* imigrantas
immigrate ['ɪmɪgreɪt] *v* imigruoti
immigration ['ɪmɪ'greɪʃn] *n* imigracija
immovable [ɪ'mu:vəbl] *a* nejudamas; nepajudinamas
imp [ɪmp] *n* velniūkštis (*apie vaiką*)
impart [ɪm'pɑ:t] *v* 1) duoti, suteikti; 2) perteikti (*žinias ir pan.*)
impatien|ce [ɪm'peɪʃns] *n* nekantrumas; **~t** *a* nekantrus
imperative [ɪm'perətɪv] *a* įsakmus, primygtinas; *n* liepiamoji nuosaka
imperfect [ɪm'pə:fɪkt] *a* neužbaigtas; netobulas
impertinen|ce [ɪm'pə:tɪnens]

n įžūlumas; **~t** *a* įžūlus
implant [ɪm'plɑ:nt] *v* įdiegti, įskiepyti
implement ['ɪmplɪmənt] *n* įrankis, prietaisas
implore [ɪm'plɔ:(r)] *v* maldauti
imply [ɪm'plaɪ] *v* (nu)manyti, duoti suprasti, turėti mintyje
impolite ['ɪmpə'laɪt] *a* nemandagus
import ['ɪmpɔ:t] *n* importas; *v* [ɪm'pɔ:t] importuoti; **~er** *n* importuotojas
importance [ɪm'pɔ:tns] *n* svarba
important [ɪm'pɔ:tnt] *a* svarbus
impossible [ɪm'pɔsəbl] *a* negalimas, neįmanomas
impostor [ɪm'pɪstə] *n* apsišaukėlis; apgavikas
impress [ɪm'pres] *v* daryti įspūdį; **~ion** *n* įspūdis; **~ive** *a* įspūdingas
imprison [ɪm'prɪzn] *v* įkalinti
improbable [ɪm'prɔbəbl] *a* neįtikėtinas
improve [ɪm'pru:v] *v* pagerinti; pagerėti; **~ment** *n* pagerinimas; pagerėjimas
impuden|ce ['ɪmpjudəns] *n* įžūlumas; **~t** *a* įžūlus
in [ɪn] *prep* 1) (*kur*) ~ the room kambaryje; 2) (*kada*) ~ summer vasarą; 3) (*kaip*) ~ pencil pieštuku; *adv* (*viduje; į*) come ~ įeiti; be ~ būti namie
in. *sutr iš* **inch**
inability ['ɪnə'bɪlətɪ] *n* negalėjimas
inaccurate [ɪn'ækjurət] *a* netikslus
inadequate [ɪn'ædɪkwət] *a* 1) ne(ati)tinkamas, neadekvatus; 2) nepakankamas, nepilnavertis
inaudible [ɪn'ɔ:dɪbl] *a* negirdimas
inborn [ɪn'bɔ:n] *a* įgimtas
incapable [ɪn'keɪpəbl] *a* negalintis, nesugebantis
incessant [ɪn'sesnt] *a* nesiliaujamas
inch [ɪnʃ] *n* colis (= 2,54 cm)
incident ['ɪnsɪdənt] *n* atsitikimas; **~al** ['ɪnsɪ'dentl] *a* atsitiktinis; **~ally** *adv* atsitiktinai
inclined [ɪn'klaɪnd] *a* 1) palinkęs; 2) *prk.* linkęs
includ|e [ɪn'klu:d] *v* įjungti; įskaityti; **~ing** *prep* įskaitant
income ['ɪnkəm] *n sg* pajamos; uždarbis; **~-tax** [-tæks] *n* pajamų mokestis
incomplete ['ɪnkəmp'li:t] *a* neužbaigtas; nepilnas
inconsiderate ['ɪnkən'sɪdərət] *a* 1) neapgalvotas; 2) nedėmesingas kitiems
inconvenien|ce ['ɪnkən'vi:nɪə

ns] *n* nepatogumas; **~t** *a* nepatogus
incorrect ['ɪnkə'rekt] *a* neteisingas
increase *n* ['ɪnkr:is] (pa)didėjimas; *v* [ɪn'kri:s] didėti, (iš)augti
incredible [ɪn'kredəbl] *a* neįtikėtinas
indebted [ɪn'detɪd] *a* 1) skolingas; 2) dėkingas
indeed [ɪn'di:d] *adv* iš tikrųjų; ~? tikrai?
indefinite [ɪn'defənɪt] *a* neapibrėžtas; the ~ article nežymimasis artikelis; **~ly** *adv* neapibrėžtai; neribotam laikui
independen|ce ['ɪndɪ'pendəns] *n* nepriklausomybė; **~t** *a* nepriklausomas
index ['ɪndeks] *n* rodyklė; indeksas
India ['ɪndɪə] *n* Indija; **~n** *a* 1) Indijos; 2) indų; *n* 1) indas; 2) indėnas
indicate ['ɪndɪkeɪt] *v* nurodyti
indicator ['ɪndɪkeɪtə] *n* indikatorius
indignant [ɪn'dɪgnənt] *a* pasipiktinęs
indigestion ['ɪndɪ'dʒestʃn] *n* virškinimo traktas
indirect ['ɪndɪ'rekt] *a* netiesioginis
indispensable ['ɪndɪ'spensəbl] *a* būtinas
individual ['ɪndɪ'vɪdʒuəl] *a* atskiras; individualus; *n* individas
indivisible [ɪndɪ'vɪzəbl] *a* nedalijamas
Indonesia ['ɪndə'ni:ʒə] *n* Indonezija; **~n** *n* indonezietis, -ė
indoor ['ɪndɔ:r] *a* vykstantis viduje (*ne lauke*); **~s** ['ɪn'dɔ:z] *adv* viduje, į vidų; patalpoje
industrial [ɪn'dʌstrɪəl] *a* pramonės, industrinis; **~ize** [-aɪz] *v* industrializuoti
industry ['ɪndəstrɪ] *n* pramonė
inexpensive ['ɪnɪk'spensɪv] *a* nebrangus
infant ['ɪnfənt] *n* kūdikis
infect [ɪn'fekt] *v* užkrėsti; **~ion** *n* infekcija, už(si)krė-timas
infectious [ɪn'fekʃəs] *a* užkrečiamas
infertile [ɪn'fə:taɪl] *a* nederlingas
infinite ['ɪnfɪnɪt] *a* begalinis; **~ly** *adv* be galo
inferior [ɪn'fi:rɪə] *a* blogesnis, žemesnis
infinitive [ɪn'fɪnətɪv] *n* bendratis
infinity [ɪn'fɪnɪtɪ] *n* begalybė
inflammable [ɪn'flæməbl] *a* degus, lengvai užsidegantis

inflatable [ɪn'fleɪtəbl] *a* pripučiamas
inflat|e [ɪn'fleɪt] *v* pripūsti; **~ion** [ɪn'fleɪʃn] 1) (pri)(pasi)pūtimas; 2) *ekon.* infliacija
influence ['ɪnfluəns] *n* įtaka (on, upon, over – *kam*); **~tial** [-ʃl] *a* įtakingas
info [ɪnfəu] *n šnek.* informacija, žinios
inform [ɪn'fɔ:m] *v* 1) pranešti, informuoti; 2) įskųsti
informal [ɪn'fɔ:ml] *a* neformalus, neoficialus
information ['ɪnfə'meɪʃn] *n* informacija; ~ b u r e a u / o f f i c e informacijos biuras
infrequent [ɪn'fri:kwənt] *a* nedažnas
ingredient [ɪn'gri:dɪənt] *n* ingredientas
inhabit [ɪn'hæbɪt] *v* apgyvendinti; **~ant** [-ənt] *n* gyventojas
inherit [ɪn'herɪt] *v* apveldėti; **~ance** *n* paveldėjimas; palikimas
initial [ɪ'nɪʃl] *a* pradinis
inject [ɪn'dʒekt] *v* įleisti (*vaistų*)
injection [ɪn'dʒekʃn] *n* injekcija
injure ['ɪndʒə] *v* 1) sužeisti; 2) įžeisti; 3) pakenkti
injury ['ɪndʒərɪ] *n* 1) žala; pakenkimas; 2) sužeidimas
ink [ɪŋk] *n* rašalas; tušas; (*t.p.* I n d i a n ~)
inland ['ɪnlənd] *a* esantis krašto viduje
inn [ɪn] *n* smuklė; **~keeper** [-ki:pə] *n* smuklininkas
inner ['ɪnə] *a* vidinis
innings ['ɪnɪŋz] *n* eilė paduoti kamuolį (*krikete, beisbole*)
innocent ['ɪnəsnt] *a* nekaltas
inquir|e [ɪn'kwaɪə] *v* teirautis, klausti; **~ing** *a* 1) klausiamas; 2) smalsus
inquiry [ɪn'kwaɪərɪ] *n* teiravimasis
inquisitive [ɪn'kwɪzəvɪt] *a* smalsus
insane [ɪn'seɪn] *a* psichiškai nesveikas
insect ['ɪnsekt] *n* vabzdys
insecure ['ɪnsɪ'kjuə(r)] *a* nesaugus
inside [ɪn'saɪd] *adv, prep* viduje, į vidų
insolent ['ɪnsələnt] *a* užgaulus
insolvent [ɪn'sɔlvənt] *a* nemokus, subankrutavęs
insomnia [ɪn'sɔmɪnɪə] *n med.* nemiga
inspect [ɪn'spekt] *v* 1) atidžiai apžiūrėti; 2) tikrinti; *n* apžiūra; **~ion** inspekcija; **~or** *n* inspektorius
inspir|ation ['ɪnspɪ'reɪʃn] *n* įkvėpimas; **~e** *v* įkvėpti, už-

degti

install [ɪn'stɔ:l] *v* įrengti (*aparatūrą*), įrangą

installation ['ɪnstə'leɪʃn] *n* įrenginys, įranga

instance ['ɪnstəns] *n* 1) atvejis, pavyzdys; 2) reikalavimas; for ~ pavyzdžiui

instant ['ɪnstənt] *a* greitas, tuoj įvykstantis; ~ coffee tirpi kava

instead [ɪn'sted] *adv* vietoj; užuot; *prep* vietoj (*ko*)

instigate ['ɪnstɪgeɪt] *v* (su)-kurstyti, raginti

instinct ['ɪnstɪŋkt] *n* instinktas; **~ive** [ɪn'stɪŋktɪv] *a* instinktyvus

institute ['ɪnstɪtju:t] *n* institutas

intoxicated [ɪn'tɔksɪkeɪtɪd] *a* 1) pasigėręs, girtas 2) *med.* apsinuodijęs

instruct [ɪn'strʌkt] *v* 1) mokyti; 2) instruktuoti

instruct|ion [ɪn'strʌkʃn] *n* 1) (ap)mokymas; 2) *pl* instrukcijos, nurodymai; **~ive** [-tɪv] *a* 1) pamokomas; 2) instruktyvinis

instructor [ɪn'strʌktə] *n* vadovas, mokytojas; instruktorius

insrument ['ɪnstrumənt] *n* įrankis; instrumentas

insufficient ['ɪnsə'fɪʃnt] *a* nepakankamas

insulation ['ɪnsju'leɪʃn] *n* izoliacija

insult [ɪn'sʌlt] *v* įžeisti; **~ing** *a* įžeidžiamas, užgaulus

insurance [ɪn'ʃuərəns] *n* (ap)-draudimas

insure [ɪn'ʃuə(r)] *v* (ap)drausti

intellectual ['ɪntɪ'lektʃuel] *n* inteligentas; intelektualas

intelligence [ɪn'telɪdʒəns] *n* protiniai gabumai, protas

intelligent [ɪn'telɪdʒənt] *a* protingas; sumanus

intend [ɪn'tend] *v* ketinti; **~ed** *a* 1) skirtas; 2) numatyta, numatomas

intense [ɪn'tens] *a* 1) intensyvus; 2) smarkus

intention [ɪn'tenʃn] *n* ketinimas, noras; **~al** *a* tyčinis, iš anksto apgalvotas

interest ['ɪntrɪst] *n* 1) susidomėjimas, interesas; 2) procentas; palūkanos; *v* (su) dominti; be ~ed (in) *v* domėtis; **~ing** *a* įdomus

interfer|e ['ɪntə'fɪə] *v* 1) kištis (in); 2) trukdyti (with smb/ smth); **~ence** *n* trukdymas; kišimasis

interior [ɪn'tɪərɪə] *a* vidinis; *n* 1) vidus; 2) interjeras

intermediate ['ɪntə'mi:dɪət] *a* 1) vidutinis; 2) tarpinis

internal [ɪn'tə:nl] *a* vidinis,

vidaus
international [ˈɪntəˈnæʃnəl] *a* tarptautinis
interpret [ɪnˈtə:prɪt] *v* 1) versti (*žodžiu*); 2) aiškinti; **~er** *n* vertėjas
interrogate [ɪnˈterəgeɪt] *v* (ap)klausinėti
interrogation [ɪnˈterəˈgeɪʃn] *n* apklausa, (ap)klausinėjimas
interrupt [ˈɪntəˈrʌpt] *v* nutraukti; trukdyti
interval [ˈɪntəvl] *n* 1) intervalas; 2) pertrauka (*koncerte ir pan.*)
interview [ˈɪntəvju:] *n* interviu; pokalbis; *v* 1) imti interviu; 2) apklausti
into [ˈɪntə] *prep* į (*į vidų*); to go ~ the house įeiti į namus
introduce [ˈɪntrəˈdju:s] *v* 1) įvadas, įžanga; 2) supažindinimas; 3) įdiegimas
intrude [ɪnˈtru:d] *v* 1) kištis; įsibrauti (into); 2) primesti
invade [ɪnˈveɪd] *v* įsiveržti, užgrobti; **~r** grobikas, įsiveržėlis
invalid I [ˈɪnvəlɪd] *n* invalidas, ligonis
invalid II [ɪnˈvælɪd] *a* negaliojantis
invasion [ɪnˈveɪʒn] *n* įsibrovimas
invent [ɪnˈvent] *v* išrasti; **~ion** [-nʃn] *n* išradimas; **~or** *n* išradėjas;**~ive** *a* išradingas
inverted [ɪnˈvə:tɪd] *a* apverstas; ~ commas kabutės (*tekste*)
invest [ɪnˈvest] *v* investuoti; **~ment** *n* investavimas
investigate [ɪnˈvestɪgeɪt] *v* tirti, tyrinėti
invisibel [ɪnˈvɪzəbl] *a* nematomas
invitation [ˈɪnvɪˈteɪʃn] *n* (pa)kvietimas
invite [ɪnˈvaɪt] *v* (pa)kviesti
invoice [ˈɪnvɔɪs] *n* sąskaita, faktūra
inolve [ɪnˈvɔlv] *v* 1) sietis (*su*); 2) įtraukti, įpainioti; **~d** *a* 1) įsitraukęs, įsipainiojęs; 2) painus; **~ment** *n* į(si)traukimas
inward [ɪnwəd], -s [-z] *adv* į vidų
Iranian [ɪˈreɪnɪən] *a* Irano; *n* iranietis
Iraqi [ɪˈrɑ:kɪ] *a* Irako; *n* irakietis
Ireland [ˈaɪələnd] *n* Airija
Irish [ˈaɪərɪʃ] *a* airių, airiškas; *n* 1) airis; 2) airių kalba
iron [ˈaɪən] *n* 1) geležis; 2) lygintuvas (*drabužiams*); *a* geležinis
irregular [ɪˈregjulə] *a* netaisyklingas; nereguliavus
irresponsible [ˈɪrɪˈspɔnsəbl] *a*

neatsakingas
irritable ['ırıtəbl] *a* irzlus
irritate ['ırıteıd] *v* erzinti, nervinti; **~d** *a* labai susierzinęs
irritation ['ırı'teıʃn] *n* 1) pyktis; 2) *med*. sudirgimas
is [ız] *esam. l. 3 asmuo iš* **be**
island ['aıslənd] *n* sala
isle ['aıl] *n* salelė
isn't ['ıznt] = **is not**
Israel ['ızreıl] *n* Izraelis
isolate ['aısəleıt] *v* izoliuoti, atskirti
issue ['ıʃu:, 'ısju:] *n* 1) ginčijamas klausimas; 2) leidinys; leidimas; 3) rezultatas; *v* išleisti
it [ıt] *pron* 1) jis, ji (*žymint daiktus*); 2) (*beasmeniuose sakiniuose*); ~ rains lyja; ~ is cold šalta
itch [ıtʃ] *n* niežai; *v* niežėti
Italian [ı'tælıən] *a* italų, itališkas; *n* 1) italas, -ė; 2) italų kalba
Italy ['ıtəlı] *n* Italija
item ['aıtəm] *n* punktas; klausimas
itinerary [aı'tınərərı] *n* maršrutas, kelias
it's [ıts] = **it is**
its [ıts] *pron* jo, jos, savo (*apie negyvus daiktus ir gyvulius*)
itself [ıt'self] *pron* 1) pats; pati (*apie daiktus ir gyvulius*); 2) atitinka sangrąžos dalelytę **-si**
I've [aıv] = **I have**
ivory ['aıvərı] *n* 1) šviesiai geltona, balta spalva; 2) dramblio kaulas
ivy ['aıvı] *n bot*. gebenė

J

jab [dʒæb] *n* staigus smūgis; dūris; *v* badyti (at); durti
jack [dʒæk] *n* 1) (*kortų*) valetas; 2) *tech*. domkratas
jacket ['dʒækıt] *n* švarkas
jack-of-all-trades ['dʒækəv'ɔ:l'treıdz] *n* visų galų/amatų meistras
jagged ['dʒægıd] *a* dantytas, nelygus
jaguar ['dʒægjuə] *n* jaguaras
jail [dʒeıl] *n* kalėjimas; *v* įkalinti; **~er** *n* kalėjimo sargas
jam I [dʒæm] *n* uogienė
jam II [dʒæm] *v* suspausti
Jamaica [dʒə'meıkə] *n* Jamaika
jangle ['dʒæŋgl] *v* džerškėti; džerškinti; *n* džerškėjimas
January ['dʒænjuərı] *n* sausis
Japan [dʒə'pæn] *n* Japonija; **~ese** ['dʒæpə'ni:z] *n a* japonų, japoniškas; *n* 1) japonas, -ė; 2) japonų kalba

jar [dʒɑ:(r)] *n* stiklainis, ąsotis
jaunt [dʒɔ:nt] *n* trumpa išvyka, iškyla; *v* iškylauti, keliauti
jaw [dʒɔ:] *n* 1) žandikaulis; 2) *pl* nasrai; 3) žiotys; *v* nuobodžiai kalbėti
jazz [dʒæz] *n* džiazas
jealous ['dʒeləs] *a* pavydus; **~y** pavydas
jeans [dʒi:nz] *n* džinsai (*t.p.* a pair of **~**).
jeep [dʒi:p] *n* džipas
jeer [dʒɪə] *v* kvatoti
jelly ['dʒəlɪ] *n* želė; drebučiai; **~fish** *n* medūza
jerk [dʒə:k] *n* staigus judesys; *v* stumtelėti, truktelėti; trūkčioti
jersey ['dʒə:zɪ] *n* džersis (*audinys*; *drabužis*)
jet [dʒet] *n* 1) srautas; 2) reaktyvinis lėktuvas
jetty ['dʒetɪ] *n* damba, molas
Jew ['dʒu:] *n* žydas; **~ess** *n* žydė; **~ish** *a* žydų, žydiškas
jewel ['dʒu:əl] *n* brangakmenis; **~ier** [-ə] *n* juvelyras; **~ry** *n* brangenybės
jingle ['dʒɪŋgl] *v* skambėti, žvangėti; *n* skambesys
job ['dʒɔb] *n* darbas, tarnyba; **~less** *a* bedarbis
jockey ['dʒɔkɪ] *n* žokėjas
jocular ['dʒɔkjulə] *a* juokaujamas
jog [dʒɔg] *v* stumtelėti, bėgti, risnoti; **~ger** *n* bėgikas pastriuokom
join [dʒɔɪn] *v* 1) (su)jungti; 2) prisijungti; įstoti (*į organizaciją*)
joint [dʒɔɪnt] *n* sąnarys; *a* jungtinis, bendras
joke [dʒəuk] *n* juokas, pokštas; *v* juokauti
jolly ['dʒɔlɪ] *a* linksmas, laimingas; *adv šnek.* labai; **~** good labai geras
jolt [dʒəult] *v* kratyti, trankyti; *n* kratymas
jostle ['dʒɔsl] *v* stumdytis (*minioje*); *n* stumdymasis
jot [dʒɔt] *v* trumpai/greitai užsirašyti, brūkštelėti
journal ['dʒə:nl] *n* žurnalas, laikraštis; **~ist** *n* žurnalistas
journey ['dʒə:nɪ] *n* kelionė
joy ['dʒɔɪ] *n* džiaugsmas; **~ful** *a* džiaugsmingas
jubilee ['dʒu:bɪli:] *n* jubiliejus
judge [dʒʌdʒ] *n* teisėjas; *v* 1) teisti; 2) teisėjauti; 3) spręsti (*by*, *from*); **~ment** *n* sprendimas
judo ['dʒu:dəu] *n sport.* dziudo
jug [dʒʌg] *n* ąsotis
juggle ['dʒʌgl] *v* žongliruoti; **~r** *n* žonglierius
juice [dʒu:s] *n* sultys, syvai

July [dʒu'laɪ] *n* liepa (*mėnuo*)
jumble ['dʒʌmbl] *n* sendaikčiai; **~-sale** [-seɪl] sendaikčių išpardavimas
jump [dʒʌmp] *v* šokti, šokinėti; *n* šuolis
jumper ['dʒʌmpə(r)] *n* megztinis, džemperis
junction ['dʒʌŋkʃn] *n* 1) susijungimas; sandūra; 2) mazgas (*pvz., geležinkelių*).
June [dʒu:n] *n* birželis
jungle ['dʒʌŋgl] *n* džiunglės
junior ['dʒunɪə] *a* jaunesnysis; žemesnio rango
jury ['dʒuərɪ] *n* prisiekusieji; žiuri
just [dʒʌst] *adv* 1) taip, kaip tik; 2) ką tik; 3) *šnek.* tik, tiesiog; *a* 1) teisingas; 2) pelnytas; deramas; tinkamas
justice ['dʒʌstɪs] *n* teisingumas, teisybė
justify ['dʒʌstɪfaɪ] *v* pateisinti; išteisinti
juvenile ['dʒu:vənaɪl] *n* paauglys, nepilnametis

K

kangaroo ['kæŋgə'ru:] *n* kengūra
Kazakh [kə'zɑ:k] *n* 1) kazachas, -ė; 2) kazachų kalba; **~stan** [-stɑ:n] *n* Kazachstanas
keel [ki:l] *n* (*laivo*) kilis
keen [ki:n] *a* 1) aštrus; 2) labai trokštantis; b e ~ o n s m t h 1) labai ko trokšti, labai ką mėgti; 2) energingas
keep [ki:p] *v* (**kept** [kept]) 1) (iš)laikyti; saugoti; 2) laikytis; 3) ~ d o i n g (*smth*) nesiliauti ką darius
keeper ['ki:pə] *n* saugotojas; sargas
keepsake ['ki:pseɪk] *n* atminimo dovana
kennel ['kenl] *n* šuns būda
Kenya ['kenjə] *n* Kenija
kept *žr.* **keep**
kerb [kə:b] *n* šaligatvio kraštas
kerchief ['kə:tʃɪf] *n* skepeta, skarelė
kernel ['kə:nl] *n* 1) grūdas; branduolys; 2) esmė
ketchup ['kətʃəp] *n* (*aštrus*) pomidorų padažas, kečupas
kettle ['kətl] *n* virtuvas, (*metalinis*) virdulys
key [ki:] *n* 1) raktas; 2) klavišas
khaki ['kɑ:kɪ] *a* chaki spalva; *n* chaki spalvos audinys
kick [kɪk] *v* spirti, spardyti(s); *n* spyris
kid I [kɪd] *n* 1) ožiukas; 2) *šnek.*

vaikelis, jauniklis
kid II [kɪd] *šnek.* apgaudinėti
kidnap ['kɪdnæp] *v* pagrobti (*vaiką*)
kidney ['kɪdnɪ] *n* inkstas
kill ['kɪl] *v* užmušti; **~er** *n* žudikas
kilo ['ki:ləu] *sutr.* kilogramas
kilogram ['kɪləgræm] *n* kilogramas
kilometre ['kɪləmi:tə] *n* kilometras
kilt [kɪlt] *n* 1) kiltas (*škotų sijonėlis*); 2) klostuotas sijonas
kin [kɪn] *n* giminaičiai, giminė
kind I ['kaɪnd] *n* rūšis
kind II ['kaɪnd] *a* geras; malonus; švelnus; **~ness** *n* 1) gerumas; 2) geras darbas, paslauga
kindle ['kɪndl] *v* uždegti, užkurti
king ['kɪŋ] *n* karalius; **~dom** *n* karalystė
kiosk ['ki:ɔsk] *n* kioskas
kipper ['kɪpə(r)] *n* rūkyta silkė/žuvis
Kirghizia [kə:'gi:zɪə] *n* Kirgizija
kiss [kɪs] *v* bučiuoti; *n* bučinys
kit [kɪt] *n* komplektas; reikmenys
kitchen ['kɪtʃɪn] *n* virtuvė
kite [kaɪt] *n* aitvaras
kitten ['kɪtn] *n* kačiukas
knack [næk] *n šnek.* įgudimas; mokėjimas (*ką daryti*)
knapsack ['næpsæk] *n* kuprinė
knave [neɪv] *n* 1) niekšas; sukčius; 2) (*kortų*) valetas
knead [ni:d] *v* minkyti
knee [ni:] *n* kelis
kneel [ni:l] *v* (**knelt** [nelt]) klaupti(s); klūpoti
knew *žr.* **know**
knickers ['nɪkəz] *n pl* šnek. moteriškos kelnaitės
knife [naɪf] *n* (*pl* **knives** [naɪvz]) peilis
knight [naɪt] *n* riteris
knit [nɪt] *v* (**knitted/knit**) megzti; **~ting** *n* mezgimas; **~ting needle** mezgimo virbalas
knob [nɔb] *n* gumbas
knock [nɔk] *v* 1) (pa)belsti; 2) trenkti(s); *n* smūgis; **~down** ['nɔkdaun] *n sport.* nokdaunas; **~out** ['nɔkaut] *n sport.* nokautas
knot [nɔt] *n* mazgas; *v* užmegzti
know [nou] *v* (**knew** [nju:]; **known** [nəun]) 1) žinoti; pažinti; 2) mokėti
know-how ['nəuhau] *n* 1) išmanymas, mokėjimas (*ką daryti*); 2) techninės žinios;

mokslinė informacija
knowledge ['nɔlɪdʒ] *n* 1) žinios, mokslas; 2) pažinimas
known *žr.* **know**
knuckle ['nʌkl] *n* krumplys
Korea [kə'rɪə] *n* Korėja; **~n** *a* korėjiečių; *n* 1) korėjietis, -ė; 2) korėjiečių kalba
Kuwai [ku'weɪt] *n* Kuveitas

L

label ['leɪbl] *n* kortelė; etiketė
laboratory [lə'bɔrətrɪ] *n* laboratorija
labour [leɪbə] *n* darbas, triūsas; **~-consuming** [-kən'sju:mɪŋ] *a* daug darbo reikalaujantis; **~er** [-rə] *n* (*nekvalifikuotas*) darbininkas
lace [leɪs] *n* 1) nėriniai; 2) (bat)raištis
lack [læk] *n* trūkumas, stoka; *v* stokoti trūkti
lad [læd] *n šnek.* vyrukas; vaikinas
ladder ['lædə] *n* kopėčios
lade [leɪd] *v* krauti, prikrauti; **~n** 1) pakrautas; 2) *šnek.* prislėgtas
ladle ['leɪdl] *n* samtis; *v* pasemti samčiu
lady ['leɪdɪ] *n* 1) dama, ponia; 2) ledi (*titulas*)
lag [læg] *v* atsitikti; (t.p. to ~ behind); *n* atsilikimas
lager ['lɑ:gə] *n* šviesus alus
laid *žr.* **lay**
lain *žr.* **lie**
lake ['leɪk] *n* ežeras
lamb [læm] *n* ėriukas, avytė
lame [leɪm] *a* 1) šlubas; 2) nevykęs
lamp ['læmp] *n* lempa; **~post** [-pəust] *n* žibinto stulpas; **~shade** [-ʃeɪd] *n* lempos gaubtas
land ['lænd] *n* 1) sausuma, žemė; 2) kraštas, šalis; *v* 1) išlipti; iškrauti į krantą; 2) nusileisti (*apie lėktuvą*); **~ing** *n* 1) (*lėktuvo*) nusileidimas; 2) laiptų aikštelė; **~lady** [-leɪdɪ] *n* 1) savininkė; 2) šeimininkė; **~lord** [-lɔ:d] *n* 1) savininkas; 2) šeimininkas; **~owner** [-əunə] *n* žemvaldys
land-rover ['lændrəuvə] *n* visureigis (*automobilis*)
landscape ['lændskeɪp] *n* kraštovaizdis; peizažas
landslide ['lændslaɪd] *n* nuogriuva, nuošliauža
lane [leɪn] *n* 1) gatvelė; 2) takas; keliukas
language ['læŋgwɪdʒ] *n* kalba
lantern ['læntən] *n* žibintas

lap I [læp] *n* 1) sterblė; 2) prieglobstis; 3) ausies spenelis
lap II [læp] *n sport.* ratas
lap III [læp] *v* lakti
lapel [lə'pel] *n* atlapas
larder ['lɑ:də] *n* sandėliukas
large ['lɑ:dʒ] *a* didelis; stambus; **~ly** *adv* žymiai; labai; daugiausia
lark [lɑ:k] *n* vieversys
laser [leɪzə] *n* lazeris
lash [læʃ] *v* čaižyti, pliekti; *n* botagas, rimbas
lasso [lə'su:] *n* lasas, kilpavirvė
last I [lɑ:st] *a* paskutinis; praėjęs; ~ night vakar vakare; ~ time praėjusį kartą; at ~ pagaliau!
last II [lɑ:st] *v* tęstis, trukti
lasting ['lɑ:stɪŋ] *a* tvirtas, patvarus, ilgalaikis
latch [lætʃ] *n* skląstis;**~key** [-ki:] *n* durų raktas
late ['leɪt] *a* 1) vėlyvas; it is ~ vėlu; to be ~ vėluoti; **~ly** *adv* neseniai; pastaruoju metu; **~r** *a adv* 1) vėlesnis; 2) ankstesnis, nesenas; vėliau; **~st** [-ɪst] *adv* naujausias; vėliausiai
Latin ['lætɪŋ] *n* lotynų kalba; *a* lotynų, lotyniškas
latitude ['lætɪtju:d] *n geogr.* platuma
latter ['lætə] *a* paskutinis, pastarasis (*iš minėtųjų*)
lattice ['lætɪs] *n* grotelės, pinučiai
Latvia ['lætvɪə] *n* Latvija; **~n** 1) latvis, -ė; 2) latvių kalba; *a* latvių, latviškas
laugh ['lɑ:f] *v* juoktis; *n* juokas; **~ter** [-tə] *n* juokas
launch [lɔ:ntʃ] *v* 1) paleisti (*raketą*); 2) nuleisti (*laivą*); *n* kateris
launching-pad ['lɔ:ntʃɪŋpæd] *n* (*raketos*) paleidimo aikštelė
laundress ['lɔ:ndrɪs] *n* skalbėja
laundrette ['lɔ:nd'ret] *n* savitarnos skalbykla
laundry ['lɔ:ndrɪ] *n 1)* skalbykla; 2) *sg* skalbiniai
laurels ['lɔrəlz] *n pl* laurai, laurų vainikas
lava ['lɑ:və] *n* lava
lavatory ['lævətrɪ] *n* tualetas, išvietė
lavish ['lævɪʃ] *n* dosnus, gausus
law [lɔ:] *n* 1) įstatymas; 2) teisė; **~ful** *a* teisėtas, teisiškas
lawn ['lɔ:n] *n* veja; **~mower** [-məuə] mašina vejos žolei pjauti
lawyer ['lɔ:jə] *n* 1) advokatas; 2) teisininkas, juristas
lay I [leɪ] (**laid** [leɪd]) 1) (pa)dėti; 2) kloti, tiesti
lay II *žr.* **lie**

layer [ˈleɪə] *n* sluoksnis
laze [leɪz] *v* tinginiauti
laziness [ˈleɪzɪnɪs] *n* tinginystė, tingėjimas
lazy [ˈleɪzɪ] *a* tingus; **~bones** [-bəunz] *n šnek*. tingus
lb. *sutr*. **libra** *lot*. (svaras)
lead I [led] *n* 1) švinas; 2) grafitas
lead II [ˈli:d] *v* (**led** [led]) vesti; **~er** *n* vadas; lyderis; **~ership** [-əʃɪp] *n* vadovybė; **~ing** *a* vadovaujantis
leaf [ˈli:f] (*pl* **leaves** [li:vz]) *n* lapas
leaflet [ˈliflɪt] *n* lapelis
league [li:g] *n* sąjunga; lyga
leak [li:k] *n* protėkis; *v* 1) pratekėti, praleisti vandenį; 2) nutekėti (*apie informaciją*)
lean I [li:n] *a* liesas
lean II *v* (**leant** [lent]) 1) palinkti; atsiremti; 2) remtis (on)
leap [ˈli:p] *v* (**leapt** [lept] **leaped**) šokti, šokinėti; *n* šuolis; **~-year** [-jə:] *n* keliamieji metai
lear [lə:n] *v* (**learnt** [lə:nt] **learn|ed** [lə:nd]) mokytis; išmokti; **~er** *n* besimokantysis
lease [li:s] *n* nuomojimas, nuoma; *v* nuomoti(s); iš(si)nuomoti
last [li:st] *a* mažiausias; a t ~ mažiausiai
leather [ˈleðə] *n* 1) (*išdirbta*) oda; 2) odos gaminys (*diržas ir pan.*)
leave I [li:v] *v* (**left** [left]) 1) išvykti; išeiti; 2) palikti; ~ o f f nustoti, sustoti
leave II [li:v] *n* atostogos; o n ~ atostogose, atostogaujantis
leavings [li:vɪŋz] *n pl* likučiai; atmatos
lectur|e [ˈlektʃə] *n* paskaita; *v* skaityti paskaitą; **~er** *n* lektorius
led *žr*. **lead**
ledge [ledʒ] *n* kraštas, briauna
leech [li:tʃ] *n* dėlė
left I *žr*. **leave I**
left II [ˈleft] *a* kairys(is); *adv* į kairę, kairėn; **~-hand** [-hænd] *a* kairys(is)
leg [leg] *n* koja (*virš pėdos*)
legacy [ˈlegəsɪ] *n* palikimas
legal [ˈli:gl] *a* juridinis, teisinis; teisėtas
legend [ˈledʒənd] *n* legenda
legible [ˈledʒɪbl] *a* įskaitomas
legislate [ˈledʒɪsleɪt] *v* leisti įstatymus
legitimate [lɪˈdʒɪtɪmət] *a* įstatyminis, teisėtas
leisure [ˈleʒə] *n* laisvalaikis; **~ly** *a* lėtas, neskubus
lemon [ˈlemən] *n* citrina; **~ade**

['lemə'neɪd] *n* limonadas
lend [lend] *v* (**lent** [lent]) skolinti (*kam*)
length ['leŋθ] *n* ilgis; at ~ 1) pagaliau; b) ilgai; smulkiai; **~en** *v* pailginti; pailgėti; **~y** *a* ilgokas, per ilgas
lens [lenz] *n* lęšis
lent *žr.* **lend**
leopard ['lepəd] *n* leopardas
less [les] mažiau; mažesnis; *pron* **~en** [-sn] *v* (su)mažinti; (su)mažėti
lesson ['lesn] *n* pamoka
lest [lest] *cj* kad... ne-; I'm afraid ~ he might be late bijau, kad jis nepavėluotų
let [let] *v* (**let**) 1) leisti; 2) išnuomoti; 3) let's go! eime!
letter ['letə] *n* 1) raidė; 2) laiškas; **~box** [-bɔks] *n* pašto dėžutė
lettuce ['letɪs] *n* salotos (*daržovė*)
level ['levl] *n* 1) lygis, lygmuo; 2) lyguma; *a* lygus; *v* (iš)lyginti
level-crossing ['levl'krɔsɪŋ] *n* geležinkelio pervaža
lever ['li:və] *n tech.* svertas; *v* pakelti svertu
liable ['laɪəbl] *a* 1) galimas; 2) linkęs (*į ką*); 3) privalantis, įpareigotas
lier ['lɑɪə] *n* melagis
liberal ['lɪbərəl] *a* liberalus
liberate ['lɪbəreɪt] *v* išlaisvinti, išvaduoti
Liberia [laɪ'bɪərɪə] *n* Liberija
liberty ['lɪbətɪ] *n* laisvė; at ~ laisvas, nevaržomas
librarian [laɪ'brɛərɪən] *n* bibliotekininkas
library ['laɪbrərɪ] *n* biblioteka
lice *žr.* **louse**
licence ['laɪsns] *n* leidimas, licenzija; pažymėjimas (*pvz., vairuotojo*)
license ['laɪsns] *v* duoti leidimą/licenziją
lick [lɪk] *v* laižyti; *n* (pa)laižymas
lid [lɪd] *n* 1) dangtis; 2) (*akies*) vokas
lie I [laɪ] *v* (**lay** [leɪ]; **lain** [leɪn]) gulėti; ~ down atsigulti
lie II [laɪ] *v* meluoti; *n* melas
lieutenant [lef'tenənt] *n* leitenantas
life ['laɪf] *n* gyvenimas; gyvybė; **~belt** [-belt] *n* gelbėjimosi ratas; **~-boat** *n* gelbėjimosi valtis; **~-jacket** [-dʒækɪt] *n* gelbėjimosi liemenė; **~less** *a* negyvas; **~time** [-taɪm] *n* gyvenimas
lift [lɪft] *n* liftas; *v* (pa)kelti
light ['laɪt] *n* šviesa; *a* 1) šviesus; 2) lengvas; **~en** *v* 1) apšviesti; 2) šviesėti; **~er** *n* žieb-

tuvėlis; **~house** [-haus] *n* švyturys; **~ning** [-nɪŋ] *n* žaibas

like I [laɪk] *a* panašus; *adv* taip, panašiai; *prep* kaip (*ir*)

like II [laɪk] *v* mėgti, patikti; **~able** *a* malonus, simpatiškas

likely ['laɪklɪ] *a* galimas, tikėtinas; *adv* greičiausiai, turbūt

likeness ['laɪknɪs] *n* panašumas

liking ['laɪkɪŋ] *n* pomėgis

lily ['lɪlɪ] *n* lelija

limb [lɪm] *n* 1) galūnė (*ranka, koja*); 2) šaka

lime I [laɪm] *n* kalkės

lime II *n* liepa (*t.p.* ~ tree)

lime III *n* citrina

limit ['lɪmɪt] *n* riba; *v* (ap)riboti

limp I [lɪmp] *a* gležnas, suglebęs

limp II *v* šlubuoti; *n* šlubčiojimas

line [laɪn] *n* 1) linija; 2) eilutė; 3) raukšlė; 4) virvė; valas

line-up ['laɪnʌp] *n* 1) dalyvių sudėtis; 2) iš(si)dėstymas; iš(si) rikiavimas

lined I [laɪnd] *a* liniuotas

lined II *a* su pamušalu

linen ['lɪnən] *a* lininis; *n* lino audinys

liner ['laɪnə] *n* laineris

linger ['lɪŋgə] *v* 1) užtrukti; (už)gaišti; 2) laikytis, tvyroti

link [lɪŋk] *n* 1) grandis; jungtis; 2) ryšys; *v* sujungti; nustatyti ryšį

lino ['laɪnəu] *šnek.* **linoleum** [lɪ'nəulɪəm] *n* linoleumas

lion ['laɪən] *n* liūtas; **~ess** *n* liūtė

lip ['lɪp] *n* lūpa; **~stick** [-stɪk] *n* lūpų dažas

liquid ['lɪkwɪd] *a* skystas; *n* skystis

liquor ['lɪkə] *n* gėrimas

lisping ['lɪspɪŋ] *a* šveplas

list [lɪst] *n* sąrašas; *v* daryti sąrašą

listen ['lɪsn] *v* klausyti(s) (to)

literature ['lɪtrətʃə] *n* literatūra

Lithuania [lɪθju'eɪnɪə] *n* Lietuva; **~n** *n* 1) lietuvis, -ė; 2) lietuvių kalba; *a* lietuviškas

litre ['li:tə] *n* litras

litter ['lɪtə] *n* 1) šiukšlės; 2) vada (*paršiukų, šuniukų*); *v* 1) šiukšlinti; 2) paršiuotis, kačiuotis

little ['lɪtl] (**less** [les], **least** [li:st]) *a* mažas; *adv* mažai; *n* truputis; a ~ truputį, šiek tiek

live I [lɪv] *v* gyventi; long ~! tegyvuoja!

live II [laɪv] *a* 1) gyvas (*nemirę s*); 2) energingas; 3) degantis; 4) aktualus; **~ly** *a* gyvas, linksmas; neužgesęs

liver ['lɪvə] *n sg* kepenys
living ['lɪvɪŋ] *n* pragyvenimas, gyvenimo būdas; to earn one's ~ uždirbti pragyvenimui; *a* 1) gyvas; 2) gyvenimo; **~-room** [-rum] *n* bendrasis kambarys, svetainė
load [ləud] *v* 1) (pa)krauti; 2) *kar.* užtaisyti; *n* 1) krovinys; 2) krūvis; 3) našta
loaf [ləuf] *n* (*pl* **loaves** [ləuvz]) kepalas
loan [ləun] *n* paskola; *v* skolinti, duoti paskolinimui
loathe [ləuð] *v* neapkęsti; **~ing** *n* neapykanta (for)
lobster ['lɔbstə] *n* omaras
local ['ləukl] *a* vietinis
location [ləu'keɪʃn] *n* (*buvimo, gyvenamoji*) vieta
lock I [lɔk] *n* 1) garbana; 2) sruoga
lock II [lɔk] *n* užraktas; spyna; *v* užrakinti; **~er** *n* užrakinama spintelė
locomotive ['ləukəməutɪv] *n* garvežys; lokomotyvas
lodg|e [lɔdʒ] *v* apgyvendinti; **~er** *n* nuomininkas; **~ing** *n* nuomojami kambariai
loft ['lɔft] *n* palėpė; **~y** *a* 1) labai aukštas, didus; išpuikęs
log [lɔg] *n* rąstas; rąstgalys
loiter [lɔɪtə(r)] *v* slampinėti, stoviniuoti
lollipop ['lɔlɪpɔp], **lolly** ['lɔlɪ] *n* ledinukas ant pagaliuko
lonely ['ləunlɪ] *a* vienišas, atsiskyręs
London ['lʌndən] *n* Londonas
long I [lɔŋ] *a* ilgas; *adv* ilgai; ~ ago seniai; (as ~ as) iki tol, kol
long II *v* labai norėti; ilgėtis (for)
longer ['lɔŋgə] *n* ilgesnis; *adv* ilgiau; no ~ (jau) nebe; daugiau ne
look ['luk] *v* 1) žiūrėti (at – *į ką*); 2) atrodyti; 3) (for) ieškoti (*ko*); 4) (after) prižiūrėti; ~ forward laukti, tikėtis (gerų žinių); ~ out *v* būti atsargiam, saugotis; *n* budrumas
loom [lu:m] *n* (*audimo*) staklės
loop [lu:p] *n* kilpa
loose ['lu:s] *a* laisvas, palaidas; **~n** *v* atpalaiduoti, paleisti
lord [lɔ:d] *n* 1) lordas; ponas; (the Lord) Viešpats Dievas; Our Lord Kristus
lorry ['lɔrɪ] *n* sunkvežimis
los|e ['lu:z] *v* (**lost** [lɔst]) 1) pamesti; prarasti; 2) praleisti; **~er** *n* 1) pralaimėtojas; 2) nevykėlis
loss [lɔs] *n* netekimas, nuostolis
lot 1) dalia; 2) sklypas; 3) *šnek.* aibė; a ~ (of) daugybė, daug;

(t. p. ~s)
lotion ['ləuʃn] *n* losjonas
lottery ['lɔtərɪ] *n* loterija
loud ['laud] *a* garsus; *adv* garsiai (*t.p.* **loudly**); **~speaker** [-'spi:kə] *n* garsiakalbis
lounge [laundʒ] *n* poilsio kambarys; *v* drybsoti
louse [laus] *n* (*pl* **lice**) utelė
lovable ['lʌvəbl] *a* mielas
love [lʌv] *n* meilė; to fall in ~ įsimylėti (with); *v* mylėti; **~ly** *a* mielas; gražus, žavus
low I [ləu] *n* mykimas; *v* mykti
low II *a* 1) žemas; 2) silpnas; 3) prislėgtas; *adv* žemai; **~er** *v* nuleisti žemyn; *a* žemutinis, žemesnis
loyal ['lɔɪəl] *a* lojalus; **~ty** *n* lojalumas
luck [lʌk] *n* laimė; pasisekimas; **~ily** *adv* laimingai; laimei; **~y** *a* laimingas
luggage ['lʌgɪdʒ] *n* bagažas
lull [lʌl] *n* tylos valandėlė; užliūliuoti
lullaby ['lʌləbaɪ] *n* lopšinė
lump [lʌmp] *n* 1) gabalas, gumulas; 2) gumbas
lunatic ['lu:nətɪk] *n* beprotis, pamišėlis
lunch [lʌntʃ] *n* ankstyvi pietūs; *v* pietauti (*vidury dienos*)
lung [lʌŋ] *n* *anat.* plautis
lurch [lə:tʃ] *v* pasvirti; truktelėti; ~ forward staiga šoktelėti į priekį
lurk [lə:k] *v* tykoti
luxurious [lʌg'zjuərɪəs] *a* prabangus; labai brangus
luxury ['lʌkʃərɪ] *n* prabanga
lying ['laɪɪŋ] *Participle I iš* **lie I, II**

M

ma [mɑ:] *n* (*sutr. iš* **mamma**) mama
ma'am [mæm] *n* (*sutr. iš* **madam**) ponia (*kreipiantis*)
machine [mə'ʃi:n] *n* mašina; **~-gun** [-gʌn] *n* kulkosvaidis; **~ry** mašinos; mechanizmai; **~-tool** [-tu:l] *n* *tech.* staklės
mackintosh ['mækntɔʃ] *n* lietpaltis
mad [mæd] *a* pamišęs; beprotiškas; **~ly** *adv* beprotiškai, pašėlusiai; **~man** [-mən] *n* beprotis, pamišėlis
made *žr.* **make**
magazine ['mægə'zi:n] *n* žurnalas
magic ['mædʒɪk] *n* burtai, magija; **~ian** [mə'dʒɪʃn] *n* burtininkas; fokusininkas
magistrate ['mædʒɪstreɪt] *n* teisėjas, teismo pareigūnas

magnet ['mægnɪt] *n* magnetas; **~ic** [mæg'netɪk] *a* magnetinis
magnificient [mæg'nɪfɪsnt] *a* puikus, nuostabus, didingas
magnify ['mægnɪfaɪ] *v* (pa)didinti; **~ing-glass** [-ɪŋglɑ:s] *n* didinamasis stiklas
magnitude ['mægnɪtju:d] *n* dydis, didumas
magpie ['mægpaɪ] *n* šarka
maid [meɪd] *n* tarnaitė; old ~ senmergė
mail [meɪl] *n* paštas; *v* siųsti paštu
maintain [meɪn'teɪn] *v* 1) palaikyti; prižiūrėti; 2) tvirtinti, teigti; **~ance** ['meɪntənəns] *n* palaikymas; išlaikymas, priežiūra
maize [meɪz] *n* kukurūzai
majestry ['mædʒəstɪ] *n* didenybė; Your M. Jūsų didenybe
major I ['meɪdʒə] *n* majoras
major II *a* 1) didesnis, svarbesnis; pagrindinis; 2) *a* vyresnysis; **~ity** [mə'dʒɔrətɪ] *n* dauguma
make [meɪk] *v* (**made** [meɪd]) 1) daryti, gaminti; 2) priversti; ◊ ~ up one's mind nutarti
make-up ['meɪkʌp] *n* grimas; kosmetika
male [meɪl] *n* vyras; patinas; *a* vyriškos lyties, vyriškas
malice ['mælɪs] *n* pagieža, pyktis
mama, *amer.* **mamma** [mə'mɑ:] *n* mama, motina
man [mæn] (*pl* **men** [men]) *n* 1) žmogus; 2) vyras; *v* sukomplektuoti; sutelkti žmones
manage ['mænɪdʒ] *v* 1) vadovauti; 2) susidoroti; **~ment** *n* vadyba; **~r** (*apie moterį* **manageress** ['mænɪdʒə'rəs]) *n* vadybininkas, direktorius; vedėjas; menedžeris
managing ['mænɪdʒɪŋ] vadovaujantis; ~ director generalinis direktorius
mane [meɪn] *n* karčiai
maniac ['meɪnɪæk] *n* maniakas
mankind ['mæn'kaɪnd] *n* žmonija
manly ['mænlɪ] *a* vyriškas, drąsus
man-made ['mænmeɪd] *a* žmogaus pagamintas; dirbtinis
manner ['mænə] *n* 1) būdas; maniera; 2) *pl* elgesys; elgsena
mansion ['mænʃn] *n* didžiulis namas, rūmai
mantlepiece ['mæntlpi:s] *n* židinio atbraila
manual ['mænjuəl] *a* 1) fizinis; 2) rankų (*darbo*); *n* vadovėlis

manufactur|e ['mænju'fækʃə] *v* gaminti; *n* gamyba; **~r** *n* gamintojas
manuscript ['mænjuskrıpt] *n* rankraštis
many ['menı], **more** [mɔ:], **most** [məust] *a* daugelis, daug; a good/great ~ (of) (labai) daug
map [mæp] *n* žemėlapis; *v* 1) pažymėti žemėlapyje; 2) nubraižyti planą.
maple ['meıpl] *n* klevas
marble ['mɑ:bl] *n* 1) marmuras; *pl* 2) stiklo rutuliukai; *a* marmurinis; **~d** *a* imituojantis marmurą
mar [mɑ:] *v* sugadinti, sudarkyti
march [mɑ:tʃ] *v* žygiuoti; *n* maršas, žygis
March [mɑ:tʃ] *n* kovas (*mėnuo*)
mare [mɛə] *n* kumelė
margarine ['mɑ:dʒə'ri:n] *n* margarinas
margin ['mɑ:dʒın] *n* 1) paraštė; 2) pakraštys
mark [mɑ:k] *n* 1) žymė; pažymys, balsas; *v* žymėti
market ['mɑ:kıt] *n* turgus; rinka
marmalade ['mɑ:məleıd] *n* marmeladas
marriage ['mærıdʒ] *n* vedybos; vestuvės
married ['mærıd] *a* vedęs; ištekėjus; to get ~ vesti, tekėti
marine [mə'ri:n] *n* 1) laivynas; 2) jūrų pėstininkas
marrow ['mærəu] *n* kaulų smegenys, čiulpai
marry ['mærı] *v* vesti, ištekėti, tuoktis
Mars [mɑ:s] *n* Marsas
marsh [mɑ:ʃ] *n* pelkė, liūnas
marvel ['mɑ:vl] *n* stebuklas; *v* stebėti, žavėtis
marvellous ['mɑ:vələs] *a* nuostabus, stebuklingas
masculine ['mæskju:lın] *a* vyriškas; *n gram.* vyriškoji giminė
mash [mæʃ] *v* (su)trinti; (su)grūsti
mask [mɑ:sk] *n* kaukė; *v* maskuoti, slėpti
mass [mæs] *n* daugybė; 1) masė; *a attr* masinis
massacre ['mæsəkə] *n* žudynės, skerdynės
massive ['mæsıv] *a* masyvus; didžiulis, sunkus
mast [mɑ:st] *n* (*laivo, vėliavos, radijo*) stiebas
master ['mɑ:stə] *n* 1) šeimininkas; 2) meistras; 3) mokytojas; 4) magistras; *v* 1) išmokti; 2) įveikti
masterpiece ['mɑ:stəpi:s] *n* šedevras

mat [mæt] *n* patiesalas; demblys; **~ed** *a* suveltas; **~ting** *n* plaušai
match I [mætʃ] *n* degtukas
match II [mætʃ] *n* 1) mačas, varžybos; 2) pora; *v* parinkti/tikti į porą; derinti(s)
mate I [meɪt] *v* poruoti(s) *n* 1) patinas; patelė; 2) *šnek.* draugas, bičiulis; 3) *jūr.* kapitono padėjėjas
mate II [meɪt] *n* matas; *v* duoti matą
material [mə'tɪərɪə] *n* 1) medžiaga; 2) audeklas
mathematics ['mæθə'mætɪks] (*sutr.* **maths** ['mæθs] *šnek.*) *n* matematika
matinée ['mætɪneɪ] *n* dieninis spektaklis/seansas
matron ['meɪtrən] *n* 1) ūkvedė (*mokykloje*); 2) vyresnioji medicinos sesuo
matter ['mætə] *n* 1) medžiaga; materija; 2) dalykas; klausimas; ◊ what's the ~? kas nutiko? kas yra? no ~ nesvarbu; *v* reikšti, būti svarbiam
matter-of-fact ['mætərəv'fækt] *a* sausas, proziškas; dalykiškas
mattress ['mætrɪs] *n* matracas
mauve [məuv] *a* rausvai violetinė spalva
maximum ['mæksɪməm] *a* maksimalus; *n* maksimumas
May [meɪ] *n* gegužė (*mėnuo*)
may [meɪ] *v* (**might** [maɪt]): ~ I come in? ar man galima įeiti? he ~ come jis galbūt atvyks; you ~ stay jūs galite pasilikti (*jums leidžiama pasilikti*)
maybe ['meɪbi:] galbūt
mayor [mεə] *n* meras; **~ess** ['mεə'rɪs] *n* merė
me [mi:] *pron* mane, man
meadow ['medəu] *n* pieva
meagre ['mi:gə] *a* menkas, skurdus
meal [mi:l] *n* valgis; valgymas
mean I [mi:n] *v* (**meant** [ment]) 1) reikšti; 2) turėti omenyje
mean II [mi:n] *n* vidurys; vidurkis; *a* vidutinis
mean III [mi:n] *a* žemas, nedoras
meaning ['mi:nɪŋ] *n* reikšmė
means [mi:nz] *n* 1) priemonė; būdas; 2) *pl* lėšos
meant *žr.* **mean**
meantime ['mi:ntaɪm] in the ~ tuo metu
meanwhile ['mi:nwaɪl] *adv* tuo tarpu
measles ['mi:zlz] *n med.* tymai
measure ['meʒə] *n* 1) matas; 2) mastas; 3) priemonė; *v* ma-

tuoti; ~**ment** 1) matavimas; 2) *pl* matai; matmenys
meat [mi:t] *n* mėsa
mechanic [mɪ'kænɪk] *n* mechanikas; ~**al** *a* mechaninis; ~**s** *n* mechanika
mechanization [m'ekənaɪ'zeɪʃn] *n* mechanizacija
mechanized ['mekənaɪzd] *a* mechanizuotas
medal ['medl] *n* medalis
meddle ['medl] *v* kištis (*ne į savo reikalus*)
media ['mi:dɪə] *n* (the ~) žiniasklaida (*t.p.* mass ~)
medical [medɪkl] *a* sveikatos, medicinos, gydymo
medicine ['medsn] *n* 1) medicina; 2) vaistas
Mediterranean ['medɪtə'reɪnɪən] *n* (the) ~ Viduržemio jūra
medium ['mi:dɪəm] *n* vidurys; vidurkis; *a* vidutinis; vidurinis
meet [mi:t] *v* (**met** [met]) 1) su(si)tikti; 2) susipažinti
meeting ['mi:tɪŋ] *n* 1) susitikimas; 2) susirinkimas; posėdis; mitingas
megaphone ['megəfəun] *n* megafonas
melody ['melədɪ] *n* melodija
melon ['melən] *n* melionas
melt [melt] *v* 1) tirpti; 2) lydytis; ~**ing-point** [-ɪŋpɔɪnt] *n* tirpimo/lydymosi temperatūra
member ['membə] *n* narys; ~**ship** *n* narystė
memorable ['memərəbl] a 1) atmintinas; 2) įsimintinas
memorandum ['memə'rændəm] (*sutr.* **memo** ['meməu]) *n* raštelis, atmintinė
memorial [mɪ'mɔ:rɪəl] *n* paminklas; *a* paminklinis, memorialinis
memorize ['meməraɪz] *v* išmokti atmintinai
memory ['memərɪ] *n* 1) atmintis; 2) atsiminimas
men *žr.* **man**
menace ['menəs] *n* grėsmė; *v* kelti grėsmę/pavojų
mend [mend] *v* (pa)taisyti, adyti, lopyti; ~**ing** *n* 1) taisymas; 2) taisytini drabužiai/daiktai
mental ['mentl] *a* 1) psichinis; 2) proto, protinis
mention ['menʃn] *v* (pa)minėti; don't ~ it nėra už ką (*atsakant į* thank you)
menu ['menju:] *n* meniu, valgiaraštis
merchant ['mə:tʃənt] *n* pirklys
merci|ful ['mə:sfl] *a* gailestingas; ~**less** *a* negailestingas, žiaurus
mercy ['mə:sɪ] *n* pasigailėji-

mas; gailėtis
merely ['mıəlı] *adv* tik, tiktai
merge [mə:dʒ] *v* 1) susilieti, susijungti; 2) pereiti (into)
merit ['merıt] *n* 1) nuopelnas; 2) privalumas; *v* būti vertam, nusipelnyti
mermaid ['mə:meıd] *n* undinė
merry ['merı] *a* linksmas; **~-go-round** [-gəu'raund] *n* karuselė
mess [mes] *n* netvarka; *v* to ~ about/around krapštinėtis, kuistis; ~ in kištis (į); ~ up sujaukti; sugadinti
message ['mesıdʒ] *n* žinutė, pranešimas
messenger ['mesındʒə] *n* pasiuntinys, pranešėjas
messy ['mesı] *a* nešvarus; netvarkingas
met *žr.* **meet**
metal ['meıtl] *n* metalas; *a* metalinis; **~ic** [mı'tælık] *a* metalo (*pvz., garsas)*
meter ['mi:tə] *n* skaitiklis; matuoklis
method ['meθəd] *n* metodas, būdas
metric ['metrık] *a* metrinis
Mexican ['meksıkən] *a* meksikietiškas; meksikiečių; *n* meksikietis,-ė; **~o** *n* Meksika
mice *žr.* **mouse**
microphone ['maıkrəfəun] *n* mikrofonas
microscope ['maıkrəskəup] *n* mikroskopas
midday ['mıddeı] *n* vidurdienis
middle ['mıdl] *n* vidurys; *a* 1) vidurinis; 2) vidutinis; **~-aged** ['mıdl'eıdʒ] *a* vidutinio amžiaus
midnight ['mıdnaıt] *n* vidurnaktis
midst [mıdst] *n* in the ~ of viduryje, tarp ko
midsummer ['mıd'sʌmə] *n* vidurvasaris
mid-way ['mıd'weı] *adv* pusiaukelėje
might I [maıt] *n* galia; jėga
might II *žr.* **may**
mighty ['maıtı] *a* galingas; didžiulis
mike [maık] *n šnek.* mikrofonas
mild [maıld] *a* švelnus, minkštas; romus
mile ['maıl] *n* mylia; (*anglų mylia – apie 1609m; jūrų mylia – apie 1853m*); **~age** [-ıdʒ] *n* atstumas myliomis
military ['mılıtərı] *a* karinis
milk ['mılk] *n* pienas; *v* melžti; **~man** [-mən] *n* pienininkas, pienvežys
mill [mıl] *n* 1) malūnas, malūnėlis; 2) gamykla

million ['mɪlɪən] *num* milijonas; **~aire** ['mɪlɪə'nɛə] *n* milijonierius
mimic ['mɪmɪk] *v* (pa)mėgdžioti; *n* mėgdžiotojas; **~ry** *n* pamėgdžiojimas
mince [mɪns] *v* malti mėsą; *n* faršas
mind ['maɪnd] *n* 1) protas; 2) galva, atmintis; 3) nuomonė; *v* 1) atsiminti; 2) rūpintis, žiūrėti; ~ your own business žiūrėk savo reikalų; nesikišk; ◊ never ~! nesvarbu! niekis!
mine I [maɪn] *pron* mano (*be dktv.*)
min | e II *n* kasykla; šachta; **~er** *n* šachtininkas
mineral ['mɪnərəl] *n* 1) mineralas; 2) mineralinis vanduo; *a* mineralinis
minge ['mɪŋdʒ] *v* su(si)maišyti
miniature ['mɪnɪtʃə(r)] *n* miniatiūra
minimum ['mɪnɪməm] *n* minimumas; *a* minimalus
mining ['maɪnɪŋ] *n* kasyba
minister ['mɪnɪstə] *n* 1) ministras; 2) dvasininkas, pastorius
ministry ['mɪnɪstrɪ] *n* 1) ministerija; 2) kunigystė
minor ['maɪnə] *a* 1) mažesnysis; 2) antraeilis; **~ity** [maɪ'nɔrətɪ] *n* mažuma
mint [mɪnt] *n* mėta; *a* mėtinis, mėtų
minus ['maɪnəs] *n* minusas; *prep* minus
minute I [maɪ'njut:] *n* 1) mažytis, smulkutis; 2) kruopštus
minute II ['mɪnɪt] *n pl* protokolas
minutes ['mɪnɪts] *n* minutė, minutėlė
miracle ['mɪrəkl] *n* stebuklas
mirror ['mɪrə] *n* veidrodis
mis- *pref* 1) ne-, blogai; 2) neteisingas, neteisingai
misbehave ['mɪsbɪheɪv] *v* blogai elgtis
mischief ['mɪstʃɪf] *n* 1) blogybė; 2) kenkimas; 3) išdaiga
mischievous ['mɪstʃɪvəs] *a* piktas, blogas; išdykęs
miser ['maɪzə] *n* gobšuolis
miserable ['mɪzərəbl] *a* 1) labai nelaimintas; 2) vargingas
misery ['mɪzərɪ] *n* vargas
mistrust *n* nepasitikėjimas
misfit ['mɪsfɪt] *v* netikti; *n* blogai gulintis
misfortune ['mɪs'fɔ:tʃən] *n* nelaimė
misguided [mɪs'gaɪdɪd] *a* 1) klaidingas; suklaidintas; 2) nevykęs
mishear ['mɪs'hɪə] *v* (**mishead** ['mɪs'hə:d]) nenugirsti
misinform ['mɪsɪn'fɔ:m] *v* dez-

informuoti, klaidingai informuoti
mislay ['mɪs'leɪ] (**mislaid** ['mɪs'laɪd]) *v* pamesti, nudėti
mislead ['mɪs'li:d] *v* ['mɪs'led] 1) (su)klaidinti; 2) apgauti
Miss [mɪs] *n* mis, panelė
miss ['mɪs] *v* 1) praleisti (*pvz., pamoką*); 2) nepataikyti; **~ing** *a* 1) nesantis; dingęs; 2) trūkstamas
missile ['mɪsaɪl] *n kar.* raketa
mission ['mɪʃn] *n* misija; **~ary** *n* misionierius; *a* misionieriškas
mist [mɪst] *n* rūkas, migla
mistake [mɪ'steɪk] *n* klaida; by ~ per klaidą; *v* (**mistook** [mɪ'stuk]; **mistaken** [mɪ'steɪkn]) (su)klysti; *a* 1) neteisus; 2) klaidingas
mite [maɪt] *n* erkė
mistletoe ['mɪsltəu] *a bot.* amalas
mistress ['mɪstrɪs] *n* 1) savininkė; 2) meilužė; 3) mokytoja
misuse ['mɪs'ju:z] *v* netinkamai vartoti/naudoti; piktnaudžiauti
misunderstand ['mɪsndə 'stænd] *v* (**misunderstood** [-stud]) neteisingai suprasti
mitten ['mɪtn] *n* kumštinė pirštinė
mix [mɪks] *v* maišyti; ~ up (su)painioti; **~ed** *a* mišrus, maišytas; **~er** *n* mikseris; **~ture** ['mɪkstʃə] *n* mišinys; mikstūra
moan [məun] *n* dejonė; *v* dejuoti
moat [məut] *n* griovys, pripildytas vandens (*papr. pilies gynybai*)
mob [mɔb] *n* 1) minia; 2) (the ~) mafija; *šnek.* kompanija; *v* būriuotis; grūstis
mobile ['məubaɪl] *a* judrus; kilnojamas; *n* mobilusis telefonas
mobilization ['məubɪlaɪ'zeɪʃn] *n* mobilizacija
mobilize ['məubɪlaɪz] *v* mobilizuoti
mock [mɔk] *v* išjuokti, tyčiotis
mode [məud] *n* būdas, metodas; režimas
model ['mɔdl] *n* 1) modelis; 2) kopija; 3) *a* pavyzdys, pavyzdinis; *v* formuoti, modeliuoti; dirbti pozuotoju/manekenu
moderate ['mɔdərət] *a* 1) nuosaikus; santūrus; 2) vidutinis
modern ['mɔdən] *a* dabartinis; modernus; **~ize** *v* moderninti
modest ['mɔdɪst] *a* kuklus; **~y** *n* kuklumas
moist [mɔɪst] *a* drėgnas; **~en** *v* (su)drėkinti; **~ure** ['mɔɪstʃə]

n drėgmė
Moldova [mɔl'dɔvə] *n* Moldavija; **~n** *n* moldavas, -ė
mole ['məul] *n* kurmis; **~-hill** [-hɪl] *n* kurmiarausis
molecule ['mɔlɪkju:l] *n* molekulė
moment ['məumənt] *n* momentas; minutėlė; j u s t a ~ minutėlę; **~ary** *a* momentalus, momentinis
monarch ['mɔnək] *n* monarchas; **~y** *n* monarchija
monastery ['mɔnəstrɪ] *n* vienuolynas
Monday ['mʌndɪ] *n* pirmadienis
money ['mʌnɪ] *n* (*tik sg*) pinigai; **~-box** [-bɔks] *n* taupyklė
Mongolia [mɔŋ'gəulɪə] *n* Mongolija; **~n** *n* mongolas, -ė
monk [mʌnk] *n* vienuolis
monkey ['mʌŋkɪ] *n* beždžionė
monotonius [mə'nɔtənəs] *n* monotoniškas
monster ['mɔnstə] *n* 1) pabaisa; 2) išsigimėlis, bjaurus
monstrous ['mɔnstrəs] *a* 1) siaubingas; 2) gigantiškas
month [mʌnθ] *n* mėnuo; **~ly** *n* mėnesinis žurnalas; *adv* kas mėnesį
monument ['mɔnjumənt] *n* paminklas, monumentas
moo [mu:] *v* baubti
mood I [mu:d] *n* nuotaika
mood II *n gram*. nuosaka
moon [mu:n] *n* (t h e ~) mėnulis
moor I [muə], **moorland** ['muələnd] *n* viržynė
moor II *v jūr*. švartuoti(s); **~ings** *n* laivų švartavimosi vieta
moot [mu:t] *v* ginčijamas
mop [mɔp] *n* 1) šluostas; 2) kuokštas; *v* valyti, šluostyti
moped ['məuped] *n* mopedas
more [mɔ:] *a, adv* daugiau; ◊ ~ o r l e s daugmaž, apytiksliai
moreover [mɔ:'rəuvə] *adv* be to; dar daugiau
morning ['mɔ:nɪŋ] *n* rytas; g o o d ~ ! labas rytas!
Morocc|an [mə'rɔkən] *n* marokietis; **~o** [-əu] *n* Marokas
Mosambique ['məuzəm'bi:k] *n* Mozambikas
mosque [mɔsk] *n* mečetė
mosquito [mə'ski:təu] *n* moskitas, uodas
moss [mɔs] *n* samanos; **~y** *a* samanotas
most [məust] *a, adv* daugiausia; **~ly** *adv* dažniausiai, paprastai
moth [mɔθ] *n* kandis
mother ['mʌðə] *n* motina; **~-tongue** [-tʌŋ] *n* gimtoji kalba

mother-in-law ['mʌðəɪnlɔ:] *n* anyta; uošvė
motion ['məuʃn] *n* 1) judėjimas; judesys; 2) pasiūlymas; **~less** *a* nejudantis
motive ['məutɪv] *n* motyvas
motor ['məutə] *n* motoras, variklis; **~bike** [-baɪk]; **~cycle** [-saɪkl] *n* motociklas; **~-boat** [-bəut] *n* motorinė valtis; **~car** [-kɑ:] *n* (*lengvasis*) automobilis; **~ist** *n* automobilistas; **~way** [-weɪ] *n* autostrada
mottled ['mɔtld] *n* išmargintas, taškuotas
mould I [məuld] *n* pelėsiai; **~y** apipelėjęs
mould II *n* (*liejimo*) forma; *v* lieti (*formoje*)
mound [maund] *n* 1) kalva; 2) kauburys
mount [maunt] *n* 1) kalnas; lipti (*aukštyn*), užlipti (*ant*); 2) *gr*. įtaisyti, įrengti, (su)montuoti
mountain ['mauntɪn] *n* kalnas; **~ous** *a* kalnuotas
mountaineer ['mauntɪ'nɪə] *n* alpinistas; **~ing** *n* alpinizmas
mourn [mɔ:n] *v* 1) (ap)raudoti; 2) gedėti; **~ing** *n* gedulas
mouse [maus] *n* (*pl* **mice** [maɪs]) pelė
moustache [mə'stɑ:ʃ] *n* ūsai
mouth ['mauθ] *n* (*pl* **mouths** [mauðz]) burna; **~ful** [-ful] *n* gurkšnis, kąsnis; **~organ** [-ɔgən] *n* lūpinė armonikėlė
move ['mu:v] *v* 1) judėti; judinti; 2) per(si)kelti (į kitą butą); **~ment** *n* judėjimas
movies ['mu:vɪz] *n pl šnek*. kinas
mow [məu] *v* šienauti; **~er** *n* šienapjovė (*mašina*)
Mr ['mɪstə] *n* (*sutr*. iš **Mister**) misteris; ponas
Mrs ['mɪsɪz] *n* (*sutr*. iš **Missis**) misis; ponia
much [mʌtʃ] *adv* (**more** [mɔ:], **most** [məust]) daug; labai; ~ b e t t e r žymiai/daug geriau/geresnis; t h i s / t h a t ~ šitiek; a s ~ tiek pat
mud [mʌd] *n* purvas, purvynė
muddle ['mʌdl] *v* (su)painioti; sujaukti; *n* painiava
muddy ['mʌdɪ] *a* purvinas
mud-guard ['mʌdgɑ:d] *n* purvasaugis
mug [mʌg] *n* 1) (*stiklinis*) puodukas; taurė; 2) *šnek*. snukis; *v šnek*. apiplėšti (*gatvėje*)
mule I [mju:l] *n* 1) mulas; 2) *šnek*. užsispyrėlis, ožys
mule II *n* šlepetė
multi- [mʌltɪ] daugia-; m u l t i n a t i o n a l daugiatautis
multi-coloured ['mʌltɪ'kʌləd] *a* daugiaspalvis, spalvotas
multiplication ['mʌltɪplɪ'keɪʃn]

n mat. daugyba
multiply ['mʌltɪplaɪ] *v* (pa)-dauginti (*ir mat.*)
multitude ['mʌltɪtju:d] *n* daugybė
mum [mʌm], **mummy** ['mʌmɪ] *n* mama, mamytė
mumble ['mʌmbl] *v* murmėti
mumps [mʌmps] *n med.* kiaulytė
murder ['mə:də] *n* žmogžudystė; *v* žudyti; **~er** *n* žmogžudys; **~eress** *n* žmogžudė
murmur ['mə:mə(r)] *n* murmėjimas; *v* murmėti
museum [mju:'zɪəm] *n* muziejus
muscle [mʌsl] *n* raumuo
mushroom ['mʌʃrum] *n* grybas
music ['mju:zɪk] *n* muzika; **~al** *a* muzikinis; **~ian** [mju:'zɪʃn] *n* muzikantas, muzikas
Muslim ['muzlɪm] *n* musulmonas
must [mʌst, məst] *v mod.* 1) privalo, reikia, turi; 2) tikriausiai, turbūt; 3) negalimas (*reiškiantis draudimą neigiamuose sakininiuose*)
mustard ['mʌstəd] *n* garstyčios
mustn't ['mʌsnt] = **must not**
mute [mju:t] *a* nebylus
mutiny ['mju:tɪnɪ] *n* maištas; *v* maištauti
mutter ['mʌtə(r)] *v* (su)murmėti, niurnėti; *n* murmėjimas
mutton ['mʌtn] *a* aviena
mutual ['mju:tʃuəl] *a* abipusis, savitarpio
muzzle ['mʌzl] *n* 1) snukis, nasrai; 2) atnsnukis
my [maɪ] *pron* mano; savo
myself [maɪ'self] *pron* 1) save; -si; I wash ~ [aɪ'wɔʃmaɪself] aš prausiuosi; 2) pats; I did it ~ aš pats tai padariau
mysteriuos [mɪs'tɪərɪəs] *a* paslaptingas
mystery ['mɪstərɪ] *n* paslaptis, mįslė
myth [mɪθ] *n* mitas

N

nag I [næg] *n šnek.* kuinas
nag II *v* prikaišioti, graužti
nail [neɪl] *n* 1) nagas; 2) vinis; *v* prikalti (*vinimis*)
naked ['neɪkɪd] *a* nuogas; plikas; with the ~ eye plika akimi
name [neɪm] *n* vardas; pavadinimas; first ~ vardas; last ~ pavardė
namely ['neɪmlɪ] *adv* būtent
Namibia [nə'mɪbɪə] *n* Nami-

bija
nanny ['nænɪ] *n* auklė; **~-goat** [-gəut] *n* ožka
nap [næp] *n* pogulis; t o t a k e a ~ nusnūsti
nape [neɪp] *n* sprandas
napkin ['næpkɪn] *n* servetėlė
nappy ['næpɪ] *n* vystyklas
narrate [nə'reɪt] *v* (nu)pasakoti
narrow ['nærəu] *a* siauras; ankštas; **~ly** vos ne vos
nasty ['nɑ:stɪ] *a* bjaurus; šlykštus
nation ['neɪʃn] *n* tauta, nacija
national ['næʃnəl] *a* tautinis, nacionalinis
nationality ['næʃə'nælətɪ] *n* 1) tautybė; 2) pilietybė
native ['neɪtɪv] *a* gimtasis; *n* čiabuvis
NATO ['neɪtəu] *sutr.* NATO
natural ['nætʃrəl] *a* 1)gamtinis; 2) natūralus; **~ist** *n* gamtininkas; **~ly** *adv* žinoma
nature ['neɪtʃə] *n* 1) gamta; 2) prigimtis; 3) charakteris, būdas
naughty ['nɔ:tɪ] *a* išdykęs; neklusnus (*apie vaiką*)
naval ['neɪvl] *a* karinio jūrų (*laivyno*); jūrų
navigate ['nævɪgeɪt] *n* vairuoti (*lėktuvą*), vesti (*laivą*)
navigator ['nævɪgeɪtə] *n* 1) jūrininkas; jūrų keliautojas; 2) šturmanas
navy ['neɪvɪ] *n* karinis jūrų laivynas; **~-blue** ['neɪvɪ'blu:] *a* tamsiai mėlynas
near [nɪə] *prep, adv* arti, netoli; *a* artimas; **~by** visai greta, netoliese; **~ly** *adv* beveik
neat [ni:t] *a* tvarkingas, švarus
necessarily ['nesəserəlɪ] *adv* būtinai; neišvengiamai
neccessary ['nesəsərɪ] *a* būtinas, reikalingas
necessity [nɪ'sesətɪ] *n* būtinumas, būtinybė
neck ['nek] *n* 1) kaklas; 2) apykaklė; **~lace** [-lɪs] *n* vėrinys, karoliai; **~tie** [-taɪ] *n* kaklaraištis
need [ni:d] *n* 1) reikalingumas, reikalas; 2) *pl* poreikiai, reikmės; *v* reikėti
needle ['ni:dl] *n* adata
needless ['ni:dləs] *a* nereikalingas
needn't ['ni:dnt] = **need not**
needy ['ni:dɪ] *a* nepasiturintis, vargstantis
negative ['negətɪv] *a* neigiamas
neglect [nɪ'glekt] *v* apleisti, nesirūpinti; **~ed** *a* apleistas; **~ful** *a* nesirūpinantis, neatidus
negotiate [nɪ'gəuʃɪeɪt] *v* 1) derėtis, tartis; 2) *fin.* leisti į apyvartą (*čekį, vekselį*)

negotiations [nɪˈgəuʃɪˈeɪʃnz] *n pl* derybos
Negro [ˈni:grəu] *n* negras, -ė; (*apie moterį t.p.* **Negress**)
neigh [neɪ] *n* žvengimas; *v* žvengti
neighbour [ˈneɪbə] *n* kaimynas; **~hood** [-hud] *n* kaimynystė; **~ing** *n* kaimyninis
neither [ˈnaɪðə] *pron* nei vienas (*iš dviejų*); *adv* taip pat ne; *cj* ~ ... nor ... nei... nei...
nephew [ˈnevju:] *n* sūnėnas, brolėnas
nerv|e [ˈnə:v] *n* nervas; to get on smb ~s nervinti ką; **~ous** *a* nervingas
nest [nest] *n* lizdas; *v* sukti lizdą
net I [ˈnet] *n* tinklas; **~ball** [-bɔ:l] *n* toks žaidimas (*panašus į krepšinį*)
net II *a* grynas, neto (*apie svorį ir pan.*)
netting [ˈnetɪŋ] *n* tinklas
nettle [ˈnetl] *n* dilgėlė
neuter [ˈnju:tə] *a* 1) niekatrosios bevardės giminės; 2) belytis
neutral [ˈnju:trəl] *a* neutralus
never [ˈnevə] *adv* niekada
nevertheless [ˈnevəðəˈles] *adv*, *cj* vis dėlto, nepaisant to
new [ˈnju:] *a* naujas; **~comer** [-kʌmə] *a* atvykėlis; **~ly** *adv* 1) naujai; iš naujo; 2) ką tik, neseniai
news [ˈnju:z] *n* žinia, žinios; **~agent** [-eɪdʒənt] *n* kioskininkas
newspaper [ˈnju:speɪpə] *n* laikraštis
New-Year [ˈnju:ˈjɪə] *a* Naujųjų metų; ~ party Naujųjų metų sutikimas
New York [ˈnju:jɔ:k] *n* Niujorkas
New Zealand [ˈnju:zi:lənd] *n* Naujoji Zelandija
next [nekst] *a* kitas; *adv* paskui, toliau; *prep* ~ to šalia, prie; **~-door** [ˈnekstˈdɔ:] *a* artimiausias, kaimyninis
nib [nɪb] *n* (*rašiklio*) galiukas
nibble [ˈnɪbl] *v* kramsnoti; *n* kąsnelis
Nicaragua [ˈnɪkɔˈrægjuə] *n* Nikaragva
nice [naɪs] *a* geras, mielas; dailus
nickname [ˈnɪkneɪm] *n* pravardė
niece [ni:s] *n* dukterėčia
Nigeria [naɪˈdʒɪrɪə] *n* Nigerija
night [ˈnaɪt] *n* naktis; vakaras; *a* naktinis; **~dress** [-dres] *šnek.* **~ie** [ˈnaɪtɪ] *n* naktiniai marškiniai (*moters*, *vaiko*)
nightingale [ˈnaɪtɪŋgeɪl] *n* lakštingala

nightly ['naɪtlɪ] *a* kasnaktinis; *adv* kasnakt
nightmare ['naɪtmɛə] *n* košmaras
night-watchman ['naɪt'wɔtʃmən] *n* (*pl* **–men** [-mən]) naktinis sargas
nil [nɪl] *n* nulis
nine ['naɪn] *num* devyni; **~teen** [-ti:n] devyniolika; **~teenth** [-ti:nð] devynioliktas; **~tieth** [-tɪɪð] devyniasdešimtas; **~ty** [-tɪ] devyniasdešimt
ninth [naɪnθ] *num* devintas
nip [nɪp] *n* 1) gnybis; 2) įkandimas; *v* įgnybti; įkąsti
nitrogen ['naɪtrədʒən] *n* azotas
no [nəu] (neigiant) ne; *pron* joks; ~ smoking nerūkyti; *avd* ne, nė kiek ne; ~ more ne daugiau, (daugiau) ne
noble ['nəubl] *a* 1) kilnus; 2) kilmingas
nobody ['nəubədɪ] *pron* niekas (*apie asmenį*)
nod [nɔd] *v* linktelti galva
noise ['nɔɪz] *n* triukšmas; to make ~ triukšmauti; **~less** *a* tylus, netriukšmingas
noisy ['nɔɪzɪ] *a* triukšmingas
non- [nɔn] *pref* ne-, be- (*reiškiant neigimą*); non–essential ne esminis
none [nʌn] *pron* niekas; nė vienas; *adv* nė kiek ne
nonsense ['nɔnsəns] *n* niekai, nesąmonė
noon [nu:n] *n* vidurdienis
no-one ['nəu wʌn] *pron* niekas (*apie žmogų*)
nor [nɔ:] *cj žr.* **neither... nor...**
normal ['nɔ:ml] *a* normalus, įprastas
north ['nɔ:θ] *n* šiaurė; **~ern** ['nɔ:ðən] *a* šiaurinis, šiaurės; the ~ern lights *a* šiaurės pašvaistė; **~ward(s)** [-wədz] *a*, *adv* šiaurės; šiaurė, į šiaurę
Nor|way ['nɔ:weɪ] *n* Norvegija; **~wegian** [-'wi:dʒn] *n* norvegas, -ė
nose [nəuz] *n* nosis
nosy ['nəuzɪ] *a* smalsus, landus
not [nɔt] *adv* ne-; nė; ~ a bit nė trupučio; ~ at all 1) visai ne; 2) nėra už ką (dėkoti)
note [nəut] *n* 1) pastaba; 2) *pl* užrašai; 3) nota; 4) gaida; *v* 1) pastebėti; 2) pa(si)žymėti, užsirašyti (*t.p.* ~ down)
notebook ['neutbuk] *n* užrašų knygelė
notepaper ['neut'peɪpə] *n* laiškinis popierius
nothing ['nʌθɪŋ] *pron* niekas; ~ of the kind/sort nieko panašaus; *n* menkniekis; *adv* nė kiek

notice ['nəutɪs] *v* pastebėti; *n* 1) skelbimas; 2) pranešimas, įspėjimas; **~able** *a* pastebimas; **~board** [-bɔ:d] *n* skelbimų lenta

notoriuos [nəu'tɔ:rɪəs] *a* (*liūdnai*) pagarsėjęs, žinomas

nought [nɔ:t] *n* nulis; niekas

noun [naun] *n* daiktavardis

nourishing ['nʌrɪʃɪŋ] *a* maistingas

novel ['nɔvl] *n* romanas

novelty ['nɔvəltɪ] *n* 1) naujumas; 2) naujovė

November [nəu'vembə] *n* lapkritis

now [nau] *adv* dabar; ~ and then/again kartais, retkarčiais; **~adays** [-ədeɪz] *adv* dabar, mūsų laikais

nowhere ['nəuwεə] *adv* niekur

nucle|ar ['nju:klɪə] *a* branduolinis; **~us** [-əs] *n* branduolys

nudge [nʌdʒ] *v* bakstelėti alkūne, kumštelėti

nuisance ['nju:sns] *n* 1) įkyruolis; 2) apmaudas

numb [nʌmb] *a* sustingęs, nutirpęs

number ['nʌmbə] *n* 1) skaičius; kiekis; 2) numeris; a good ~ of daug, daugelis; **~plate** [-pleɪt] *n aut.* numerio ženklo skydelis (*amer.* license-plate)

numeral ['nju:mərəl] *n. gram.* skaitvardis

numerous ['nju:mərəs] *a* gausus

nun ['nʌn] *n* vienuolė; **~nery** [-ərɪ] *n* moterų vienuolynas

nurse [nə:s] *n* 1) slaugė, medicinos sesuo; 2) auklė

nursery ['nə:sərɪ] *n* vaikų lopšelis; vaikų kambarys; **~-school** [-sku:l] vaikų darželis

nut ['nʌt] *n* riešutas; **~shell** [-ʃel] *n* riešuto kevalas; in a nut-shell trumpai, keliais žodžiais

nylon ['naɪlɔn] *n* 1) nailonas; 2) *pl* moteriškos nailoninės kojinės

nuzzle ['nʌzl] *v* uostinėti

O

oak [euk] *n* ąžuolas

oar [ɔ:] *n* irklai

oasis [əu'eɪsɪs] *n* (*pl* **oases** [-si:z]) oazė

oatflakes ['əutfleɪks] *n* avižiniai dribsniai

oath [əuθ] *n* priesaika

oatmeal ['əutmi:l] *n* 1) avižinės kruopos; 2) *amer.* avižinė košė

oats ['əut] *n pl* avižos

obey [ə'beɪ] *v* (pa)klausyti; paklusti
object I ['ɔbdʒɪkt] *n* 1) daiktas; 2) objektas; 3) tikslas; 4) papildinys
object II [əb'dʒekt] *v* prieštarauti
oblige [ə'blaɪdʒ] *v* įpareigoti; priversti
obliged [ə'blaɪdʒed] *a* dėkingas; I am much ~(to you) labai (*jums*) dėkingas
oblong ['ɔblɔŋ] *a* 1) pailgas; 2) *geom*. stačiakampis
observation ['ɔbzə'veɪʃn] *n* stebėjimas; priežiūra
observatory [əb'zə:vətrɪ] *n* observatorija
observ|e [əb'zə:v] *v* 1) stebėti; 2) laikytis (*įstatymų*, *papročių*); *n* 1) stebėtojas; 2) apžvalgininkas
obsolete ['ɔbsəli:t] *a* pasenęs, atgyvenęs
obstacle ['ɔbstəkl] *n* kliūtis
obstinate ['ɔbstɪnət] *a* užsispyręs
obstruct [əb'strʌkt] *v* trukdyti; **~ion** *n* 1) kliūtis; 2) trukdymas
obtain [əb'teɪn] *v* (iš)gauti, į(si)gyti
obvious ['ɔbvɪəs] *a* aiškus, akivaizdus; **~ly** *adv* aišku; *mod*. matyt
occupation ['ɔkju'peɪʃn] *n* 1) okupacija; 2) užsiėmimas; profesija
occupy ['ɔkjupaɪ] *v* užimti; okupuoti
occur [ə'kə:] *v* 1) atsitikti, įvykti; 2) pasitaikyti; 3) ateiti į galvą
ocean ['əuʃn] *n* vandenynas; **~ic** ['əuʃɪ'ænɪk] *a* okeaninis, vandenyno
o'clock [ə'klɔk]: at six ~ šeštą valandą
October [ɔk'təubə] *n* spalis
odd [ɔd] *a* 1) nelyginis; 2) keistas, savotiškas
odds [ɔdz] *n* 1) šansai; 2) persvara; ~ and ends smulkmenos, mažmožiai
of [ɔv, əv] *prep* 1) (*atitinka kilmininką*); a work ~ art meno kūrinys; 2) iš; made ~ wood padarytas iš medžio
off [ɔf] *adv* nuo, šaliai; šalin; far ~ toli; to cut ~ atpjauti; *prep* nuo (*reiškiant atitolimą/ atskyrimą*); he felt ~ the roof jis nukrito nuo stogo
offence [ə'fens] *n* 1) į(si)žeidimas; 2) *n* pažeidimas; nusikaltimas
offend [ə'fend] *v* 1) įžeisti; 2) nusižengti (*įstatymui*);**~er** *n* įžeidėjas; pažeidėjas, nusikaltėlis
offer ['ɔfə] *v* (pa)siūlyti; *n* pasiūlymas

office ['ɔfɪs] *n* 1) įstaiga; raštinė; 2) pareigos, tarnyba
officer ['ɔfɪsə] *n* 1) tarnautojas, pareigūnas; 2) policininkas; 3) karininkas
official [ə'fɪʃl] *a* 1) tarnybinis; 2) oficialus; *n* pareigūnas
often ['ɔfn] *adv* dažnai
oh [əu] *int* o! ak! (*žymint nustebimą, skausmą ir kt.*)
oil ['ɔɪl] *n* 1) aliejus; 2) nafta; alyva; **oils** *pl* 3) aliejiniai dažai (*t.p.* **~paint**); **~painting** [-peɪntɪŋ] *n* aliejiniais dažais tapytas paveikslas; **~rig** [-rɪg] *n* naftos bokštas; **~-tanker** [-tæŋkə] *n* naftos tanklaivis; **~-well** [-wel] *n* naftos gręžinys
oily ['ɔɪlɪ] *a* 1) aliejuotas; 2) alyvotas
ointment ['ɔɪntmənt] *n* tepalas
O.K., okay ['əu'keɪ] *šnek.* gerai; *int.* gerai!; *adv* (*viskas*) puiku; sutinku
old [əuld] *a* senas; how ~ are you? kiek jums metų? *n* (the ~) seniai; **~-fashioned** ['əuld'fæʃnd] *a* senamadis
Olimpic [ə'lɪmpɪk] *a* olimpinis; the ~ Games Olimpinės žaidynės
omelette ['ɔmlɪt] *n* omletas
omission [ə'mɪʃn] *n* 1) praleidimas; 2) nepadarymas (*ko*)
omit [ə'mɪt] *v* 1) praleisti; neįtraukti; 2) neatlikti
on [ɔn] *prep* 1) ant; ~ the desk ant stalo; 2) (*žymint laiką*) ~ Sunday sekmadienį; *adv* 1) pirmyn; iš anksto; 2) toliau; ◊ from now ~ toliau, nuo šiol; ~ and ~ be paliovos
once [wnns] *adv* 1) kartą; vieną kartą; ~ a week kartą per savaitę; 2) kažkada, kadaise; ~ upon a time seniai, labai seniai (*pasakose*); at ~ tuojau pat; kartu; ~ again/more dar kartą/sykį
one [wʌn] *num* vienas; *pron* 1) ~ must learn reikia mokytis; 2) give me the red ~ duok man raudoną (*knygą, pieštuką ir pan.*); *a* 1) vienintelis, vienas; 2) vieningas
oneself [wʌn'self] *pron atitinka -s, -si sangrąžiniuose veiksmažodžiuose žr.* **myself, yourself, himself**
onion ['ʌnɪən] *n* svogūnas
only ['əunlɪ] *adv* tik, tiktai; *a* vienintelis
onto ['ɔntu:], ['ɔntə] *prep* ant
onward(s) ['ɔnwəd(z)] *adv* į priekį, pirmyn
ooze [u:z] *v* srūti; sunktis, pratekėti
open ['əupən] *v* atidaryti; *a* 1) atdaras; 2) atviras;

nuoširdus; ~er *n* atidariklis; ~ing *n* 1) anga; 2) pradžia; 3) atidarymas; ~ly *adv* atvirai; viešai
open-minded ['əupən'maındıd] *a* plačių pažiūrų, nešališkas
opera ['ɔpərə] *n* opera; ~-**house** [-haus] *n* operos teatras
operate ['ɔpəreıt] *v* 1) veikti; 2) eksploatuoti, naudoti; 3) operuoti (on)
operation ['ɔpə'reıʃn] *n* 1) operacija; 2) veikimas; darbas; 3) procesas
operator ['ɔpəreıtə] *n* 1) operatorius; 2) mašinistas
opinion [ə'pınıən] *n* nuomonė; public ~ viešoji nuomonė
opponene [ə'pəunənt] *n* 1) oponentas; 2) priešininkas
opportunity ['ɔpə'tju:nətı] *n* (*gera*) proga
oppose [ə'pəuz] *v* priešintis; būti nusistačiusiam
opposite ['ɔpəzıt] *a* priešingas; *prep* prieš; *adv* priešais; *n* prieš(ing)ybė
oppressed [ə'prəst] *a* engiamas; prislėgtas
optic|al ['ɔptıkl] *a* optinis; ~s *n* optika
optimist ['ɔptımıst] *n* optimistas; ~ic ['ɔptı'mıstıc] *a* optimistiškas
option ['ɔpʃn] *n* pasirinkimas; ~al *a* pasirenkamas, fakultatyvus, neprivalomas
or [ɔ:] *cj* ar, arba; to be ~ not to be būti ar nebūti
oral ['ɔ:rəl] *a* žodinis, žodžiu; sakytinis
orange ['ɔrındʒ] *n* apelsinas; *a* oranžinis
orbit ['ɔ:bıt] *n* orbita
orchard ['ɔ:tʃəd] *n* vaismedžių sodas
orchestra ['ɔ:kıstrə] *n* orkestras
ordeal [ɔ:'di:l] *n* sunkus išmėginimas
order ['ɔ:də] *n* 1) tvarka; out of ~ netvarkingas; 2) nurodymas, įsakymas; 3) ordinas; *v* 1) įsakyti; 2) užsakyti; užsakymas 3) orderis; in ~ to/that tam, kad; to get out of ~ sugedęs
ordinary ['ɔ:dınərı] *a* paprastas, eilinis; normalus
ore [ɔ:] *n* rūda
organ ['ɔ:gən] *n* 1) organas; 2) vargonai; ~ic ['ɔ:gænık] *a* organinis, organiškas; ~ism *n* organizmas
organization ['ɔ:gənaı'zeıʃn] *n* organizacija
organize ['ɔ:gənaız] *v* organizuoti
oriental ['ɔ:rı'entl] *a* Rytų, rytų Azijos, rytietiškas
orientalist ['ɔ:rı'entəlıst] *n* orientalistas

orienteering ['ɔ:rɪən'tɪərɪŋ] *n* orientavimosi sportas
origin ['ɔrɪdʒɪn] *n* 1) kilmė; 2) pradžia; šaltinis, ištaka
original [ə'rɪdʒɪnal] *a* 1) pradinis; 2) originalus; tikras; *n* originalas; **~ally** *adv* iš pradžių
ornament ['ɔ:nəmənt] *n* ornamentas;**~al** [ɔ:nə'mentl] *a* dekoratyvinis
orphan ['ɔ:fn] *n* našlaitis, -ė; **~age** ['ɔ:fənɪdʒ] *n* našlaičių namai/prieglauda
ostrich ['ɔstrɪf] *n* strutis
other ['ʌðə] *a pron* 1) kitas; 2) (*su dktv. dgsk.*) kiti; **~wise** [-waɪz] *adv* kitaip
ought ['ɔ:t] *v mod.* 1) privalo, reikia, turi; you ~ to go jums reikėtų vykti; 2) turbūt
ounce [auns] *n* uncija (= 28,3 g)
our ['auə] *pron* mūsų; **~s** ['auəz] *pron.* mūsų (*be dktv.*); this book is ~s ši knyga mūsų; **~selves** [-auə'selvz] 1) savęs, save; -si; 2) patys; we do it ~ mes tai darome patys
oust [aust] *v* išstumti, išvaryti
out [aut] *prep* iš, už; *adv* lauke, lauk(an); to go ~ išeiti; he is ~ jo nėra namie
outbreak ['autbreɪk] *n* (*staigi*) pradžia; protrūkis
outburst ['autbə:st] *n* (*jausmų*) protrūkis
outdoor ['autdɔ:] *a* lauko; **~s** [ɑut'dɔ:z] *adv* lauke
outer ['autə] *a* išorinis; tolimesnis, atokus
outfit ['autfɪt] *n* 1) apranga; 2) įrankių komplektas
outgrow [aut'grəu] *v* (**outgrew** [-gru:]; **outgrown** [-'grəun] 1) išaugti; 2) peraugti
outing ['autɪŋ] *n* išvyka
outlaw ['autlɔ:] *n* nusikaltėlis, asmuo (*esantis už įstatymo ribų*)
outline ['autlaɪn] *n* 1) kontūras; 2) metmenys
outlook ['autluk] *n* 1) požiūris; 2) perspektyva
outnumber [aut'nʌmbə] *v* viršyti skaičiumi
out-of-date ['autəv'deɪt] *a* pasenęs; senamadis
output ['autput] *n* 1) produkcija; išdirbis; 2) *tech.* našumas
outside [aut'saɪd] *adv* iš išorės; iš lauko, lauke; *prep* 1) už(ribų); 2) išskyrus
outskirts ['autsə:ts] *n* priemiestis; pakraštys
outstanding [aut'stændɪŋ] *a* 1) įžymus, išsiskiriantis; 2) neapmokėtas (*skola, sąskaitos*)
outward(s) ['autwədz] *a* išori-

nis, išviršinis; *adv* į išorę; laukan
oval ['əuval] *a* ovalus
oven [ʌvn] *n* orkaitė
over ['əuvə] *prep* 1) virš; per; ~ L o n d o n virš Londono; 2) per; ~ t h e f e n c e per tvorą; ~ 7 0 per septyniasdešimt; 3) t o b e ~ baigtis, pasibaigti
overalls ['əuvərɔ:lz] *n pl* kombinezonas
overboard ['əuvəbɔ:d] *adv* už borto
overcoat ['əuvəkəut] *n* apsiaustas, paltas
overcome ['əuvə'kʌm] *v* (**overcame** [-'keɪm]; **overcome**) nugalėti
overcrowded ['əuvə'kraudɪd] *a* perpildytas, sausakimšas
overdo ['əuvə'du:] *v* (**-did** [-dɪd]; **-done** [-dʌn]) *v* 1) perdėti; persistengti; 2) perkep(in)ti
overdue ['əuvə'dju:] *a* 1) pavėlavęs; 2) laiku nesumokėtas, uždelstas
overflow ['əuvə'fləu] *v* 1) užtvindyti; 2) lietis per kraštus
owergrown ['əuvə'grəun] *a* užžėlęs, apaugęs
overhaul ['əuvə'hɔ:l] *v* suremontuoti, rekonstruoti
overhead ['əuvə'hed] *adv* virš galvos
overrun ['əuvə'rʌn] *n* 1) užgrobti; 2) užtvindyti, užplūsti; 3) peržengti, viršyti
owe [eu] būti skolingam
owing ['əuɪŋ] *a* skolingas; *prep* ~ t o dėl
owl [aul] *n* pelėda
own ['əun] *a* savas; nuosavas; *v* valdyti, turėti; **~er** *n* savininkas, valdytojas; **~ership** *n* nuosavybė
ox [ɔks] *n* (*pl* **oxen** ['ɔksn] jautis
oxygen ['ɔksɪdʒən] *n* deguonis

P

pa [pɑ:] *a sutr*. tėtė, tėvelis
pace [peɪs] *n* žingsnis; tempas; *v* griūtis; t o k e e p ~ (w i t h) neatsilikti (*nuo*)
Pasific [pə'sɪfɪk] *n* (t h e ~) Ramusis/Didysis vandenynas
pack ['pæk] *v* pakuoti(s); *n* (*t.p.* **~age** ['pækɪdʒ]) ryšulys, paketas
packed [pækt] *a* supakuotas
packet ['pækɪt] *n* dėžutė, pakelis
packing ['pækɪŋ] *n* 1) pakavimas(is); 2) pakuotė
pact [pækt] *n* paktas, sutartis

pad [pæd] *n* 1) minkštas pamušas; 2) bloknotas; *v* pamušti
paddle ['pædl] *v* irtis, irkluotis
paddock ['pædək] *n* aptvaras (*arkliams*)
padlock ['pædlɔk] *n* pakabinamoji spyna
page [peɪdʒ] *n* puslapis
paid *žr.* **pay**
pail [peɪl] *n* kibiras
pain ['peɪn] *n* skausmas; to take ~s stengtis; **~ful** *a* skausmingas; **~less** *a* beskausmis
paint ['peɪnt] *n* dažai; *v* 1) tapyti; 2) dažyti; **~er** *n* 1) tapytojas; 2) dažytojas; **~ing** *n* 1) tapyba; 2) paveikslas; 3) dažymas
pair [pɛə] *n* pora
Pakistan ['pɑ:kɪ'stɑ:n] *n* Pakistanas; **~i** [-ɪ] *n* pakistanietis, -ė
pal [pæl] *šnek.* draugužis, bičiulis
palace ['pælɪs] *n* rūmai
palate ['pælət] *n anat.* gomurys
pale [peɪl] *a* išbalęs
palm I [pɑ:m] *n* palmė
palm II *n* delnas
pan ['pæn] *n* 1) prikaistuvis; 2) *amer.* keptuvė; **~cake** [-keɪk] *n* blynas
Panama ['pænəmɑ:] *n* 1) Panama; 2) (*p.*) panama (*skrybėlė*)
pane [peɪn] *n* (*lango*) stiklas
panel ['pænl] *n* 1) (*prietaisų*) skydas; 2) panelis, plokštė
panic ['pænɪk] *n* panika; **~-stricken** [-strɪkən] *a* apimtas panikos; *v* pulti į paniką
pant [pænt] *v* dūsuoti, švokšti
pantihose ['pæntɪhəuz] *n* pėdkelnės
pantomime ['pæntəmaɪm] *n* pantomima
pantry ['pæntrɪ] *n* podėlis, sandėliukas
pants [pænts] *n* 1) trumpikės, kelnaitės; 2) kelnės
papa [pə'pa] *n* tėtis
paper ['peɪpə] *n* 1) popierius; 2) pranešimas, referatas; 3) laikraštis; *v* tapetuoti (*sienas*); **~back** [-bæk] *n* knyga minkštais viršeliais; **~clip** [-klɪp] *n* sąvaržėlė
parachute ['pærəʃu:t] *n* parašiutas; *v* nusileisti parašiutu
parade [pə'reɪd] *n* paradas; *v* paraduoti, žygiuoti
paradise ['pærədaɪs] *n* rojus
paraffin ['pærəfɪn] *n* parafinas
paragraph ['pærəgrɑ:f] *n* pastraipa; skirsnis, paragrafas
Paraguay ['pærəgwaɪ] *n* Paragvajus

parallel ['pærəlel] *n* 1) lygiagretė; 2) paralelė; *a* lygiagretus
paralyze ['pærəlaɪz] *v* paralyžuoti
parcel ['pɑsl] *n* pasiuntinys; paketas
parched [pɑ:tʃt] *a* perdžiūvęs; sukepęs (*apie lūpas*)
pardon ['pɑ:dn] *n* atleidimas, dovanojimas; *int* (atsi)prašau (*nenugirdus, atsirūgus*)
parents ['pɛərənts] *n* tėvai
parish ['pærɪʃ] *n* 1) parapija; 2) apylinkė
park [pɑ:k] *n* parkas; *v* pastatyti automobilį (*saugojimo aikštelėje*)
parliament ['pɑ:ləmənt] *n* parlamentas; member of ~ parlamentaras; **~ary** ['pɑ:lə'mentərɪ] *a* parlamentinis
parlour ['pɑ:lə] *n* kabinetas, salionas
parrot ['pærət] *n* papūga
parsley ['pɑ:slɪ] *n* petražolė
parson ['pɑ:sn] *n šnek.* pastorius, dvasininkas
part ['pɑ:t] *n* 1) dalis; 2) vaidmuo; ◊ to take ~ (in) dalyvauti; *v* at(si)skirti; atsisveikinti
participant [pɑ:'tɪsɪpənt] *n* dalyvis
participate [pɑ:'tɪsɪpeɪt] *v* dalyvauti
participle ['pɑ:tɪsɪpl] *n gram.* dalyvis
particular [pə'tɪkjulə] *a* ypatingas; *n* in ~ ypatingai; ypač; **~ly** *adv* ypač
parting ['pɑ:tɪŋ] *n* 1) sklastymas; 2) atsisveikinimas, atsiskyrimas
partly ['pɑ:tlɪ] *adv* iš dalies
part-time ['pɑ:ttaɪm] *a* dirbantis ne visą darbo dieną
party ['pɑ:tɪ] *n* 1) *polit.* partija; 2) pobūvis, vakaras
pass [pɑ:s] *v* 1) praeiti; pravažiuoti; 2) perduoti; 3) išlaikyti (*egzaminą*); to ~ away mirti
passage ['pæsɪdʒ] *n* 1) perėja, perėjimas; 2) ištrauka
passenger ['pæsɪndʒə] *n* keleivis
passer-by ['pɑ:sə'baɪ] *n* praeivis
passion ['pæʃn] *n* aistra
passive ['pæsɪv] *a* pasyvus; ~ voice *gram.* neveikiamoji rūšis
passport ['pɑ:spɔ:t] *n* pasas
password ['pɑ:swə:d] *n* slaptažodis
past [pɑ:st] *a* praėjęs; buvęs; ~ tense būtasis laikas; *prep* pro, už; *adv* pro šalį; *n* (the ~) praeitis
paste [peɪst] *n* 1) klijai; 2) tešla; pasta; 3) paštetas

pastime [ˈpɑ:staɪm] *n* pramoga
pastry [ˈpeɪstrɪ] *n* 1) (*saldi*) tešla; 2) tešlainis
pasture [ˈpɑ:stʃə] *n* ganykla
pat [pæt] *n* tapšnojimas; *v* (pa)tapšnoti
patch [pætʃ] *n* 1) lopas; 2) skydelis; *v* lopyti
path [pɑ:θ] *n* 1) takas; 2) *perk.* kelias
patience [ˈpeɪʃn] *n* kantrybė
patient [ˈpeɪʃnt] *n* ligonis; *a* kantrus
patrol [pəˈtrəul] *n* patrulis; *v* patruliuoti
patter [ˈpætə(r)] *v* 1) tapsėti; 2) teškenti
pattern [ˈpætən] *n* 1) modelis, šablonas; 2) (*audinio*) raštas
pause [pɔ:z] *n* pauzė; *v* daryti pauzę; sustoti
pavement [ˈpeɪvment] *n* 1) šaligatvis; 2) grindinys
pavilion [pəˈvɪlɪən] *n* paviljonas
paw [ˈpɔ:] *n* letena
pawn I [pɔ:n] *n* 1) *šach.* pėstininkas; 2) *perk.* marionetė
pawn II *n* užstatas, įkaitas
pay [ˈpeɪ] *v* (**paid** [peɪd]) (už)mokėti; **~ing** *a* pelningas; **~ment** *n* mokėjimas
pea [pi:] *n* žirnis
peace [ˈpi:s] *n* taika; **~ful** *a* taikingas
peach [pi:tʃ] *n* persikas
peacock [ˈpi:kɔk] *n* povas
peak [pi:k] *n* viršūnė
peal [pi:l] *v* gausti (*apie varpus*); *n* 1) gausmas, gaudesys; 2) dundesys
peanut [ˈpi:nʌt] *n* žemės riešutas
pear [pεə] *n* kriaušė
pearl [pə:l] *n* perlas
peasant [ˈpəznt] *n* valstietis
peat [pi:t] *n* durpės
pebble [ˈpebl] *a* akmenėlis (*paplūdimy*)
peck [pek] *v* lesti; *n* kirtis snapu
peculiar [pɪˈkju:lɪə] *a* 1) ypatingas, specifinis; 2) keistas, savotiškas
pedal [ˈpedl] *n* pedalas; *v* minti pedalus
pedestrian [pɪˈdestrɪən] *n* pėsčiasis; *a* pėsčias
peel [pi:l] *v* (nu)lupti (*žievę*); *n* žievė (*vaisių, daržovių*)
peep [pi:p] *v* žvilgtelėti; *n* žvilgsnis vogčiomis
peer [pɪə] *v* įsižiūrėti; spoksoti
peg [peg] *n* 1) kablys; 2) kaištis, kuolelis; *v* pritvirtinti kaiščiais
pen I [pen] *n* plunksna, plunksnakotis; rašiklis
pen II *n* aptvaras
penalty [ˈpenəltɪ] *n* bauda;

bausmė
pence [pens] *n pl* pensai (*apie pinigų sumą*)
pensil ['pensɪl] *n* pieštukas
penetrate ['penɪtreɪt] *v* skverbtis, prasiskverbti; **~ing** *a* skvarbus, įžvalgus
pen-friend ['penfrend] *n* susirašinėjimo draugas
penguin ['peŋgwɪn] *n* pingvinas
peninsula [pɪ'nɪnsjulə] *n* pusiasalis
pen-knife ['pennaɪf] *n* lenktinis peiliukas
penny ['penɪ] *n* (*pl* **pennies** ['penɪz] ir **pence** [pens]) 1) pensas; 2) *amer*. centas (*moneta*)
pension ['penʃn] *n* pensija; **~er** pensininkas, -ė
people ['pi:pl] *n* 1) žmonės; 2) liaudis, tauta
pepper ['pepə] *n* pipirai; *v* (į)berti pipirų
pepermint ['pepəmɪnt] *n* 1) pipirmėtė; 2) mėtinis saldainis
per [pə:] *prep* per; ~ p o s t paštu; ~ h o u r per valandą
percent [pə'sent] *n* procentas
perch I [pə:tʃ] *n* lakta (*vištoms*); *v* 1) tupėti; 2) sėdėti aukštai
perch II *n* ešerys
perfect ['pə:fɪkt] *n gram*. perfektas; *a* tobulas, idealus; nepriekaištingas; **~ly** *adv* puikiai, tobulai
perform [pə'fɔ:m] *v* 1) atlikti; 2) (su)vaidinti; **~ance** *n* 1) spektaklis, vaidinimas; 2) pasirodymas; **~er** *n* atlikėjas
perfume ['pə:fju:m] *n* kvepalai
perhaps [pə'hæps] *mod*. galbūt
peril ['perɪl] *n* pavojus; **~ous** *a* pavojingas
period ['pɪərɪəd] *n* periodas; **~ic(al)** ['pɪərɪ'ɔdɪk(l)] *a* periodiškas, periodinis
perish ['perɪsh] *v* žūti
permanent ['pə:mənənt] *a* nuolatinis; pastovus, permanentinis
permission [pə'mɪʃn] *n* leidimas
permit [pə'mɪt] *v* leisti
perpetual [pə'petʃuəl] *a* amžinas, begalinis
perplex [pə'pleks] *v* (su)gluminti
persecute ['pə:sɪkju:t] *v* persekioti
persecution ['pəsɪ'kju:ʃn] persekiojimas
persist [pə'sɪst] *v* užsispirti, atkakliai toliau daryti; **~ance** *n* užsispyrimas, atkaklumas
person ['pə:sən] *n* asmuo; i n ~ asmeniškai, asmeninis; **~ality**

['pə:sə'nætəlı] *n* 1) asmenybė; 2) įžymybė
perspiration [pə:spıreıʃn] *n* prakaitavimas
perspire [pə'spaıə] *v* prakaituoti
persuade [pə'sweıd] *v* įtikinti; įkalbėti
persuasion [pə'sweıʒn] *n* įtikinimas; įkalbėjimas
Peru [pə'ru:] *n* Peru
pesimist ['pesımıst] *n* pesimistas; **~ic** ['pəsı'mıstık] *a* pesimistiškas
pest ['pest] *n ž.ū.* kenkėjas; **~icide** [-ısaıd] *n* pesticidas
pester ['pestə(r)] *v* įgristi
pet [pet] *n* 1) kambarinis gyvūnėlis; 2) lepūnėlis; mylimasis
petition [pə'tıʃn] *n* prašymas; peticija
petrol ['petrəl] *n* benzinas; ~ s t a t i o n *n* degalinė
petticoat ['petıkəut] *n* apatinis sijonas, apatiniai marškiniai
phantom ['fæntəm] *n* šmėkla, vaiduoklis
phase [feız] *v* fazė; tarpsnis
phenom | enon [fə'nɔmınən] *n* (*pl* **–ena** [-ınə]) reiškinys
philosoph | er [fı'lɔsəfə] *n* filosofas; **~y** *n* filosofija
phone ['fəun] *n* telefonas; *v* skambinti telefonu; **~booth** [-bu:ð] *n* telefono kabina (*pastate*); telefono būdelė
phonetic [fə'nətık] *a* fonetinis; **~s** fonetika
phon(e)y ['fəunı] *a šnek.* apsimestinis; netikras
photo(graph) ['pəutə(grɑ:f)] *n* nuotrauka; *v* fotografuoti
phrase [freız] *n* frazė; posakis
physical ['fızıkl] *a* fizinis, fiziškai
physician [fı'zıʃn] *n* gydytojas
physicist ['fızısıst] *n* fizikas
physics ['fızıks] *n* fizika
piano [pı'ænəu] *n* fortepijonas; pianinas
pick I [pık] *v* rinkti(s); t o ~ u p pakelti (*kas nukritę*)
pick II *n* kirstukas, kirtiklis
picket ['pıkıt] *n* piketas
pickle ['pıkl] *v* marinuoti; sūdyti; rauginti
pickpocket ['pıkpɔkıt] *n* kišenvagis
picnic ['pıknık] *n* iškyla, piknikas
picture ['pıktʃə] *n* 1) paveikslas; 2) nuotrauka; t o t a k e ~ s fotografuoti
pie [paı] *n* pyragėlis (*su įdaru*)
piece [pi:s] *n* 1) gabalas; 2) kūrinys; 3) moneta
pier [pıə] *n* prieplauka
pierce [pıəs] *v* pradurti
piercing ['pıəsıŋ] *a* veriantis

pig [pɪg] *n* kiaulė, paršas; **~let** [-let] *n* paršiukas
pigeon ['pɪdʒɪn] *n* karvelis
pigsty ['pɪgstaɪ] *n* kiaulidė
pike [paɪk] *n* lydeka
pile [paɪl] *n* krūva; *v* krauti į krūvą
pilgrim ['pɪlgrɪm] *a* keliaujantis maldininkas, piligrimas; **~age** [-ɪdʒ] *n* kelionė (*į šventąsias vietas*)
pill [pɪl] *n* piliulė
pillar ['pɪlə] *n archit.* piliorius; atrama
pillow ['pɪləu] *n* pagalvė; **~case** [-keɪs], **~slip** [-slɪp] *n* (*pagalvės*) užvalkalas
pilot ['paɪlət] *n* 1) lakūnas, pilotas; t e s t ~ lakūnas bandytojas; 2) locmanas
pimple ['pɪmpl] *n* spuogas
pin [pɪn] *n* 1) sagė; smeigtukas; 2) kaištis
pinafore ['pɪnəfɔ:] *n* prijuostė
pinch [pɪntʃ] *v* 1) įgnybti, spausti (*apie batus*); 2) nukniaukti; *n* gnybis
pine ['paɪn] *n* pušis; **~apple** [-æpl] *n* ananasas
ping-pong ['pɪŋpɔŋ] *n* stalo tenisas
pink [pɪŋk] *a* rožinis, rausvas
pint [paɪnt] *n* pinta (0,57 l)
pioneer ['paɪə'nɪə] *n* pionierius
pip [pɪp] *n* sėkla, kauliukas
pip|e ['paɪp] *n* 1) pypkė; 2) vamzdis; **~er** *n* grojikas dūdmaišiu/dūdele
pirat|e ['paɪərət] *n* piratas; *v* piratauti; **~ic(al)** [paɪ'rætɪkl] *a* piratinis, piratiškas
pit [pɪt] *n* 1) duobė; 2) šachta
pitch I [pɪtʃ] *n* derva, degus; **~dark** [-'dɑ:k] *a* labai tamsus
pitch II *a* (*garso*) aukštis
pitcher ['pɪtʃə] *n* asotis; puodynė
pitiful ['pɪtɪfl] *a* pasigailėtinas
pity ['pɪtɪ] *n* gailestis; i t ' s a ~ gaila
placard ['plækɑ:k] *n* plakatas
place [pleɪs] *n* vieta; *a* (pa)dėti, (pa)talpinti; t a k e ~ *v* (į)vykti
plain [pleɪn] *n* lyguma; *a* 1) aiškus; 2) paprastas; **~-clothes** [-kləuðəz] *a* dėvintis civiliniais drabužiais; **~ly** *adv* aiškiai
plait [plæt] *n* kasa; *v* supinti
plan [plæn] *n* planas; *v* planuoti
plane [pleɪn] *n* 1) lėktuvas; 2) plokštuma
planet ['plænɪt] *n* planeta
plank [plæŋk] *n* stora lenta
plant I [plɑ:nt] *n* augalas; *v* (ap)

sodinti; **~ation** [plɑ:n'teɪʃn] *n* plantacija.

plant II *n* gamykla

plaster ['plɑ:stə] *n* 1) tinkas; 2) gipsas; 3) pleistras; *v* tinkuoti

plastic ['plæstɪk] *n* plastmasė; *a* 1) plastmasinis; 2) plastinis

plate [pleɪt] *n* lėkštė

platform ['plætfɔ:m] *n* platforma; pakyla; tribūna

play ['pleɪ] *n* 1) žaidimas; lošimas; 2) pjesė, spektaklis; *v* žaisti, vaidinti; groti; t o ~ a p a r t atlikti vaidmenį; **~er** *n* žaidėjas; **~ful** *a* žaismingas; **~ground** [-graund] *n* žaidimų aikštelė; **~ing-field** [-fi:ld] *n* (*futbolo, beisbolo*) sporto aikštelė; **~mate** [-meɪt] *n* vaikystės/žaidimų draugas; **~wright** ['pleɪraɪt] *n* dramaturgas

plea [pli:] *n* prašymas; *teis*. pareiškimas

plead [pli:d] *v* 1) prašyti, maldauti; 2) *teis*. ginti

pleasant ['pleznt] *a* malonus, mielas

please [pli:z] *v* 1) įtikti; 2) malonėti, norėti; *mod*. prašau! **~d** *a* patenkintas, laimingas

pleasing ['pli:zɪŋ] *a* malonus; patrauklus

pleasure ['pleʒə] *n* malonumas

pleated ['pli:tɪd] *a* klostuotas

plentiful ['plentɪfl] *a* gausus

plenty ['plentɪ] gausiai; ~ o f pakankamai daug; *adv šnek*. gana

pliers ['plaɪəz] *n pl* replės

plod [plɔd] *v* 1) kiūtinti; 2) plušėti

plonk [plɔŋk] *v šnek*. (nu)drėbti; tėkšti(s)

plot I [plɔt] *n* 1) sąmokslas; 2) fabula

plot II *n* sklypas, laukas

plough [plau] (*amer*. **plow**) *n* plūgas; *v* (su)arti

pluck ['plʌk] *v* 1) (nu)raškyti; 2) nupešti; *n* 1) raškymas; 2) pešiojimas; 3) drąsa, vyriškumas; **~y** *a* drąsus

plug [plʌg] *n* 1) *el*. kištukas; 2) kamštis; *v* įjungti (into)

plum [plʌm] *n* slyva

plumber ['plʌmbə] *n* santechnikas

plump [plʌm] *a* putlus, apkūnus

plunge [plʌndʒ] *v* nerti; mesti; *n* nėrimas, kritimas

plural ['pluərəl] *n* daugiskaita; *a* daugiskaitos

plus [plʌs] *n* pliusas; *a* teigiamas, pliusinis; *prep* plius

p.m. ['pi:'em] *sutr*. po pusiaudienio

poach [pəutʃ] *v* brakonieriauti; **~er** *n* brakonierius

pocket [ˈpɔkɪt] *n* kišenė; **~-money** [-mʌnɪ] *n* kišenpinigiai
pod [pɔd] *n* ankštis
poem [ˈpəuɪm] *n* poema; eilėraštis
poet [ˈpəuɪt] *n* poetas; **~ry** [-rɪ] *n* poezija
point [ˈpɔɪnt] *n* 1) taškas; 2) dalykas, reikalas; 3) esmė; 4) punktas; 5) smaigalys; to be on the ~ of (doing smth) ruoštis (*ką daryti*); *v* 1) (nu)rodyti; 2) nusmailinti; ~ out nurodyti; atkreipti dėmesį; **~ed** *a* 1) smailus; 2) *perk.* aštrus; **~less** *a* betikslis
poison [ˈpɔɪzn] *n sg* nuodai; *v* (už)nuodyti; **~ous** *a* nuodingas
pok|e [pəuk] *v* 1) bakstelėti, kumštelėti; 2) iš(si)kišti; **~r** *n* žarsteklis
Poland [ˈpəulənd] *n* Lenkija
polar [ˈpəulə(r)] *a* 1) poliarinis; 2) polinis
Pole [pəul] *n* lenkas, -ė
pole I [pəul] *n* 1) ašigalis; 2) polius
pole II *n* stulpas, kartis
police [pəˈli:s] *n* policija; **~man** [-mən] *n* policininkas; **~woman** [-wumən] *n* policininkė
policy [ˈpɔlɪsɪ] *n* 1) politika; 2) strategija, kursas
Polish [ˈpəulɪʃ] *a* lenkiškas; Lenkijos; *n* lenkų kalba
polish [ˈpɔlɪʃ] *n* 1) politūra, lakas; 2) poliravimas; blizginimas; *v* poliruoti, šlifuoti; blizginti (*batus*)
polite [pəˈlaɪt] *a* mandagus
political [pəˈlɪtɪkl] *a* politinis; ~ science *n* politologija
politician [ˈpɔlɪˈtɪʃn] *n* politikas
politics [ˈpɔlɪtɪks] *n* politika
poll [pəul] *n* 1) apklausa; 2) rinkimai; balsavimas; *v* 1) apklausti; 2) balsuoti
pollut|e [pəˈlu:t] *v* (su)teršti; **~ion** *n* (už)teršimas
polytechnic [ˈpɔlɪˈteknɪk] *n* (poli)technikos koledžas/kolegija
pond [pɔnd] *n* tvenkinys, kūdra; baseinas
pony [ˈpəunɪ] *n* ponis (*arkliukas*)
pool I [pu:l] *n* 1) klanas; 2) plaukimo baseinas
pool II *n* fondas; *v* su(si)dėti, kaupti
poor [ˈpuə] *a* 1) skurdus; vargingas; 2) menkas, blogas; *n* (the ~) *n* vargšai; **~ly** *adv* 1) blogai, menkai; 2) vargingai, skurdžiai
pop I [pɔp] *n* 1) pokštelėjimas; 2) *šnek.* putojantis gėrimas; *v* 1) pokštelėti; įkišti, kaišioti
pop II pop muzika (*sutr. iš*

popular); **~star** [-stɑ:] pop muzikos žvaigždė
Pope [pəup] *n* popiežius
poppy ['pɔpɪ] *n* aguona
popular ['pɔpjulə] *a* populiarus; **~ity** ['pɔpju'lærətɪ] *n* populiarumas
population ['pɔpju'leɪʃn] *n* gyventojai; gyventojų skaičius
porcelain ['pɔ:səlɪn] *n* porcelianas
porch [pɔ:tʃ] *n* 1) priebutis, prieangis; 2) *amer*. veranda
pork [pɔ:k] *n* kiauliena
porn [pɔ:n] *n sutr. šnek*. pornografija
porridge ['pɔrɪdʒ] *n* košė
port [pɔ:t] *n* uostas
portable ['pɔ:təbl] *a* nešiojamasis, portatyvus
porter ['pɔ:tə] *n* nešikas
porthole ['pɔ:thəul] *n jūr*. liukas; iliuminatorius
portion ['pɔ:ʃn] *n* 1) dalis; 2) porcija
portrait ['pɔ:trɪt] *n* portretas
Portug|al [pɔ:tʃugəl] *n* Portugalija; **~ese** *n* 1) portugalas, -ė; 2) portugalų kalba; *a* portugalų
position [pə'zɪʃn] *n* 1) padėtis, pozicija; 2) vieta
positive ['pɔzɪtɪv] *a* 1) teigiamas, pozityvus; 2) tikras, įsitikinęs
possess [pə'zes] *v* (už)valdyti, turėti; **~ion** *n* 1) turtas, nuosavybė, valda; 2) turėjimas; valdymas
possibility ['pɔsə'bɪlətɪ] *n* galimybė
possibl|e ['pɔsəbl] *a* galimas; **~y** *adv* galbūt; (**+can, could**) galima, įmanoma
post I ['pəust] *n* paštas; *v* siųsti paštu; **~age** [-ɪdʒ] *n* persiuntimo kaina; **~box** [-bɔks] *n* pašto dėžutė; **~card** [-kɑ:d] *n* atvirukas; **~man** [-mən] *n* laiškininkas; **~office** [-ɔfɪs] paštas (*įstaiga*), pašto skyrius
post II *n* postas, tarnyba
postpone [pəs'pəun] *v* atidėti (*vėlesniam laikui*)
postwar ['pəust'wɔ:] *a* pokarinis, pokario
pot [pɔt] *n* 1) puodas, katiliukas; 2) vazonas; **~ter** *n* puodžius
potato [pə'teɪtəu] *n* bulvės; mashed **~es** *n* bulvių košė
pottery ['pɔtərɪ] *n* keramika
poultry ['pəultrɪ] *n* naminiai paukščiai
pounce [pauns] *v* staiga užpulti/mestis (on)
pound [paund] *n* 1) svaras (=*453,6 g*); 2) svaras sterlingų
pour [pɔ:] *v* (į)pilti, pripilti

poverty ['pɔvətɪ] *n* skurdas; **~-stricken** [-strɪkn] *a* nuskuręs
powder ['paudə] *n* 1) milteliai; 2) pudra; 3) parakas
power ['pauə] *n* 1) galia; jėga; 2) valdžia; valstybė; 3) (*elektros*) energija; **~ful** *a* galingas; **~less** *a* bejėgis; **~-station** [-steɪʃn] *n* elektrinė
practical ['præktɪkl] *a* praktinis, praktiškas; *amer.* **practise**
practice ['præktɪs] *v* 1) praktikuoti(s), lavintis, treniruotis; 2) verstis (*kokia*) praktika
praise [preɪz] *v* girti, garbinti; *n* gyrimas, garbinimas
pram [præm] *v* vaikiškas vežimėlis
prank [præŋk] *n* išdaiga, pokštas
pray [preɪ] *v* 1) melstis; 2) maldauti
preach [pri:tʃ] *v* pamokslauti; **~er** *n* pamokslininkas
precautions [prɪ'kɔ:ʃnz] *n pl* atsargumo priemonės
preciuos ['preʃəs] *a* vertingas, brangus
precipice ['presɪpɪs] *n* bedugnė, praraja
precise [prɪ'saɪs] *a* tikslus; apibrėžtas; **~ly** *adv* 1) tiksliai; 2) būtent
predatory ['predətrɪ] *a* 1) grobuoniškas; 2) plėšrusis
predict [prɪ'dɪkt] *v* numatyti (*ateitį*); (iš)pranašauti
preface ['prefɪs] *n* pratarmė; įžanga
prefect ['pri:fekt] *n* 1) vyresnysis mokinys; 2) prefektas
prefer [prɪ'fə:] *v* teikti pirmenybę, labiau mėgti/norėti; **~able** ['prefrebl] *a* labiau pageidaujamas; **~ence** ['prefrəns] *n* pirmenybė
prefix ['pri:fɪks] *n* priešdėlis
pregnant ['pregnənt] *a* nėščia
prejudice ['predʒedɪs] *n* išankstinis nusistatymas; prietaras
premature ['premə'tʃuə] *a* pirmalaikis, priešlaikinis
premier ['premɪə] *n* premjeras
premises ['premɪsɪz] *a pl* pastatai, patalpos
preparation ['prepə'reɪʃn] *n* pa(si)ruošimas
preparatory [prɪ'pærətrɪ] *a* parengiamasis; ~ shool privati parengiamoji mokykla
prepare [prɪ'pɛə] *v* ruošti(s), pa(si)ruošti
preposition ['prepə'zɪʃn] *n* prielinksnis
prescribe [prɪ'skraɪb] *v* 1) išrašyti (*receptą*); 2) nurodyti
prescription [prɪ'skrɪpʃn] *n med.* receptas

presence ['prezns] *n* dalyvavimas; in his ~ jam esant
present I ['preznt] *a* dabartinis, esamas; the ~ tense esamasis laikas; *n* dabartis; **~ly** *adv* greitai, netrukus, dabar
present II *n* dovana; *v* [prɪ'zent] 1) patekti; 2) (ap)dovanoti; **~ation** ['prezən'teɪʃn] *n* pristatymas; (pa)teikimas
preserve [prɪ'zə:v] *v* 1) (iš)saugoti; išlaikyti; 2) konservuoti
president ['prezɪdənt] *n* prezidentas
press ['pres] *n* spauda; ~ centre spaudos centras; *v* 1) spausdinti; 2) reikalauti, spirti
pressure ['preʃə] *n* spaudimas
presume [prɪ'zju:m] *v* 1) manyti; 2) leisti sau
pretence (*amer.* **pretense**) [prɪ'tens] *n* apsimetimas
pretty ['prɪtɪ] *a* gražus, puikus, mielas; *adv šnek.* gana; ~ good gana geras
prevent [prɪ'vent] *v* sutrukdyti, užkirsti kelią; **~ion** [-ʃn] *n* sutrukdymas; prevencija; **~ive** *a* profilaktinis
previuos ['pri:vɪəs] *a* ankstesnis; **~ly** *adv* anksčiau, pirma; prieš
prewar ['pri:'wɔ:] *a* prieškarinis
prey [preɪ] *n* grobis; auka
price [praɪs] *n* kaina; **~less** *a* neįkainojamas, labai vertingas
prick [prɪk] *v* į(si)durti; *n* dūris
prickle ['prɪkl] *n* dyglys
pride [praɪd] *n* išdidumas; pasididžiavimas
priest [pri:st] *n* kunigas, dvasininkas
primary ['praɪmərɪ] *a* 1) svarbiausias; 2) pradinis
prime [praɪm] *a* pagrindinis; ~ minister *n* ministras pirmininkas
primitive ['prɪmɪtɪv] *a* primityvus; pirmykštis
princ|e [prɪns] *n* princas; **~ss** [prɪn'ses] *n* princesė
principal ['prɪnsɪpl] *a* svarbiausias; *n* (*mokyklos*) direktorius; **~ly** *adv* daugiausia
principl|e ['prɪnsɪpl] *n* principas; **~ed** *a* principingas, principinis
print ['prɪnt] *v* spausdinti; **~er** *n* 1) spaustuvininkas; 2) spausdinimo įrenginys
priority [praɪ'ɔrətɪ] *n* pirmumas, prioritetas
prison ['prɪzn] *n* kalėjimas; **~er** *n* 1) kalinys; 2) (*karo*) belaisvis
private ['praɪvɪt] *a* privatus, as-

meniškas, asmeninis; *n* eilinis (t.p. ~ soldier)
privation [praɪ'veɪʃn] *n* skurdas, nepriteklius
privatize ['praɪvətaɪz] *v* privatizuoti
privilege ['prɪvɪlɪdʒ] *n* privilegija, (*ypatinga*) teisė; to be a ~ suteikti ypatingą malonumą; *v* suteikti privilegiją; **~d** *a* privilegijuotas
privy ['prɪvɪ] *a* 1) privatus; 2) bendrininkavęs, žinantis
prize [praɪz] *n* prizas, premija
probabl|e ['prɔbəbl] *a* galimas, tikėtinas; **~y** *mod.* turbūt, tikriausiai
problem ['prɔbləm] *n* 1) klausimas, problema; 2) *mat.* uždavinys
proceed [prə'si:d] *v* tęsti(s); imtis (*ko*); pereiti (to – *prie*)
proceeding [prə'si:dɪŋ] *n pl* 1) vyksmas, eiga; 2) (*mokslo draugijos*) darbai; 3) *pl* darbas, veikla (*komisijos*); *pl.* 4) teismo procesas, teisiniai veiksmai
process ['prəuses] *n* procesas; *v* apdirbti, apdoroti
produce [prə'dju:s] gaminti; *n* ['prɔdju:s] *n* produkcija, produktai; **~r** *n* 1) gamintojas; 2) statytojas, prodiuseris (*spektaklio ir pan.*)
product ['prɔdʌkt] *n* produktas, gaminys; **~ion** [prə'dʌkʃn] *n* gamyba; **~ive** [prə'dʌktɪv] *a* produktyvus, našus
profession [prə'feʃn] *n* profesija; **~al** *a* 1) profesinis; 2) profesionalus, profesionalų
professor [prə'fesə] *n* profesorius
profit ['prɔfɪt] *n* pelnas, nauda; **~able** *a* pelningas
program(me) ['prəugræm] *n* programa
progress *n* ['prəugres] pažanga; progresas; *v* [prə'gres] eiti/judėti į priekį, progresuoti
prohibit [prə'hɪbɪt] *v* uždrausti; **~ive** *a* draudžiamas
project ['prɔdʒekt] *n* planas, projektas; *v* projektuoti, planuoti; **~or** [prə'dʒektə] *n* 1) projektorius; 2) projektuotojas
promenade ['prɔmə'nɑ:d] *n* pasivaikščiojimo vieta
prominet [prɔmɪnənt] *a* 1) išsikišęs, iškilus; 3) žymus
promise ['prɔmɪs] *n* pažadas; *v* pažadėti
promote [prə'məut] *v* paaukštinti pareigose; (pa)remti, skatinti
promotion [prə'məuʃn] *n* paaukštinimas; rėmimas; reklamavimas
prompt I ['prɔmt] *a* skubus, neatidėliotinas; **~ly** *adv* punk-

tualiai, tiksliai

prompt II *v* sufleruoti, priminti

pronoun [prəunaun] *n* įvardis

pronounce [prə'nauns] *v* (iš)tarti; **~d** *a* juntamas, ryškus

pronunciation [prə'nʌnsɪ'eɪʃn] *n* tarimas; tartis

proof [pru:f] *n* įrodymas

prop [prɔp] *v* (pa)remti; at(si)remti

propeller [prə'pelə] *n* propeleris; (*laivo*) sraigtas

proper ['prɔpə] *a* 1) būdingas; 2) deramas; 3) tikras(is)

property ['prɔpətɪ] *n* 1) turtas; nuosavybė; 2) savybė

prophet ['prɔfɪt] *n* pranašas

proportion [prə'pɔ:ʃn] *n* 1) dalis; 2) proporcija; 3) dydis, mastas

proposal [prə'pəuzl] *n* pasiūlymas

propose [prə'pəuz] *v* (pa)siūlyti

proprietor [prə'praɪətə] *n* savininkas

pros|aic [prəu'zeɪɪk] *a* 1) prozinis; 2) *perk.* proziškas; **~e** [prəuz] *n* proza

prosecute ['prɔsɪkju:t] *v* 1) tęsti; toliau daryti (*ką*); 2) *teis.* persekioti (*baudžiamąja tvarka*)

prosecution ['prɔsɪ'kju:ʃn] *n* 1) *teis.* baudžiamasis persekiojimas; 2) *teis.* kaltinimas; 3) (*darbo*) vykdymas, atlikimas; ~ o f o p e r a t i o n s operacijų atlikimas

prosecutor ['prɔsɪkju:tə] *n* 1) ieškovas; 2) kaltintojas; p u b l i c ~ prokuroras

prosody ['prɔsədɪ] *n* prozodija, [prə'sɔdɪk] *a* prozodijos, prozodinis

prospect ['prɔspekt] *n* perspektyva; vaizdas

prosperity [prɔ'sperətɪ] *n* gerovė; (su)klestėjimas

prosperous ['prɔspərəs] *a* 1) klestintis, sėkmingas; 2) pasitikintis

protect [prɔ'tekt] *v* saugoti, ginti; **~ion** [prɔ'tekʃn] *n* saugojimas; gynimas; globa

protest ['prəutest] protestas; [prə'test] *v* protestuoti

protrude [prə'tru:d] *v* iš(si)kišti; kyšoti

proud [praud] *a* išdidus; t o b e ~ (o f) didžiuotis (*kuo*)

prove [pru:v] *a* įrodyti, įrodinėti; t o ~ (t o b e) pasirodyti (*esant*)

proverb ['prɔvəb] *n* patarlė

provide [prə'vaɪd] *v* 1) pa(si)rūpinti; tiekti; 2) duoti; suteikti

provided [prə'vaɪdɪd], **providing** [prə'vaɪdɪŋ] *cj* su są-

lyga, jei
province [ˈprɔvɪns] *n* provincija
provision [prəˈvɪʒn] *n* 1) parūpinimas; ap(si)rūpinimas; 2) *pl* maisto atsargos
provoke [prəˈvəuk] *v* 1) (iš)provokuoti; 2) sukelti (*pyktį, juoką*)
prowl [praul] *v* sėlinti; klaidžioti
prune I [pru:n] *n* džiovinta slyva
prune II *v* apgenėti
pry [praɪ] *v* kišti nosį (into); smalsauti
psalm [sɑ:m] *n* psalmė
pseudonym [ˈsju:dənɪm] *n* slapyvardis, pseudonimas
psychology [saɪˈkɔlədʒɪ] *n* psichologija
pub [pʌb] (*sutr.* iš p u b l i c h o u s e) *šnek. n* alinė, smuklė, baras
public [ˈpʌblɪk] *n* 1) visuomenė; 2) publika; *a* 1) viešas; 2) visuomeninis
publication [ˈpʌblɪˈkeɪʃn] *n* 1) išleidimas; paskelbimas; 2) *n* leidinys
publish [ˈpʌblɪʃ] *v* 1) išleisti; spausdinti; 2) paskelbti
pudding [ˈpudɪŋ] *n* pudingas; apkepas
puddle [ˈpʌdl] *n* balutė; klanas
puff [pʌf] *n* gūsis; *v* 1) pūsti gūsiais, papsėti; 2) puškuoti
pull [ˈpul] *v* traukti, vilkti; **~over** [-əuvə] *n* megztinis
pulpit [ˈpʌlpɪt] *n* sakykla
pulse [pʌls] *n* pulsas; *v* pulsuoti
pump [pʌmp] *n* siurblys; *v* 1) siurbti; 2) pumpuoti
pumpkin [ˈpʌmkɪn] *n* moliūgas
punch I [pʌnʃ] *n* smūgis (*kumščiu*)
punch II *v* pramušti skyles
punctual [ˈpʌŋktjuəl] *a* punktualus
punctuate [ˈpʌŋkjueɪt] *v* dėti skyrybos ženklus
punctuation [ˈpʌŋkʃuˈeɪʃn] *n* skyryba
puncture [ˈpʌŋktʃə] *v* pradurti (*pvz., padangą*); *n* 1) pradūrimas; 2) išdurta skylė
punish [ˈpʌnɪʃ] *v* bausti; **~ment** *n* 1) bausmė; 2) nubaudimas
pupil I [ˈpju:pl] *n* mokinys,-ė
pupil II *n* (*akies*) lėliukė
puppet [ˈpʌpɪt] *n* šuniukas
purchase [ˈpə:tʃəs] *v* pirkti; *n* pirkinys; t o m a k e a ~ nusipirkti
pur|e [pjuə] *a* grynas; tyras; **~ity** *n* grynumas
purgative [ˈpə:gətɪv] *a* vidurių paleidžiamasis (*vaistas*)
purple [ˈpə:pl] *n* purpurinė

spalva

purpose [ˈpəːpəs] *n* tikslas; **~ful** *a* tikslingas; siekiantis tikslo; o n ~ tyčia

purr [pəː] *v* murkti (*apie katę*)

purse [pəːs] *n* piniginė

pursue [pəˈsjuː] *v* 1) vykdyti; 2) siekti (*tikslo*); 3) persekioti

pus [pʌs] *n* pūliai

push [puʃ] *v* (pa)stumti

puss [pus], **pussy** [ˈpusɪ] *n* katytė

put [put] *v* (**put**) 1) (pa)dėti, (pa)statyti; 2) reikšti, išdėstyti; 3) užduoti (*klausimą*); 4) (pa)skirti; ~ d o w n už(si)rašyti; ~ o f f atsidėti; ~ o n užsidėti, užsivilkti, užsimauti; ~ o u t užgesinti; ~ u p pakęsti, taikstytis (w i t h); t o ~ t o b e d paguldyti (*miegoti*)

puzzle [ˈpʌzl] *v* sugluminti, supainioti; pastatyti (*ką*) į keblią padėtį; *n* mįslė, galvosūkis

pyjamas [pəˈdʒɑːməz] *n pl* pižama

pyramid [ˈpɪrəmɪd] *n* piramidė

Q

quack [kwæk] *v* krykti (*apie antį*); *n* krykimas, kvarksėjimas

quadratic [kwɔˈdrætɪk] *a mat.* kvadratinis

quake [kweɪk] *v* virpėti; drebėti; *n* drebulys

qualification [ˈkwɔlɪfɪˈkeɪʃn] *n* kvalifikacija

qualified [ˈkwɔlɪfaɪd] *a* kvalifikuotas; tinkamas

quaility [ˈkwɔlətɪ] *n* kokybė

quantity [ˈkwɔntətɪ] *n* kiekybė, kiekis

quarrel [ˈkwɔrəl] *n* ginčas; *v* ginčytis; **~some** [-sɑm] *a* priekabus, barningas

quarry I [ˈkwɔrɪ] *n* grobis, laimikis

quarry II *n* karjeras; r o c k ~ akmenų skaldykla

quart [kwɔːt] *n* kvota

quarter [ˈkwɔːtə] *n* 1) ketvirtis; 2) kvartalas; 3) *amer.* 25 centų moneta; **~ly** *n* žurnalas, išeinantis kas 3 mėnesiai; *a* trijų mėnesių, ketvirtinis; *adv* kartą per tris mėnesius, kas ketvirtį

quay [kiː] *n* prieplauka, krantinė

queen [kwiːn] *n* karalienė

queer [kwɪə] *a* keistas; įtartinas

quench [kwentʃ] *v* 1) numalšinti (*troškulį*); 2) užgesinti

query [ˈkwɪərɪ] *v* klausti; tei-

rautis; *n* klausimas
question ['kwestʃn] *n* klausimas; *v* klau(si)nėti; **~-mark** [-mɑ:k] *n* klaustukas
queue [kju:] *n* eilė; *v* stovėti eilėje (*t.p.* ~ up; for smth)
quick [kwɪk] *a* greitas; spartus
quiet ['kwaɪət] *n* tyla; ramybė; *a* tylus; ramus; **~en** *v* (nu(si))raminti
quilt [kwɪlt] *n* antklodė
quit [kwɪt] *v* 1) palikti; mesti (*darbą*); 2) *šnek.* nustoti, liautis
quite [kwaɪt] *adv* 1) visai, visiškai; 2) gana
quiver ['kwɪvə] *v* drebėti, virbėti
quiz [kwɪz] *n* 1) viktorina; 2) apklausa (*mokinių*)
quotation [kwəu'teɪʃn] *n* citata
quote [kwəut] *v* 1) cituoti; 2) imti į kabutes

R

rabbit ['ræbɪt] *n* triušis
race I [reɪs] *n* rasė; the human ~ žmonija
race II *n* lenktynės; *v* 1) lenktyniauti; 2) lėkti; nuskubėti
racing ['reɪsɪŋ] *n* lenktynės
rack [ræk] *n* lentyna; regztis bagažui
racket I, **racquet** ['rækɪt] *n* raketė
racket II *n* reketas, sukčiavimas; **~eering** ['rækə'tɪəring] *n* reketavimas
radar ['reɪdɑ:(r)] *n* radaras
radiation ['reɪdɪ'eɪʃn] *n* spinduliavimas; radiacija
radiator ['reɪdɪətə] *n* radiatorius
radio ['reɪdɪəu] *n* radijas (*papr.* the ~); to listen to the ~ klausytis radijo
radioactivity ['reɪdɪəuæk'tɪvətɪ] *n* radioaktyvumas
radioaktive ['reɪdɪəu'æktɪv] *a* radioaktyvus
raft [rɑ:ft] *n* 1) sielis; 2) plaustas
rag [ræg] *n* skurdas; **~ged** ['rægɪd] *a* skarmaluotas, suplyšęs
rage [reɪdʒ] *n* įniršis; *v* 1) niršti; 2) siautėti
raid [reɪd] *n* reidas; *v* surengti reidą
rail [reɪl] *n* 1) turėklas; 2) bėgis
railroad ['reɪlrəud] *n amer.* geležinkelis
railway ['reɪlweɪ] *n* geležinkelis
rain ['reɪn] *n* lietus; *v* lyti; it

often ~s dažnai lyja; **~coat** [-kəut] *n* lietpaltis; **~y** *a* lietingas
raise [reɪz] *v* 1) pakelti; padidinti; 2) (iš)augti; 2) surinkti; 3) sukelti
rake [reɪk] *n* glėbys; *v* (su)grėbti
rally ['rælɪ] *n* sambūris; mass ~ masinis mitingas
ram [ræm] *n* 1) avinas; 2) *tech*. taranas; *v* taranuoti
ramble ['ræmbl] *v* vaikštinėti, klajoti; *n* pasivaikščiojimas
rampart ['ræmpɑ:t] *n* (*tvirtovės*) pylimas *ar* siena
ran *žr*. **run**
rancid ['rænsɪd] *a* apkartęs, sudusęs
rang *žr*. **ring**
range [reɪndʒ] *n* 1) virtinė, eilė; 2) apimtis; diapazonas; 3) viryklė
rank I [rænk] *n* 1) eilė, rikiuotė; 2) rangas, laipsnis, vardas
rank II *a* vešlus; išsikerojęs; užžėlęs
ransom ['rænsəm] *n* išpirka
rap [ræp] *v* pabelsti, belstelėti
rapid ['ræpɪd] *a* greitas
rapids ['ræpɪdz] *n pl* (*upės*) slenksčiai
rare ['rɛə] *n* retas; **~ly** retai
rascal ['rɑ:skl] *n* išdykėlis, šelmis
rash I [ræʃ] *a* 1) neapdairus, skubotas
rash II *n* išbėrimas
raspbery ['rɑ:zbrɪ] *n* avietė
rat [ræt] *n* žiurkė
rate [reɪt] *n* 1) tarifas; norma; ~ of exchange keitimo kursas; 2) koeficientas; 3) greitis, tempas
rather ['rɑ:ðə] *adv* 1) verčiau, geriau; I would ~ aš verčiau; 2) gana, gerokai
ratio ['reɪʃɪəu] *n* santykis, koeficientas
ration ['ræʃn] *v* normuoti; *n* norma, davinys, porcija
rattle ['rætl] *n* barškutis; *v* barškinti, barškėti, tarškėti
raven ['reɪvn] *n* varnas, kranklys
ravenous ['rævənəs] *a* išalkęs kaip vilkas
raw [rɔ:] *a* žalias, neapdirbtas; ~ materials žaliavos
ray [reɪ] *n* spindulys
razor ['reɪzə] *n* skustuvas
re- [ri:-] *pref* iš naujo, vėl, dar kartą, atgal; per-, at-, re-
reach [ri:tʃ] *v* 1) pasiekti; siekti; 2) ištiesti (ranką)
read ['ri:d] *v* (**read** [red]) skaityti; **~er** *n* 1) skaitytojas; 2) docentas; lektorius; 3) skaitymo knyga
readily ['redɪlɪ] *adv* 1) mielai; 2) lengvai, be vargo

ready ['redɪ] *a* pasiruošęs (for); ~**-made** ['redɪ'meɪd] *a* gatavas
real ['rɪəl] *a* tikras; realus; ~**ity** [rɪ'ælətɪ] *n* tikrovė; in ~ity iš tiesų, iš tikrųjų
realize ['rɪəlaɪz] *v* 1) suprasti; 2) įgyvendinti, realizuoti
really ['rɪəlɪ] *adv* 1) tikrai, iš tikrųjų; 2) nejaugi? tikrai?
reap [ri:p] *v* pjauti (*javus*)
rear I [rɪə] *n* užnugaris
rear II *v* (iš)auginti
reason ['ri:zn] *n* 1) priežastis, argumentas; 2) protas; *v* protauti; ~**able** *a* 1) protingas; 2) pagrįstas; nuosaikus; 3) priimtinas
reassur|ence ['ri:ə'ʃuərəns] *n* patikinimas; ~**e** [-ʃuə] *v* nuraminti; patikinti; ~**ing** *a* nuraminantis; patikinantis
rebel [rɪ'bel] *v* maištauti, sukilti; ~**lion** [rɪ'belɪən] *n* maištas, sukilimas; ~**lious** [rɪ'belɪəs] *a* maištingas
recall [rɪ'kɔ:l] *v* 1) prisiminti; 2) atšaukti
recant [rɪ'kænt] *v* atsisakyti, išsižadėti
recapitulate ['ri:kə'pɪtʃuleɪt] *v* trumpai pakartoti; reziumuoti
recapitulation ['ri:kə'pɪtʃu'leɪʃn] *n* pakartojimas, trumpa santrauka
recapture ['ri:'kæptʃə] *v* vėl atgauti; atsiimti
recast ['ri:'kɑ:st] *v* (**recast**) 1) perdirbti, suteikti naują formą; 2) *tech.* perlieti
recede [rɪ'si:d] *v* 1) trauktis; tolti; 2) silpnėti; kristi (*apie kainas*)
receipt [rɪ'si:t] *n* kvitas
receive [rɪ'si:v] *v* 1) gauti; 2) priimti (svečius); ~**r** *n* 1) telefono ragelis; 2) imtuvas
reception [rɪ'sepʃn] *n* 1) priimamasis; registratūra; 2) (*svečių*) priėmimas; ~**ist** *n* (*viešbučio*) registratorius, priimamojo sekretorius
recipe ['resɪpɪ] *n* (*kulinarijoje*) receptas
recite [rɪ'saɪt] *v* deklamuoti
reckless ['reklɪs] *a* beatodairiškas
reckon ['rekən] *v* laikyti; manyti
recognize ['rekəgnaɪz] *v* 1) atpažinti; 2) pripažinti
recommend ['rekə'mend] *v* rekomenduoti; ~**ation** ['rekəmen'deɪʃn] *n* rekomendacija
record ['rekɔ:d] *n* 1) įrašas; 2) protokolas; *v* [rɪ'kɔ:d] 1) įrašinėti; 2) užrašyti, registruoti
recorder [rɪ'kɔ:də] *n* 1) įrašymo aparatas; 2) pučiamasis instrumentas
record-player ['rɪkɔ:dplerə] *n*

grotuvas; patefonas
recover [rɪ'kʌvə] *v* 1) at(si)-gauti; 2) (pa)sveikti; **~y** *n* 1) pasveikimas; 2) atgavimas
recreation ['rekrɪ'eɪʃn] *n* poilsis; jėgų atgavimas
recruit [rɪ'kru:t] *n* naujokas; *v* verbuoti; (su)telkti
rectangular [rek'tæŋgjulə] *a geom*. stačiakam̃pis
rectangle ['rektæŋgl] *n geom*. stačiãkampis
red [red] *a* raudonas; paraudęs; **~den** *v* rausti, raudonuoti
reduce [rɪ'dju:s] *v* 1) sumažinti; 2) paversti, sutrumpinti (*trupmeną*)
reed [ri:d] *n* 1) nendrė; 2) liežuvėlis (*klarneto*)
reel I [ri:l] *n* ritė
reel II *v* 1) svirduliuoti; 2) suktis (*apie galvą*)
refer [rɪ'fə:] *v* 1) remtis (t o – *kuo*); 2) minėti (t o); vadinti; 3) pažiūrėti (*į žodyną, sąrašą*); **~ee** ['refə'ri:] *n sport*. teisėjas
reference ['refrəns] *n* 1) nurodymas; rėmimasis; 2) nuoroda; ~ b o o k *n* žinynas; 3) rekomendacija
refill *n* ['ri:fɪl] *n* (*tušinuko*) širdelė; *v* ['ri:'fɪl] vėl pripildyti
reflect [rɪ'flekt] *v* 1) at(si)-spindėti; 2) apmąstyti; **~ion** *n* at(si)spindėjimas; **~or** *n* reflektorius
refresh [rɪ'freʃ] *v* at(si)gaivinti; **~ing** *a* gaivinantis; **~ment** *n* atsigaivinimas; **~room** [-rum] *n* bufetas
refrigerator [rɪ'frɪdʒəreɪtə] *n* (*sutr*. **fridge** [frɪdʒ]) šaldytuvas
refuge ['refju:dʒ] *n* prieglobstis, prieglauda
refugee ['refju'dʒi:] *n* pabėgėlis
refusal [rɪ'fju:zl] *n* atsisakymas; atmetimas
refuse I [rɪ'fju:z] *v* at(si)sakyti; atmesti
refuse II ['refju:s] *n* atmatos, šiukšlės
regain [rɪ'geɪn] *v* atgauti
ragard [rɪ'gɑ:d] *n* 1) pagarba; 2) *pl* linkėjimai; *v* atsižvelgti; laikyti; a s r e g a r d s dėl; **~ing** *prep* ryšium su; dėl
regiment ['redʒɪment] *n kar*. pulkas
region ['ri:dʒən] *n* kraštas; sritis; regionas
register ['redʒɪstə] *v* registruoti(s); *n* 1) (*registracijos*) žurnalas; 2) įrašas (*žurnale*)
regret [rɪ'gret] *v* gailėtis, apgailestauti
regular ['regjulə] *a* 1) reguliarus; 2) nuolatinis, įprastinis; 3) taisyklingas

regulate ['regjuleɪt] *v* reguliuoti
regulations ['regju'leɪʃnz] *n pl* taisyklės; įstatai
rehearsal [rɪ'hə:sl] *n* repeticija
rehearse [rɪ'hə:s] *v* repetuoti
reign [reɪn] *n* karaliavimas; *v* karaliauti
rein [reɪn] *n* (*papr. pl*) vadelės
reindeer ['reɪndɪə] *n* šiaurės elnias
reject [rɪ'dʒekt] *v* atmesti; atsisakyti
rejoic|e [rɪ'dʒɔɪs] *v* džiūgauti; **~ing** *n* džiūgavimas
relate [rɪ'leɪt] *v* (su)sieti; t o b e ~ d (t o) būti giminingam; būti susijusiam
relation ['rɪleɪʃn] *n* 1) giminaitis; 2) santykis; ryšys; **~ship** *n* 1) giminystė; 2) santykis; sąryšis
relative ['relatɪv] *n* giminaitis, -ė
relax [rɪ'læks] *v* at(si)palaiduoti; **~ation** ['ri:læk'seɪʃn] *n* poilsis
relay ['ri:leɪ] *n* 1) pamaina; 2) sport. estafetė; 3) retransliacija
release [rɪ'li:s] *v* 1) atsipalaiduoti; 2) išlaisvinti (from); atleisti
reliable [rɪ'aɪəbl] *a* patikimas
relief [rɪ'li:f] *n* palengvėjimas
reliev|e [rɪ'li:v] *v* palengvinti; (nu)raminti; **~ed** *a* jaučiantis palengvėjimą
religi|on [rɪ'lɪdʒən] *n* religija; **~ous** *a* religinis
reluctan|ce [rɪ'lʌktəns] *n* nenoras; **~t** *a* nenorintis
rely [rɪ'laɪ] *v* pasitikėti, pasikliauti (on)
remain [rɪ'meɪn] *v* pasilikti; **~s** *n pl* likučiai
remark [rɪ'mɑ:k] *n* pastaba
remarkable [rɪ'mɑ:kəbl] *a* žymus; nuostabus
remedy ['remədɪ] *n* vaistas (*ir perk.*)
remember [rɪ'membə] *v* at(si)minti; neužmiršti
remind [rɪ'maɪnd] *v* priminti
remote [rɪ'məut] *a* atokus; nutolęs; tolimas
remove [rɪ'mu:v] *v* 1) pašalinti; 2) nuimti
render ['rendə] *v* 1) duoti, (su)teikti; 2) versti (*į kitas kalbas*)
repay [rɪ'peɪ] *v* at(si)lyginti; **~ment** *n* at(si)lyginimas
repeat [rɪ'pi:t] *v* 1) (pa)kartoti; 2) atsakinėti; sakyti mintinai; **~edly** *adv* pakartotinai
repetition ['repɪ'tɪʃn] *n* (pa)kartojimas; kartojimasis
replace [rɪ'pleɪs] *v* 1) (pa)dėti į vietą; 2) pakeisti (s m t h

- *ką*; with - *kuo*); **~ment** *n* pakeitimas
reptile ['reptaɪl] *n* roplys
reply [rɪ'plaɪ] *v* atsakyti; *n* atsakymas
report [rɪ'pɔ:t] *n* 1) pranešimas; 2) ataskaita; *v* pranešti; **~edly** *adv* kaip kalbama; **~er** *n* reporteris, korespondentas
represent ['reprɪ'zent] *v* 1) atstovauti; 2) (pa)vaizduoti; **~ative** ['reprɪ'zentətɪv] *n* atstovas
reproduce ['ri:prə'dju:s] *v* atgaminti, atkurti
republic [rɪɪ'pʌblɪk] *n* respublika
reputation ['repju'teɪʃn] *n* reputacija, vardas
request [rɪ'kwest] *n* prašymas; at smb's ~ kieno prašymu/pageidavimu
require [rɪ'kwaɪə] *v* reikalauti
rescue ['reskju:] *v* (iš)gelbėti
research [rɪ'sə:tʃ] *n* tyrimas (into); mokslinis darbas; **~er** *n* tyrinėtojas
resembl|ence [rɪ'zembləns] *n* panašumas; **~e** [rɪ'zembl] *v* būti panašiam
resent [rɪ'zent] *v* piktintis; **~ment** *n* pasipiktinimas
reserve [rɪ'zə:v] *v* 1) rezervuoti; 2) iš anksto užsakyti; *n* 1) atsarga, rezervas; 2) santūrumas; **~d** *a* 1) santūrus; 2) rezervuotas
reservior ['rezəvwɑ:] *n* rezervuaras
residence ['rezɪdəns] *n* 1) gyvenamoji vieta (*t.p.* place of ~) 2) rezidencija
resident ['rezɪdənt] *n* (*nuolatinis*) gyventojas
resign [rɪ'zaɪn] *v* atsistatydinti; **~ation** ['rezɪg'neɪʃn] *n* atsistatydinimas
resist [rɪ'zɪst] *v* priešintis; **~ance** *n* 1) pasipriešinimas; 2) varža
resistant [rɪ'zɪstənt] *a* atsparus; to be ~ priešintis
resolution ['rezə'lu:ʃn] *n* 1) rezoliucija; 2) sprendimas, pasiryžimas
resolve [rɪ'zɔlv] *v* 1) pasiryžti; 2) apsispręsti, nutarti
resort [rɪ'zɔ:t] *n* 1) (*jėgos*) pavartojimas; 2) kurortas
resources [rɪ'sɔ:sɪz] *n pl* atsargos, resursai
respect [rɪ'spekt] *n* 1) pagarba; 2) *pl* linkėjimai; 3) atžvilgis; in this ~ šiuo atžvilgiu; *v* gerbti; **~able** *a* vertas pagarbos, gerbtinas
respectively [rɪ'spektɪvlɪ] *adv* atitinkamai
respond [rɪs'pɔnd] *v* atsakyti, reaguoti

response [rɪ'spɔns] *n* 1) reakcija; atgarsis; 2) atsakymas
responsibility [rɪ'spɔnsə'bɪlətɪ] *n* atsakingumas, atsakomybė
responsible [rɪ'spɔnsəbl] *a* atsakingas
rest I [rest] *v* ilsėtis
rest II *n* (the ~) liekana; likusieji
restaurant ['restrɔnt] *n* restoranas
restful ['restfl] *a* ramus, raminantis
restless ['restlɪs] *a* neramus; nerimstantis
restore [rɪ'stɔ:] *v* 1) atstatyti; atkurti
restrain [rɪ'streɪn] *v* su(si)laikyti; **~ed** *a* santūrus
restrict [rɪ'strɪkt] *v* apriboti; **~ion** *n* apribojimas
result [rɪ'zʌlt] *n* rezultatas; *v* 1) išeiti; išplaukti (from – *iš*); 2) baigtis (in)
resume [rɪ'zju:m] *v* vėl toliau tęsti
retail ['ri:teɪl] *n* mažmeninis pardavimas; *adv* mažmenomis
retain [rɪ'teɪn] *v* išlaikyti
retire [rɪ'taɪə] *v* pasitraukti, atsistatydinti; išeiti į pensiją
retreat [rɪ'tri:t] *v* atsitraukti, trauktis; *n* atsitraukimas
return [rɪ'tə:n] *v* (su)grįžti; *n* sugrįžimas
reunion ['ri:'ju:nɪən] *n* 1) susitikimas; 2) susijungimas
reveal [rɪ'vi:l] *v* atskleisti
revenge [rɪ'vendʒ] *n* kerštas; *v* (at)keršyti
revenue ['revənju:] *n* įplaukos, pajamos
Reverend ['revərənd] *n* šventasis (*titulas*)
review [rɪ'vju:] *n* 1) apžvalga; 2) apžiūra; 3) recenzija
revise [rɪ'vaɪz] *v* kartoti (*mokomąją medžiagą*)
revision [rɪ'vɪʒn] *n* (pa)kartojimas
revive [rɪ'vaɪv] *v* 1) atsigauti; 2) atgaivinti
revolt [rɪ'vəult] *v* sukilti, maištauti; **~ing** *a* keliantis pasibjaurėjimą
revoliution ['revə'lu:ʃn] *n* 1) revoliucija; 2) *tech*. pilnas apsisukimas; **~ary** [-ʃenrɪ] *a* revoliucinis; *n* revoliucionierius
revolver [rɪ'vɔlvə] *n* revolveris
reward [rɪ'vɔ:d] *n* atlyginimas; atpildas
rbino ['raɪnəu] (**rhinoceros** [raɪ'nɔsərəs] *n* raganosis
rhyme [raɪm] *n* 1) rimas; 2) eilėraštukas; *v* rimuoti(s)
rhythm ['rɪðəm] *n* ritmas
rib [rɪb] *n* 1) šonkaulis; 2) (*įmezgimo*) rumbelis
ribbon ['rɪbən] *n* kaspinas;

juosta
rice [raıs] *n* ryžiai
rich ['rıtʃ] *a* turtingas; **~es** *n pl* turtas
rid [rıd] *v* to get ~ (of) atsikratyti (*kuo*)
riddle ['rıdl] *n* mįslė
ride [raıd] *v* (**rode** [rəud]; **ridden** ['rıdn]) 1) joti; 2) važiuoti
ridge [rıdʒ] *n* kalvagūbris, ketera; kalvų virtinė
ridiculous [rı'dıkjuləs] *a* juokingas
rifle ['raıfl] *n* šautuvas
right I [raıt] *n* teisė; *a* teisingas; *adv* 1) teisingai; 2) tiesiog
right II *adv* dešinys(is); dešinėn **~-hand** [-hænd] *a* dešinysis; **~-handed** [-'hændıd] *a* dešiniarankis
rigorous ['rıgərəs] *a* griežtas; tikslus
rim [rım] *n* 1) kraštas, apvadas; 2) (*akinių*) rėmeliai
rind [raınd] *n* 1) (*vaisiaus*) žievė; 2) (*sūrio*) plutelė
ring I [rıŋ] *n* 1) žiedas; 2) arena; 3) ringas
ring II [rıŋ] *v* (**rang** [ræŋ]; **rung** [rʌŋ]) skambinti; skambėti; ~ up paskambinti (*telefonu*)
rink [rıŋk] *n* čiuožykla (*t.p.* skating ~)
rinse [rıns] *v* skalauti
riot ['raıət] *n* riaušės; *v* kelti riaušes
rip [rıp] *v* įplėšti; (su)plėšyti
ripe ['raıp] *a* prinokęs; **~ness** *n* brandumas; **~n** *v* nokti, bręsti
rise [raız] *v* (**rose** [rəuz]; **risen** ['rızn]) 1) kilti; 2) tekėti (*apie saulę*); 3) sukilti
risk ['rısk] *n* rizika; *v* rizikuoti; **~y** *a* rizikingas
rival ['raıvl] *n* varžovas; konkurentas; *v* varžytis
river ['rıvə] *n* upė
road ['rəud] *n* kelias; **~sign** [-saın] *n* kelio ženklas
roam [rəum] *v* klajoti, bastytis
roar [rɔ:] *n* 1) staugimas, riaumojimas; 2) kvatojimas; *v* 1) staugti, riaumoti; 2) kvatoti
roast [rəust] *v* kepti (*orkaitėje*)
rob ['rɔb] *v* grobti, plėšti; **~ber** *n* plėšikas; **~bery** *n* apiplėšimas
robe [rəub] *n* 1) chalatas; 2) mantija
robin ['rɔbın] *n* liepsnelė (*paukštis*)
rock I [rɔk] *n* uola, uoliena
rock II *n muz.* rokas
rock III *v* supti(s)
rocket ['rɔkıt] *n* raketa
rocky ['rɔkı] *a* uolėtas
rod [rɔd] *n* 1) virbas; lazda, lazdelė; 2) *tech.* strypas

rode *žr*. **ride**
rogue [rəug] *n* 1) šelmis; 2) sukčius; niekšas
role [rəul] *n* vaidmuo
roll [rəul] *v* 1) sukti(s), vynioti(s); 2) ridenti; riedėti; *n* 1) ritinys; 2) bandelė
roller-skate ['rəuləskeɪt] *n pl* riedučiai; *v* važiuoti riedučiais
rolling-pin ['rəulɪŋpɪn] *n* kočėlas
Roman ['rəumən] *a* 1) Romos; 2) romėnų; *n* romėnas
Romania [ru:'meɪnɪə] *n* Rumunija; **~n** 1) rumunai; 2) rumunų kalba; *a* rumuniškas
romance [rəu'mæns] *n* 1) romantika; 2) romansas
roof [ru:f] *n* (*pl* **rooves**) stogas
room [rum, ru:m] *n* 1) kambarys; 2) erdvė; vieta
root [ru:t] *n* šaknis
rope [rəup] *n* virvė
rose I [rəuz] *n* rožė
rose II *žr*. **rise**
rostrum ['rɔstrəm] *n* pakyla; (*kalbėtojo*) tribūna
rosy ['rəuzɪ] *a* rožinis, rausvas
rot [rɔt] *v* pūti, gesti; **~ten** ['rɔtn] *a* 1) supuvęs; 2) *šnek*. bjaurus
rota ['rəutə] *n* grafikas
rouble ['ru:bl] *n* rublis
rough ['rʌf] *a* 1) šiurkštus; grubus; 2) apytikris; 3) neišbaigtas; 4) audringas (*apie jūrą*); **~ly** *adv* 1) šiurkščiai; 2) apytikriai
round [raund] *a* apvalus, apskritas; *prep* apie, aplink; *adv* aplink(ui); *n* ciklas, ratas; raundas
roundabout ['raundəbaut] *a* aplinkinis, žiedas (*apie kelią*); *n* karuselė
rouse [rauz] *v* (pa)žadinti
route [ru:t] *n* maršrutas; trasa
row I [rəu] *n* eilė
row II [rau] *a* skandalas; garsus triukšmas
row III [rəu] *v* irkluoti
rowdy ['raudɪ] *a* triukšmingas
royal ['rɔɪəl] *a* karališkasis; the Royal Society Karališkoji draugija (*mokslų draugija*); ~ blue rugiagėlių spalva; **~ty** *n* 1) karališkosios šeimos nariai; 2) honoraras
rub [rʌb] *v* 1) trinti(s); 2) nu(si)trinti, iš(si)trinti; (*t.p.* ~ off)
rubber ['rʌbə] *n* 1) guma, kaučiukas; 2) trintukas
rubbish ['rʌbɪʃ] *n* 1) atmatos, liekanos; 2) *šnek*. niekai, nesąmonės
rucksack ['rʌksæk] *n* kup-

rinė
rudder ['rʌdə(r)] *n jūr, av.* vairas
rude [ru:d] *a* šiurkštus, nemandagus
rudimentary ['ru:dɪ'mentrɪ] *a* 1) rudimentinis; 2) elementarus
rug [rʌg] *n* kilimėlis
rugby ['rʌgbɪ], *šnek.* **rugger** ['rʌgə] *n* regbis
rugged ['rʌgɪd] *a* raižytas, nelygus
ruin ['ru:ɪn] *v* sugriauti, sunaikinti; *n* pražūtis, žlugimas
rule [ru:l] *n* 1) taisyklė; 2) valdymas; valdžia; *v* valdyti; viešpatauti
rul|er ['ru:lə] *n* 1) valdovas; 2) liniuotė; **~ing** *n* valdymas; *a* valdantis; viešpataujantis
rum [rʌm] *n* romas
rumble ['rʌmbl] *v* dundėti; *n* dundesys
rumour ['ru:mə] *n* gandas
run [rʌn] *v* (**ran** [ræn]; **run**) 1) bėgti; 2) važiuoti, pavežti; kursuoti; ~ away pabėgti; ~ out baigtis, išsekti; išbėgti; ~ over suvažinėti (*ką*)
rung I [rʌŋ] *žr.* **ring II**
rung II *n* kopėčių skersinis
runner ['rʌnə] *n* 1) bėgikas; 2) pasiuntinys; **~-up** ['rʌnər'ʌp] *n* antrosios vietos laimėtojas
running ['rʌnɪŋ] *a* 1) bėgimo, lenktynių; 2) nenutrūkstamas
runway ['rʌnweɪ] *n adv* kilimo ir leidimosi takas
rural ['ruərəl] *a* kaimiškas
rush ['rʌʃ] *v* 1) lėkti, dumt; 2) mesti, pulti; skubėjimas; antplūdis; ~ hour didžiausias (*žmonių*) antplūdžio metas (*t.p. transporto*)
rust [rʌst] *n* rūdys; *v* rūdyti
rustle ['rʌsl] *v* šlamėti; *n* šlamesys
Russia ['rʌʃə] *n* Rusija; **~n** *a* rusiškas, rusų; *n* 1) rusas, -ė; 2) rusų kalba
rusty [rʌstɪ] *a* surūdijęs
rut [rʌt] *n* vežė, provėža
ruthless ['ru:θləs] *a* negailestingas
rye [raɪ] *n* (*tik sg*) rugiai

S

sable ['seɪbl] *n* sabalas
sabotage ['sæbətɑ:ʒ] *n* sabotažas; *v* sabotuoti
sack [sæk] *n* maištas; *v šnek.* atleisti iš darbo, išmesti
sacred ['seɪkrɪd] *a* šventas
sacrifice ['sækrɪfaɪs] *n* auka; aukojimas; *v* (pa)aukoti
sad [sæd] *a* liūdnas

saddle ['sædl] *n* balnas; *v* balnoti
safari [sə'fɑ:rɪ] *n* safaris
safe [seɪf] *a* saugus; *n* seifas
safety ['seɪftɪ] *n* saugumas (*pvz., eismo*); **~-belt** [-belt] *n* saugos diržas; **~-pin** žiogelis (*segtukas*)
sag [sæg] *v* 1) įdubti, įlinkti; 2) nukarti
said *žr.* **say**
sail [seɪl] *v* plaukti (*laivu*); *n* burė; **~ing** *n* buriavimas
sailor ['seɪlə] *n* jūrininkas
saint [seɪnt] *n* šventasis; **~ly** *a* šventas
sake [seɪk] *n* for the ~ of dėl ko nors, ko; kieno labui
salad ['sæləd] *n* salotos, mišrainė
salary ['sælərɪ] *n* alga, atlyginimas
sale [seɪl] *n* pardavimas; on ~ parduodama
sales|man ['seɪlzmən] *n* pardavėjas; **~woman** [wumən] *n* pardavėja
salmon ['sæmən] *n* lašiša; *a* oranžinis
salt [sɔ:lt] *n* druska; **~y** *a* sūrus
salute [sə'lu:t] *v* 1) sveikinti(s); 2) saliutuoti; *n* 1) saliutas; 2) pasveikinimas
same [seɪm] *pron* 1) tas pats; tas pat; toks pat; 2) taip pat; all the ~ vis tiek
sample ['sɑ:mpl] *n* 1) pavyzdys; 2) mėginys
sanction ['sæŋkʃn] *n* 1) sankcija; 2) pritarimas; *v* pritarti; sankcionuoti
sand [sænd] *n* 1) smėlis; 2) *pl* smėlynai
sandal ['sændl] *n* sandalas
sandwich ['sænwɪdʒ] *n* sumuštinis
sane [seɪn] *a* sveiko proto
sang [sæŋ] *žr.* **sing**
sank *žr.* **sink**
Santa Claus ['sæntəklɔ:z] *n* Kalėdų Senelis
sarcastic [sɑ:'kæstɪk] *a* sarkastiškas
sardine [sɑ:'di:n] *n* sardinė
sat *žr.* **sit**
satchel ['sætʃl] *n* kuprinė
satel|lite ['sætəlaɪt] *n* palydovas
satin ['sætɪn] *n* atlasas
satisfaction ['sætɪs'ʃækʃn] *n* pasitenkinimas
satisfactory ['sætɪs'ʃæktərɪ] *a* patenkinimas
satisfied ['sætɪsfaɪd] *a* patenkintas
satisfy ['sætɪsfaɪ] *v* 1) pa(si)tenkinti; 2) numalšinti (*alkį*)
Saturday ['sætədɪ] *n* šeštadienis
sauce ['sɔ:s] *n* padažas; **~pan** [-pən] *n* prikaistuvis; **~r** *n*

lėkštė
sausage ['sɔsɪdʒ] *n* dešra; dešrelė
savage ['sævɪdʒ] *a* laukinis
save [seɪv] *v* 1) (iš)gelbėti; 2) taupyti; ~ up sutaupyti; sukaupti
savings ['seɪvɪŋz] *n* santaupos; **~-bank** [-beŋk] taupomasis bankas
savio(u)r ['seɪvə] *n* 1) išgelbėtojas; 2) (the S.) Išganytojas
savo(u)r ['seɪvə] *n* 1) skonis; 2) pikantiškumas; *v* 1) mėgautis; 2) gardžiuotis; 3) kvepėti (of – *kuo*); **~y** *a* 1) skanus; 2) aštrus, pikantiškas; *n* aštrus užkandis
saw I [sɔ:] *žr.* **see**
saw II *n* pjūklas; *v* pjauti (*pjūklu*); **~dust** [-dʌst] *n* pjuvenos; **~-mill** [-mɪl] *n* lentpjūvė
saxophone ['sæksəfəun] *n* saksofonas
say [seɪ] *v* (**said** [sed]) sakyti; tarti; let's ~ sakykime, tarkime
saying ['seɪɪŋ] *n* posakis
scab [skæb] *n* šašas
scaffolding ['skæfəldɪŋ] *n* pastoliai
scald [skɔ:ld] *v* nusiplikyti; *n* nusiplikymas
scale [skeɪl] *n* 1) mastelis; 2) mastas; skalė
scales [skeɪlz] *pl* svarstyklės
scamper ['skæmpə] *v* sprukti
scandal ['skændl] *n* 1) paskalos, apkalbos; 2) skandalas; gėda
scar [skɑ:(r)] *n* randas; *v* išraižyti randais
scarce [skɛəs] *a* retai pasitaikantis; nepakankamas; **~ly** *adv* vos, ne vos; vos tik
scare ['skɛə] *v* gąsdinti, baidyti; **~crow** [-krəu] *n* baidyklė; **~d** *a* išgąsdintas, išsigandęs
scarf [skɑ:f] *n* (*pl* **scarfs; scarves** [skɑ:vz]) šalikas
scarlet ['skɑ:lət] *a* skaisčiai raudonas
scatter ['skætə] *v* 1) išbarstyti; iš(si)sklaidyti
scene ['si:n] *n* 1) scena; 2) (*veiksmo, įvykio*) vieta; **~ry** [-rɪ] *n* 1) peizažas; 2) dekoracija
scent [sent] *n* 1) (*malonus*) kvapas; 2) kvepalai; 3) pėdsakas; *v* 1) suuosti; uostyti; 2) kvepėti
schedule ['ʃedju:l] *amer.* ['skedjul] *n* tvarkaraštis
scheme [ski:m] *n* 1) planas, projektas; 2) pinklės
scholar ['skɔlə] *n* 1) mokslininkas; 2) stipendininkas; **~ship** *n* stipendija
school ['sku:l] *n* mokykla; **~boy** [-bɔɪ] *n* moksleivis;

~friend [-frend], **~mate** [-meɪt] draugas, -ė; **~days** [-deɪz] *n* mokykliniai metai; **~girl** [-gə:l] *n* moksleivė; **~master** [-mɑ:stə] *n* mokytojas; **~mistress** [-mɪstrəs] *n* mokytoja
science ['saɪəns] *n* mokslas; ~ f i c t i o n mokslinė fantastika (*šnek.* **sci-fi** ['saɪfaɪ])
scientific ['saɪən'tɪfɪk] *a* mokslinis
scientist ['saɪəntɪst] *n* mokslininkas
scissors ['sɪzəz] *n pl* žirklės
scold [skəuld] *v* barti; **~ing** *n* (iš)barimas
scope [skəup] *n* užmojis, apimtis
scoop [sku:p] *v* susemti; *n* 1) samtelis; 2) *šnek.* sensacinga žinia
scooter ['sku:tə] *n* 1) motoroleris; 2) paspirtukas
scorch [skɔ:tʃ] *n* nudeginti; nudegti; *n* nudegimas
score [skɔ:] *n sport.* rezultatas; *v* įmušti (*įvartį*); laimėti (*tašką*)
scorn [skɔ:n] *v* paniekinti; *n* panieka; **~ful** *a* (pa)niekinantis
Scot [skɔt] *n* škotas, -ė; **~ch** [skɔtʃ]; **~tish** *a* škotų, škotiškas
Scotland ['skɔtlənd] *n* Škotija
scoundrel ['skaundrəl] *n* niekšas
scout [skaut] *n* 1) skautas; 2) žvalgas
scowl [skaul] *v* susiraukti
scramble ['skræmbl] *v* 1) ropštis; 2) peštis, grumtis; 3) ~ d e g g s kiaušinienė
scrap [skræp] *n* 1) skiautelė; 2) likučiai; 3) (*metalo*) laužas
scrape [skreɪp] *v* 1) (nu)brozdinti; 2) (nu)skusti
scrach [skrætʃ] *v* 1) (į)brėžti; 2) kasytis
scream [skri:m] *v* rėkti, klykti
screech [skri:tʃ] *v* 1) spiegti; 2) (su)cypti
screen [skri:n] *n* ekranas; *v* 1) pridengti, apsaugoti; 2) tikrinti; 3) demonstruoti ekraną; 4) sijoti
screw ['skru:] *v* suveržti; (už)sukti; *n* varžtas; **~-driver** [-draɪvə] *n* atsuktuvas
scribble ['skrɪbl] *v* keverzoti (*rašant*)
scripture ['skrɪptʃə] *n* Biblija
scrub [skrʌb] *v* šveisti, grandyti
scrutiny ['skru:tɪnɪ] *n* kruopštus apžiūrėjimas
sculptor ['skʌlptə] *n* skulptorius
sculpture ['skʌlptʃə] *n*

skulptūra
sea ['si:] *n* jūra; **~gull** [-gʌl] *n* kiras
seal [si:l] *n* antspaudas; *v* antspauduoti
seam [si:m] *n* siūlė
seaman ['si:mən] *n* (*pl* **seamen**) jūrininkas
search [sə:ʃ] *n* 1) ieškojimas; 2) krata; *v* 1) ieškoti (for); 2) daryti kratą
sea|shell ['si:ʃel] *n* geldelė, kriauklė; **~shore** [-ʃɔ:] *n* pajūris
seasick ['si:sɪk] *a* sergantis jūroje
seaside ['si:saɪd] *n* pajūrio kurortas
season ['si:zn] *n* 1) metų laikas; 2) sezonas; *v* paskaninti; **~al** *a* sezoninis
seat [si:t] *n* 1) kėdė; 2) vieta (*atsisėsti*); **~belt** [-belt] *n aut.* saugos diržas
seaweed ['si:wi:d] *n* jūros dumbliai
second I ['sekənd] *n* sekundė
second II *a num* antras; **~ly** *adv* antra
secondary ['sekəndərɪ] *a* antrinis, antraeilis; ~ shool vidurinė mokykla
second|best ['sekənd'best] *a* antras pagal gerumą, prastesnis; **~class** [-'klɑ:s] *a* antrosios klasės
second-hand ['sekənd'hænd] *a* naudotas, dėvėtas
second-rate ['sekənd'reɪt] *a* antraeilis; antros rūšies
secret ['si:krɪt] *n* paslaptis; *a* slaptas; **~ly** *adv* slaptai
secretarial ['sekrə'tɛərɪəl] *a* sekretorės, sekretoriaus
secretary ['sekrətrɪ] *n* sekretorius, -ė; Secretary of State (*D. Britanijoje*) ministras; *amer.* užsienio reikalų ministras
secretive ['si:krətɪv] *a* paslaptingas
section ['sekʃn] *n* 1) skyrius, dalis; 2) pjūvis; *v* 1) dalyti/skirstyti į dalis; 2) *med.* išpjauti, padaryti pjūvį
secure [sɪ'kjuə] *a* 1) saugus, patikimas; 2) ramus; 3) tikras; *v* 1) užtikrinti, garantuoti; 2) gauti, užsitikrinti
security [sɪ'kjuərətɪ] *n* saugumas
seduce [sɪ'dju:s] *v* sugundyti; suvedžioti
see [si:] *v* (**saw** [sɔ:], **seen** [si:n]) 1) (pa)matyti; pažiūrėti; 2) pasimatyti; to come to ~ aplankyti; 3) suprasti; I ~ suprantu; štai kaip
seed [si:d] *n* sėkla; grūdas
seek [si:k] *v* (**sought** [sɔ:t]) 1) ieškoti; 2) stengtis; siekti (*ko*)

seem [si:m] *v* atrodyti; it ~s to me man atrodo; **~ingly** *mod*. matyt
seen *žr*. **see**
seep [si:p] *v* sunktis
seesaw ['si:sɔ:] *n* supimo lenta; to play on ~ suptis ant lentos
segment ['segmənt] *n* 1) dalis; 2) skiltis
seize [si:z] *v* 1) (pa)griebti; (pa)čiupti; 2) užgrobti, užimti
seldom ['seldəm] *adv* retai
select [sɪ'lekt] *v* atrinkti; **~ion** *n* atranka; pasirinkimas
self ['self] *n* (*pl* **selves** [selvz]) pats; aš; (*mano*) asmenybė; **~ish** *a* savanaudis; **~-service** ['self'sə:vɪs] *attr* savitarnos
self- *pref* savi-, sava-
sell [sel] *v* (**sold** [səuld]) parduoti
semi- ['semɪ] *pref* pus-, pusiau-
semi-colon ['semɪ'kəulən] *n* kabliataškis
semiconductor ['semɪkən'dʌktə] *n fiz*. puslaidininkis
semi-final ['semɪ'faɪnl] *n sport*. pusfinalis
senate ['senɪt] *n* senatas
senator ['senətə] *n* senatorius
send [send] *v* (**sent** [sent]) 1) siųsti; 2) *rad*. perduoti
senior ['si:nɪə] *a* vyresnis; vyresnysis
seniority ['si:nɪ'ɔrətɪ] *n* 1) vyresniškumas; 2) stažas
sensation [sen'seɪʃn] *n* 1) pojūtis; 2) sensacija; **~al** *a* 1) sensacingas; 2) pritrenkiantis
sense [sens] *n* 1) jausmas; protas; 2) sąmonė; 3) prasmė, reikšmė; *v* jausti; (pa)justi; **~less** *a* 1) beprasmis; 2) be sąmonės
sensible ['sensəbl] *a* protingas, praktiškas
sensitive ['sensətɪv] *a* jautrus
sent *žr*. **send**
sentence ['sentəns] *n* 1) sakinys; 2) bausmė; nuosprendis; *v* padaryti nuosprendį, nuteisti
sentiment ['sentɪmənt] *n* 1) nuomonė; nuotaika; 2) jausmas
sentry ['sentrɪ] *n* sargybinis
separate ['sepərət] *a* atskiras; *v* ['sepəreɪt] at(si)skirti; perskirti
September [səp'tembə] *n* rugsėjis
sequence ['si:kwəns] *n* seka
Serb ['sə:b] *n* serbas, -ė; **~ian** *a* serbų
sergeant ['sɑ:dʒənt] *n* puskarininkis
serial ['sɪərɪəl] *n* serialas
series ['sɪəri:z] *n* serija
seriuos ['sɪərɪəs] *a* 1) rimtas;

2) sunku
sermon ['sə:mən] *n* pamokslas
servant ['sə:vənt] *n* tarnas
serve [sə:v] *v* 1) tarnauti; 2) aptarnauti
service ['sə:vɪs] *n* 1) tarnyba; 2) aptarnavimas; 3) paslauga; 4) pamaldos
serviette ['sə:vɪ'et] *n* servetėlė
session ['seʃn] *n* 1) posėdis; 2) sesija
set I [set] *n* rinkinys, komplektas
set II *v* (**set**) 1) (pa)dėti; (pa)statyti; (*t.p.* ~ down); 2) nustatyti; ~ in prasidėti; ~ off, ~ out išvykti, išsiruošti į (*kelionę*); ~ up įkurti
setback ['setbæk] *n* kliūtis, stabdys
settee [se'ti:] *n* (*maža*) sofa; minkštasuolis
settle ['setl] *v* 1) įkurti, apsigyventi; 2) susitarti; nutarti; 3) nusistoti; **~ment** *n* 1) gyvenvietė; 2) susitarimas; **~r** *n* naujakurys
setting ['setɪŋ] *n* aplinka; fonas
set-to ['settu:] *n šnek.* susiginčijimas; peštynės
set-up ['setʌp] *n* 1) struktūra, organizacija; 2) *šnek.* žabangos, kėslas
seven ['sevn] *num* septyni; **~teen** [-'ti:n] *num* septyniolika; **~teenth** [-'ti:nθ] *num* septynioliktas; **~th** [-θ] *num* septintas; **~tieth** [-tɪəθ] *num* septyniasdešimtas; **~ty** [-tɪ] *num* septyniasdešimt
several ['sevrəl] *pron* keletas, keli
severe [sɪ'vɪə] *a* 1) smarkus; 2) griežtas
sew [səu] *v* (**sewed** [-d], **sewn** *t.p.* **sewed**) siūti
sex [seks] *n* 1) lytis; 2) seksas; **~ual** ['sekʃuəl] *a* lytinis, seksualinis
shabby ['ʃæbɪ] *a* apšepęs, nuskuręs, aptriušęs
shack [ʃæk] *n* lūšna
shad|e [ʃeɪd] *n* 1) šešėlis; 2) atspalvis; 3) *amer.* užuolaida; *v* pri(si)dengti; užtamsinti; **~y** *a* pavėsingas; tamsus
shadow ['ʃædəu] *n* šešėlis
shake [ʃeɪk] *v* (**shook** [ʃuk], **shaken** ['ʃeɪkn]) 1) kratyti, purtyti; 2) drebėti, drebinti; 3) sukrėsti, sujudinti
shaky ['ʃeɪkɪ] *a* 1) išklibęs; netvirtas; 2) drebantis
shall [ʃæl, ʃəl] *v* (**should** [ʃəd]) 1) *pagalb. veiksmažodis būsimajam laikui sudaryti (1 asmuo)*: I ~ go aš eisiu; 2) *mod.*: he ~ go jis turi eiti
shallow ['ʃæləu] *a* 1) seklus;

2) lėkštas
shame [ʃeɪm] *n* gėda; **~ful** *n* gėdingas; **~less** *a* begėdis; begėdiškas
shampo [ʃæm'pu:] *n* šampūnas; *v* išplauti galvą (*šampūnu*)
shan't [ʃɑ:nt] = **shall not**
shape [ʃeɪp] *n* pavidalas; forma; *v* suteikti formą
share ['ʃɛə] *n* 1) dalis; 2) akcija; *v* dalyti; **~holder** [-həuldə] *n* akcininkas, būti pajininku
shark [ʃɑ:k] *n* ryklys
sharp ['ʃɑ:p] *a* 1) aštrus; smailus; 2) ryškus; smarkus; *adv* tiksliai, lygiai (*apie laiką*); **~en** *v* aštrinti, smailinti
shatter ['ʃætə(r)] *v* (su)trupinti
shave [ʃeɪv] *v* 1) skusti(s); 2) nudrožti
shawl [ʃɔ:l] *n* šalikas
she [ʃi:] *pron* ji
shear [ʃɪə] *v* (**sheard, shorn** [ʃɔ:n]) kirpti (avis); **~s** *n pl* didelės žirklės
shed I [ʃed] *v* (**shed**) lieti (*pvz., ašaras*)
shed II *n* pašiūrė
sheep [ʃi:p] *n* (*pl t.p.*) avis, avys
sheer [ʃɪə] *a* 1) visiškas, grynas; 2) status
sheet [ʃi:t] *n* 1) paklodė; 2) lakštas, lapas
shelf [ʃelf] *n* (*pl* **shelves** [ʃelvz]) lentyna
shell ['ʃel] *n* 1) kiautas, lukštas; 2) *kar.* sviedinys; **~fish** [-fɪʃ] *n* kiaukuotas vėžiagyvis
she'll [ʃi:l] = **she will**
shelter ['ʃeltə] *n* 1) pastogė; 2) prieglobstis; *v* suteikti pastogę, prieglaudą
shelves *n pl žr.* **shelf**
shepherd ['ʃepəd] *n* piemuo; **~ess** *n* piemenė
shield [ʃi:ld] *n* skydas; *v* uždengti; apsaugoti
shift [ʃɪft] *n* pamaina; night [day] ~ naktinė [dieninė] pamaina
shine [ʃaɪn] *v* (**shone** [ʃɔn]) 1) šviesti, spindėti, blizgėti; 2) šveisti, blizginti (*batus*)
shiny ['ʃaɪnɪ] *a* žvilgantis, blizgus
ship ['ʃɪp] *n* laivas; *v* vežti, gabenti (*laivu ar kitu transportu*) **~wreck** [-rek] *n* laivo avarija; **~yard** [-jɑ:d] *n* laivų statykla
shirt [ʃə:t] *n* (*vyriški*) marškiniai
shit [ʃɪt] *vulg. n* šūdas; *v* šikti
shiver ['ʃɪvə] *v* drebėti
shock [ʃɔk] *n* 1) smūgis; 2) sukrėtimas; šokas; **~ing** *a šnek.* baisus, siaubingas
shoe ['ʃu:] *n* 1) batas; 2) pasaga; **~lace** [-leɪs] *n* batų raištelis

shone *žr.* **shine**
shook *žr.* **shake**
shoot [ʃu:t] *v* (**shot** [ʃɔt]) 1) šaudyti; (nu)šauti; 2) pralėkti; 3) filmuoti; *n* (*augalo*) daigas
shop ['ʃɔp] *n* 1) parduotuvė; ~ assistant *n* pardavėjas; 2) dirbtuvė; cechas; **~keeper** [-ki:pə] *n* krautuvininkas; **~ping** *n* apsipirkimas
shore [ʃɔ:] *n* (*jūros/ežero*) krantas
shorn [ʃɔ:n] *žr.* **shear**
short ['ʃɔ:t] *a* trumpas; to be ~ (of) stokoti; *n*: in ~ trumpai tariant; **~age** *n* stygius; **~en** *v* sutrumpinti
short-term ['ʃɔ:ttə:m] *a* trumpalaikis; artimiausias
shortly [ʃɔ:tlɪ] *adv* netrukus
shorts [ʃɔ:ts] *n pl* šortai
shot *žr.* **shoot**; *n* 1) šūvis; 2) šaulys; 3) *sport*. metimas, smūgis
should [ʃud, ʃəd] *v past iš* **shall** 1) *pagalbinis veiksmažodis santykiniam būsimajam laikui sudaryti*: I said I ~ be at home aš sakiau, kad būsiu namie; 2) *mod*. turėčiau, turėtum ir t.t. (*reiškia privalėjimą, būtinumą*); we ~ go mes turėtume eiti
shoulder ['ʃəuldə] *n* petys
shouldn't ['ʃudnt] = **should not**
shout [ʃaut] *v* šaukti, rėkti (at)
shove [ʃʌv] *v* stumti, grūsti; *n* stumtelėjimas
shovel ['ʃʌvl] *n* semtuvas, kastuvas; *v* kasti; pilti semtuvu
show [ʃəu] *v* (**showed** [ʃəud], **shown** [ʃəun]) (pa)rodyti; ~ round aprodyti (*miestą, gamyklą ir pan.); n* 1) (pa)rodymas; pasirodymas; 2) paroda; 3) apsimetimas; 4) (*kino*) seansas; 5) šou, estradinis koncertas
shower ['ʃauə] *n* 1) liūtis; kruša; 2) dušas
shown [ʃəun] *žr.* **show**
shrank [ʃræŋk] *žr.* **shrink**
shred [ʃred] *n* skutas; *v* sudraskyti į skutelius
shriek [ʃri:k] *v* klykti; *n* klyksmas
shrill [ʃrɪl] *a* šaižus (*apie garsą*)
shrine [ʃraɪn] (**shrank** [ʃræŋk], **shrunk** [ʃrʌŋk]) *v* susitraukti
shrivel ['ʃrɪvl] *v* (su)džiūti, nuvysti
shrub [ʃrʌb] *n* krūmas
shrug [ʃrʌg] *v* gūžtelėti pečiais
shrunk *žr.* **shrink**
shudder ['ʃʌdə] *v* drebėti, (nu)šiurpti
shuffle ['ʃʌfl] *v* 1) šliurinti; šlepsėti; 2) maišyti (*kortas*)

shut [ʃʌt] *v* (**shut**) uždaryti; ~ up! užsičiaupk!
shutter ['ʃʌtə] *n* langinė
shuttle ['ʃʌtl] *n* maršrutinis autobusas/lėktuvas/traukinys
shy [ʃaɪ] *a* drovus; baikštus
sick ['sɪk] *a* sergantis, nesveikas; to feel ~ bloguoti, norėti vemti; ~ leave nedarbingumo lapelis/atostogos
side [saɪd] *n* 1) pusė; by ~ greta; 2) šalia; šonas; *v* palaikyti (*kieno pusę*)
sideboard ['saɪdbɔ:d] *n* indauja
side-effect ['saɪdɪ'fekt] *n* šalutinis poveikis
sidewalk ['saɪdwɔ:k] *n amer.* šaligatvis
sideways ['saɪdweɪz] *adv* į šoną, šonu
siege [si:dʒ] *n* apgula, apsiaustis
sigh [saɪ] *v* atsidusti; *n* atsidusimas, atodūsis
sight [saɪt] *n* 1) regėjimas, matymas; 2) reginys, vaizdas; 3) *pl* (*miesto*) įžymybės
sighting ['saɪtɪŋ] *n* pastebėjimas
sightseeing ['saɪtsi:ɪŋ] *n* įžymybių apžiūr(in)ėjimas; to go ~ apžiūr(in)ėti įžymybes
sign [saɪn] *n* ženklas; *v* pasirašyti
signal ['sɪgnəl] *n* signalas
signature ['sɪgnətʃə] *n* parašas
significant [sɪg'nɪfɪkənt] *a* 1) reikšmingas; 2) žymus
signpost ['saɪnpəust] *n* kelio/krypties ženklas
silen|ce ['saɪləns] *n* tyla; *v* (nu)tildyti; ~**t** *a* tylus, nekalbus
silk [sɪlk] *n* šilkas; ~**y** *a* šilkinis
sill [sɪl] *n* palangė
silly ['sɪlɪ] *a* kvailas; juokingas
silver ['sɪlvə] *n* sidabras; *a attr.* sidabrinis
similar ['sɪmɪlə] *a* panašus; ~**ity** ['sɪmɪ'lærətɪ] *n* panašumas
simple ['sɪmpl] *a* paprastas
simplification ['sɪmplɪfɪ'keɪʃn] *n* supaprastinimas
simplify ['sɪmplɪfaɪ] *v* supaprastinti
simply ['sɪmplɪ] *adv* 1) paprastai; 2) tiesiog, tik
sin [sɪn] *n* 1) nuodėmė; 2) yda; *v* nusidėti
since [sɪns] *prep* nuo (*tada*); *adv* nuo to laiko; *cj* 1) nuo to laiko, kai; 2) kadangi
sincer|e [sɪn'sɪə] *a* nuoširdus; ~**ity** [sɪn'serətɪ] *n* nuoširdumas
sing [sɪŋ] *v* (**sang** [sæŋ]; **sung** [sʌŋ]) dainuoti; ~**er** *n* dainininkas

single ['sɪŋgl] *a* 1) vienintelis; 2) vienišas; nevedęs; *n* bilietai į vieną pusę; **~-handed** [-'hændɪd] *a* pats vienas; *adv* vien savo rankomis
singular ['sɪngjulə] *n* vienaskaita
sink [sɪŋk] *v* (**sank** [sæŋk], **sunk** [sʌŋk]) 1) skęsti, grimzti; 2) paskandinti; *n* 1) (*vandentiekio*) kriauklė; 2) prausyklė
sip [sɪp] *v* gerti gurkšneliais, srėbti; *n* gurkšnelis
sir [sə:] *n* seras; ponas (*kreipinys*)
siren ['saɪərən] *n* sirena
sister ['sɪstə] *n* sesuo; **~-in-law** [-rɪnlɔ:] (*pl* **sisters-in-law**) *n* brolienė
sit [sɪt] *v* (**sat** [sæt]) 1) sėdėti; 2) posėdžiauti; ~ down sėsti(s), pasodinti
site [saɪt] *n* vieta, sklypas; building ~ statybvietė
sit-in ['sɪtɪn] *n* sėdimasis streikas
sitting ['sɪtɪŋ] *n* 1) (*pusryčių ir pan.*) pamaina; 2) posėdis
situate ['sɪtjueɪt] *v* to be ~d būti (*kur nors*)
situation ['sɪtʃu'eɪʃn] *n* 1) padėtis; situacija; 2) (*buvimo*) vieta; 3) tarnyba
six ['sɪks] *num* šeši; **~teen** [-ti:n] *num* šešiolika; **~teenth** [-'ti:nθ] *num* šešioliktas; **~th** [-θ] *num* šeštas; **~tieth** [-tɪəθ] *num* šešiasdešimtas; **~ty** *num* šešiasdešimt
size [saɪz] *n* dydis; apimtis; formatas
skate ['skeɪt] *v* čiuožti; *n* pačiūža; **~board** [-bɔ:d] *n* riedlentė
skeleton ['skelɪtɪn] *n* griaučiai; skeletas
sketch [sketʃ] nupiešti, apmesti; škicuoti; *n* 1) škicas, eskizas; 2) apybraiža, etiudas
ski [ski:] *n* slidė; *v* slidinėti
skid [skɪd] *v* 1) slysti, buksuoti; 2) stabdyti; *v* 1) slydimas, buksavimas; 2) pavaža, šliūžė
skill [skɪl] *n* 1) įgūdis; 2) meistriškumas; **~ed** *a* įgudęs; kvalifikuotas; **~ful** ['skɪlfl] *a* sumanus, nagingas
skin [skɪn] *n* 1) oda; kailis; 2) žievelė
skinny ['skɪnɪ] *a* liesas
skip [skɪp] *v* šokinėti (*t.p. per šokyklę*); ~ping rope šokyklė
skipper ['skɪpə] *n* (*laivo*) kapitonas, skiperis
skirt [skə:t] *n* sijonas
skull [skʌl] *n* kaukolė
sky ['skaɪ] *n* dangus; **~line** [-laɪn] *n* 1) horizonto linija; 2) (*pastatų*) kontūrai (*dangaus fone*)
skyscraper ['skaɪskreɪpə] *n*

dangoraižis
slab [slæb] *n* stora riekė, gabalas
slack [slæk] *a* 1) neįtemptas, palaidas, laisvas; 2) vangus, tingus
slam [slæm] *v* 1) (už)trenkti, trankyti; 2) trenkti(s) (in to – į)
slander ['slɑ:ndə] *n* šmeižtas; *v* apšmeižti
slang [slæŋ] *n* slengas
slant [slɑ:nt] *n* nuožulnumas; šlaitas
slap [slæp] *v* pliaukštelėti; *n* pliaukštelėjimas
slash [slæʃ] *n* pjūvis; *v* 1) perpjauti; (su)pjaustyti; 2) smarkiai sumažinti
slaughter ['slɔ:tə] *n* žudymas; žudynės; *v* žudyti; skersti
slave ['sleɪv] *n* vergas; **~ry** [-rɪ] *n* vergija
sledge [sledʒ] *n* rogės, rogutės
sleep [sli:p] *v* (**slept** [slept]) miegoti; *n* miegas; **~less** *a* nemiegojęs, bemiegis; **~y** *a* mieguistas
sleet [sli:t] *n* šlapdriba; *v* kristi šlapdribai
sleeve [sle:v] *n* rankovė
sleigh [sleɪ] *n* rogės
slender ['slendə] *a* plonas, lieknas
slept *žr.* **sleep**
slice [slaɪs] *n* riekė; griežinys
slick [slɪk] *a* 1) sklandus; dailus; 2) vikrus
slide [slaɪd] *v* (**slid** [slɪd]) (pa)slysti
slight [slaɪt] *a* 1) lengvas; nežymus; 2) plonas, lieknas; **~ly** *adv* šiek tiek, truputį
slim [slɪm] *a* lieknas; *v* sulieséti, sulieknėti
sling [slɪŋ] (**slung** [slʌŋ]) *v* mėtyti; užsimesti; *n* 1) raištis; 2) laidyklė
slink [slɪŋk] (**slunk** [slʌŋk]) *v* sėlinti; slinkti
slip ['slɪp] *n* 1) (pa)slydimas; 2) klaidelė; *v* paslysti; išslysti; **~per** *n* šlepetė; **~pery** [-ərɪ] *a* slidus
slit [slɪt] *n* ilgas pjūvis; *v* prapjauti
slither ['slɪðə] *v* slysti
slogan ['sləugən] *n* šūkis
slope [sləup] *n* nuolydis; šlaitas
slot [slɔt] *n* plyšys, skylė; *n* automatas (*pvz., bilietų, kavos ir pan.*)
Slovakia [sləu'vækɪə] *n* Slovakija
Slovenia [sləu'vi:nɪə] *n* Slovėnija
slow ['sləu] *a* lėtas; *adv* lėtai, pamažu
slum [slʌm] *n* lūšnynas
slump [slʌmp] *v* (*staigiai,*

smarkiai) kristi, smukti
slung *žr.* **sling**
slunk *žr.* slink
slush [slʌʃ] *n* patižęs sniegas
sly [slaɪ] *a* gudrus, suktas
smack [smæk] *v* pliaukštelėti
small [smɔ:l] *a* 1) mažas, mažutis; 2) menkas; 3) smulkus
smart [smɑ:t] *a* 1) puošnus; prašmatnus; 2) smarkus; 3) sumanus
smash [smæʃ] *n* sudužimas; *v* sudaužyti, sudužti; **~ing** *a* *šnek.* nuostabus
smear [smɪə] *v* (su)tepti, suteršti; *n* 1) dėmė; 2) šmeižtas
smell [smel] *n* 1) kvapas; 2) uoslė; *v* (**smelt** [smelt] *ir* **smelled**) 1) kvepėti; 2) uostyti; **~y** *a* dvokiantis
smile [smaɪl] *v* šypsotis; *n* šypsena
smok|e [sməuk] *n* 1) dūmai; 2) rūkymas; *v* rūkyti; **~ed** *a* rūkytas; **~er** *n* rūkalius; **~y** *a* pilnas dūmų
smooth [smu:ð] *a* 1) lygus; 2) sklandus
smother ['smʌðə(r)] *v* 1) (už)dusinti; 2) (už)gesinti, užslopinti (*ugnį*)
smoulder ['sməuldə] *v* rusenti
smuggle ['smʌgl] *v* įvežti/gabenti kontrabandą; **~r** *n* kontrabandininkas
snack ['snæk] *n* užkandis; ~ b a r bufetas, užkandinė
snag ['snæg] *n* kliūtis
snail ['sneɪl] *n* sraigė
snake ['sneɪk] *n* gyvatė
snap ['snæp] *n* spragtelėjimas; **~shot** [-ʃɔt] *n* nuotrauka
snarl ['snɑ:l] *v* urgzti; *n* urzgimas
snatch ['snætʃ] *v* (pa)griebti; nutverti
sneak [sni:k] *v* sėlinti, slinkti
sneer ['snɪə] *v* šaipytis; *n* pašaipa
sneeze ['sni:z] *v* čiaudėti; *n* čiaudulys
sniff ['snɪf] *v* 1) šnirpšti; 2) uostyti
snip ['snɪp] *v* (at)kirpti; *n* įkirpis, atkarpa
snooze ['snu:z] *v* snūduriuoti; *n* nusnūdimas
snore ['snɔ:] *v* knarkti
snow ['snəu] *n* sniegas; i t ~s sninga; **~storm** [-stɔ:m] pūga; **~y** *a* snieguotas, apklotas sniegu
snug ['snʌg] *a* 1) jaukus; 2) (*gerai*) prigludęs
so [səu] *adv* 1) taip; ~ f a s t taip greitai; ~ c a n I aš taip pat galiu/moku; ~ m u c h f o r tai tiek; 2): ~ a s (t o d o s m t h) tam, kad; ~ ... a s

toks...kaip...; taip... kaip...
soak [səuk] *v* pamerkti, išmirkyti
soap [səup] *n* muilas
soar [sɔ:] *v* sklandyti; aukštai iškilti/skraidyti
sob [sɔb] *v* kūkčioti
sober ['səubə] *a* 1) blaivus; 2) rimtas; 3) ramus (*apie spalvas*)
so-called ['səu'kɔ:ld] *a attr.* vadinamasis
soccer ['sɔkə] *n* futbolas
social ['səuʃl] *a* visuomeninis, socialinis
social|ism ['səuʃəlızm] *n* socializmas; **~ist** *a* socialinis; *n* socialistas
society [sə'saıətı] *n* 1) draugija; 2) bendruomenė
socks [sɔks] *n pl* puskojinės, vyriškos kojinės
soda-water ['səudəwɔ:tə] gazuotas gėrimas
sodium ['səudıəm] *n chem.* natris
sofa ['səufə] *n* sofa
soft [sɔft] *a* minkštas; **~en** *v* (su)minkštinti; (su)minkštėti; **~-hearted** [-'hɑ:tıd] *a* minkštaširdis
soggy ['sɔgı] *a* įmirkęs, patižęs
soil I ['sɔıl] *n* dirva
soil II *v* (su)teršti
solar ['səulə] *a* saulės; ~ e n e r g y saulės energija
sold *žr.* **sell**
soldier ['səuldʒə] *n* kareivis
sole I [səul] *n* padas
sole II *a* vienintelis; išimtinis; **~ly** *adv* išimtinai; tiktai
solemn ['sɔləm] *a* iškilmingas
solicitor [sə'lısıtə] *n* advokatas; įgaliotinis
solid ['sɔlıd] *a* 1) kietas; 2) tvirtas; *n fiz.* kietasis kūnas
solitary ['sɔlıtərı] *a* vienišas; pavienis
solo ['səuləu] *n* solo; *a* 1) solinis; *av.* savarankiškas; **~ist** *n* solistas
solution [sə'lu:ʃn] *n* 1) sprendimas; 2) chem. tirpalas
solve [sɔlv] *v* (iš)spręsti
some [sʌm] *pron* 1) kažkoks, tam tikras; koks nors; 2) kai kas, kai kuris, vienas kitas; 3) keletas, keli; 4) truputis, kiek nors; ~ m o r e dar (*šiek tiek*); **~body** [-bɔdı], **~one** [-wʌn] kažkas (*apie asmenį*); **~day** [-deı] *adv* kada nors; **~how** [-hau] *adv* kaip nors; kažkaip; **~thing** [-θıŋ] kažkas (*apie daiktą, reiškinį*); **~times** [-taımz] *adv* kartais; **~where** [-wɛə] kažkur
son [sʌn] *n* sūnus; **~-in-law** ['sʌnınlɔ:] *n* (*pl* **sons-in-law**) žentas

song [sɔŋ] *n* daina
sonnet ['sɔnɪt] *n* sonetas
soon [su:n] *adv* netrukus, greit(ai); as ~ as kai tik
soot [sut] *n sg* suodžiai
sooth|e [su:ð] *v* (nu)raminti; **~ing** *a* raminantis
sooty ['sutɪ] *a* suodinas
sophisticated [sə'fɪstɪkeɪtɪd] *a* 1) išmanantis; 2) įmantrus; sudėtingas
sore [sɔ:] *a* skaudus, skausmingas
sorrow ['sɔrəu] *n* liūdesys, sielvartas; **~ful** *a* liūdnas
sorry ['sɔrɪ] *a* liūdnas; nelaimingas; apgailestaujantis; (I'm) ~! atsiprašau!; to be/feel ~ gailėti(s); apgailestauti
sort [sɔ:t] *n* rūšis; *v* rūšiuoti
sought *žr.* **seek**
soul [səul] *n* 1) siela; 2) būtybė, žmogus
sound I [saund] *n* garsas; *v* skambėti
sound II *a* 1) sveikas, tvirtas; 2) pagrįstas, logiškas **~ly** *adv* pagrįstai, protingai; tvirtai, visiškai; ~ly based pagrįstas
soup [su:p] *n* sriuba
sour ['sauə] *a* rūgštus
source [sɔ:s] *n* ištaka, šaltinis
south [sauθ] *n* pietūs; **~ern** ['sʌðən] *a* pietinis, pietų; **~ward** [-wəd] *adv* į pietus, pietų kryptimi
souvenir ['su:və'nɪə] *n* suvenyras
sovereign ['sɔvrɪn] *n* monarchas, suverenas
Soviet ['səuvət] *n* taryba; *a* tarybinis; sovietinis; tarybų
sow [səu] *v* (**sowed** [səud], **sown** [səun] *t.p.* **sowed**) sėti
space ['speɪs] *n* 1) erdvė; kosmosas; 2) vieta, plotas; 3) tarpas; **~man** [-mən] *n* kosmonautas; astronautas; **~ship** *n* kosminis laivas
spaciuos ['speɪʃəs] *a* erdvus
spade [speɪd] *n* 1) kastuvas; 2) *pl* (*kortų*) vynai
Spain [speɪn] *n* Ispanija
Spaniard ['spænjəd] *n* ispanas
spaniel ['spænjəl] *n* spanielis (*šuo*)
Spanish ['spænɪʃ] *a* ispanų; ispaniškas; *n* ispanų kalba
spanner ['spænə] *n* veržliaraktis
spare [spɛə] *v* 1) tausoti; gailėti(s); 2) skirti (*laiko, dėmesio*); *a* 1) laisvas, atliekamas; 2) atsarginis; ~ parts atsarginės dalys
spark [spɑ:k] *n* kibirkštis; **~le** [-l] *v* kibirkščiuoti, žėrėti, tviskėti
sparrow ['spærəu] *n* žvirblis

spat *žr.* **spit**
speak [spi:k] *v* (**spoke** [spəuk], **spoken** ['spəukn]) kalbėti; **~er** *n* kalbėtojas, oratorius
spear [spɪə] *n* ietis
special ['speʃl] *a* specialus, ypatingas; **~ist** *n* specialistas; **~ity** ['speʃl'æləti] *n* specialybė; **~ize** *v* specializuotis
species ['spi:ʃi:z] *n* (*pl t.p.*) rūšis, atmaina
specific [spɪ'sɪfɪk] *a* specifinis, ypatingas; tikslus; **~ally** *adv* ypač, ypatingai; specifiškai
specimen ['spesɪmən] *n* 1) pavyzdys; egzemplioriu s; 2) mėginys
speck ['spek] *n* dėmelė; **~led** [-ld] *a* taškuotas
spectacle ['spektəkl] *n* 1) reginys; 2) *pl* akiniai
spectacular [spek'tækjulə] *a* įspūdingas; impozantiškas
spectator [spek'teɪtə] *n* žiūrovas
speculate ['spekjuleɪt] *v* spėlioti
sped *žr.* **speed**
speech [spit:ʃ] *n* kalba; kalbėjimas; **~less** *a* netekęs žado
speed [spit:d] *n* greitis, tempas; *v* (**sped**, **speeded**) skubėti; **~ up** pagreitinti; **~y** *a* greitas
spell I ['spel] *v* (**spelt** [-t], *t.p.* **spelled**) pasakyti, parašyti žodį paraidžiui; **how do you ~ this word?** kaip rašomas šis žodis? **~ing** *n* rašyba, ortografija
spell II *n* laikotarpis (*trumpas*)
spend [spend] *v* (**spent** [spent]) 1) (iš)leisti, eikvoti; 2) (pra)leisti (*laiką*)
sphere [sfɪə] *n* 1) rutulys; 2) sfera, sritis
spic|e [spaɪs] *n* prieskonis; **~y** *a* su prieskoniais
spider ['spaɪdə] *n* voras
spike [spaɪk] *n* smaigalys
spill [spɪl] *v* (**spilt** [spɪlt], *t.p.* **spilled**) išlieti, išpilti
spin [spɪn] (**spun** [spʌn]) *v* 1) sukti(s); 2) verpti
spine [spaɪn] *n* stuburas
spinster ['spɪnstə] *n* senmergė
spiral ['spaɪərəl] *n* spiralė; *a* spiralinis
spire ['spaɪə] *n* špilis, smailė
spirit ['spɪrɪt] *n* 1) dvasia; siela; 2) entuziazmas, gyvumas; *pl* nuotaika; 3) spiritas; *pl* alkoholiniai gėrimai
spit [spɪt] (**spat** [spæt]) *v* spjauti
spite [spaɪt] *prep*: (**in ~ of**) nepaisant ko
splash [splæʃ] *v* (ap)taškyti, (ap)tėkšti
splendid ['splendɪd] *a* puikus
splinter ['splɪntə] *n* rakštis;

nuolauža, skeveldra
split [splɪt] *v* (**split**) (per)skelti; (su)skaldyti; (su)skilti
spoil ['spɔɪl] *v* (**spoiled, spoilt** [spɔɪlt]) 1) (su)gadinti; 2) gesti (*apie maisto produktus*); 3) (iš)lepinti (*vaiką*); **~sport** [-spɔ:t] nuotaikos gadintojas
spoke *n* rato stipinas; *žr.* **speak**
spoken *žr.* **speak**
spokesman ['spəuksmən] *n* atstovas, delegatas
sponge [spʌndʒ] *n* kempinė
sponsor ['spɔnsə] *v* rėmėjas; *v* būti rėmėju, remti; **~ship** *n* rėmimas, finansavimas
spontaneous [spɔn'teɪnɪəs] *a* savaiminis; spontaniškas; stichiškas
spool [spu:l] *n* ritė
spoon [spu:n] *n* šaukštas
sport [spɔ:t] *n* sportas; **~sman** [-smən] *n* (*pl* **sportsmen**) sportininkas; **~swoman** [-swumən] *n* sportininkė
spot [spɔt] *n* 1) dėmė; 2) vieta; 3) spuogelis; o n t h e ~ čia pat, vietoje, iš karto, nedelsiant; **~less** švarus, nedėmėtas
spotlight ['spɔtlaɪt] *n* prožektorius
spout [spaut] *v* 1) čiurkšti; 2) deklamuoti; *n* 1) (*indo*) snapelis, kaklelis; 2) čiurkšlė
sprain [spreɪn] *v* patemti (*sausgyslę*); *n* (*sausgyslės*) patempimas
sprang *žr.* **spring**
spray [spreɪ] *v* purkšti; *n* 1) purkštuvas; 2) purslai
spread [spred] *v* (**spread**) 1) sklisti, skleisti; 2) patepti, užtepti; 3) (pa)tiesti
spring I [sprɪŋ] *n* pavasaris
spring II *v* (**sprang** [spræŋ], **sprung** [sprʌŋ]) 1) (pa)šokti; 2) kilti, atsirasti
sprinkle ['sprɪŋkl] *v* pabarstyti; apšlakstyti
sprint [sprɪnt] *n* sprintas, trumpos distancijos bėgimas; **~er** *n* sprinteris
sprout [spraut] *v* leisti daigus; *n* 1) daigas; 2) B r u s s e l s ~ Briuselio kopūstai
sprung *žr.* **spring**
spun *žr.* **spin**
spur [spə:] *v* (pa)skatinti
spurt [spə:t] *v* trykšti; *n* čiurkšlė
spy [spaɪ] *n* šnipas; *v* šnipinėti
squabble ['skwɔbl] *v* rietis; *n* kivirčas
squad [skwɔd] *n* (*ypač kar.*) būrys; brigada
square [skwɛə(r)] *n* 1) kvadratas; 2) aikštė; skveras; *a* kvadratinis, kampuotas
squash [skwɔʃ] *v* 1) grūstis, su-

grūsti; 2) numalšinti (*priešiškumą*); *n* spūstis, grūstis; **~y** *a* pažliugęs; minkštas
squat [skwɔt] *v* tupėti, (pri)tūpti
squeak [skwi:k] *v* girgždėti, girgždesys
squeal [skwi:l] *n* cypimas; *v* cypti; spiegti
squeeze ['skwi:z] *v* suspausti; išspausti; *n* paspaudimas
squirrel ['skwɪrəl] *n* voverė
squirt [skwə:t] *v* 1) purkšti; 2) čiurkšti
stab [stæb] *v* durti; smeigti; t o ~ t o d e a t h nudurti
stable I ['steɪbl] *a* pastovus, stabilus
stable II *n* arklidė
stack [stæk] *n* krūva, šūsnis; stirta
stadium ['steɪdɪəm] *n* stadionas
staff [stɑ:f] (*pl* **staffs** *ir* **staves** [stɑ:vz]) *n* 1) personalas; 2) štabas; **~room** mokytojų/darbuotojų kambarys
stag [stæg] *n* elnias (*patinas*)
stage [steɪdʒ] *n* 1) scena; 2) stadija; pakopa
stagger ['stægə] *v* šlitinėti; **~ing** *a* stulbinantis
stain [steɪn] *n* dėmė
stair ['stɛə] *n* 1) laiptelis; 2) *pl* laiptai; **~case** [-keɪs], **~way** [-weɪ] *n* laiptai
stake [steɪk] *n* baslys, kuolas
stale [steɪl] *a* sužiedėjęs (*apie duoną*); išsivadėjęs
stalk [stɔ:k] *n* stiebas, kotelis
stall [stɔ:l] *n* 1) prekystalis; 2) gardas
stammer ['stæmə] *v* mikčioti
standstill ['stændstɪl] *n* sustojimas; t o c o m e t o a ~ *v* sustoti
standard ['stændəd] *a* standartinis, tipinis, pavyzdinis; *n* 1) vėliava; 2) standartas; lygis, norma; ~ o f l i v i n g pragyvenimo lygis
stank *žr.* **stink**
stamp [stæmp] *n* 1) pašto ženklas; 2) antspaudas; 3) įspaudas; 4) trypimas; *v* 1) anspauduoti; 2) trypti
stand [stænd] *v* (**stood** [stud]) 1) stovėti; 2) sustoti; 3) išlaikyti, (pa)kęsti; ~ u p atsistoti
star [stɑ:] *n* žvaigždė; **~ry** [-rɪ] *a* žvaigždėtas
stare [stɛə] *v* įdėmiai žiūrėti, spoksoti; *n* spoksojimas
start [stɑ:t] *n* 1) pradžia; startas; 2) krūptelėjimas; *v* 1) pra(si)dėti; 2) krūptelėti
startl|e ['stɑ:tl] *v* išgąsdinti; **~ing** *a* stebėtinas
starve [stɑ:v] *v* 1) badauti; 2) mirti badu
state I [steɪt] *n* 1) valstybė; 2) valstija; *a* valstybinis; **~sman**

[-smən] *n* (*pl* **statesmen**) valstybės veikėjas
state II *n* 1) būsena, padėtis; *v* 1) pareikšti, konstatuoti; 2) išdėstyti, formuluoti; **~ment** pareiškimas; išdėstymas
station ['steɪʃn] *n* 1) vieta, postas; 2) stotis; police ~ [pə'li:s] nuovada; railway ~ geležinkelio stotis
stationary ['steɪʃənrɪ] *a* 1) pastovus; 2) stacionarus
stationer ['steɪʃənə(r)] *n* prekiautojas raštinės reikmenimis; **~y** ['steɪʃənrɪ] *n* raštinės reikmenys
statistics [stə'tɪstɪks] *n* 1) statistika; 2) *pl* statistiniai duomenys
statue ['stætʃu:] *n* statula
status ['steɪtəs] *n* 1) padėtis, būsena; 2) *teis*. statusas
stay [steɪ] *v* 1) apsistoti, (apsi)gyventi; 2) (pasi)likti; 3) sustabdyti
steady ['stedɪ] *a* 1) pastovus, nuolatinis; 2) vienodas, stabilus
steak [steɪk] *n* mėsos/žuvies gabalas (*kepsniui*)
steal [sti:l] *v* (**stole** [stəul], **stolen** ['stəulən]) vogti
steam ['sti:m] *n* garai; *v* garuoti; **~boat** [-bəut], **~er** *n* garlaivis
steel [sti:l] *n* plienas
steep [sti:p] *a* status
steeple ['sti:pl] *n* (*bažnyčios bokšto*) smailė, varpinė
steer I [stɪə] *n* jautukas
steer II *v* vairuoti; **~ing**, **~wheel** *n* vairas, vairutis
stem [stem] *n* kamienas, stiebas
step I ['step] *n* 1) žingsnis; 2) laiptas, laiptelis; *v* žengti
step II **~daughter** [-dɔ:tə] *n* podukra; **~father** [-fɑ:ðə] *n* patėvis; **~mother** [-mʌðə] *n* pamotė; **~son** [-sʌn] *n* posūnis
stereo ['sterɪəu] *n* stereo aparatas; **~type** ['sterɪətaɪp] *n* stereotipas
sterling ['stə:lɪŋ] *n* sterlingas; *a* 1) nustatytos prabos; 2) patikimas, tikras
stern I [stə:n] *a* griežtas, rūstus
stern II *n jūr*. laivagalis
stew [stju:] *v* troškinti; *n* troškinys
steward ['stju:əd] *n* 1) stiuardas; 2) prievaizdas; ekonomas; **~ess** *n* stiuardesė
stick I [stɪk] *n* lazda, lazdelė; pagalys
stick II [stɪk] *v* (**stuck** [stʌk]) 1) (į)smeigti; (į)durti; 2) (pri)klijuoti; (pri)lipti (*t.p.* ~ out); 3) išsikišti; kyšoti; **~y** *a* lipnus
stiff [stɪf] *a* standus, nelanks-

tus

stile [staıl] *n* lipynė (*perlipti per tvorą*)

still I [stıl] *a* tylus, ramus; *v* raminti; s i t ~ ! sėdėk ramiai!

still II *adv* (*vis*) dar; vis dėlto

stilts [stılts] *n pl* kojokai

stimulate ['stımjuleıt] *v* (pa)skatinti; (su)žadinti

sting [stıŋ] *n* gylys; *v* (**stung** [stʌŋ]) (į)gelti

stink [stıŋk] *v* (**stank** [stæŋk], **stunk** [stʌŋk]; **stunk**) dvokti; *n* smarvė; dvokimas

stir [stə:] *v* 1) judėti, judinti; 2) maišyti; 3) išjudinti; (su)krutinti, sukelti

stitch [stıtʃ] *n* 1) dygsnis; 2) (*mezginio*) akis; *v* dygsniuoti; siuvinėti

stock [stɔk] *n* 1) *pl* akcijos; 2) (*prekių*) asortimentas; 3) atsarga; 4) *ž.ū.* inventorius

stocking ['stɔkıŋ] *n* kojinė

stole, stolen *žr.* **steal**

stomach ['stʌmək] *n* skrandis

stone [stəun] *n* akmuo

stony ['stəunı] *a* akmenuotas

stood *žr.* **stand**

stool [stu:l] *n* suoliukas, taburetė, sėdynė

stoop [stu:p] *n* susikūprinimas; nusilenkimas; 2) nusižeminimas; *v* 1) kūprinti(s); 2) nu(si)lenkti; 3) žemintis

stop ['stɔp] *v* 1) sustoti; nutraukti (*darbą*); 2) nustoti; *n* 1) sustojimas; 2) stotelė; **~per** [-pə] *n* kamštis

store [stɔ:] *v* 1) (su)kaupti; 2) aprūpinti; *n* 1) atsargos; 2) sandėlis; 3) parduotuvė; d e p a r t m e n t ~ universalinė parduotuvė

storey ['stɔ:rı] *n* (*namo*) aukštas

stork [stɔ:k] *n* gandras

storm [stɔ:m] *n* audra; **~y** *a* audringa

story ['stɔ:rı] *n* 1) apysaka, apsakymas; 2) pasakojimas

stout [staut] *a* apkūnus; 2) tvirtas, patvarus; 3) atkaklus

stove [stəuv] *n* krosnis

stowaway ['stəuəweı] *n* keleivis be bilieto

straight [streıt] *a* tiesus; *adv* tiesiai; **~en** *v* (iš)tiesinti; **~forward** [-'fɔ:wəd] *a* 1) (*labai*) paprastas; 2) tiesus

strain [streın] *n* įtampa, įtempimas

strainer ['streınə] *n* filtras, koštuvas

strand [strænd] *n* sruoga; pluoštas

strang|e ['streındʒ] *a* 1) keistas; 2) nepažįstamas, svetimas; **~er** *n* 1) svetimšalis; 2) nepažįstamasis, svetimas/nevietinis žmogus

strangle ['stræŋgl] *v* (pa)smaugti
strap [stræp] *n* diržas, dirželis; *v* (su)veržti/(su)rišti diržu
strategy ['strætədʒɪ] *n* strategija (*ir perk.*)
straw [strɔ:] *n* šiaudai, šiaudas; *a* šiaudinis
strawberry ['strɔ:brɪ] *n* braškė; wild ~ žemuogė
stray [streɪ] *v* paklysti; *a* 1) paklydęs; benamis; 2) atsitiktinis
streak [stri:k] *n* 1) ruoželis; 2) brūkšnys; *v* 1) dryžuoti; 2) skuosti; (pra)lėkti
stream [stri:m] *n* 1) srovė; 2) upelis
street [stri:t] *n* gatvė
strength ['streŋθ] *n* 1) jėga; 2) stiprumas; atsparumas; **~en** *v* (su)stiprinti; (su)stiprėti
stress [stres] *n* 1) kirtis; 2) įtempimas; *v* 1) pabrėžti; 2) kirčiuoti
strech [stretʃ] *v* 1) tęstis, nusidriekti; 2) temptis, (išsi)tempti; **~er** *n* neštuvai
stricken ['stɪkən] *a* palaužtas; (*nelaimės ir pan.*) ištiktas
strict [strɪkt] *a* griežtas
stride [straɪd] (**strode** [strəud], **stridden** ['strɪdn]) *v* žingsniuoti; *n* (*ilgas*) žingsnis
strike I [straɪk] *v* (**struck** [strʌk]) 1) (su)duoti, smogti; 2) trenktis; su(si)mušti; 3) kalti; 4) dingtelėti; 5) įskelti (*ugnį*)
strike II *n* streikas; to go on ~ sustreikuoti; *v* streikuoti; **~er** streikuotojas
striking [straɪkɪŋ] *a* stulbinantis, įspūdingas
string [strɪŋ] *n* 1) virvelė; špagatas; 2) styga; 3) eilė, virtinė; *v* (**strung** [strʌŋ]) 1) pririšti; 2) įtempti (*ir perk.*)
strip [strɪp] *v* nuplėšti, nulupti; *n* rėžis, juosta, atraiža
strip|e [straɪp] *n* dryžis, ruoželis; **~ed** *a* dryžuotas
strive [straɪv] *v* (**strove** [strəuv], **striven** ['stɪvn]) stengtis; siekti
strode *žr.* **stride**
stroke [strəuk] *n* smūgis; *v* glostyti
stroll [strəul] *v* vaikštinėti; *n* pasivaikščiojimas
strong [strɔŋ] *a* stiprus; tvirtas; smarkus
struck *žr.* **strike I**
structure ['strʌktʃə] *n* 1) sandara, struktūra; 2) pastatas
struggle ['strʌgl] *n* kova; *v* kovoti
stub [stʌb] *n* 1) galas, galiukas; nuorūka; 2) (*bilieto ir pan.*) šaknelė
stubborn ['stʌbən] *a* užsispyręs; atkaklus

stuck *žr.* **stick**
student ['stju:dnt] *n* studentas, moksleivis
studies ['stʌdɪz] *n pl* mokslas, mokymasis, studijos
studio ['stju:dɪəu] *n* studija; dirbtuvė
study ['stʌdɪ] *v* 1) mokytis; 2) studijuoti; 3) tirti; *n* 1) mokslinis darbas; 2) tyrimas; 3) darbo kabinetas
stuff [stʌf] *n* 1) medžiaga; *šnek.* šlamštas; *v* (su)kimšti; prikimšti; **~ing** *n* įdaras; kamšalas
stuffy ['stʌfɪ] *a* tvankus
stumble ['stʌmbl] *v* suklupti (*ir perk.*); užkliūti
stump [stʌmp] *n* 1) kelmas; 2) galas; nuorūka; *v* 1) šlubčioti; 2) *šnek.* sugluminti
stun [stʌn] *v* pritrenkti, apsvaiginti
stung *žr.* **sting**
stunk *žr.* **stink**
stunning ['stʌnɪŋ] *a* 1) stulbinantis, pritrenkiantis; 2) *šnek.* nuostabus
stunt [stʌnt] *v* sustabdyti augimą; **~ed** *a* sunykęs
stupid ['stju:pɪd] *a* kvailas, neprotintas; **~ity** [stju:'pɪdətɪ] *n* bukumas; kvailystė
stutter ['stʌtə] *v* mikčioti; mikčioti; *n* mikčiojimas
sty I [staɪ] *n* kiaulidė
sty II *n* (*akies*) miežis
style [staɪl] *n* 1) stilius; maniera; elegancija; 2) mada; fasonas; *v* sukirpti pagal fasoną; t o ~ s m b ' s h a i r padaryti šukuoseną
subject I ['sʌbdʒɪkt] *n* 1) dalykas; tema; objektas; 2) (*dėstomasis*) dalykas, disciplina; 3) pavaldinys
subject II [səb'dʒekt] *v* pajungti, palenkti (t o)
submarine ['sʌbmə'ri:n] *n* povandeninis laivas
submit [səd'mɪt] *v* pasiduoti, nusileisti
subordinate [sə'bɔ:dɪnət] *n* (pa)valdinys; *a* 1) pavaldus (to); 2) ne toks svarbus; 3) *geom.* šalutinis, prijungiamasis
subscribe [səb'skraɪb] *v* už(si)sakyti, prenumeruoti (to)
subscription [səb'skrɪpʃn] *n* prenumerata
subsequent ['sʌbsɪkwənt] *a* einantis po, paskesnis, vėlesnis
subsidiary [səb'sɪdɪərɪ] *a* pagalbinis, šalutinis; *n* filialas
substance ['sʌbstəns] *n* 1) materija; medžiaga; 2) esmė
substantial [səb'stænʃl] *a* esminis, žymus
substitute ['sʌbstɪtju:t] *v* 1) pakeisti; 2) pavaduoti; *n* 1) pakaitalas; 2) pavaduotojas
subtle ['sʌtl] *a* subtilus, vos

pastebimas
subtract [səb'trækt] *v* atimti (*apie skaičius*); **~ion** [-ʃn] *n* atimtis
suburb ['sʌbə:b] *n* priemiestis; **~an** *a* priemiestinis
subway ['sʌbweɪ] *n* 1) tunelis; 2) *amer.* metro
succeed [sək'si:d] *v* pasiekti, pavykti (in)
success [sək'ses] *n* pasisekimas; **~ful** *a* sėkmingas; **~ion** [sək'seʃn] *n* eilė, seka; in ~ iš eilės, vienas po kito; **~or** *n* tęsėjas, perėmėjas
such [sʌtʃ] *a, pron* toks; ~ as kaip toks
suck [sʌk] *v* čiulpti, žįsti
Sudan [su:'dɑ:n] *n* Sudanas; **~ese** ['su:də'nɪz] *n* sudanietis
sudden ['sʌdn] *a* staigus; **~ly** *adv* staiga
suffer ['sʌfə] *v* kentėti, kęsti; **~ing** *n* kančia
sufficient [sə'fɪʃnt] *a* pakankamas
suffix ['sʌfɪks] *n* priesaga
suffocate ['sʌfɔkeɪt] *v* (už)dusti; (už)dusinti
sugar ['ʃugə] *n* cukrus
suggest [sə'dʒest] *v* 1) įteikti, duoti (*mintį*); 2) pasiūlyti; **~ion** [sə'dʒestʃn] *n* pasiūlymas
suicide ['sju:saɪd] *n* savižudybė; to commit ~ *v* nusižudyti
suit ['su:t] *n* 1) kostiumas; 2) komplektas; *teis.* byla; *v* tikti; atitikti; **~able** *a* tinkamas; **~case** [-keɪs] *n* lagaminas
suite [swi:t] *n* komplektas, rinkinys
sulk [sʌlk] *v* pykti, būti nepatenkintam; **~y** *a* paniuręs, susiraukęs
sullen ['sʌlən] *a* paniuręs, piktas
sum [sʌm] *n* 1) suma; 2) aritmetikos uždavinys
summary ['sʌmərɪ] *n* santrauka, suvestinė
summer ['sʌmə] *n* vasara
summit ['sʌmɪt] *n* viršūnė (*ir perk.*)
summon ['sʌmən] *v* 1) iškviesti; sukviesti; 2) reikalauti
sun ['sʌn] *n* saulė; **~bathe** [-beɪð] *v* degintis saulėje; **~burn** [-bə:n] *n* saulės įdegimas; **~burnt** *a* nudegęs saulėje
Sunday ['sʌndɪ] *n* sekmadienis
sung *žr.* **sing**
sunglasses ['sʌnglɑ:sɪz] *n pl* saulės akiniai
sunk *žr.* **sink**
sunken ['sʌŋkən] *a* 1) nuskendęs; 2) nusėdęs, pažemėjęs
sunlight ['sʌnlaɪt] *n* saulės šviesa
sunny ['sʌnɪ] *a* saulėtas
sunrise ['sʌnraɪz] *n* saulėte-

kis
sunset ['sʌnset] *n* saulėlydis
sunshade ['sʌnʃeɪd] *n* skėtis nuo saulės
sunshine ['sʌnʃaɪn] *n* saulės šviesa; saulėkaita
suntan ['sʌntæn] *n* įdegimas (*saulėje*)
super ['su:pə] *a šnek.* nuostabus
super- ['su:pə-] *pref* virš-, ant-, super-
superb [su:'pə:b] *a* 1) aukščiausios rūšies; nuostabus; 2) didžiulis
superficial ['su:pə'fɪʃl] *a* paviršutinis; paviršutiniškas
superintendent ['su:pərɪn'tendənt] *n* 1) vadovas, valdytojas; 2) vyresnysis policijos inspektorius
superior [su:'pɪərɪə] *a* geresnis; viršesnis; *n* vyresnysis; viršininkas
superlative [su:'pə:lətɪv] *a gram.* aukščiausiasis laipsnis
supermarket [su:'pəmɑ:kɪt] *n* prekybos centras
superpower ['su:pəpauə] *n* supervalstybė
supersonic ['su:pə'sɔnɪk] *a* viršgarsinis
superstition ['su:pə'stɪʃn] *n* prietaras
superstitious ['su:pə'stɪʃəs] *a* prietaringas
supervise ['su:pəvaɪz] *v* prižiūrėti
supervis|ion ['su:pə'vɪʒn] *n* priežiūra; **~or** ['su:pə'vaɪzə] *n* prižiūrėtojas; vadovas
supper ['sʌpə] *n* vakarienė
supplement ['sʌplɪmənt] *n* priedas
supplies [səp'laɪz] *n pl* atsargos; ištekliai
supply [sə'plaɪ] *n* aprūpinimas, tiekimas; *v* aprūpinti (with); tiekti
support [sə'pɔ:t] *v* paremti, palaikyti; **~er** *n* šalininkas; rėmėjas
suppos|e [sə'pəuz] *v* manyti; **~ed** *a* spėjamas, tariamas; **~ing** *cj* jeigu (*t.p.* ~ that)
suppress [sə'pres] *v* nuslopinti, užgniaužti
supreme [su:'pri:m] *a* aukščiausias
sure [ʃuə] *a* tikras; neabejotinas; to be ~ (of) būti tikram; for ~ būtinai; **~ly** *mod.* be abejo
surf [sə:f] *n* bangų mūša
surface ['sə:fɪs] *n* paviršius
surge [sə:dʒ] *n* banga; antplūdis
surgeon ['sə:dʒn] *n* chirurgas
surgery ['sə:dʒərɪ] *n* chirurgija
surname ['sə:neɪm] *n* pa-

vardė
surplus ['sə:pləs] *n* pertek-lius
surpris|e [sə'praɪz] *n* nustebimas; *v* (nu)stebinti; nustebti; **~ing** *a* stebinantis, nuostabus
surrender [sə'rendə(r)] *v* pasiduoti; kapituliuoti; *n* pasidavimas
surround [sə'raund] *v* apsupti; **~ings** *n pl* apylinkės; aplinka
survey ['sə:vɪ] *n* 1) apklausa; 2) apžvalga
surviv|al [sə'vaɪvl] *n* išlikimas; **~e** *v* išlikti, išgyventi
suspect [sə'spekt] *v* įtarti (of – *kuo*)
suspend [səspend] *v* 1) sustabdyti, sulaikyti, nutraukti; 2) pakabinti, pakibti (*ore*)
suspense [sə'spens] *n* nežinia, netikrumas
suspension [sə'spenʃn] *n* 1) sustabdymas, nutraukimas; 2) lingės; *v* nušalinti; 2) laikinai atleisti; 3) sustabdymas, nušalinimas; 4) pakibti
suspicion [sə'spɪʃn] *n* įtarimas
suspicious [sə'spɪʃəs] *a* įtarus
swallow I ['swɔləu] *n* kregždė
swallow II *v* (pra)ryti; *n* rijimas
swam *žr.* **swim**
swamp ['swɔmp] *n* bala, pelkė; **~y** *a* pelkėtas, balotas
swan [swɔn] *n* gulbė
swarm [swɔ:m] *n* 1) būrys; 2) spiečius; *v* spiestis
swap [swəp] *v* keistis, apsikeisti
sway [sweɪ] *v* 1) siūbuoti; linguoti; 2) paveikti; *n* siūbavimas
swear [swɛə] *v* (**swore** [swɔ:], **sworn** [swɔ:n]) 1) prisiekti; 2) keiktis
sweat [swet] *n* prakaitas; *v* prakaituoti
sweater ['swetə] *n* megztinis
sweatheart ['swi:thɑ:t] *n* mylimasis, -oji
Swed|e [swi:d] *n* švedas, -ė; **~en** *n* Švedija; **~ish** *a* švediškas; *n* švedų kalba
sweep [swi:p] *v* (**swept** [swept]) 1) šluoti, valyti; 2) nubraukti
sweet [swi:t] *a* saldus; *n* (*džn. pl*) saldainis; saldumynas
swell [swel] *v* tinti; *n* (*jūros*) bangavimas; **~ing** *n* pabrinkimas, ištinimas
swept *žr.* **sweep**
swerve [swə:v] *v* mestis (*į šalį*); *n* staigus pasisukimas
swift [swɪft] *a* greitas
swim [swɪm] *v* (**swam** [swæm], **swum** [swʌm]) plaukti; **~mer** *n* plaukikas; **~ming** *n* plaukimas, maudymasis

swindle ['swɪndl] *v* apgauti; **~r** *n* apgavikas, sukčius
swine [swaɪn] *n* kiaulė (*džn. perk.*)
swing [swɪŋ] *v* (**swung** [swʌŋ]) 1) supti(s), siūbuoti; 2) mosikuoti; 3) pa(si)sukti; *v* supimas(is), siūbavimas
Swiss [swɪs] *n* šveicaras; *a* šveicariškas
switch ['swɪtʃ] *n* jungiklis; *v* ~ on įjungti; ~ off išjungti; **~board** [-bɔ:d] *n* komutatorius, skirstomasis skydas
Switzerland ['swɪtsələnd] *n* Šveicarija
swollen ['swəulən] *a* ištinęs
swoop [swu:p] *v* 1) smigti; 2) kristi; *n* smigimas
swop [swɔp] *v* = **swap**
sword [sɔ:d] *n* kardas
swore, sworn *žr.* **swear**
swot [swɔt] *v šnek.* kalti (*prieš egzaminą*)
swum *žr.* **swim**
swung *žr.* **swing**
syllable ['sɪləbl] *n* skiemuo
syllabus ['sɪləbəs] *n* (*mokomojo dalyko*) programa
symbol ['sɪmbl] *n* simbolis; **~ic** *a* simbolinis
sympathetic ['sɪmpə'θetɪk] *a* užjaučiantis; palankus
sympathize ['sɪmpəθaɪz] *v* užjausti (with – *ką*)
sympathy ['sɪmpəθɪ] *n* užuojauta
symptom ['sɪmptəm] *n* simptomas
synonymous [sɪ'nɔnɪməs] *a* sinonimiškas
synthetic [sɪn'θetɪk] *a* sintetinis
Syria ['sɪrɪə] *n* Sirija; **~n** siras
syringe [sɪ'rɪndʒ] *n* švirkštas
syrup ['sɪrəp] *n* sirupas
system ['sɪstəm] *n* 1) sistema; 2) santvarka

T

table ['teɪbl] *n* 1) stalas 2) lentynėlė; **~-cloth** [-klɔð] *n* staltiesė; **~spoon** [-spu:n] *n* šaukštas
tablet ['teblɪt] *n* tabletė
tackle ['teækl] *n* 1) reikmenys; 2) *jūr.* takelažas; 3) *sport.* sugriebimas, sustabdymas *v* 1) (*ryžtingai*) griebtis, spręsti; 2) *sport.* (bandyti) atkovoti kamuolį, sustabdyti
tact [tækt] *n* taktas; **~ful** *a* taktiškas; **~less** *a* netaktiškas
tag [tæg] *n* etiketė, žymena, kortelė (*pvz., prie bagažo*)
tail [teɪl] *n* uodega
tailor ['teɪlə] *n* siuvėjas

take [teɪk] *v* (**took** [tuk]; **taken** ['teɪkŋ]) 1) (pa)imti; 2) užimti; nuvesti, nuvežti; (*apie lėktuvą*) pakilti

tale [teɪl] *n* pasakojimas; pasaka; paskala; to tell ~s skleisti paskalas

talent ['tæləntJ *n* talentas, gabumai; ~**ed** *a* talentingas, gabus

talk ['tɔ:k] *v* kalbėti(s), pa(si)-kalbėti (to); *n* 1) pokalbis; pasikalbėjimas; ~**ative** [-ətɪv] *a* šnekus; 2) *pl* derybos

tall [tɔ:l] *a* aukštas

tame [teɪm] *a* 1) prisijaukintas; 2) banalus, neįdomus; *v* prisijaukinti, sutramdyti

tan [tæn] *v* 1) įdegti; 2) rauginti (*odas*); *n* įdegimas

tangerine ['tændʒə'ri:n] *n* mandarinas

tangle ['tæŋgl] *v* 1) su(si)painioti, su(si)raizgyti; 2) susikivirčyti

tank I [tæŋk] *n* bakas, rezervuaras

tank II *n* tankas; ~**er** *n* tanklaivis

tap I [tæp] *n* čiaupas

tap II *v* (pa)barbenti; (pa)-tapšnoti

tape ['teɪp] *n* 1) (*magnetofono*) įrašas, juosta; 2) kaspinas; ~**-measure** [-meʒə] *n* ruletė; ~**-recorder** [-rɪkɔ:də] magnetofonas

tar [tɑ:] *n* derva

target [tɑ:gɪt] *n* 1) taikinys; 2) (*planinė*) užduotis

tariff ['tærɪf] *n* 1) tarifas; 2) kainynas

tarmac ['tɑ:mæk] *n* asfaltas

tart [tɑ:t] *n* pyragas

tartan ['tɑ:tən] *n* languotas škotiškas audinys

Tartar ['tɑ:tə] *n* totorius, -ė

task [tɑ:sk] *n* užduotis, uždavinys; to set a ~ užsibrėžti uždavinį/tikslą

taste [teɪst] *n* skonis; *v* ragauti

tasty ['teɪstɪ] *a* skanus

tatters ['tætəz] *n pl.* skutai, skarmalai

tattoo [tə'tu:] *n* tatuiruotė; *v* tatuiruoti

taught *žr.* **teach**

tax [tæks] *n* mokestis; *v* apmokestinti; ~**ation** [tæk'seɪʃn] *n* apmokestinimas

taxi ['tæksɪ] *n* taksi; ~ rank taksi stovėjimo aikštelė

TB ['ti:'bi:] *sut. žr.* **tuberculosis**

tea ['ti:] *n* arbata, arbatžolės

teach [ti:tʃ] *v* (**taught** [tɔ:t]) 1) mokyti; dėstyti; 2) išmokyti, įpratinti

teacher ['ti:tʃə(r)] *n* mokytojas

team [ti:m] *n* 1) komanda; 2) brigada
tea-party ['ti:pɑ:tɪ] *n* kviestinė arbatėlė
teapot ['ti:pɔt] *n* arbatinukas
tear I [tɛə] *v* (**tore** [tɔ:]; **torn** [tɔ:n]) 1) plėšyti; 2) nusidėvėti
tear II [tɪə] *n* ašara; **~ful** *a* ašarotas
tease [ti:z] *v* erzinti
teaspoon ['ti:spu:n] *n* arbatinis šaukštelis
technical ['teknɪkl] *a* techninis, technikos; ~ college technikos kolegija
technician [tek'nɪʃn] *n* technikas
technique [tek'ni:k] *n* technika; specialus metodas/būdas
technology [tek'nɔkədʒɪ] *n* technologija, technika
teddy-(bear) ['tedɪbɛə] *n* meškiukas (*žaislas*)
tediuos ['ti:dɪəs] *a* nuobodus
teen|ager ['ti:neɪdʒə] *n* paauglys; **~s** [ti:nz] *n pl* paauglystė
teeth *žr.* **tooth**
telecast ['telɪkɑ:st] *n* televizijos laida/transliacija
telecommunications ['telɪkəmju:nɪ'keɪʃnz] *n* telekomunikacijos ryšiai
telephone ['telɪfəun] *n* telefonas
telescope ['telɪskəup] *n* teleskopas
televise ['telɪvaɪz] *v* transliuoti per televiziją
television ['telɪvɪʒn] *n* televizija; **telly** ['telɪ] *n šnek.* televizorius
tell [tel] *v* (**told** [təuld]) 1) (pa)pasakoti; 2) (pa)sakyti; 3) įsakyti, liepti
temper ['tempə] *n* susierzinimas, pyktis; nuotaika; to lose one's ~ *v* netekti kantrybės, nesusivaldyti
temperature ['temprəʃə] *n* temperatūra
temple I ['templ] *n* šventovė
temple II *n* smilkinys
temporary ['tempərərɪ] *a* laikinas
tempt [tempt] *v* gundyti, vilioti
temptation [temp'teɪʃn] *n* 1) (susi)gundymas; 2) pagunda
tempting ['temptɪŋ] *n* gundantis, viliojantis
ten [ten] *num* dešimt
tenant ['tenənt] *n* nuomininkas
tend I ['tend] *v* 1) linkti, būti linkusiam; 2) krypti; **~ency** [-ənsɪ] *n* polinkis, tendencija
tend II *v* prižiūrėti
tender ['tendə] *a* švelnus
tennis ['tenɪs] *n* tenisas; table ~ stalo tenisas; **~court** [-kɔ:t]

n kortas
tense I [tens] *n gram.* laikas
tense II *a* įtemptas
tension ['tenʃn] *n* įtampa
tent [tent] *n* palapinė
tentacle ['tentəkl] *n* 1) čiuptuvėlis; 2) *bot.* ūselis
tentative ['tentətɪv] *a* 1) parengtinis, negalutinis; 2) nedrąsus
tenth [tenθ] *num* dešimtas
term [tə:m] *n* 1) terminas, nustatytas laikas; 2) semestras; 3) terminas (*žodis*); 4) *pl* sąlygos; 5) *pl* santykiai
terminal ['tə:mɪnl] *n* galinė stotis; galinis punktas; *a* paskutinis, mirtinas
terminus ['tə:mɪnəs] galinė stotis, žiedas
terrace ['terəs] *n* 1) terasa; 2) sujungta namų eilė
terrible ['terəbl] *a* baisus, siaubingas; **~y** *adv* baisiai
terrific [tə'rɪfɪk] *a* 1) *šnek.* nuostabus, puikus; 2) didžiulis
terrify ['terɪfaɪ] *v* įvaryti/sukelti siaubą, įbaiminti
territory ['terɪtərɪ] *n* teritorija
terror ['terə] *n* siaubas, baimė; **~ist** *n* teroristas
test [test] *n* 1) (iš)bandymas; 2) patikrinimas, testas; *v* 1) bandyti; 2) patirti
text ['tekst] *n* tekstas; **~-book** [-buk] *n* vadovėlis
textile ['tekstaɪl] *n* tekstilė
Thai [taɪ] *n* tajas; tailandietis; **~land** [-lænd] *n* Tailandas
Thames [temz] *n* Temzė (*upė*)
than [ðæn, ðən] *cj* negu, kaip, lyginant
thank [θæŋk] *v* dėkoti; **~s**, ~ y o u ačiū, dėkoju; **~ful** *a* dėkingas
that [ðæt] *pron* (*pl* **those** [ðəuz]) 1) anas, tas; 2) kuris, kuri; t h e b o o k ~ y o u g a v e m e knyga, kurią man davėte; *cj* kad; taip, toks (*pabrėžiant*)
thatch [θætʃ] *n* šiaudai, nendrės (*stogui dengti*); *v* dengti stogą
thaw [θɔ:] *v* tirpti (*apie sniegą*); *n* atlydys
the [ðə, ðɪ (*prieš balsį*)] žymimasis artikelis: t h e m a n y o u t o l d m e vyras, apie kurį kalbėjai; *adv* tuo; ~... ~... kuo... tuo; juo... juo; ~ m o r e ... ~ b e t t e r kuo daugiau... tuo geriau
theatr|e ['θɪətə] *n* teatras; **~ical** *a* 1) teatro; 2) teatrališkas
theft [θeʃt] *n* vagystė
their [ðɛə] *pron* jų; **~s** jų (*be dktv.*)
them [ðəm, ðem] *pron* juos, jiems; **~selves** [-'selvz] *pron*

jie patys; -si; they wash ~selves jie prausiasi
theme [θi:m] *n* tema
then [ðen] *adv* tada; po to; *a* tuometinis
theoretical [θɪə'retɪkl] *a* teorinis; teoriškas
therapy ['θerəpɪ] *n* terapija
there [ðεə(r)] *adv* 1) ten; ~ are books ten yra knygos; 2) čia; ~ you are čia jūs; štai, antai (*sakinio pradžioje pabrėžiant*)
therefore ['ðεəfɔ:(r)] *adv* todėl, dėl to
thermometer [θə'mɔmɪtə] *n* termometras
these *žr.* **this**
they [ðeɪ] *pron* jie
they'll [ðeɪl] = **they will**
they're [ðeə] = **they are**
thick [θɪk] *a* 1) storas; 2) tankus; *adv* 1) tirštai, gausiai; 2) tankiai; 2) storai
thief [θi:f] *n* (*pl* **thieves** [θi:vz]) vagis
thigh [θaɪ] *n* šlaunis
thimble ['θɪmbl] *n* antpirštis, pirščiukas
thin [θɪn] *a 1)* plonas; 2) liesas
thing [θɪŋ] *n* 1) daiktas; 2) dalykas
think [θɪŋk] *v* (**thought** [θɔ:t]) 1) galvoti; 2) manyti; **~ing** *n* mastymas, galvojimas
third [θə:d] *num* trečias
thirst [θə:st] *n* troškulys, troškimas; **~y** *a* ištroškęs
thirteen ['θə:'ti:n] *num* trylika; **~th** [-θ] tryliktas
thirtieth ['θə:tɪəθ] *num* trisdešimtas
thirty ['θə:tɪ] *num* trisdešimt
this [ðɪs] (*pl* **these** [ði:z]) *pron* šitas, šis (*pl* šitie, šie)
thistle ['θɪsl] *n* dagys
thorn [θɔ:n] *n* spyglys; **~y** *a* spygliuotas
thorough ['θʌrə] *a* kruopštus, nuodugnus; **~ly** *adv* 1) kruopščiai, nuodugniai; 2) visai
those [ðəuz] *žr.* **that**
though [ðəu] *cj* 1) nors; 2) net jeigu; *adv* tačiau, vis dėlto
thought [θɔ:t] *v žr.* **think**; *n* mintis; **~ful** *a* susimąstęs; **~less** *a* 1) negalvojantis; 2) neatidus, nedėmesingas
thousand ['θauznd] *num* tūkstantis; **~th** [-θ] tūkstantasis
thrash [θræʃ] *v* 1) mušti; 2) sumušti, triuškinti; **~ing** *n* pėrimas, pyla
thread [θred] *n* siūlas
threat [θret] *n* grasinimas; **~en** *v* grasinti; **~ening** *a* grasinantis
three [θri:] *num* trys
threshold ['θreʃhəuld] *n* slenkstis

threw *žr.* **throw**
thrift [θrɪft] *n* taupumas; taupymas
thrill [θrɪl] *v* jaudinti(s); *n* jaudulys; **~ed** *a* susijaudinęs; **~er** *n* sensacinga knyga; **~ing** *a* jaudinantis
thrive [θraɪv] *v* klestėti
throat [θrəut] *n* gerklė
throb [θrɔb] *v* plakti, tvinkčioti
throne [θrəun] *n* sostas
throttle [θrɔtl] *n tech.* droselis; *v* smaugti
through [θru:] *prep* 1) per; pro; 2) dėka, dėl; *adv* kiaurai; ~ and ~ visiškai
throughout [θru:ˈaut] *prep* per (*visą*); *adv* visiškai, visur; ištisai
throw [θrou] *v* (**threw** [θru:], **thrown** [θrəun]) 1) mesti; mėtyti; 2) pamesti; partrenkti
thrust [θrʌst] *v* (**thrust**) 1) (į)stumti, (į)brukti (into); 2) brautis, veržtis
thumb [θʌm] *n* nykštys
thunder [ˈθʌndə] *n* griausmas, perkūnas; *v* griausti, dundėti; **~storm** [-stɔ:m] *n* perkūnija
Thursday [ˈθə:zdɪ] *n* ketvirtadienis
thus [ðʌs] *adv* 1) taigi, vadinasi; 2) tuo būdu
tick [tɪk] *n* 1) tiksėjimas; 2) varnelė „paukščiukas"; *v* tiksėti, pažymėti, dėti paukščiuką/varnelę
ticket [ˈtɪkɪt] *n* 1) bilietas; 2) talonas; kvitas
tickle [ˈtɪkl] *v* kutenti; *n* kutenimas
tide [taɪd] *n* (*jūros*) potvynis ir atoslūgis
tidy [ˈtaɪdɪ] *a* tvarkingas; *v* (su)tvarkyti
tie [taɪ] *n* 1) ryšys, raištis; 2) kaklaryšis; *v* surišti; pririšti
tiger [ˈtaɪgə] *n* tigras
tight [ˈtaɪt] *a* 1) standus; tvirtas; 2) aptemptas, ankštas, siauras; *adv* 1) tvirtai; standžiai; 2) ankštai; **~en** *v* 1)su(si)spausti, su(si)veržti; 2)į(si)tempti; **~rope** [-rəup] *n* įtempta virvė/lynas
tigress [ˈtaɪgrɪs] *n* tigrė
tights [taɪts] *n pl* pėdkelnės
tile [taɪl] *n* čerpė; plytelė
till [tɪl] *prep* iki, ligi; *cj* kol
tilt [tɪlt] *v* pakreipti, pakrypti, pasvirti; *n* pakrypimas, pasvirimas
timber [ˈtɪmbə] *n* 1) mediena; 2) sienojas, rastas
time [taɪm] *n* 1) laikas; have a good/nice ~ gerai praleisti laiką; 2) kartas
timetable [ˈtaɪmteɪbl] *n* tvarkaraštis; (*darbo*) grafikas
tin [tɪn] *n* 1) alavas; 2) skarda; 3) skardinė; dėžutė (*konser-*

vams); **~ned** *a* konservuotas
tinkle ['tɪŋkl] *v* skamb(tel)-ėti, (su)žvangėti; *n* žnag(tel)-ėjimas, skambinimas
tiny ['taɪnɪ] *a* mažytis, smulkutis
tip I galas, galiukas
tip II *n* sąšlavynas, sąvartynas; *v* 1) pakreipti; paversti; pakrypti; 2) išlieti
tip III *n* arbatpinigiai
tiptoe ['tɪptəu] *v* vaikščioti/eiti ant galų pirštų
tire ['taɪə] *v* varginti; pavargti
tired ['taɪəd] *a* pavargęs
tissue ['tɪʃu:] *n* 1) audinys; 2) popierinė servetėlė
title ['taɪtl] 1) titulas; 2) pavadinimas, antraštė; ~ page antraštinis lapas
to [tu, tə] *prep* 1) *atitinka liet. k. naudininką*; į, pas, prie (žymint kryptį); let's go ~ the club eime į klubą; 2) dažniausiai verčiama naudininku; ~ me man
toad [təud] *n* rupūžė
toast I [təust] *v* skrudinti; *n* skrebutis
toast II *n* tostas
tobacco [tə'bækəu] *n* tabakas
today [tə'daɪ] *adv* šiandien
toe [təu] *n* kojos pirštas
toffee ['tɔfɪ] *n* irisas
together [tə'geðə] *adv* kartu, drauge
toil [tɔɪl] *v* (*sunkiai*) dirbti, plušti
toilet ['tɔɪlɪt] *n* tualetas
tokien ['təukən] *n* ženklas, *a attr* simboliškas
told *žr.* **tell**
tolerance ['tɔlərəns] *n* pakantumas, tolerancija
tomato [tə'mɑ:təu] *n* (*pl* **~es** [-z]) pomidoras
tomb ['tu:m] *n* kapas; **~stone** [-stəun] *n* antkapis
tomorrow [tə'mɔrəu] *adv* rytoj
ton [tʌn] *n* tona
tone [təun] *n* tonas
tongs [tʌŋz] *n pl* replės
tongue [tʌŋ] *n* liežuvis
tonight [tə'naɪt] *adv* šį vakarą, šiąnakt
tonne [tɔn] *n* tona
too [tu:] *adv* 1) taip pat; 2) per daug
took *žr.* **take**
tool [tu:l] *n* įrankis (*ir perk.*)
tooth ['tu:θ] *n* (*pl* **teeth** [ti:θ]) dantis; **~brush** [-brʌʃ] *n* dantų šepetėlis; **~paste** [-peɪst] *n* dantų pasta
top [tɔp] *n* viršūnė; viršus; *a* 1) viršutinis; 2) aukščiausias, didžiausias
topic ['tɔpɪk] *n* tema, dalykas; **~al** *a* aktualus

topple [ˈtɔpl] *v* nuvirsti, nugriūti
torch [tɔ:tʃ] *n* 1) žibintas; 2) deglas, fakelas
tore, torn *žr.* **tear**
tornado [tɔ:ˈneɪdəu] *n* tornadas
torpedo [tɔ:ˈpi:dəu] *n* torpeda; *v* torpeduoti
torrent [ˈtɔrənt] *n* srovė, srautas
tortoise [ˈtɔ:təs] *n* vėžlys
tortur|e [ˈtɔ:tʃə] *v* kankinti; *n* kankinimas; **~er** *n* kankintojas
Tory [ˈtɔ:rɪ] *n* toris, konservatorius
toss [tɔs] *v* sviesti, mesti; *n* metimas
total [ˈtəutl] *a* visas, bendras; *n* suma
touch [tʌtʃ] *v* 1) liesti; 2) jaudinti; ~ down nusileisti; *n* 1) (prisi)lietimas; 2) ryšys, sąlytis
tough [tʌf] *a* 1) tvirtas, ištvermingas; 2) kietas; 3) griežtas
tour [ˈtuə] *n* kelionė; *v* gastroliuoti, keliauti; **~ist** *n* turistas
tournament [ˈtuənəmənt] *n* *sport.* turnyras
tow [təu] *v* buksyruoti; *n* 1) buksyras; 2) kuodelis
toward [təˈwɔ:d] *prep* 1) link, į; 2) apie; ~ noon apie vidurdienį
towel [ˈtauəl] *n* rankšluostis
tower [ˈtauə] *n* bokštas; ~ block daugiaaukštis pastatas
town [taun] *n* miestas; ~ hall *n* rotušė; **~speaple** [ˈtaunzpi:pl] *n* miestiečiai
toxic [ˈtɔksɪk] *a* nuodingas, toksinis
toy [tɔɪ] *n* žaislas
trace [treɪs] *n* 1) kelias, takas; 2) pėdsakas (*ir perk.*); *v* 1) (su)sekti; palikti pėdsaką; **~suit** [-su:t] *n* šiltas treningas
tractor [ˈtræktə] *n* traktorius
trad|e [treɪd] *n* 1) amatas, profesija; 2) prekyba; *v* prekiauti; **~er, ~esman** [ˈtreɪdzmən] *n* prekybininkas
tradition [trəˈdɪʃn] *n* tradicija; **~al** *a* tradicinis
traffic [ˈtræfɪk] *n* eismas; transportas; ~ jam eismo spūstis/grūstis
tragedy [ˈtrædʒədɪ] *n* tragedija
tragic [ˈtrædʒɪk] *a* tragiškas
trail [treɪl] *v* vilktis; sekti (*pėdomis*); *n* 1) pėdsakai, takas; 2) kelias; **~er** *n* priekaba
train I [treɪn] *n* traukinys
train II *v* 1) treniruoti; 2) mokyti, ruošti; 3) dresiruoti; **~er** *n* treneris; **~ing** *n* mokymas; treniruotė

traitor ['treɪtə] *n* išdavikas
tram [træm] *n* tramvajus
tramp [træmp] *v* klajoti, bastytis; *n* valkata
trample ['træmpl] *v* (su)trypti (*pvz.*, *žolę*)
transfer [træns'fə] 1) perkelti, pervežti; 2) perduoti; *n* ['trænsfə] 1) perkėlimas; 2) perdavimas
transaction [træn'zækʃn] *n* sandoris
transform [træns'fɔ:m] *v* pa(si)keisti, transformuoti
transistor [træn'zɪstə] *n* tranzistorius
transition [træn'zɪʃn] *n* perėjimas
translate [trænz'leɪt] *v* (iš)versti (*papr. raštu*) (from, into)
translation [trænz'leɪʃn] *n* vertimas
transmit [trænz'mɪt] *v* perduoti; persiųsti; transliuoti
transperent [træn'spærənt] *a* permatomas
transplant [træns'plɑ:nt] *v* persodinti (*ir med.*)
transport *v* [træn'spɔ:t] gabenti, vežti, transportuoti; *n* ['trænspɔ:t] transportas; gabenimas, pervežimas
trap [træp] *n* spąstai; *v* gaudyti spąstais
travel ['trævl] *v* keliauti; *n* kelionė; **~ler** *n* keleivis
trawl ['trɔ:l] *n* tralas, tinklas; **~er** *n* traleris
tray [treɪ] *n* padėklas
treacher|ous ['tretʃərəs] *a* klastingas; išdavikiškas; **~y** *n* išdavystė, klasta
tread [tred] *v* (**trod** [trɔd]; **trodden** ['trɔdn]) 1) (už)minti; 2) eiti, žengti
treason ['tri:zn] *n* išdavimas, išdavystė
treasure ['treʒə] *n* lobis, turtai, brangenybės
treat ['tri:t] *v* 1) elgtis; 2) traktuoti, nagrinėti; 3) gydyti; 4) (pa)vaišinti; **~ment** *n* 1) gydymas; 2) elgimasis; **~y** *n* sutartis
tree [tri:] *n* medis
tremble ['trembl] *v* drebėti
tremendous [trə'mendəs] *a* didžiulis, milžiniškas
tremor ['tremə] *n* drebėjimas, virpulys
trench [trentʃ] *n* apkasas, tranšėja
trespass ['trespəs] *v* neteisėtai įeiti, pažeisti; *n* pažeidimas
trial ['traɪəl] *n* 1) teismo procesas; 2) bandymas
triangle ['traɪæŋgl] *n* trikampis
triangular [traɪ'æŋgjulə] *a* trikampis
tribe [traɪb] *n* gentis
tribunal [traɪ'bju:nl] *n* tri-

bunolas
tribute [ˈtrɪbju:t] *n* 1) duoklė; 2) dovana
trick [ˈtrɪk] *n* 1) gudrybė, apgaulė; 2) pokštas; 3) triukas; **~y** *a* keblus
trifle [ˈtraɪfl] *n* (a **~**) trumputis
trigger [ˈtrɪgə] *n* 1) (*ginklo*) gaidukas; 2) kibirkštis, priežastis; *v* sukelti, būti priežastimi
trim [trɪm] *v* 1) apkarpyti; apvežioti, apsiuvinėti (*drabužio kraštus*); *n* apkarpymas; *a* tvarkingas
trip [trɪp] *n* išvyka, ekskursija
triple [ˈtraɪpl] *a attr* trigubas; tilypis
triumph [ˈtraɪəmf] *n* triumfas; **~ant** [traɪˈʌmfənt] *a* triumfuojantis
trod, trodden *žr.* **tread**
trolley [ˈtrɔlɪ] *n* 1) vežimėlis; 2): **~bus** troleibusas
troops [tru:ps] *n* (*tik pl*) kariuomenė
trophy [ˈtrəufɪ] *n* 1) trofėjus; 2) prizas
tropic [ˈtrɔpɪk] *n pl* tropikai, atogrąžos; *a* tropinis
trouble [ˈtrʌbl] *n* rūpestis; bėda, nemalonumai; *v* 1) trukdyti 2) kelti nerimą
trough [trɔf] *n* lovys
trousers [ˈtrauzəz] *n pl* kelnės
trout [traut] *n* upėtakis
trowel [ˈtrauəl] *n* kastuvėlis, mentė
truant [ˈtru:ənt] *n* pravaikštininkas (*mokinys*)
truce [tru:s] *n* paliaubos
truck [trʌk] *n* 1)(*atvira*) platforma; vagonėlis; 2) sunkvežimis
trudge [trʌdʒ] *v* kėblinti; *n* varginanti kelionė
true [tru:] *a* tikras; teisingas; t o c o m e ~ išsipildyti; i t i s ~ tai tiesa; **~ly** *adv* 1) tikrai; 2) nuoširdžiai
trumpet [ˈtrʌmpɪt] *n* trimitas
trunk [trʌŋk] *n* 1) (*medžio*) kamienas; 2) liemuo
trunk-call [ˈtrʌŋk kɔ:l] *n* tarpmiestinis pokalbis (*telefonu*)
trunks [ˈtrʌŋks] *n* glaudės
trust [ˈtrʌst] *n* 1) pasitikėjimas; 2) kreditas; **~worthy** [-wə:ðɪ] *a* patikimas
truth [tru:θ] *n* tiesa; **~ful** *a* teisingas
try [traɪ] *v* 1) (iš)bandyti, (iš)mėginti; 2) stengtis (for); ~ o n pri(si)matuoti
T-shirt [ˈti:ʃə:t] *n* marškinėliai
tub [tʌb] *n* 1) kubilas; indelis; 2) *amer.* vonia
tube [tju:b] *n* 1) vamzdis; 2) (*Londono*) metro

tuberculosis [tju:ˈbə:kjuˈləusɪs] *n* džiova
tubing [ˈtju:bɪŋ] *n* vamzdžiai, vamzdynas
tuck [tʌk] *v* su(si)kišti; *n* klostė
Tuesday [ˈtju:zdɪ] *n* antradienis
tuft [tʌft] *n* kuokštas
tug [tʌg] *n* truktelėjimas; *v* truktelėti; tempti, tampyti
tuition [tjuˈɪʃn] *n* 1) mokymas; 2) mokestis už mokslą
tulip [ˈtju:lɪp] *n* tulpė
tumble [ˈtʌmbl] *v* (nu)virsti, (nu)griūti; *n* griuvimas
tumbler [ˈtʌmblə] *n 1)* bokalas; 2) *el*. perjungiklis
tummy [ˈtʌmɪ] *n* pilvelis
tune [tju:n] *n* 1) melodija; 2) tonas
Tunisia [tju:ˈnɪʒə] *n* Tunisas; **~n** [-zɪən] *n* tunisietis
tunnel [ˈtʌnl] *n* tunelis
turban [ˈtə:bən] *n* turbanas
Turk [tə:k] *n* turkas; **~ery** [-ɪ] *n* Turkija; **~ish** *a* turkiškas, turkų; *n* turkų kalba
turkey [ˈtə:kɪ] *n* kalakutas
turmoil [ˈtə:mɔɪl] *n* sąmyšis, suirutė
turn [tə:n] *v* 1) sukti(s), ap(si)sukti; 2) nukreipti, kreiptis; 3) tapti; pavirsti; 4) išversti; ~ off išjungti (*aparatą*); ~ on įjungti; ~ out (to be) pasirodyti (*esant*); ~ over ap(si)versti; *n* 1) pa(si)sukimas, apsisukimas; 2) posūkis
turnip [ˈtə:nɪp] *n* ropė
turntable [ˈtə:nteɪbl] *n* (*grotuvo*) diskas
tusk [tʌsk] *n* iltis
tutor [ˈtju:tə] *n* dėstytojas; repetitorius
TV [ˈti:ˈvi:] *sutr. n* televizija
tweed [twi:d] *n* tvidas (*vilnonė medžiaga*)
tweezers [ˈtwi:zəz] *n pl* pincetas
twelfth [twelfθ] *num* dvyliktas
twelve [twelv] *num* dvylika
twent|ieth [ˈtwentɪəθ] *num* dvidešimtas; **~y** [ˈtwentɪ] *num* dvidešimt
twice [twaɪs] *adv* 1) dukart; 2) dvigubai
twig [twɪg] *n* šakelė
twilight [ˈtwaɪlaɪt] *n* 1) prieblanda, sutema; 2) saulėlydis
twin [twɪn] *n* dvynys
twinkle [ˈtwɪŋkl] *v* mirgėti, spindėti; *n* liepsnelė (*akyse*)
twist [twɪst] *v* pinti (*siūlus*), suktis; *n* 1)(susi)sukimas, pynimas
twitter [ˈtwɪtə(r)] *v* čiulbėti; *n* čiulbėjimas
two [tu:] *num* du
type [taɪp] *n* tipas, rūšis; *v* 1) spausdinti mašinėle; rinkti

kompiuteriu; 2) klasifikuoti pagal tipus
typical ['tɪpɪkl] *a* tipiškas; būdingas
tyrant ['taɪərənt] *n* tironas
tyre ['taɪə] *n* padanga; f l a t ~ nuleista padanga
typist ['taɪpɪst] *n* asmuo, rašantis mašinėle

U

Uganda ['jugændə] *n* Uganda
ugly ['ʌglɪ] *n* ne gražus, bjaurus
UK ['ju:'keɪ] *n sutr.* = U n i t e d K i n g d o m
Ukrain [ju:'krəɪn] *n* Ukraina; *a* ukrainiečių; *n* 1) ukrainietis, -ė; 2) ukrainiečių kalba
ultimate ['ʌltɪmət] *a* 1) galutinis; 2) pirminis, pagrindinis; **~ly** *adv* galų gale, galiausiai
umbrella [ʌm'brelə] *n* skėtis
umpire ['ʌmpaɪə] *n sport.* teisėjas; *v* teisėjauti
UN ['ju:'en] *n* sutr. = U n i t e d N a t i o n s
un- [ʌn-] *pref* be-, at-, iš-, ne-
unable ['ʌn'eɪbl] *a* negalintis, nesugebantis; t o b e ~ negalėti
unaccustomed ['ʌnə'kʌstəmd] *a* neįprastas, nepripratęs
unafraid ['ʌnə'freɪd] *a* nebijantis
unanimous [ju:'nænɪməs] *a* vienbalsiškas, vieningas
unarmed ['ʌn'ɑ:md] *a* neginkluotas
unattractive ['ʌnə'træktɪv] *a* nepatrauklus
unaware ['ʌnə'wɛə] *a* nežinantis; **~s** *adv* nelauktai, iš netyčių
unbearable ['ʌn'bɛərəbl] *a* nepakeliamas, nepakenčiamas
unbeaten [ʌn'bi:tn] *a* nesumuštas, nenugalėtas, nepralenktas
unbelievable ['ʌnbɪ'li:vəbl] *a* neįtikėtinas
un|breakable ['ʌn'breɪkəbl] *a* nedūžtantis; **~broken** [-'brəukən] *a* 1) nesudaužytas; 2) nepalaužtas, nenugalėtas
unbutton ['ʌn'bʌtn] *v* at(si)segti (*sagas*)
uncertain ['ʌn'sə:tn] *a* netikras, nežinantis
unchanged [ʌn'tʃeɪndʒ] *a* nepasikeitęs
uncle ['ʌŋkl] *n* dėdė
unconditional ['ʌnkən'dɪʃnəl] *a* besąlyginis, besąlygiškas
unconfortable [ʌn'kʌmfetəbl] *a* nepatogus

uncommon [ʌn'kʌmən] *a* retas, nepaprastas
unconsciuos [ʌn'kɔnʃəs] *a* be sąmonės
uncontrolled ['ʌnkən'trəuld] *a* nevaldomas
uncooked [ʌn'kukt] *a* nevirtas
unco-operative ['ʌnkəu'ɔpə rətɪv] *a* nelinkęs bendradarbiauti
uncover [ʌn'kʌvə] *v* 1) atidengti; 2) atskleisti (*paslaptį*)
under ['ʌndə] *prep* 1) po, apačioje; 2) prie (*žymint epochą, valdymą*); 3) pagal
under- [ʌndə-] *pref* 1) po-, apatinis; 2) ne (*žymint nepakankamumą*)
underclothes ['ʌndəkləuðz] *n pl* apatiniai drabužiai
underestimate ['ʌndər'estɪmeɪt] *v* nepakankamai (į)vertinti
undergo ['ʌndə'gəu] (**underwent** ['ʌndə'went], **undergone** ['ʌndə'gɔn]) *v* patirti, pergyventi
undergraduate ['ʌndə'grædʒu ət] *n* universiteto studentas
underground ['ʌndəgraund] *a* 1) požeminis; 2) pogrindinis; *n* (t h e ~) metro; *adv* ['ʌndə'graund] 1) po žeme; 2) pogrindyje
undergrowth ['ʌndəgrəuθ] *n* pomiškis
underline ['ʌndə'laɪn] *v* pabrėžti; pabraukti
undermine ['ʌndə'maɪn] *v* pakirsti, pakenkti
underneath ['ʌndə'ni:θ] *prep* po; *adv* apačioje; *n* apačia
understand ['ʌndə'stænd] *v* (**understood** ['ʌndə'stud]) suprasti; **~able** *a* suprantamas; **~ing** *n* supratimas
undertak|e ['ʌndə'teɪk] *v* (**undertook** ['ʌndə'tuk], **undertaken** ['ʌndə'teɪkən]) 1) imtis; 2) pasižadėti; *n* 1) sumanymas; 2) pažadas, įsipareigojimas
underwater ['ʌndə'wɔ:tə] *a* povandeninis
underway ['ʌndə'weɪ] *a* : t o b e ~ vykti
underwear ['ʌndəwɛə] *n* apatiniai baltiniai
underwent žr. **undergo**
undo ['ʌn'du:] *v* (**undid** [-'did], **undone** [-'dʌn]) 1) atrišti, atsegti; 2) išardyti; *v* panaikinti (*kas padaryta*)
undoubtedly [ʌn'dautɪdlɪ] *mod.* be abejo
undress [ʌn'dres] *v* nu(si)rengti
uneasy [ʌn'i:zɪ] *a* 1) ne ramus; 2) nesmagus, suvaržytas
unemployed ['ʌnɪm'plɔɪd] *a* bedarbis; *n* (t h e ~) bedarbiai
unemployment ['ʌnɪm'plɔɪmə nt] *n* nedarbas

uneven [ʌn'i:vn] *a* nelygus
unexpected ['ʌnɪks'pektɪd] *a* nelauktas, netikėtas
unexplored ['ʌnɪks'plɔ:d] *a* neištirtas
unfair [ʌn'fɛə] *a* 1) neteisingas; šališkas; 2) nesąžiningas
unfaithful [ʌn'feɪθl] *a* neištikimas
unfamiliar ['ʌnfə'mɪlɪə] *a* nepažįstamas; nesusipažinęs (with)
unfashionable [ʌn'fæʃnəbl] *a* nemadingas
unfasten [ʌn'fɑ:sn] *v* at(si)rišti, at(si)segti
unfavourable [ʌn'feɪvərəbl] *a* nepalankus, neigiamas
unfinished [ʌn'fɪnɪʃt] *a* nebaigtas
unfold [ʌn'fəuld] *v* 1) išvynioti, at(si)skleisti; 2) rutulioti(s), plėtoti(s)
unfortunate [ʌn'fɔ:tʃənət] *a* nelaimingas, nesėkmingas; **~ly** *mod.* deja, nelaimei
unfriendly [ʌn'frendlɪ] *a* nedraugiškas
ungrateful [ʌn'greɪtfl] *a* nedėkingas
unhappy [ʌn'hæpɪ] *a* nelaimingas
unhealthy [ʌn'helθɪ] *a* nesveikas
unhelpful [ʌn'helpfl] *a* nepadedantis, nepaslaugus
unidentified ['ʌnaɪ'dentɪfaɪd] *a* neatpažintas
uniform ['ju:nɪfɔ:m] *a* vienodas, nesikeičiantis; *n* uniforma
unify ['ju:nɪfaɪ] *v* (su)vienyti
union ['ju:nɪən] *n* 1) sąjunga; 2) vienybė; 3) profsąjunga (*t.p.* trade ~; *amer.* labour ~)
unique [ju:'ni:k] *a* unikalus
unit ['ju:nɪt] *n* 1) vienetas; 2) sekcija, elementas; 3) *kar.* dalinys
unite [ju:'naɪt] *v* su(si)vienyti, su(si)jungti
united [ju:'naɪtɪd] *a* suvienytas; jungtinis; the U. Kingdom Jungtinė Karalystė; the U. Nations Jungtinės Tautos; the U. States Jungtinės Valstijos
universal ['ju:nɪ'və:sl] *a* 1) pasaulinis, visuotinis; 2) universalus
universe ['ju:nɪvə:s] *n* visata; kosmosas
university ['ju:nɪ'və:sətɪ] *n* universitetas
unjust [ʌn'dʒʌst] neteisingas, neteisus
unkind [ʌn'kaɪnd] *n* negeras, negeranoriškas
unknown [ʌn'nəun] *a* nepažįstamas, nežinomas
unleash [ʌn'li:ʃ] *v* sukelti; iš-

lieti (*jausmus*)
unless [ən'les] *cj* 1) jei ne; nebent; ~ he comes jei jis neateis; 2) išskyrus
unlike ['ʌn'laɪk] *prep* skirtingai nuo; *a* nepanašus; **~ly** *a* nepanašus (*į tiesą*)
unload [ʌn'ləud] *v* iškrauti
unlock [ʌn'lɔk] *v* atrakinti
unlucky [ʌn'lʌkɪ] *a* nelaimingas; nesėkmingas
unmarried ['ʌn'mærɪd] *a* nevedęs; netekėjusi
unnatural [ʌn'nætʃrəl] *a* nenatūralus
unneccessary [ʌn'nesəsrɪ] *a* bereikalingas, nereikalingas
unpack [ʌn'pæk] *v* išpakuoti
unpaid ['ʌn'peɪd] *a* nesumokėtas
unpleasant [ʌn'pleznt] *a* nemalonus
unpopular [ʌn'pɔpjulə] *a* nepopuliarus
unqualified [ʌn'kwɔlɪfaɪd] *a* nekvalifikuotas
unreliable ['ʌnrɪ'laɪəbl] *a* nepatikimas
unrest [ʌn'rest] *n* neramumai; bruzdėjimas
unsatisfactory ['ʌnsætɪs'fæktərɪ] *a* nepatenkinamas
unseen [ʌn'si:n] *a* nematytas
unselfish [ʌn'selfɪʃ] *a* nesavanaudis, nesavanaudiškas
unsteady [ʌn'stedɪ] *a* netvirtas
unseccessful ['ʌnsək'sesfl] *a* nesėkmingas
unsuitable [ʌn'su:təbl] *a* netinkamas
unsympathetic ['ʌnsɪmpə'θetɪk] *a* 1) neužjaučiantis; 2) nesimpatingas
untidy [ʌn'taɪdɪ] *n* netvarkingas
untie [ʌn'taɪ] *v* atrišti
until [ən'tɪl] *prep* iki; *cj* kol; ~ six iki šešių; wait ~ he comes palauk, kol jis ateis
untrue [ʌn'tru:] *a* neteisingas, netikras; neištikimas
untruthful [ʌn'tru:θfl] *a* melagingas, neteisingas
unused *a* ['ʌn'ju:zd] 1) nenaudojamas, nevartojamas; 2) [ʌn'ju:st] neįpratęs (to)
unusual [ʌn'ju:ʒuəl] *a* nepaprastas
unveil ['ʌn'veɪl] *v* atidengti (*paminklą*)
unwanted [ʌn'wɔntɪd] *a* nenorimas
unwelcome [ʌn'welkəm] *a* nepageidaujamas
unwell [ʌn'wel] *a* nesveikas, negaluojantis
unwilling [ʌn'wɪlɪŋ] *a* nenorintis; nelinkęs
unwrap [ʌn'ræp] *v* išvynioti
up [ʌp] *prep*, *adv* aukštyn; į viršų; ~ the steps laiptais

į viršų; ~ and down aukštyn ir žemyn; time is ~ laikas pasibaigė
uphill ['ʌp'hıl] *adv* į kalną
upon [ə'pɔn] *prep žr.* **on**
upper ['ʌpə] *a* viršutinis
upright ['ʌpraıt] *a* tiesus, stačias, status
uprising ['ʌpraızıŋ] *n* sukilimas, maištas
uproar ['ʌprɔ:] *n* sujudimas; šurmulys
uproot [ʌp'ru:t] *v* išrauti
upset [ʌp'set] *v* (**upset**) 1) nuliūdinti; 2) sugriauti (*planus*); 3) ap(si)versti
upside-down ['ʌpsaıd'daun] *adv* aukštyn kojomis, apverstai
upstairs ['ʌp'stɛəz] *adv* (*laiptais*) į viršų, aukštyn; he lives ~ jis gyvena virš mūsų
up-to-date ['ʌptə'deıt] *a* šiuolaikinis
upturned ['ʌp'tə:nd] *adv* apverstas (*dugnu į viršų*)
upwards ['ʌpwədz] *adv* aukštyn
uranium [juə'reınıəm] *n* uranas
urban ['ə:bən] *a attr* miesto
urge [ə:dʒ] *v* 1) raginti; 2) reikalauti; įtikinėti; *n* potraukis
urgent ['ə:dʒənt] *a* skubus
Uruguay ['juərəgwaı] *n* Urugvajus
us [ʌs, əs] *pron* mums, mus; with ~ su mumis
US(A) [ju'es, 'ju:es'eı] *n sutr.* JAV
use *v* [ju:z] naudoti, vartoti; *n* ['ju:s] 1) nauda; 2) vartojimas; 3) pa(si)naudojimas; **~d** *a* 1) [ju:zd] panaudotas, pavartotas; 2) [ju:sd] įpratęs; to be ~ būti įpratusiam (to); **~ful** *a* naudingas; **~less** *a* nenaudingas
usual ['ju:zuəl] *a* paprastas, įprastas; as ~ kaip paprastai; **~ly** *adv* paprastai
utensil [ju:'tensl] *n* rakandas, indas; reikmuo
utilize ['ju:tılaız] *v* panaudoti; utilizuoti
U-turn ['ju:tə:n] *n aut.* apsigręžimas
utmost ['ʌtməust] *a* 1) tolimiausias; 2) didžiausias; *n* aukščiausias laipsnis; to the ~ kiek įmanoma
utter I ['ʌtə] *a* visiškas
utter II *v* pratarti, (pa)sakyti; išreikšti (*žodžiais*).; **~ance** *n* 1) išreiškimas (*žodžiais*); 2) pasakymas, pareiškimas
Uzbek ['uzbek] *n* uzbekas, -ė; **~istan** [-ıstɑ:n] *n* Uzbekistanas

V

vacancy ['veɪkənsɪ] *n* 1) laisva/ vakuojanti vieta; 2) (*viešbučio*) laisvas kambarys
vacant ['veɪkənt] *a* laisvas, neužimtas
vacation [və'keɪʃn] *n* atostogos; to go on ~ išeiti atostogų
vaccine ['væksi:n] *n* vakcina
vacuum ['vækjəm] *n* vakuumas, tuštuma; ~ flask *n* termosas;**~-cleaner** [-kli:nə] *n* dulkių siurblys
vague [veɪg] *a* neaiškus, miglotas
vain [veɪn] *a* tuščias, bergždžias; in ~ veltui, bergždžiai
valid ['vælɪd] *a* 1) pagrįstas, svarus; 2) galiojantis
valley ['vælɪ] *n* slėnis
valuable ['væljubl] *a* vertingas brangus; *n pl* brangenybės
value ['vælju:] *n* 1) vertė; 2) *pl* vertybės; 3) *mat*. dydis; *v* (į)vertinti
valve [vælv] *n* vožtuvas
van [væn] *n* furgonas
vanilla [və'nɪlə] *n* vanilė
vanish ['vænɪʃ] *v* dingti, pranykti
vanity ['vænətɪ] *n* tuštybė
variable ['vɛərəbl] *a* kintamas
variety [və'raɪətɪ] *n* 1) įvairovė; daugybė; 2) rūšis; 3) varjetė, estrada (t.p. ~ show)
various ['vɛərɪəs] *a* įvairus
varnish ['vɑ:nɪʃ] *n* lakas; *v* lakuoti
vary ['vɛərɪ] *v* kisti; įvairuoti
vase [vɑ:z] *n* vaza
vast [vɑs:t] *a* 1) didžiulis; 2) platus
Vatican ['vætɪkən] *n* (the ~) Vatikanas
vault I [vɔ:lt] *n* 1) rūsys; 2) saugykla
vault II *v* (per)šokti
veal [vi:l] *n* veršiena
vegetable ['vedʒtəbl] *n* daržovė
vehicle ['vi:əkl] transporto priemonė
veil [veɪl] *n* 1) šydai, vualis; 2) *perk*. skraistė
vein [veɪn] *n* vena; gysla
velvet ['velvɪt] *n* aksomas
vengeance ['vendʒəns] *n* kerštas
ventilation ['ventɪ'leɪʃn] *n* vėdinimas
ventilator ['ventɪleɪtə] *n* ventiliatorius
venture ['ventʃə] *v* rizikuoti; *n* rizikingas žingsnis/sumanymas; joint ~ bendra įmonė
veranda [və'rɑ:ndə] *n* veranda
verb [və:b] *n* veiksmažodis;

~al *a* žodinis
verdict ['və:dɪkt] *n* sprendimas, verdiktas
verge [və:dʒ] *n* kraštas; on the ~ of ruin ant bedugnės krašto
versatile ['və:sətaɪl] *a* įvairiapusis; lankstus
verse [və:s] *n* eilėraštis
versus ['və:səs] *prep teis. sport.* prieš
vertical ['və:tɪkl] *a* vertikalus
very ['verɪ] *adv* labai; *a* (the ~) 1) (*tas*) pats; kaip tik tas; 2) tikras
vessel ['vesl] *n* 1) indas; 2) laivas
vest [vest] *n* 1) (*apatiniai*) marškinėliai; *amer.* liemenė
veterinary ['vetərənərɪ] *a* veterinarijos; ~ surgeon veterinarijos gydytojas
vet I [vet] *sutr. n* veterinaras
vet II *n amer. šnek.* veteranas
veto ['vi:təu] *v* vetuoti; *n* veto
via ['vaɪə] *prep* per
vicar ['vɪkə] *n* (*anglikonų*) pastorius
vice [vaɪs] *n* yda; silpnybė
vice- [vaɪs] *pref* vice-
vicious ['vɪʃəs] *a* 1) žiaurus, baisus, aršus; 2) piktas
victim ['vɪktɪm] *n* auka
victor ['vɪktə] nugalėtojas
victoriuos [vɪk'tɔ:rɪəs] *a* pergalingas
victory ['vɪktərɪ] *a* pergalė
video ['vɪdɪəu] *n* 1) vaizdo įrašas; 2) magnetofonas
Vietnam [vɪet'næm] *n* Vietnamas; **~ese** *n* vietnamietis
view [vju:] *n* 1) vaizdas, reginys; 2) požiūris; 3) regėjimo laukas; **~er** *n* žiūrovas
vigorous ['vɪgərəs] *a* stiprus, energingas, smarkus
vile [vaɪl] *a* bjaurus, niekšiškas
villa ['vɪlə] *n* vila
village ['vɪlɪdʒ] *n* kaimas; gyvenvietė
villain ['vɪlən] *n* niekšas; piktadarys
vine [vaɪn] *n* vijoklinis augalas; vynmedis
vinegar ['vɪnɪgə] *n* actas
vineyard ['vɪnjəd] *n* vynuogynas
viola [vɪ'əulə] *n* altas (*muz. instrumentas*)
violate ['vaɪəleɪt] *v* 1) pažeisti (*įstatymą*); sulaužyti; 2) išniekinti (*kapą*)
violence ['vaɪələns] *n* 1) smurtas, prievartavimas; 2) smarkumas
violent ['vaɪələnt] *a* 1) smurtinis; 2) įsiutęs
violet ['vaɪəlɪt] *n bot.* našlaitė; *a* violetinis
violin ['vaɪə'lɪn] *n* smuikas

virgin [ˈvə:dʒɪn] *n* skaisti mergaitė; skaistuolis, -ė
visa [ˈvi:zə] *n* viza
visible [ˈvɪzəbl] *a* matomas
vision [ˈvɪʒn] *n* 1) vizija; įsivaizdavimas; 2) regėjimas
visit [ˈvɪzɪt] *n* ap(si)lankymas; vizitas; *v* ap(si)lankyti; **~or** *n* svečias
visual [ˈvɪʒuəl] *a* regimasis
vital [ˈvaɪtl] *a* gyvybiškai svarbus; gyvybinis
vivid [ˈvɪvɪd] *a* ryškus, aiškus
vocabulary [vəˈkæbjulərɪ] *n* žodynas, žodžių atsarga
vocal [ˈvəukl] *a* 1) iškalbingas; 2) balso; vokalinis
voice [vɔɪs] *n* balsas
volcanic [vɔlˈkænɪk] *a* vulkaninis
volcano [vɔlˈkeɪnəu] *n* ugnikalnis
volleyball [ˈvɔlɪbɔ:l] *n sport.* tinklinis
volume [ˈvɔlju:m] *n* 1) tomas; 2) tūris; apimtis
voluntary [ˈvɔləntrɪ] *a* savanoriškas
volunteer [ˈvɔlənˈtɪə] *n* savanoris
vomit [ˈvɔmɪt] *v* vemti
vote [vəut] *n* 1) (*rinkimų*) balsas; 2) balsavimas; *v* balsuoti
vow [vau] *n* įžadas, priesaika; *v* prisiekti, prižadėti
vowel [ˈvauəl] *n* balsė, balsis
voyage [ˈvɔɪɪdʒ] *n* kelionė (*jūra, erdvėlaiviu*)
vulgar [ˈvʌlgə] *a* vulgarus
vulnerable [ˈvʌlnərəbl] *a* pažeidžiamas; silpnas

W

wade [weɪd] *v* bristi, braidyti
wag [wæg] *v* 1) vizginti; 2) kraipyti (*galvą*); *n* vizginimas
wages [ˈweɪdʒɪz] *n pl* (*darbininkų*) uždarbis, darbo užmokestis
wag(g)on [ˈwægən] *n* 1) (*krovinių*) vežimas; furgonas; 2) platforminis vagonas
wail [weɪl] *v* raudoti; aimanuoti; *n* raudojimas, aimana
waist [weɪst] *n* liemuo, juosmuo; **~coat** [ˈweɪskəut] *n* liemenė; **~-deep** [-ˈdi:p] *adv a* iki juosmens (*apie gylį*)
wait [ˈweɪt] *v* laukti (for – *ko*); **~er** *n* padavėjas;**~ingrom** [-ɪŋrum] *n* laukiamasis; **~ress** *n* padavėja
wake [weɪk] *v* (**woke** [wəuk], **waked** [weɪkt]; **woken** [ˈwə ukn]) 1) pabusti; 2) (pa)žadinti
Wales [weɪlz] *n* Velsas
walk [wɔ:k] *v* vaikščioti, eiti;

n (pasi)vaikščiojimas
wall ['wɔ:l] *n* siena; W. S t r e e t Volstritas; ~**paper** [-peɪpə] *n* tapetai
wallet ['wɔlɪt] *n* piniginė (*popieriniams pinigams, dokumentams*)
walnut ['wɔ:lnʌt] *n* 1) graikinis riešutas; 2) riešutmedis
waltz [wɔ:ls] *n* valsas
wander ['wɔndə] *v* klajoti, keliauti; ~**er** *n* keliauninkas, klajūnas
want [wɔnt] *v* 1) norėti; 2) stokoti; *n* 1) stoka; 2) skurdas
war ['wɔ:] *n* karas; ~**like** [-laɪk] *a* karingas; ~**time** [-taɪm] *n* karo metas
ward [wɔ:d] *n* globa; sargyba
warden ['wɔ:dən] *n* 1) prižiūrėtojas; 2) komendantas
warder ['wɔ:də] *n* kalėjimo prižiūrėtojas
wardrobe ['wɔ:drəub] *n* drabužių spinta
ware ['wɛə] *n* 1) dirbiniai; 2) *pl* prekės; ~**house** [-haus] *n* prekių sandėlis
warm [wɔ:m] *a* šiltas; (*perk. t.p.*) karštas; ~**th** [-θ] *n* šiluma
warn [wɔ:n] *v* įspėti, perspėti
warrant ['wɔrənt] *n teis.* orderis; įgaliojimas; 2) pateisinimas; *v* 1) pateisinti; 2) garantuoti, laiduoti
warship ['wɔ:ʃɪp] *n* karo laivas
wary ['wɛərɪ] *a* apdairus; budrus
was *žr.* **be**
wasn't ['wɔznt] = **was not**
wash [wɔʃ] *v* 1) prausti(s); 2) skalbti; 3) skalauti; ~**ing** *n* 1) skalbiniai; 2) plovimas; ~ i n g m a c h i n e skalbimo mašina; ~ i n g p o w d e r skalbimo milteliai
wasp [wɔsp] *n* vapsva
waste [weɪst] *n* švaistyti, eikvoti; *n* 1) iššvaistymas; 2) atliekos; 3) dykvietė
watch I [wɔtʃ] *n* (*kišeninis, rankinis*) laikrodis
watch II *v* 1) stebėti; 2) žiūrėti; ~**man** ['wɔtʃmən] *n* sargas
water ['wɔ:tə] *n* vanduo; *v* 1) (pa)laistyti; 2) ašaroti; ~**colour** [-kʌlə] *n* akvarelė; ~**fall** [-fɔ:l] *n* krioklys; ~**proof** [-pru:f] *a* nepralaidus vandeniui
wave [weɪv] *n* banga; *v* 1) banguoti; 2) mojuoti
wax [wæks] *n* vaškas; *v* vaškuoti
way ['weɪ] *n* 1) kelias; 2) būdas; i n t h i s ~ šiuo būdu; ◊ b y t h e ~ beje; o n t h e ~ pakeliui; ~ o u t išeitis; ~**side**

[-seɪd] *n* pakelė
WC [ˈdʌblju:ˈsi:] *n* tualetas
we [wi:] *pron* mes
weak [ˈwi:k] *a* silpnas; **~en** *v* silpninti, silpnėti, silpti; **~ness** *n* silpnumas, silpnybė
wealth [welθ] *n* turtai, lobis; **~y** *a* turtingas
weapon [ˈwepən] *n* ginklas
wear [wɛə] *v* (**wore** [ˈwɔ:], **worn** [ˈwɔ:n]) nešioti, dėvėti; ~ o u t nusidėvėti; **~y** *a* pavargęs, išvargintas
weather [ˈweðə] *n* oras
weav|e [wi:v] *v* (**wove** [wəuv], **woven** [ˈwəuvn]) 1) austi; 2) pinti; **~er** *n* audėjas
web [web] *n* 1) voratinklis; 2) *perk.* raizginys
wed [wed] *v* tuoktis
wedding [ˈwedɪŋ] *n* vestuvės
wedge [wedʒ] *n* pleištas; *v* į(si)sprausti
Wednesday [ˈwenzdɪ] *n* trečiadienis
weed [wi:d] *n* piktžolė; *v* ravėti
week [ˈwi:k] *n* savaitė; **~day** [-deɪ] *n* darbo diena; **~end** [-ˈend] *n* savaitgalis; **~ly** *a* savaitinis; *n* savaitraštis
weep [wi:p] *v* (**wept** [wept]) verkti
weigh [weɪ] *v* 1) (pa)sverti; 2) *perk.* slėgti
weight [ˈweɪt] *n* svoris; **~lessness** *n* nesvarumas
weird [wɪəd] *a* keistas, nesuprantamas
welcome [ˈwelkəm] *v* sveikinti; *a* laukiamas, mielas; ◊ y o u ' r e ~ prašom, nėra už ką
welfare [ˈwelfɛə] *n* gerovė
well I [wel] *n* šulinys
well II *adv* (**better** [ˈbetə], **best** [best]) gerai; t o b e ~ būti sveikam, gerai jaustis
well-being [ˈwelˈbi:ɪŋ] *n* gerovė; gera savijauta
well-known [ˈwelˈnəun] *a* žinomas, garsus, įžymus
we'll = we will, we shall
well-off [ˈwelˈɔf] *a* pasiturintis
went *žr.* **go**
were [wə:, wə] *v past pl žr.* **be**
weren't [wə:nt] = **were not**
Welsh [welʃ] *a* valų; Velso; *n* 1) (t h e ~) velsiečiai; valai; 2) valų kalba
west [ˈwest] *n* vakarai; **~ern** [-ən] *a* vakarinis, vakarų; **~ward** [-wəd] *adv* į vakarus, vakarų kryptimi
wet [wet] *a* šlapias
whale [weɪl] *n* banginis
wharf [wɔ:f] *n* prieplauka
what [wɔt] *pron* kas; **~ever** [-ˈevə] *pron* kad ir kas būtų
wheat [wi:t] *n* kviečiai
wheel [ˈwi:l] *n* 1) ratas; 2) vairas; **~barrow** [-bærəu] *n* ka-

rutis, vienratis; **~chair** [-tʃɛə] *n* invalido vežimėlis

when [wen] *adv*, *cj* kada, kai; **~ever** [-evə] *adv* kada tik, kai tik

where [wɛə] *adv*, *cj* kur; **~as** [-ˈæz] *cj* o, tuo tarpu; **~ever** [-evə] *adv* kur tik *cj* kad ir kur būtų, kur be

whether [ˈweðə] *cj* ar

which [wɪtʃ] *pron* kuris; katras; **~ever** [-evə] *pron* bet kuris

while [waɪl] *n* laikas; f o r a ~ valandėlę, valandėlei; *cj* 1) (*tuo metu*) kai; kol; 2) nepaisant to, kad nors ir

whilst [waɪlst] *cj* = **while**

whimper [ˈwɪmpə] *v* verkšlenti; *n* verkšlenimas

whine [waɪn] *v* 1) kaukti, gausti; 2) unkšti; *n* kauksmas, gausmas

whip [wɪp] *v* čaižyti, pliekti; *n* botagas

whiskers [ˈwɪskəz] *pl* 1) ūsai; 2) žandenos

whisky [ˈwɪskɪ] *n* viskis, degtinė

whisper [ˈwɪspə] *v* šnabždėti

whistle [ˈwɪsl] *v* švilpti; *n* 1) švilpukas; 2) švilpimas

white [waɪt] *a* 1) baltas; 2) išblyškęs

whizz [wɪz] *v* *šnek.* zvimbti, lėkti

who [hu:] *pron* kas (*apie asmenį*); kuris; **~ever** [hu:ˈevə] *pron* 1) kad ir kas; 2) kas tik

whole [həul] *a* visas, ištisas; ◊ o n t h e ~ iš viso, apskritai; **~sale** [-seɪl] *n* didmeninis pardavimas; *adv* didmenomis; urmu

wholly [ˈhəulɪ] *adv* visiškai, absoliučiai

whom [hu:m] *pron* ką, kam; kurį (*plg.* **who**)

whose [hu:z] *pron* kieno; kurio

why [waɪ] *adv* kodėl; *int* na!, nagi!

wicked [ˈwɪkɪd] *n* negeras, nedoras

wide [ˈwaɪd] *a* 1) platus; 2) didžiulis, didelis; 1 m ~ vieno metro pločio; *adv* plačiai; **~spread** [-spred] *a* plačiai paplitęs

widow [ˈwɪdəu] *n* našlė; **~er** *n* našlys

width [wɪdθ] *n* plotis

wife [waɪf] *n* (*pl* **wives** [waɪvz]) žmona

wig [wɪg] *n* perukas

wild [waɪld] *a* 1) laukinis; 2) audringas

will I [wɪl] *n* 1) valia; 2) testamentas

will II *v* (**would**) 1) *mod* norėti; malonėti (*ko prašant*); 2) *sudaro būsimąjį laiką*; h e ~ g o jis eis

willing ['wılıŋ] *a* pasiruošęs, norintis; **~ly** *adv* noriai
willow ['wıləu] *n* gluosnis, karklas
win [wın] *v* (**won** [wʌn]) 1) laimėti; 2) išlošti
wind I [wınd] *n* vėjas
wind II [waınd] *v* (**wound** [waund]) 1) vynioti (*siūlus ir pan.*); 2) (už)sukti (*pvz., laikrodį*)
windmill ['wındmıl] *n* vėjo malūnas
window ['wındəu] *n* langas; **~pane** [-peın] *n* lango stiklas; **~sill** [-sıl] *n* palangė
windscreen ['wındskri:n] *n aut.* priekinis stiklas; **~wiper** stiklo valytuvas
windy ['wındı] *n* vėjuotas
wine [waın] *n* vynas
wing [wıŋ] *n* sparnas
wink [wıŋk] *v* mirktelėti; *n* mirktelėjimas
winn|er ['wınə] *n* laimėtojas; **~ing** *a attr* 1) laimintysis; 2) žavus, kerintis
winter ['wıntə] *n* žiema
wipe [waıp] *v* šluostyti, valyti
wire ['waıə] *n* 1) viela; 2) laidas
wisdom ['wızdəm] *n* išmintis
wise [waız] *a* protingas, išmintingas
wish [wıʃ] *v* 1) norėti; 2) linkėti; *n* 1) noras; 2) linkėjimas
wit [wıt] *n* 1) sveikas protas; q u i c k ~s sumanus, nuovokus 2) sąmojis; 3) sąmoningas žmogus
with [wıð] *prep* 1) su; kartu; 2) *reiškia įrankį, priemonę; verčiama nagininku*; ~ a k n i f e peiliu; 3) (*reiškia priežastį*); ~ f e a r iš baimės
withdrow [wıð'drɔ:] *v* (**withdrew** [wıð'dru:], **withdrawn** [wıð'drɔ:n]) 1) pasitraukti, pasišalinti; 2) *kar.* at(si)traukti; **~al** *n* 1) pasitraukimas; 2) nutraukimas
wither ['wıðə] *v* (nu)vysti; (su)džiūti
within [wı'ðın] *prep, adv* viduje; f r o m ~ iš vidaus; ~ a y e a r metų laikotarpyje
without [wıð'aut] *prep* be; t o d o ~ s m t h apsieiti be ko
witness ['wıtnıs] *n* liudininkas; *v* liudyti
witty ['wıtı] *a* sąmojingas
wobble ['wɔbl] *v* 1) svirduliuoti; 2) klibėti
woke, woken *žr.* **woke**
wolf [wulf] *n* (*pl* **wolves** [wulvz]) vilkas
woman ['wumən] *n* (*pl* **women** ['wımın]) moteris
won *žr.* **win**
wonder ['wʌndə] *v* 1) stebėtis; 2) norėti žinoti
wonderful ['wʌndəfl] *a* nuo-

stabus, puikus
won't [wəunt] = **will not**
wood ['wud] *n* 1) miškas; 2) mediena, malkos; **~ed** *a* miškingas; ;**~en** medinis; **~land** [-lənd] *n* miškinga vietovė
wool [wul] *n* vila; **~len**, **~ly** *a* vilnonis
word ['wə:d] *n* žodis; **~ing** *n* suformulavimas; formuluotė
wore *žr.* **wear**
work ['wə:k] *n* 1) darbas; 2) veikalas, kūrinys; *v* dirbti; **~er** *n* darbininkas; **~ing** *a* 1) dirbantis; veikiantis; darbo; **~s** *n* 1) gamykla; įmonė; 2) *pl* darbai; **~shop** [-ʃɔp] *n* cechas; dirbtuvė
world [wə:ld] *n* pasaulis; **~wide** [-'waɪd] *a* pasaulio masto
worm [wə:m] *n* kirmėlė
worn *žr.* **wear**
worried ['wʌrɪd] *a* neramus, nerimastingas, susirūpinęs
worry ['wʌrɪ] *v* nerimauti; jaudinti(s)
worse [wə:s] (*aukštesnysis laipsnis iš* **bad(ly)**) *a* blogesnis; *adv* blogiau
worship ['wə:ʃɪp] *v* garbinti, dievinti
worst [wə:st] (*aukščiausias laipsnis iš* **bad(ly)**) *a* blogiausias; *adv* blogiausia
worth ['wə:θ] *a* vertas; *n* vertė; **~less** *a* bevertis; **~while** [-waɪl] *a attr* apsimokamas, vertas; **~ly** [-ðɪ] *a* kilnus, vertas, nusipelnęs (of)
would [wud, wəd] *v past iš* **will**; 1) *sudaro santykinį būsimąjį laiką*: he said he ~ come jis sakė, kad ateis; 2) *tariamosios nuosakos formoms sudaryti*: if he knew he ~ come jei jis žinotų, ateitų; 3) reiškiant pasikartojantį veiksmą, praeityje verčiamu būtuoju dažniniu laiku
wouldn't ['wudnt] = **would not**
wound [wu:nd] *n* žaizda; *v* 1) sužeisti; 2) įžeisti
wounded ['wu:ndɪd] *a* sužeistas; *n* (the ~) sužeistieji
wrap [ræp] *v* 1) (į)vynioti; 2) (ap)supti, apsiausti; **~per** *n* įvynioklis; vyniojamas popierius (*t.p.* ~ping paper)
wreath [ri:θ] *n* vainikas
wreck [rek] *v* to be ~ed (su)dužti, (su)žlugdyti; *n* **~age** sudužusio laivo/automobilio liekanos
wrench [rentʃ] *v* 1) timptelti, išplėšti; 2) išnirti; *n* 1) išnirimas; 2) trūktelėjimas
wrestl|e ['resl] *v* eiti imtynių; **~r** *n* imtynininkas; **~ing** *n* imtynės
wretched ['retʃɪt] *a* 1) vargšas, nelaimingas; 2) niekam tikęs

wriggle ['rɪgl] *v* 1) sukinėti(s); 2) išsisukti
wring [rɪŋ] *v* (**wrung** [rʌŋ]) (iš)gręžti
wrinkle ['rɪŋkl] *n* raukšlė; *v* raukšlėti(s); **~d** *a* raukšlėtas
wrist ['rɪst] *n* riešas; **~watch** [-wɔtʃ] *n* rankinis laikrodis
write [raɪt] *v* (**wrote** [rəut], **written** ['rɪtn]) rašyti; to ~ down už(si)rašyti
writer ['raɪtə] *n* rašytojas
writing ['raɪtɪŋ] *n* 1) rašymas; raštas, užrašas; in ~ raštu; 2) *pl* raštai, kūriniai
written *žr.* **write**
wrong [rɔŋ] *a* 1) neteisingas; klaidingas; 2) neteisus; to be ~ būti neteisiam; 3) negeras, blogas; anything ~? ar kas nutiko?; *n* skriauda, nuoskauda; **~ly** *adv* klaidingai
wrote *žr.* **write**
wrung [rʌŋ] *žr.* **wring**
wry [raɪ] *a* 1) kreivas; 2) iškreiptas

X

Xmas ['krɪsməs] *sutr. šnek.* Kalėdos
X-ray ['eksreɪ] *n* (*ppr.pl*) rentgeno spinduliai; rentgeno nuotrauka; *v* peršviesti rentgeno spinduliais

Y

yacht [jɔt] *n* jachta; **~ing** *n sport.* buriavimas
Yankee ['jæŋkɪ] *n šnek.* jankis, amerikietis
yard I [jɑ:d] *n* kiemas
yard II *n* jardas (=91,44 cm)
yawn [jɔ:n] *v* žiovauti
year ['jɪə, 'jə:] *n* metai; the New Year Naujieji metai; **~ly** *a* metinis; *adv* kasmet
yearn [jə:n] *v* trokšti (*ko*), labai norėti
yeast [ji:st] *n* (*tik sg*) mielės
yell [jel] *v* šaukti, klykti; *n* šauksmas, riksmas
yellow ['jeləu] *a* geltonas
yelp [jelp] *n* 1) amtelėjimas; 2) spiegimas; *v* 1) amčioti; 2) (su)spiegti
Yemen ['jemən] *n* Jemenas
yes [jes] taip
yesterday ['jestədɪ] *adv* vakar
yet [jet] *adv* 1) dar; not ~ dar ne; 2) *cj* tačiau, jau
yield [ji:ld] *n* 1) derlius; 2) (*produkcijos*) kiekis; milk ~ primilžis; *v* 1) nusileisti; pasiduoti; 2) gauti (*derlių, pelną*)

yoghurt, yoghourt ['jɔgət] *n* jogurtas
yoke [jəuk] *n* jungas
yolk [jəuk] *n* kiaušinio trynys
you [ju:] *pron* jūs, tu; jus, tave; jums, tau
you'd [ju:d] = **you had; you would**
you'll [ju:l] = **you will**
young [jʌŋ] *a* jaunas; *n* (the ~) jaunimas
your [jɔ:] *pron* jūsų, tavo; **~s** *pron* jūsų, tavo (*be dktv.*); **~self** [-'self] *pron* tu pats; look at ~self pažiūrėk į save! wash ~self (~selfes) nusiprausk (nusipraukite)!
you're = **you are**
youth ['ju:θ] *n* 1) jaunystė; 2) jaunimas; 3) paauglys, jaunuolis, -ė; *a* jaunimo; **~hostel** jaunų turistų stovykla/bazė

Z

zebra ['zi:brə] *n* zebras; ~ crossing pėsčiųjų perėja
zero ['zɪərəu] *n* nulis
zig-zag ['zɪgzæg] *n* zigzagas
zinc [zɪŋk] *n* cinkas
zip ['zɪpə, zɪp] (*amer.* **zipper**) *n* užtrauktukas; *v* užsekti užtrauktuku (*t.p.* ~ up)
zodiac ['zəudɪæk] *n* zodiakas; signs of the ~ Zodiako ženklai
zone [zəun] *n* zona, juosta, rajonas
zoo [zu:] *n* zoologijos sodas
zoology [zəu'ɔlədʒɪ] *n* zoologija
zoom [zu:m] *v šnek.* 1) (pra)švilpti, (pra)zvimbti; 2) *komp.* keisti vaizdo mastelį

NETAISYKLINGAI KAITOMI ŽODŽIAI
(lietuvių anglų žodyno dalyje pažymėti žvaigždute *)

I. Daiktavardžiai:
po dvitaškio rašomos daugiskaitos formos.

bath vonia: baths [-ðz]
calf [kɑ:f] veršis: calves [kɑ:vz]
child vaikas: chíldren
deer elnias: deer
foot [fut] koja; pėda: feet
goose [gu:s] žąsis: geese
half [hɑ:f] pusė: halves [hɑ:vz]
house [-s] namas: hóuses [-ziz]
knife peilis: kníves
leaf lapas: leaves
life gyvenimas: lives
loaf kepalas: loaves
louse [-s] utėlė: lice
man vyras, žmogus: men
mouse pelė: mice
mouth burna: mouths [-ðz]
oath priesaika: oaths [-ðz]
ox jautis: óxen
path takas: paths [-ðz]
scarf šalikas: scarves/ scarfs
sheaf pėdas: sheaves
sheath makštis: sheaths [-ðz]
sheep avis: sheep
shelf lentyna: shelves
thief [θi:f] vagis: thieves [θi:vz]
tooth dantis: teeth
wharf prieplauka: wharves/ wharfs
wife žmona: wives
wolf [wu-] vilkas: wolves [wu-]
wóman [ˈwu-] moteris: **wó**men [ˈwɪmɪn]
wreath vainikas: wreaths [-ðz]
youth [ju:ˈð] jaunuolis: youths [ju:ðz]

II. Būdvardžiai ir prieveiksmiai:
po dvitaškio pateikiamos aukštesniojo ir aukčiausiojo laipsnių formos.

bad blogas: worse; worst
bád(ly) blogai: worse; worst
far tolimas *ir* **far** toli: fárther/fúrther [-ðə/-ðə]; fárthest/fúrthest [-ð-/-ð-] (*perk. prasme tik* fúrther)
good geras: bétter; best
ill nesveikas ir **ill** blogai: worse; worst
líttle mažai; máža: less; least
mány daug *pl*: more; most
much daug *sing*: more; most
well gerai: bétter; best

III. Veiksmažodžiai:
po dvitaškio pateikiami netaisyklingųjų veiksmažodžių būtasis laikas (past tense) ir II dalyvis (participle II, past participle). Modaliniai veiksmažodžiai turi tik būtąjį laiką. Kitos visų veiksmažodžių vientisinės formos sudaromos taisyklingai.

aríse kilti, atsirasti: aróse; arísen
awáke žadinti; busti: awóke; awóken
be būti (*pres* am, is, are): was, were; been
bear gimdyti: bore; borne *ir* born; *forma* born *vartojama junginyje* be born gimti *ir savarankiškai reikšme gimęs* (*bet*: borne by her jos pagimdytas)
beat mušti: beat; béaten
becóme tapti: becáme; becóme
begín pradėti: begán; begún
bend lenkti(s): bent; bent
bind rišti: bound; bound
bite kąsti: bit, bít(ten)
bleed kraujuoti: bled; bled
blow pūsti: blew; blown
break laužti: broke; bróken
breed veisti: bred; bred
bring atnešti: brought; brought
build statyti: built; built

burn deg(in)ti: burnt; burnt
burst sprogti: burst; burst
buy pirkti: bought; bought
can *pres* galiu: could
cast mesti: cast; cast
catch gaudyti: caught; caught
choose (pasi)rinkti: chose; chósen
cleave skelti, skilti: clove/cleft/ cleaved; cleaved/clóven/cleft
cling kibti: clung; clung
come ateiti: came; come
cost kainuoti: cost; cost
creep šliaužti: crept; crept
cut pjauti: cut; cut
deal smogti: dealt; dealt
dig kasti: dug; dug
do daryti (*pres* 3.*sing* does): did; done
draw traukti; piešti: drew; drawn
dream sapnuoti, svajoti: dreamt/dreamed; dreamt/ dreamed
drink gerti: drank; drunk
drive varyti; vairuoti: drove; dríven
dwell gyventi: dwelt; dwelt
eat valgyti: ate [et, eit]; éaten
fall kristi: fell; fállen
feed maitinti: fed; fed
feel jausti: felt; felt
fight kovoti: fought; fought
find rasti: found; found
flee bėgti: fled; fled
fling sviesti: flung; flung
fly skristi: flew; flown
forbíd (už)drausti: forbáde; forbídden
forgét užmiršti: forgót; forgótten
forgíve atleisti: forgáve; forgíven
freeze šalti: froze; frózen
get gauti; tapti *irkiti*: got; got (gótten *amer.*)
give duoti: gave; gíven
go eiti: went; gone
grind malti; galąsti: ground; ground
grow augti: grew; grown
hang kabėti; karti: hung; hung; *reikšme* karti (*bausti*): hanged; hanged
have turėti (*pres* 3.*sing* has): had; had
hear girdėti: heard; heard
hide slėpti: hid; híd(den)
hit trenkti; pataikyti: hit; hit
hold laikyti: held; held
hurt sužeisti: hurt; hurt
keep laikyti: kept; kept
kneel klaupti(s): knelt; knelt
knit megzti: knít(ted); knít(ted)
know žinoti: knew; known
lay dėti: laid; laid
lead vesti: led; led
lean palinkti, atsiremti: leant/ leaned; leant/leaned

leap šokti: leapt/leaped; leapt/ leaped
learn [lə:n] mokytis: learnt/ learned; learnt/learned
leave palikti: left; left
lend (pa)skolinti: lent; lent
let leisti: let; let
lie gulėti: lay; lain
light apšviesti: lit/líghted; lit/ líghted
lose pamesti: lost; lost
make daryti: made; made
may *pres* galiu: might
mean reikšti: meant; meant
meet su(si)tikti: met; met
misléad klaidinti: misléd; misléd
mistáke suklysti: mistóok; mistáken
mow pjauti: mowed; mowed/ mown
pay mokėti: paid; paid
put dėti, statyti: put; put
read skaityti: read; read
ride joti, važiuoti: rode; rídden
ring skambėti, skambinti: rang; rung
rise kilti: rose; rísen
run bėgti: ran; run
saw pjauti: sawed; sawn/ sawed
say sakyti (*pres 3.sing* says): said; said
see matyti: saw; seen
seek ieškoti: sought; sought
sell parduoti: sold; sold
send siųsti: sent; sent
set (nu)statyti: set; set
sew siūti: sewed; sewn/sewed
shake kratyti: shook; sháken
shall *pres* turi: should
shear kirpti: sheared; shorn/ sheared
shed (pra)lieti: shed; shed
shine šviesti: shone; shone
shoe kaustyti: shod; shod
shoot šauti: shot; shot
show rodyti: showed; shown
shrink susitraukti: shrank; shrunk
shut uždaryti: shut; shut
sing dainuoti: sang; sung
sink skęsti: sank; sunk
sit sėdėti: sat; sat
sleep miegoti: slept; slept
slide slysti: slid; slid
sling sviesti: slung; slung
slink sėlinti: slunk; slunk
slit rėžti: slit; slit
smell kvepėti; uostyti: smelt; smelt
sow sėti: sowed; sowed/sown
speak kalbėti: spoke; spóken
speed greitinti: sped/spéeded; sped/spéeded
spell skaityti/rašyti (*žodį*) paraidžiui: spelt/spelled; spelt/ spelled
spend (iš)leisti: spent; spent
spill išpilti, pralieti: spilt/ spilled; spilt/spilled

spin verpti: spun; spun
spit spjauti: spat; spat
split skilti: split; split
spoil gadinti: spoilt/spoiled; spoilt/spoiled
spread plisti: spread; spread
spring šokti; kilti: sprang; sprung
stand tovėti: stood; stood
steal vogti; sėlinti: stole; stólen
stick įsmeigti; kyšoti: stuck; stuck
sting dvokti: stank; stunk
strew barstyti: strewed; strewn/strewed
stride žengti (*dideliais žingsniais*): strode; strídden
strike šerti, mušti: struck; struck
string verti: strung; strung
strive siekti: strove; stríven
swear prisiekti: swore; sworn
sweep šluoti: swept; swept
swell tinti: swelled; swóllen/swelled
swim plaukti: swam; swum
swing supti(s): swung; swung
take imti: took; táken
teach mokyti: taught; taught
tear plėšti: tore; torn
tell pasakoti; sakyti: told; told
think galvoti: thought; thought
thrive klestėti: throve; thríven
throw mesti: threw; thrown
thrust kišti: thrust; thrust
tread užminti: trod; tródden
understánd suprasti: understóod; understóod
undertáke imtis (*ko nors*): undertóok; undertáken
upsét apversti: upsét; upsét
wake (pa)busti; žadinti: woke/waked; waked/wóken
wear dėvėti: wore; worn
weave austi: wove; wóven
weep verkti: wept; wept
will *pres* noriu: would
win laimėti: won; won
wind raitytis; vinguriuoti: wound; wound
withdráw atsitraukti: withdréw; withdráwn
withhóld sulaikyti: withhéld; withhéld
withstánd atsilaikyti: withstóod; withstóod
wring gręžti: wrung; wrung
write rašyti: wrote; wrítten

GEOGRAFINIAI VARDAI

ež.- ežeras
kl. - kalnas
m. - miestas
sl.- sala
up.- upė

Adrijos jūra the Adriátic Sea
Afganistanas Afghánistan
Afrika África
Airija Íreland
Albanija Albánia
Aleutų salos Aleútian Íslands
Aliaska Aláska
Alma Ata *m*. Alma-Áta
Alpės *kl*. the Alps
Altajus *kl*. the Altái
Alžyras 1) (*šalis*) Algéria; 2) *m*. Algíers
Amazonė *up*. the Ámazon
Amerika América
Amsterdamas *m*. Ámsterdám
Amūras *up*. the Amúr
Anglija Éngland
Andai *kl*. the Ándes
Ankara *m*. Ánkara
Antarktika the Antárctica
Antarktis the Antárctic Regions *pl*
Antilų salos the Antílles
Apeninai *kl*. Ápennines
Arabija Arábia
Aralo jūra the Áral Sea
Araratas *kl*. Árarat
Ardėnai *kl*. the Ardénnes
Argentina Argentína
Arktis the Árctic
Armėnija Arménia
Artimieji Rytai Near East *sing*
Aščhabadas *m*. Ashkhabád
Atėnai *m*. Áthens
Atlanto vandenynas the Atlántic Ócean
Australija Austrália
Austrija Áustria
Azerbaidžanas Azerbaiján
Azija Ásia
Azovo jūra the Sea of Ázov

Bagdadas *m*. Bag(h)dád
Baikalas *ež*. the Baikál
Baku *m*. Bakú
Balkanų kalnai the Bálkan Móuntains; the Bálkans; **Balkanų pusiasalis** the Bálkan Península
Baltarusija Belarús
Baltijos jūra the Báltic (Sea)
Baltoji jūra the White Sea
Bangladešas Bangladésh
Barenco jūra the BárentsSea
Beirutas *m*. Beirút
Belgija Bélgium
Belgradas m. Belgráde
Beringo jūra the Béring Sea; **Beringo sąsiauris** the Béring Strait(s)
Berlynas *m*. Berlín
Bernas *m*. Bern(e)
Birma Búrma(h); *dabar t.p.* Miangma
Birmingamas *m*. Bírmingham
Biskajos įlanka the Bay of Bíscay

Biškekas Bishkéck
Bolivija Bolívia
Bombėjus *m.* Bombáy
Borneo *sl.* Bórneo
Bosforas the Bósporus
Bosnija Bósnia
Bostonas *m.* Bóston
Botsvana Botswána
Braitonas *m.* Bríghton
Bratislava *m.* Bratisláva
Brazilija Brazíl
Briuselis *m.* Brússels
Budapeštas *m.* Búdapest
Buenos Airės *m.* Búenos Áires
Bukareštas *m.* Búcharest
Bulgarija Bulgária

Ceilonas *sl.* Ceylón
Ciurichas *m.* Zúrich

Čekija Czech Repúblic, Czéchia
Čikaga *m.* Chicágo
Čilė Chíle

Damaskas *m.* Damáscus
Danija Dénmark
Dardanelai, Dardanelų sąsiauris the Dardanélles
Delis *m.* Délhi
Detroitas *m.* Detróit
Didysis/Ramusis vandenynas the Pacífic Ócean
Didžioji Britanija Great Brítain
Dnepras *up.* the Dníeper
Dnestras *up.* the Dníester
Donas *up.* the Don
Dublinas *m.* Dúblin
Dunojus *up.* the Dánube
Dušanbė *m.* Dyushámbe
Duvras *m.* Dóver
Džakarta *m.* Djakárta
Džomolungma *kl.* Chomolúngma

Edinburgas *m.* Édinburgh
Egėjo jūra the Aegéan Sea
Egiptas Égypt
Ekvadoras Écuador
Elba *sl.* Élba
Elbė *up.* the Elbe
Elbrusas *kl.* Élbrus
Estija Estónia
Etiopija Ethiópia
Etna *kl.* Étna
Europa Eúrope
Everestas *kl.* Éverest; *dabar* Džomolungma

Farerų salos the Fá(e)roes
Filadelfija *m.* Philadélphia
Filipinai (*šalis*) the Phílippines; *sl.* the Phílippine Íslands
Florida Flórida (*JAV valstija ir pusiasalis*)

Gana Ghána
Gangas *up.* the Gánges
Gibraltaras Gibráltar
Glazgas *m.* Glásgow
Golfo srovė the Gulf Stream
Graikija Greece
Grenlandija *sl.* Gréenland
Grinvičas *m.* Gréenwich
Gruzija Geórgia
Gvinėja Guínea

Haga *m.* the Hague
Hamburgas *m.* Hámburg
Havajų salos the Hawáiian Íslands

Helsinkis *m*. Hélsinki
Himalajai *kl*. the Hi-maláya(s)
Hirosima *m*. Hiróshima
Honkongas *m*. Hong Kong

Indija Índia
Indijos vandenynas the Índian Ócean
Indonezija Indonésia
Irakas Iráq
Iranas Irán
Islandija Íceland
Ispanija Spain
Italija Ítaly
Izraelis Ísrael

Japonija Japán
Java *sl*. Jáva
Jemenas Yémen
Jenisejus *up*. the Yeniséi
Jerevanas *m*. Yereván
Jeruzalė *m*. Jerúsalem
Jungtinės Amerikos Valstijos the United States of América
Juodoji jūra the Black Sea

Kabulas *m*. Kábul
Kairas *m*. Cáiro
Kalifornija Califórnia
Kaliningradas *m*. Kalíningrad
Kalkuta *m*. Calcútta
Kambodža Cambódia
Kamčiatka Kamchátka
Kamerūnas Cameroēon
Kampučija Kampushéa
Kanada Cánada
Karakumai the Kara Kúm
Karelija Karélia
Karpatai *kl*. the Carpáthians; the Carpáthian Móuntains
Kaspijos jūra the Cáspian Sea
Kaukazas the Cáucasus
Kaunas *m*. Káunas
Kazachstanas Kazakhstán
Kembridžas *m*. Cámbridge
Kentukis Kentúcky
Kijevas *m*. Kíev
Kinija Chína
Kirgizstanas Kirghizstán
Kišiniovas *m*. Kishinév
Klaipėda *m*. Kláipeda
Klondaikas the Klóndike
Kolumbija Colómbia
Kongas Cóngo; *up*. the Cóngo
Kopenhaga *m*. Copenhágen
Kordiljerai *kl*. the Cordilléra
Korėja Koréa; **Pietų [Šiaurės] K.** South [North] Koréa
Koventris *m*. Cóventry
Kreta *sl*. Crete
Krymas the Criméa
Kroatija Croátia
Kuba *sl*. Cúba
Kurilų salos the Kuríl Íslands
Kuršių marios the Curónian Bay;
Kuršių nerija the Curónian Isthmus/Spit
Kvebekas *m*. Quebéc

Lamanšas the Énglish Chánnel
Laosas Láos
Latvija Látvia
Lena *up*. the Léna
Lenkija Póland
Lesotas Lesoētho
Libanas Lébanon
Liberija Liberija
Libija Líbya
Lichtenšteinas Líechtenstein
Lidsas *m*. Leeds
Lietuva Lithuánia
Lisabona *m*. Lísbon

Liuksemburgas Lúxemburg
Liverpulis *m.* Lìverpool
Lodzė *m.* Lodz
Londonas *m.* Lóndon
Los Andželas *m.* Los Ángeles
Lvovas *m.* Lvov

Madagaskaras *sl.* Madagáscar
Madera *sl.* Madéira
Madridas *m.* Madrìd
Makedonija Macedónia
Malaizija Maláysia
Malaja Maláya
Malis Maẽli
Maljorka *sl.* Majórka, Mallórca
Malta Maẽlta
Mančesteris *m.* Mánchester
Marmuro jūra the Sea of Mármara
Marokas Morócco
Masačiusetsas Massachúsetts
Maskva *m.* Móscow
Mauritanija Mauritánia
Medina *m.* Medìna
Meka *m.* Mécca
Meksika México
Melburnas *m.* Mélbourne
Mičiganas Mìchigan
Minskas *m.* Minsk
Misisipė the Mississìppi
Misuris the Missóuri
Miunchenas *m.* Múnich
Moldova Moldóva
Monblanas *kl.* Mont Blanc
Monakas Mónaco
Mongolija Mongólia
Monrealis *m.* Montreál
Montevidėjas *m.* Montevidéo
Mozambikas Mozambìque

Nagasakis *m.* Nagasáki
Namibija Namìbia
Nankinas *m.* Nankìng
Naujoji Gvinėja *sl.* New Guìnea
Naujoji Zelandija New Zéaland
Negyvoji jūra the Dead Sea
Neapolis *m.* Náples
Nemunas *up.* the Némunas
Neva *up.* the Néva
Nepalas Nepál
Neris *up.* the Néris
Niagara *up.* the Niágara
Nyderlandai the Nétherlands
Nigerija Nigéria
Nikaragva Nicarágua
Nilas *up.* the Nile
Niujorkas *m.* New York
Normandija Nórmandy
Norvegija Nórway

Obė *up.* the Ob
Ochotsko jūra the Sea of Okhótsk
Okeanija Oceánia
Oksfordas *m.* Óxford
Olandija Hólland
Olsteris Úlster
Orknio salos the Órkney Ìslands
Oslas *m.* Óslo
Otava *m.* Óttawa

Pa de Kalė (*sąsiauris*) the**Straits of Dóver**
Pakistanas Pakistán
Palestina Pálestine
Pamyras *kl.* the Pamìrs
Panama Panamá; **Panamos kanalas** the Panamá Canál
Paragvajus Páraguay
Paryžius *m.* Páris

Pchenjanas *m*. Pyóngyáng
Pekinas *m*. Pekíng
Persijos álanka the Pérsian Gulf
Peru Perú
Pietų Afrika South África (*šalis*)
Pietų Amerika South América
Pirėnai *kl*. the Pyrenées
Polinezija Polynésia
Portugalija Pórtugal
Praga *m*. Prague
Prancūzija France
Prūsija Prússia
Puerto Rikas *sl*. Puerto Ríco

Ramusis/Didysis vandenynas the Pacífic Ócean
Raudonoji jūra the Red Sea
Reikjavikas *m*. Réykjavik
Reinas *up*. the Rhine
Ryga *m*. Ríga; **Rygos įlanka** the Gulf of Ríga
Rio de žaneiras *m*. Rio de Janéiro
Roma *m*. Rome
Rumunija Ro(u)mánia
Rusija Rússia

Sachalinas *sl*. Sákhalín
Sachara the Sahára
Saksonija Sáxony
San Franciskas *m*. San Francísco
Sankt Peterburgas *m*. St. Pétersburg
Sardinija *sl*. Sardínia
Saudo Arabija Saudi Arábia
Sena *up*. the Seine
Senegalas Senegál
Serbija Sérbia
Seulas *m*. Seoul
Sibiras Sibéria
Sicilija *sl*. Sícily
Silezija Silésia
Singapūras Singapóre
Sirija Sýria
Skandinavija Scandinávia
Slovakija Slovákia
Slovėnija Slovénia
Sofija *m*. Sófia
Somalis Somália
Stambulas *m*. Stambúl
Stokholmas *m*. Stóckholm
Strasburas *m*. Strásbourg
Sudanas the Sudán
Sueco kanalas the Súez Canál
Sumatra *sl*. Sumátra
Suomija Fínland

Šanchajus *m*. Shanghái
Šiaurės Airija Northern Íreland
Šiaurės Amerika North América
Šiaurės jūra the North Sea
Škotija Scótland
Špicbergenas *sl*. Spítsbergen
Šri Lanka Sri Lánka
Švedija Swéden
Šveicarija Swítzerland

Tadžikistanas Tajikistán
Tailandas Tháiland
Taivanis *sl*. Taiwán
Talinas *m*. Tállinn
Tanzanija Tanzanía
Tasmanija *sl*. Tasmáni.
Taškentas *m*. Tashként
Tbilisis *m*. Tbilísi
Teheranas *m*. Teh(e)rán
Tel Avivas *m*. Tél Avív

Temzė *up*. the Thames
Tian šanis *kl*. Tien Shán
Tibetas Tibét
Tirana *m*. Tirána
Togas Tógo
Tokijas *m*. Tókyo
Torontas *m*. Torónto
Tunisas (*šalis*) Tunísia; *m*. Túnis
Turkija Túrkey
Turkmėnistanas Turkmenistán
Uganda Ugánda
Ukraina the Ukráine
Ulan Batoras *m*. Úlan Bátor
Uoliniai kalnai the Rócky Móuntains
Uralas *kl*. the Úrals
Urugvajus Úruguay
Uzbekistanas Uzbekistán

Vaito sala the Isle of Wight
Varšuva *m*. Wársaw
Vašingtonas *m*. Wáshington
Vatikanas Vátican
Velsas Wales
Venecija *m*. Vénice
Venesuela Venezuéla
Vengrija Húngary
Versalis *m*. Versaílles
Viduržemio jūra the Mediterránean (Sea)
Viena *m*. Viénna
Vietnamas Vietnám
Vilnius *m*. Vílnius
Vysla *up*. the Vístula
Vokietija Gérmany
Volga *up*. the Vólga
Vroclavas *m*. Wróclaw

Zagrebas *m*. Zágreb
Zambija Zámbia
Zelandija *s*. Zéaland
Zimbabvė Zímbabwe

Ženeva ***m*. Genéva**

Piesarskas, Bronislovas

Pi27 Lietuvių-anglų, anglų-lietuvių kalbų žodynas = Lithuanian-English, English-Lithuanian dictionary : 12 000 + 13 000 = 25 000 žodžių ir posakių / B. Piesarskas. – 2-oji laida. – Vilnius : FNS Group, 2011. – 397, [13] p.

ISBN 978-609-8057-00-3

UDK 801.3=882=20

2011
FNS Group
leidykla SIROKAS

spausdino
UAB „Spindulio spaustuvė"
Vakarinis aplinkkelis 24, Kaunas